Pour donner direction à sa vie
S'ORIENTER !

Le conseiller d'orientation : un conseiller, un *coach*, un expert en développement de carrière

Ordre des conseillers et conseillères d'orientation et des psychoéducateurs et psychoéducatrices du Québec

SECTEUR ORIENTATION

www.orientation.qc.ca

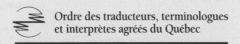

2008

LE GUIDE

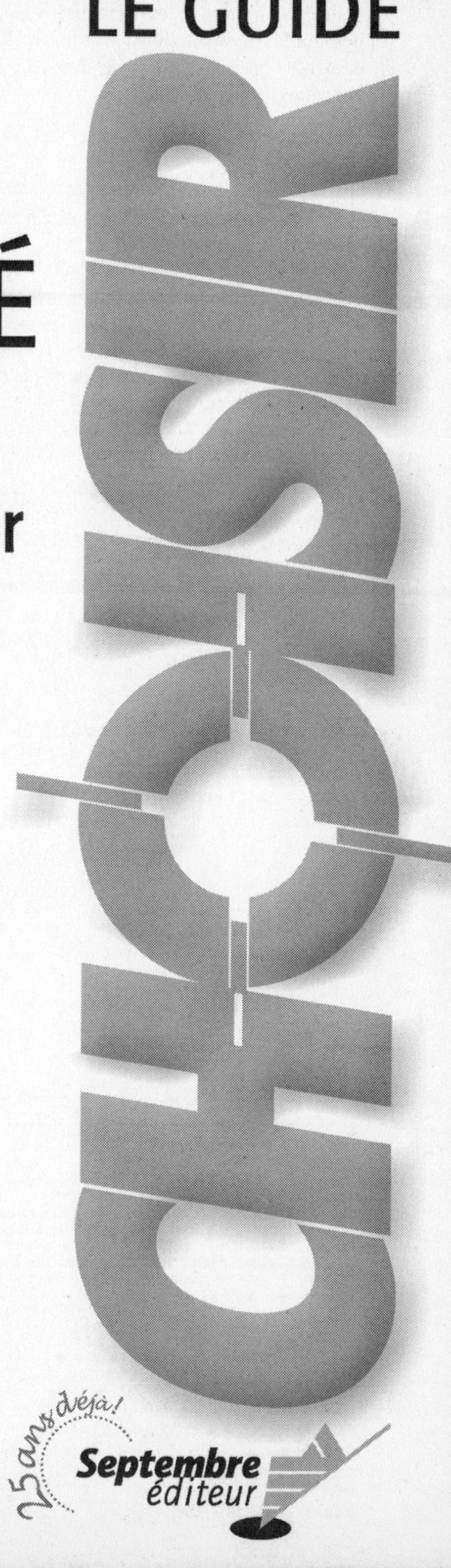

UNIVERSITÉ

Tout ce qu'il faut savoir pour franchir les portes de l'université

Remerciements

Nous tenons à remercier **les personnes-ressources des établissements collégiaux et universitaires** qui ont participé à la validation des données qui sont présentées dans cette édition.

Note de l'éditeur

Dans le présent ouvrage, le genre masculin est utilisé sans aucune discrimination.

Pour la mise à jour nous utilisons habituellement les données reçues des valideurs dans les établissements d'enseignement collégial et universitaire ainsi que la carte des enseignements du ministère de l'Éducation, du Loisir et du Sport.

Production

Recherche
LOGISEP Lise Levasseur
logisep@videotron.ca

Coordination du projet
Lise Turgeon

Collaboration spéciale
Dossier Cote de rendement au collégial
Dominique Saucier

Gestion, révision et mise à jour des données
Annie Pelletier
Linda St-Pierre

Page couverture
Francine Bélanger

Infographie
Linda St-Pierre

Publicité
Catherine Brochu
Sylvain Guillemette

Des commentaires?
C'est avec plaisir que nous recevons vos commentaires et vos suggestions.
Veuillez nous les faire parvenir à l'attention de Johanne Asselin, chargée de projet du Guide Choisir (johanne.asselin@septembre.com)

Dépôt légal – 4e trimestre 2007
Bibliothèque nationale du Québec
Bibliothèque nationale du Canada

ISBN 978-2-89471-285-6
Imprimé et relié au Québec

Septembre éditeur

2825, ch. des Quatre-Bourgeois, C. P. 9425
Succ. Sainte-Foy
Québec (Québec) G1V 4B8
Téléphone : 418 658-9123
Sans frais : 1 800 361-7755
Télécopieur : 418 652-0986
editions@septembre.com
www.septembre.com

Le Guide Choisir – Université 2008

Toute personne qui désire entreprendre des études universitaires doit d'abord trouver les renseignements requis pour effectuer correctement son choix de carrière, son choix de programme et d'établissement et par la suite sa démarche d'admission. Pour y parvenir, elle devra aussi, fort probablement, consulter une multitude de documents, toute l'information fournie sur le sujet étant dispersée dans les divers guides d'admission publiés par les établissements universitaires sur les sites Internet dont monemploi.com, dans le logiciel **REPÈRES** et dans la Relance du ministère de l'Éducation. Après 18 années d'expérience acquise avec la publication du **Guide Choisir** de l'enseignement professionnel et technique, nous avons constaté l'importance de mettre sur le marché un guide de l'enseignement universitaire dans lequel l'information sur les programmes serait présentée de la même façon. Le **Guide Choisir – Université** s'adresse non seulement aux candidats aux études universitaires, mais également aux spécialistes de l'orientation et de l'information scolaire et professionnelles qui soutiennent la démarche exploratoire des élèves du secondaire et du collégial et qui viennent en aide chaque année aux personnes désireuses de formuler une demande d'admission à l'université.

Cet ouvrage traite notamment des étapes de l'admission à l'université, des conditions d'admission aux différents programmes de baccalauréat, ainsi que de l'admission dans les programmes contingentés. On y aborde également les questions relatives au coût et au financement des études de même que celles concernant l'hébergement. Des dossiers traitant de la cote de rendement au collégial, des passerelles entre les DEC techniques et les programmes de baccalauréat, des programmes DEC-BAC ainsi que des structures offertes pour faciliter les études à l'étranger sont également offerts. Nous souhaitons que ce Guide soit pour les utilisateurs un outil d'information de premier choix.

Nouveauté

Nous référons dans la section **Admission** des fiches techniques du présent Guide, à des codes de cours et à des objectifs. Voici un tableau de leurs équivalences.

Tableau des équivalences – Cours / Objectifs

Discipline	Code de cours dans les collèges	Sujet	OBJECTIFS DEC SCIENCES		
			de la nature	lettres et arts	humaines
Biologie	301 ou NYA	Évolution du vivant	00UK	01Y5	
	401 ou NYB	Organismes pluricellulaires / Évolution et diversité du vivant	00XU	01YJ	022V
	901	Biologie humaine			022V
	911	Biologie humaine I			022V
	921	Biologie humaine II			022V
Chimie	101 ou NYA	Chimie générale	00UL	01Y6	
	201 ou NYB	Chimie des solutions	00UM	01YH	
	202 ou DYD	Chimie organique	00XV		
Mathématiques	103 ou NYA	Calcul différentiel	00UN	01Y1	022X
	203 ou NYB	Calcul intégral	00UP	01Y2	022Y
	105 ou NYC	Algèbre linéaire et géométrie vectorielle	00UQ	01Y4	022Z
	307	Probalité et statistique			022W-022P
	257	Statistique			022P
	300 ou 337	Statistique avancée		01Y3	022W
Physique	101 ou NYA	Mécanique	00UR	01Y7	
	201 ou NYB	Électricité et magnétisme	00US		
	301 ou NYC	Ondes et physique moderne	00UT	01YG	
Psychologie	102	Psychologie générale		01Y9	022K

Sommaire

Dossiers

Le monde universitaire

L'année universitaire

L'année universitaire est divisée en trois trimestres, appelés aussi sessions. Généralement, seuls ceux d'automne et d'hiver sont considérés comme des trimestres réguliers d'enseignement pour le premier cycle. Ils s'étendent respectivement du début de septembre à la fin de décembre et du début de janvier à la fin d'avril. Chacun de ces trimestres compte 15 semaines d'études. Le nombre de cours au trimestre d'été est plus limité qu'aux deux trimestres précédents.

Les catégories d'étudiants

Les personnes inscrites dans un établissement universitaire sont administrativement regroupées selon les trois catégories suivantes :

– l'**étudiant régulier** est une personne admise dans un programme d'enseignement en vue d'obtenir une sanction des études et inscrite à une ou à plusieurs activités de ce programme;
– l'**étudiant libre** est une personne qui, sans être admise dans un programme d'enseignement, est inscrite à une ou à plusieurs activités de l'enseignement ordinaire et doit se soumettre au processus d'évaluation prévu pour ces activités;
– l'**auditeur** est une personne qui, sans être admise à un programme d'enseignement, est inscrite à une ou à plusieurs activités de l'enseignement ordinaire et n'est pas soumise au processus d'évaluation prévu pour ces activités, ni ne reçoit aucun crédit de formation.

Le régime des études

Les universités accueillent des étudiants qui poursuivent des études à temps plein ou à temps partiel. À chacune des activités (cours, laboratoires, etc.) sont rattachées des unités appelées « crédits ». Chaque crédit requiert des étudiants quelque 45 heures de travail personnel. La plupart des programmes peuvent être suivis à temps plein ou à temps partiel. Le critère qui détermine le régime des études est le nombre de crédits auquel s'inscrit l'étudiant :

– le régime d'études à **temps plein** correspond à une charge d'activités de 12 crédits ou plus pour un trimestre;
– le régime d'études à **temps partiel** correspond à une charge d'activités de moins de 12 crédits pour un trimestre.

La structure des programmes universitaires

Le système universitaire comporte trois cycles d'études, dont voici une brève description.

Études de premier cycle

Premier niveau de l'enseignement universitaire qui fait habituellement suite aux études collégiales. Les principaux programmes d'études universitaires de premier cycle se divisent en trois catégories.

- Les **microprogrammes ou programmes courts de perfectionnement**. Il s'agit de programmes comportant un minimum de 6 crédits et un maximum de 18 crédits portant sur un thème donné.
- Les **programmes de certificat**. Il s'agit de programmes courts de 30 crédits conduisant, en deux trimestres, à l'obtention d'un certificat. Dans certains cas, le certificat peut constituer la mineure d'un baccalauréat.
- Les **programmes de diplôme**. Il s'agit de programmes uniques de cours de 60 crédits conduisant, en quatre trimestres, à l'obtention d'un diplôme. Dans certains cas, le diplôme peut constituer la majeure d'un baccalauréat.
- Les **programmes de baccalauréat**. Il s'agit de programmes totalisant de 90 à 120 crédits (le nombre pouvant varier d'un programme à l'autre et d'une université à l'autre) conduisant à l'obtention du grade de bachelier. Il existe différents types de baccalauréat et les cheminements proposés pour accumuler le nombre de crédits requis sont très diversifiés (voir page suivante).

- Les **programmes de doctorat**. Il s'agit de programmes de premier cycle d'une durée variant entre 8 et 11 trimestres et conduisant à l'obtention d'un doctorat. On dénombre six programmes de doctorat de premier cycle. Ce sont : Chiropratique, Médecine, Médecine dentaire, Médecine vétérinaire, Optométrie et Podiatrie.

Études de deuxième cycle

Deuxième niveau de l'enseignement universitaire. Les programmes d'études de 2e cycle, d'une durée de un à deux ans, comportent entre 45 et 60 crédits et conduisent à l'obtention d'une maîtrise.

Études de troisième cycle

Troisième niveau de l'enseignement universitaire. Les programmes d'études de 3e cycle, d'une durée de deux ans et plus, comportent entre 60 et 90 crédits et conduisent à l'obtention d'un doctorat.

Les différents types de baccalauréats

- **Baccalauréat spécialisé ou disciplinaire**
  Programme d'études universitaires de premier cycle totalisant de 90 à 120 crédits portant sur une même discipline ou un même champ d'études et d'une durée de trois à quatre ans.

- **Baccalauréat « Honours »**
  Dans les universités anglophones, l'appellation « Honours » désigne l'équivalent du baccalauréat spécialisé. Cependant, ce programme n'est accessible qu'après une première année d'études réussie avec des résultats supérieurs.

- **Baccalauréat avec majeure ou mineure**
  Programme universitaire de premier cycle totalisant 60 crédits dans une discipline ou un champ d'études, ce qui constitue la majeure (deux ans), et 30 crédits dans une autre discipline ou un autre champ d'études, ce qui constitue la mineure (un an).

- **Baccalauréat général ou multidisciplinaire ou par cumul**
  Programme universitaire de premier cycle comprenant trois mineures ou trois certificats de 30 crédits chacun et portant sur trois disciplines ou champs d'études différents.

- **Baccalauréat personnalisé ou individualisé ou sur mesure**
  Programme universitaire de premier cycle comprenant 90 crédits choisis par l'étudiant et lui permettant d'acquérir une formation conçue en fonction de ses propres champs d'intérêts et des objectifs qu'il s'est fixé lorsqu'aucun autre programme ni aucune autre combinaison de programmes ne peut répondre à son besoin. Les choix de l'étudiant doivent être préalablement approuvés par les autorités compétentes.

- **Baccalauréat bidisciplinaire**
  Programme universitaire de premier cycle offrant un contenu portant en parts égales (au moins 42 crédits chacun) sur deux disciplines ou deux champs d'études apparentés.

- **Baccalauréat intégré**
  Programme universitaire de premier cycle permettant d'acquérir une formation dans au moins deux domaines ou une formation générale à l'intérieur d'un domaine (ex. : baccalauréat intégré en langue française et en rédaction professionnelle ou baccalauréat intégré en sciences humaines).

- **Baccalauréat avec concentration ou cheminement**
  Programme universitaire de premier cycle composé de cours conduisant à des études plus poussées dans un champ d'études ou une discipline (ex. : baccalauréat en administration des affaires – concentration comptabilité).

L'admission et l'inscription

L'admission constitue la première étape administrative préalable à la poursuite des études universitaires. Pour pouvoir s'inscrire à un trimestre d'études ou à des cours, une personne doit d'abord avoir été admise officiellement par l'université. Elle y sera dûment inscrite lorsqu'elle aura satisfait à toutes les exigences qui se rapportent, par exemple, aux études, au choix de cours et au paiement des frais de scolarité.

Pour être admise à un programme de premier cycle universitaire, une personne doit normalement être titulaire d'un diplôme d'études collégiales (DEC). Par ailleurs, un adulte peut également y avoir accès s'il fait preuve de connaissances qui lui permettent de poursuivre des études universitaires et s'il est en mesure de répondre aux exigences propres à l'établissement d'enseignement où il veut s'inscrire. Ces exigences ont généralement trait à un âge minimal (en général 21 ans) et à une expérience pertinente sur le marché du travail.

Le DEC en sciences, lettres et arts

Les titulaires d'un DEC intégré en sciences, lettres et arts sont admissibles à tous les programmes universitaires de premier cycle, exception faite de certains programmes en arts, en musique et en danse. Voilà pourquoi cette exigence ne figure pas à la rubrique ADMISSION des fiches descriptives des programmes.

L'admission au deuxième cycle exige un grade de baccalauréat ou l'équivalent. Pour être admise à un programme de troisième cycle une personne doit, en général, avoir un grade de deuxième cycle, soit une maîtrise.

Les titulaires de titres étrangers peuvent être admis après étude de leur dossier scolaire. Chaque université détermine les équivalences s'appliquant au diplôme en fonction du programme dans lequel la personne demande d'être admise. Il faut noter que les équivalences peuvent varier d'une université à une autre.

Les étapes de l'admission

Étape 1 : La préparation

Les documents de référence à consulter

Voici les principales sources de renseignements à consulter au centre de documentation et d'information scolaire et professionnelle des établissements d'enseignement.

- Les **guides d'admission des universités**. Préparés par chacune des universités, ces guides contiennent principalement de l'information sur les conditions d'admission et les critères de sélection.
- Les **annuaires des universités**. Chacun de ces annuaires fournit divers renseignements sur le contenu des programmes et une description des cours offerts. On y trouve de l'information sur les services et sur certaines particularités propres à chaque université.
- Le **réseau Internet**. La plupart des établissements universitaires ont maintenant un site Web (voir l'index alphabétique des établissements d'enseignement universitaire, p. 414). Il s'agit là d'une bonne source d'information, constamment mise à jour, portant sur les programmes, les cours et les services offerts. Certains sites offrent même la possibilité de remplir une demande d'admission.
- Le **système REPÈRES**. Le système REPÈRES permet de mieux connaître les programmes de formation et fournit des données sur le marché du travail, les établissements, les professions, etc. Développé sous Windows, REPÈRES est maintenant accessible sur le Web lorsque l'établissement est abonné à ce service.

Étape 2 : L'admission

Il va sans dire que l'admission est une étape de la plus grande importance, puisque c'est à ce moment que se prennent effectivement les décisions relatives aux choix des programmes et des établissements.

Les décisions importantes à prendre au cours de cette étape doivent tenir compte de nombreux éléments, entre autres des dates limites d'admission, des conditions d'admission et du contingentement de certains programmes.

Les dates limites pour les demandes d'admission

- **L'admission aux trimestres d'automne et d'hiver**
  Dans la majorité des établissements universitaires, la date limite pour déposer une demande d'admission pour le trimestre d'automne est le 1er mars et pour le trimestre d'hiver, le 1er novembre (sauf McGill et l'ÉTS). On peut con-

sulter à ce sujet les publications ou les sites Web des universités ou s'informer auprès des spécialistes de l'information et de l'orientation scolaires et professionnelles des établissements scolaires. Il est à noter que tous les programmes ne sont pas nécessairement offerts à la session d'hiver.

- **Prolongation de la période d'admission**
  Certains établissements, notamment l'Université Concordia, l'Université de Montréal, l'Université du Québec à Chicoutimi, l'Université du Québec à Montréal et l'Université Laval, prolongent parfois les périodes d'admission en reportant la date limite pour le dépôt des demandes d'admission dans les programmes où il n'y a pas de contingentement.

Les conditions d'admission

Les conditions d'admission varient selon que les candidats appartiennent à la catégorie « candidats réguliers » ou à la catégorie « candidats adultes ». Pour les candidats réguliers, c'est-à-dire ceux qui proviennent de la formation collégiale (secteur préuniversitaire, secteur technique ou secteur de la formation continue) et qui n'ont jamais interrompu leurs études, les conditions d'admission sont les suivantes :

- avoir terminé un diplôme d'études collégiales (DEC) en formation préuniversitaire ou technique;
- respecter les exigences spécifiques d'admission aux programmes choisis;
- satisfaire, s'il y a lieu, aux critères de sélection;
- réussir l'épreuve unique de français.

De plus en plus d'établissements universitaires québécois ouvrent leurs portes aux titulaires d'un diplôme d'études collégiales techniques. Ils accueillent ces diplômés non seulement dans les programmes de spécialisation ou de formation continue, mais également dans des programmes de baccalauréat de l'enseignement régulier réservés auparavant aux titulaires d'un diplôme d'études collégiales préuniversitaires. Pour en savoir plus, consulter le dossier Passerelles entre les programmes techniques (DEC) et les programmes universitaires de baccalauréat à la page 361 du présent document.

Pour les candidats adultes, c'est-à-dire ceux qui ont interrompu leurs études (en général depuis plus de deux ans) ou qui ont un âge déterminé, habituellement 21 ans ou plus, les conditions d'admission sont différentes. Le diplôme d'études collégiales ne constitue pas nécessairement un critère d'admission pour ces candidats. Les conditions d'admission, qui peuvent varier d'une université à l'autre, tiennent compte de différents facteurs dont la formation, les connaissances et l'expérience des candidats. Comme chaque université possède ses critères particuliers, il est suggéré de s'adresser au service de l'admission des adultes ou de consulter la brochure de l'université concernée pour obtenir plus d'information.

L'exception à la règle : l'admission conditionnelle
Depuis l'automne 1997, après entente entre les universités, l'étudiant doit avoir obtenu le diplôme d'études collégiales pour pouvoir entreprendre des études universitaires. Il existe cependant des cas d'exception à cette règle. À la suite d'un énoncé de politique générale commune en matière d'admission conditionnelle qui a été établi en mai 1998 entre les universités, il a été convenu que des cas d'exception valables pourraient être considérés pour des personnes ne pouvant faire la preuve de l'obtention du DEC au moment de leur première inscription à l'université. L'étudiant est alors admis à certaines conditions déterminées par l'université. C'est ce que l'on appelle une admission conditionnelle.

La demande d'admission : les formulaires d'admission

Chaque université possède un formulaire d'admission qui lui est propre. Une demande d'admission peut être présentée dans plusieurs universités et, de façon générale, il est possible de faire plus d'un choix de programme par université. De plus, les universités ont parfois des formulaires spéciaux pour certains programmes. Ainsi, l'Université McGill possède des formulaires particuliers pour les programmes en médecine dentaire, droit, études religieuses, médecine et musique. Bien qu'elles soient affiliées à l'Université de Montréal, l'École des Hautes Études Commerciales et l'École Polytechnique possèdent leurs propres formulaires. À l'Université Concordia, trois départements (Journalism, Communications et Early Childhood) exigent d'autres documents en plus du formulaire de demande d'admission. Dans plusieurs universités, il est possible de faire sa demande d'admission en ligne.

Pour l'admission à une université ontarienne consulter le site du Centre au http://centre.ouac.on.ca.

En formation continue (adultes, programmes du soir, étudiants libres, auditeurs libres), les formulaires diffèrent généralement de ceux de l'enseignement régulier, sauf à l'École Polytechnique et à l'Université du Québec à Chicoutimi (UQAC). Pour l'admission à l'Université du Québec à Rimouski (UQAR), les candidats peuvent utiliser le formulaire Admission-Inscription.

- **Où se les procurer?**
  Le centre de documentation et d'information scolaire et professionnelle des collèges dispose, à compter du mois de janvier, de la majorité des formulaires de demande d'admission des universités québécoises, ontariennes et des autres provinces. Le cas échéant, une personne-ressource pourra fournir l'information sur la façon de se procurer les formulaires non disponibles sur place.

Il est également possible de se procurer les formulaires sur le site Internet des universités et, dans certains cas, de faire sa demande en ligne.

- **Comment les remplir?**
  Certains formulaires de demande d'admission sont accompagnés d'un guide et d'indications pour aider l'étudiant à les remplir. Il importe donc de prendre connaissance de ces instructions. Il est suggéré de remplir d'abord le brouillon lorsque ce dernier est disponible.

Le tableau qui suit indique, pour chacune des universités, le nombre de choix de programmes qui peuvent être inscrits sur le formulaire ainsi que le type d'analyse auquel ces choix sont soumis. Une règle à suivre concernant les choix de programmes : placer le choix « coup de cœur » en premier, même si le traitement des choix varie d'une université à l'autre.

Universités	**Nombre de choix**	**Analyse des choix**
Bishop's	2	a
Concordia	3	a
École de technologie supérieure	1	
École Polytechnique de Montréal	2	a
HEC Montréal	1	
Laval	2	b
McGill*	2 c	b
Montréal	3 d	e
Sherbrooke	2	b
Université du Québec à :		
Abitibi-Témiscamingue (UQAT)	2 f	a
Chicoutimi (UQAC)	2 f	a
Montréal (UQAM)	3	b g
Outaouais (UQO)	2 f	a
Rimouski (UQAR)	2	f
Trois-Rivières (UQTR)	2	a
Universités ontariennes	3	h

Légende

a. Le deuxième choix est analysé s'il y a refus au premier. Dans le cas de l'Université Concordia et de l'Université de Montréal, le troisième choix est analysé s'il y a refus au premier et au deuxième.
b. Tous les choix inscrits sont analysés et une réponse est acheminée pour chacun des choix.
c. Sauf pour les formulaires spécifiques où un seul choix de programme est requis (médecine dentaire, droit, études religieuses, médecine, musique).
d. Il est important d'inscrire ses choix par ordre d'importance.
e. Tous les choix sont analysés. Toutefois, dès qu'une offre est émise, il y a fermeture des choix qui suivent. Les choix qui précèdent demeurent ouverts.
f. Indiquer un deuxième choix si le premier porte sur un programme où l'admission est contingentée.
g. Le troisième choix doit obligatoirement être fait parmi les programmes non contingentés, sinon il sera refusé.
h. Selon l'université choisie.
* L'Université McGill possède des formulaires distincts pour certaines facultés et écoles.

- **Quelles pièces joindre?**
  - Le **certificat de naissance ou carte de l'état civil**. Les photocopies sont acceptées.
  - Le **bulletin d'études collégiales (relevé de notes)**. Les candidats qui ont terminé leur cours doivent annexer des photocopies de leur bulletin et demander au registraire de faire parvenir à l'université de leur choix leur bulletin officiel portant le sceau de l'établissement. Si le cours suivi se termine en mai 2008, par exemple, il est suggéré de joindre au formulaire des photocopies du bulletin sans le sceau de l'établissement. Si le DEC est en cours, joindre des photocopies du relevé de notes sans le sceau du collège. Les registraires verront à obtenir la version finale et officielle de celui-ci.
  - **Le relevé des cours suivis actuellement ou à suivre durant l'été**. Un candidat peut faire une photocopie de son choix de cours (formulaire d'inscription ou horaire) ou joindre au formulaire d'admission tout autre document qu'il aura préparé ou qui aura été préparé par l'établissement.
  - **Les frais d'admission**. Les frais d'admission doivent être acquittés par mandat-poste, mandat bancaire ou chèque certifié. Ils ne sont pas remboursables.

Le tableau ci-dessous indique les pièces exigées par chacune des universités.

Universités	Acte de naissance	Relevé de notes du secondaire	Bulletin d'études collégiales	Cours suivis actuellement ou à suivre durant l'été
Bishop's	1 a			
Concordia	1 a		1	1 b
ETS	1 c		1	1
HEC Montréal				
Laval				
McGill				1 b
Montréal			1	
Polytechnique	1 a		1 e	1
Sherbrooke	1 a		1	
UQAC				
UQAM	1 a		1	
UQAR	1 a			
UQAT	1 a		1	1
UQO				
UQTR			1	1
Universités ontariennes	1		d	

Légende

1 Une photocopie.
a Les étudiants nés à l'étranger doivent fournir une photocopie certifiée d'un document attestant leur statut au Canada.
b Les cours doivent être indiqués sur le formulaire.
c Original ou copie conforme.
d Aucun autre document n'est requis. L'université se chargera d'obtenir les documents.
e Photo récente signée par le candidat au verso (4 cm x 5 cm).

Étape 3 : La sélection

Une fois que les formulaires d'admission, dûment remplis, ont été acheminés aux universités concernées, il ne reste plus qu'à attendre une réponse. Un délai est à prévoir, puisque chaque demande doit faire l'objet d'une analyse.

L'accusé de réception

Certaines universités n'expédient pas d'accusé de réception (ETS, UQAR, UQAT et UQTR). D'autres le font, habituellement dans un délai de deux à trois semaines. D'autres le feront uniquement si la pièce qui accompagne le formulaire d'admission a été retournée dûment remplie et affranchie.

Au cours de cette étape, les agents d'admission vérifient si le dossier est complet. Certaines universités rejettent automatiquement les dossiers qui ne comportent pas toutes les pièces requises.

L'analyse du dossier

Les universités procèdent à l'analyse du dossier en fonction des diverses conditions d'admission et des divers critères de sélection énoncés dans la section « Conditions d'admission » de la fiche descriptive du programme.

La majorité des universités utilisent la cote de rendement au collégial (CRC) comme méthode d'évaluation des dossiers scolaires pour l'admission dans les programmes contingentés. Pour plus d'information sur cette méthode d'évaluation, consulter le dossier **La cote de rendement au collégial** (p. 403).

Selon l'université et le programme choisis, il se peut que d'autres critères s'ajoutent à la cote de rendement au collégial pour effectuer la sélection. Ces critères seront considérés dans l'évaluation de chaque dossier dans des proportions variables selon l'université concernée. La section concernant les programmes contingentés fournit une énumération plus exhaustive de ces critères.

Étape 4 : La réponse des universités

De façon générale, les universités expédient les réponses aux demandes d'admission entre le 1er mars et le 15 mai. Cependant, pour certains programmes contingentés, les réponses peuvent être expédiées après cette période.

Réponses possibles

- **Admission conditionnelle**
  La demande d'admission est acceptée à la condition d'obtenir le diplôme d'études collégiales (DEC) dans les délais prévus et de satisfaire, s'il y a lieu, aux conditions d'admission.
- **Admission définitive**
  La demande d'admission est acceptée car le candidat a satisfait aux formalités et aux conditions d'admission.
- **Jugement différé**
  La décision de l'université est reportée pour certaines raisons qui sont fournies dans l'avis.
- **Liste d'attente**
  La décision d'admission est positive, mais le nombre de places disponibles est insuffisant. Une offre d'admission pourra être acheminée ultérieurement à la condition que des candidats déjà admis se désistent ou ne franchissent pas toutes les étapes.
- **Refus**
  Les raisons du refus sont fournies dans l'avis.

Suite à donner

- **Admission conditionnelle ou définitive :**
  - le candidat reçoit une offre d'admission correspondant à son premier choix ou une réponse positive;
  - le candidat accepte l'offre de l'université selon la procédure exigée. Il doit respecter les délais mentionnés dans l'avis, sans quoi l'offre d'admission risque d'être annulée;
  - le candidat reçoit deux offres d'admission pour deux programmes différents pour une même université. Il faut faire un choix et n'accepter qu'une seule offre d'admission;
  - le candidat reçoit deux offres d'admission pour deux programmes différents mais dans deux universités différentes. Il fait un choix et n'accepte qu'une seule offre d'admission.

  Advenant le cas où, après avoir accepté une offre d'admission dans une université, le candidat décide de changer son choix pour une autre université, il doit alors en aviser par écrit l'université concernée et confirmer son choix auprès de l'autre université.

- **Refus d'admission**
  Trois possibilités sont offertes :
  - accepter la décision et ne poser aucun geste;
  - faire un nouveau choix de programme selon les places disponibles;
  - décider d'aller en appel ou de faire une demande de révision de décision auprès du service des admissions de l'université. Le candidat doit exposer, par écrit, les motifs qui justifient cet appel. Il doit également respecter les délais prescrits par l'université pour la présentation de sa demande. Il est préférable de consulter un conseiller ou une conseillère en information scolaire et professionnelle ou de vous adresser à l'agent d'admission qui a traité votre demande.

- **Admission sur liste d'attente ou par jugement différé**
  L'offre peut être acceptée en étant conscient qu'il n'y a pas de date limite pour une liste d'attente. Il arrive même que des candidats se voient offrir une offre d'admission quelques jours avant le début du trimestre.

  Note : Il est important de répondre à l'offre dans les délais prescrits sinon l'université peut l'annuler. Un candidat peut autoriser, par procuration écrite, une autre personne à répondre à l'offre s'il prévoit s'absenter.

Étape 5 : L'inscription

Après avoir été accepté dans un programme, le candidat n'a plus qu'à effectuer son choix de cours. Cette étape est comparable à celle faite au cégep.

La documentation nécessaire pour l'inscription et le choix de cours sera expédiée par l'université concernée. La période d'inscription s'étend généralement du mois de juin au mois d'août, échéance qu'il est important de respecter, à défaut de quoi l'offre d'admission peut être annulée. Il est suggéré de communiquer avec le service d'admission de l'université concernée lorsqu'un doute persiste quant à la procédure.

Il est très important de respecter les dates limites car l'admission à un programme n'est valide que si elle est suivie d'une inscription à la session pour laquelle elle a été prononcée. Cela signifie que l'étudiant qui a été admis, mais qui ne s'est pas inscrit, doit présenter une nouvelle demande d'admission pour une session ultérieure et reprendre le processus comme s'il n'y avait jamais eu de demande.

Les programmes contingentés

Un programme est dit « contingenté » lorsque la capacité d'accueil est limitée et que, de ce fait, on ne peut accueillir tous ceux qui en font la demande. Dans ce cas, on doit procéder à une sélection parmi les candidats admissibles. Cette sélection est effectuée à partir de critères variés qui méritent une attention particulière.

Les critères de sélection

La plupart des universités québécoises ont recours à la cote de rendement au collégial (CRC) comme méthode d'évaluation de l'excellence du dossier scolaire en vue d'une admission à un programme contingenté. Pour en savoir plus, consulter le dossier **La cote de rendement au collégial** (p. 403).

Les critères de sélection autres que la Cote R sont :
- le dossier scolaire;
- l'entrevue;
- l'expérience pertinente;
- la présélection;
- le test d'admission;
- les références et recommandations;
- les tests d'aptitude physique;
- le curriculum vitæ;
- l'appréciation par simulation (APS);
- la lettre autobiographique;
- la lettre de motivations personnelles;
- le portfolio;
- l'audition.

- **L'entrevue.** L'entrevue permet notamment :
  - de vérifier si le candidat connaît l'université et les objectifs du programme pour lequel il a fait une demande d'admission;
  - de cerner l'intérêt réel et les motivations du candidat relativement au programme choisi;
  - de mieux connaître et d'évaluer la capacité du candidat de réussir des études universitaires au moyen de questions portant sur ses études, ses expériences et ses réalisations;
  - de vérifier si le candidat connaît la profession et la nature du travail auquel prépare le programme d'études;
  - de faire ressortir les traits de personnalité, les points forts dont les qualités liées à la profession visée, les points faibles, les valeurs, les aptitudes et les aspirations professionnelles du candidat.

- **Le questionnaire.** Même si le questionnaire comporte parfois des questions de type « vrai ou faux » ou de type « oui ou non », il se caractérise principalement par des questions ouvertes appelant des réponses plus approfondies. Pour s'assurer de fournir une bonne performance, il est recommandé de bien se documenter sur le programme d'études concerné et sur les professions auxquelles il mène.
- **Le test.** Le test est composé d'un ensemble de questions auxquelles le candidat doit répondre et de problèmes qui doivent être régler le plus souvent à l'intérieur d'un temps limité. Ces activités consistent en des exercices de jugement, de raisonnement, d'habileté verbale, etc.

- **L'appréciation par simulation (APS).** L'appréciation par simulation se déroule en groupe. Elle consiste à évaluer les caractéristiques personnelles d'un candidat au moyen de mises en situation.

- **Le portefolio.** Le portefolio exigé pour certains programmes doit contenir un certain nombre de recherches ou de réalisations personnelles ou scolaires, pouvant parfois aller jusqu'à une vingtaine de travaux.

Lorsqu'une demande d'admission est présentée pour un programme dont l'admission est contingentée, il est fortement suggéré de prendre les mesures suivantes :
- faire plus d'un choix de programme (deux ou trois);
- faire le même choix de programme dans plusieurs universités;
- faire un deuxième ou troisième choix dans un programme dont l'admission n'est pas contingentée;
- faire un choix de programme technique directement lié au premier choix.

L'enseignement coopératif

Les programmes offerts en régime coopératif se caractérisent par l'alternance de trimestres d'études et de stages rémunérés en milieu de travail. Un programme de baccalauréat peut comprendre jusqu'à quatre stages. La personne qui choisit un de ces programmes a la chance d'acquérir une expérience de travail équivalant à une année tout en recevant au cours de cette période un salaire des plus intéressants. Le régime coopératif constitue donc un mode d'organisation de la formation à considérer au moment de l'admission.

L'aide financière et l'hébergement

Le coût des études

Les études universitaires entraînent différents frais qui peuvent être regroupés selon quatre catégories :
- les frais de scolarité;
- les frais afférents;
- les dépenses générales;
- les dépenses personnelles.

- **Les frais de scolarité.** Les montants relatifs aux frais de scolarité sont établis par le gouvernement du Québec. Actuellement, sur la base de 30 crédits répartis sur deux trimestres, il faut prévoir entre 1 700 $ et 2 450 $ par année pour couvrir l'ensemble des frais de scolarité. Ce montant peut varier d'un établissement à l'autre et s'applique aux étudiants québécois.

  Le montant est différent dans le cas des étudiants non résidents du Québec, des étudiants étrangers et des étudiants provenant d'une autre région. Pour plus de précision à ce sujet, il est suggéré de consulter les publications des universités concernées.

- **Les frais afférents.** Les frais afférents sont constitués principalement des frais relatifs aux assurances, aux frais généraux et aux diverses cotisations. On compte également parmi ces frais la cotisation que prélève l'université à chaque étudiant et qui est par la suite versée à l'association étudiante, tel que l'impose la loi sur la reconnaissance des associations étudiantes.

  Le total des frais afférents peut varier quelque peu d'une université à l'autre. Il faut habituellement prévoir environ 250 $ pour couvrir l'ensemble de ces frais, sur la base de 30 crédits répartis sur deux trimestres.

- **Les dépenses générales.** Les dépenses générales sont liées à l'achat du matériel scolaire et aux frais de logement et d'alimentation. Ces dépenses varient évidemment selon les besoins de chacun. Dans le cas des étudiants hébergés gratuitement chez leurs parents, on doit prévoir un montant d'environ 500 $ pour l'achat de matériel scolaire pour un trimestre. Pour les étudiants qui doivent assumer le coût de leur alimentation et de leur logement, on estime que le total des dépenses générales peuvent varier entre 1 550 $ et 2 000 $ par trimestre.
- **Les dépenses personnelles.** Les dépenses personnelles comprennent les frais reliés aux loisirs, au transport, etc. Il va sans dire que ces dépenses varient beaucoup selon les besoins de chacun. Aux fins de calcul, on estime généralement le montant de ces dépenses à environ 1 600 $ pour deux trimestres.

Le financement des études

Il existe diverses possibilités de financement pour les étudiants inscrits à temps complet à un programme de baccalauréat. Les principales sources de ce financement sont les prêts et les bourses, qui comprennent le régime des prêts et bourses du gouvernement et les bourses d'études, et les ressources personnelles, qui comprennent le travail rémunéré et la contribution des parents.

- **Le régime des prêts et bourses du gouvernement du Québec.** En vertu de ce régime, une aide est accordée à des étudiants selon leurs besoins financiers. Ce programme est donc conçu pour permettre aux étudiants de disposer des ressources financières nécessaires à la poursuite de leurs études à temps complet. Ce régime d'aide financière est cependant supplétif, en ce sens qu'il revient d'abord à l'étudiant, à son conjoint ou à ses parents d'assurer le financement de ses études, l'aide gouvernementale ne venant que compléter les ressources financières de ceux dont les revenus sont insuffisants.

  Pour être admissible à un prêt ou à une bourse, la personne doit poursuivre des études à temps complet. Si elle se qualifie pour une aide financière, elle reçoit d'abord un prêt dont le montant peut atteindre 3 260 $ pour chacune des années du baccalauréat. Toute aide additionnelle est ensuite versée sous forme de bourse.

  Les services de l'aide financière des universités, à l'instar de ceux des cégeps et des collèges, jouent un rôle d'intermédiaire entre la population étudiante et le Ministère, que ce soit pour la présentation des demandes ou pour y apporter des modifications. Ces services ont le mandat, pour le ministère de l'Éducation, du Loisir et du Sport, de remettre les certificats de prêts et les chèques de bourses selon les modalités de la loi sur l'aide financière aux études, son règlement et ses règles d'attribution. Le personnel de l'aide financière fournit donc toute l'assistance nécessaire aux étudiants dans leurs démarches pour assurer le financement de leurs études.

  Pour toute demande de renseignements concernant les formulaires, les dates limites et les formalités entourant les demandes d'aide financière, il est suggéré de s'adresser au service de l'aide financière de son établissement scolaire. On peut également consulter le site Web du Ministère : www.afe.gouv.qc.ca

- **Les bourses d'études ou bourses d'entrée.** Outre l'aide accordée aux étudiants par le régime des prêts et bourses du ministère de l'Éducation, du Loisir et du Sport, il existe une autre source importante de financement pour l'ensemble des étudiants. Il s'agit des programmes de bourses d'études offertes par la plupart des universités, soit des bourses d'études octroyées par voie de concours, le plus souvent selon l'excellence du dossier scolaire des candidats.

  Les personnes intéressées peuvent obtenir de l'information auprès de l'université concernée ou par le biais des sites Web des diverses universités.

L'hébergement

Toutes les universités offrent des services afin d'aider les étudiants dans leur recherche de logement. La plupart disposent de résidences et d'appartements sur le campus et elles tiennent à jour des listes de logements hors-campus disponibles pour les étudiants. Dans ce dernier cas, il faut communiquer avec les services aux étudiants des universités pour obtenir ces listes par la poste ou encore se rendre sur place.

Chaque université fonctionne selon ses propres critères, ses dates limites et ses formulaires d'inscription pour le logement. Dans tous les cas, cependant, il est important de procéder très tôt, avant le 1er mars. Il est suggéré de communiquer avec le service de logement de l'université dès le dépôt du formulaire de demande d'admission.

UNIVERSITÉ LAVAL
Service des résidences
1604, Pavillon Alphonse-Marie-Parent
Ste-Foy (Québec) G1K 7P4
Tél. : 418 656-2921, poste 4444
Téléc. : 418 656-2801
sres@sres.ulaval.ca
www.ulaval.ca/sres
Secteur internet : soutien@residences.ulaval.ca
Formulaire disponible à la fin du guide d'admission

UNIVERSITÉ DE SHERBROOKE
Résidences campus
Tél. : 819 821-7663
Téléc. : 819 821-7616
martine.poitras@usherbrooke.ca
www.usherbrooke.ca/sa/residences

UNIVERSITÉ McGILL
Résidences campus
Le bureau de logement des étudiants
3641, rue Université, Montréal (Québec) J8X 3X7
Tél. : 514 398-6368
Téléc. : 514 398-2305
housing.residences@mcgill.ca
www.mcgill.ca/residences/admissions/
Demande de logement incluse au centre du formulaire de la demande d'admission

UNIVERSITÉ DU QUÉBEC EN OUTAOUAIS (HULL)
Résidences campus
283, boul. Alexandre-Taché, Gatineau (Québec) J9A 1L8
Tél. : 819 595-2393 ou 1 800 567-1283, poste 2393
Téléc. : 819 595-2214
residences@uqo.ca
www.uqo.ca/residences

Hors campus
Tél. : 819 773-1680 ou 1800-567-1283, poste 1680

BISHOP'S
Résidences campus
Tél. : 819 822-9600, poste 2685 ou 1 800 567-2792, poste 2685
Téléc. : 819 822-9615
residences@ubishops.ca
www.ubishops.ca/hfs/index.html

Hors campus
Tél. : 819 822-9600, poste 2686
Téléc. : 819 822-9661
hfs@ubishops.ca

CONCORDIA
Résidences campus
Pavillon Hingston, bureau 157
7141, Sherbrooke Ouest, Montréal (Québec) H4B 1R6
Tél. : 514 848-4755
Téléc. : 514 848-4780
lcledu@alcor.concordia.ca
residence.concordia.ca

Hors campus
1455, de Maisonneuve Ouest, bureau H-260
Montréal (Québec) H3G 1M8
Tél. : 514 848-7476
Téléc. : 514 848-7419
housjob@alcor.concordia.ca
alcor.concordia.ca/~housjob

UNIVERSITÉ DE MONTRÉAL
Résidences campus
Service des résidences
2350, boul. Édouard-Montpetit, Montréal (Québec)
H3T 1J4
Tél. : 514 343-6531
Téléc. : 514 343-2353
residences@sea.umontreal.ca
www.resid.umontreal.ca

Hors campus
2332, boul. Édouard-Montpetit
Pavillon J.-A.-De Sève
3e étage, local B-3429 (métro Edouard-Monpetit ou autobus 51)
Tél. : 514) 343-6533
logement@sae.umontreal.ca
www.logement.umontreal.ca/coordonnees.htm

UNIVERSITÉ DU QUÉBEC EN ABITIBI-TÉMISCAMINGUE
Pas de résidences

UNIVERSITÉ DU QUÉBEC À CHICOUTIMI
Service de résidences
Bureau administratif
555, boul. de l'Université, Chicoutimi (Québec)
G7H 2B1
Tél. : 418) 545-5031
Suzanne _Cote@uqac.ca
www.uqac.ca/sae/logement

UNIVERSITÉ DU QUÉBEC À MONTRÉAL
Résidences campus
303, boul. René-Lévesque Est, Montréal (Québec)
H2X 3Y3
Tél. : 514 987-6669
Téléc. : 514 987-0344
uqamres@netrevolution.com
www.unities.uqam.ca/sve/herbergement
www.residences-uqam.qc.ca

Hors campus
Tél. : 514 987-3175

UNIVERSITÉ DU QUÉBEC À RIMOUSKI
Résidences campus
329-A, Allée des Ursulines, Rimousk (Québec) G5L 8X3
Tél. : 418 723-4311
Téléc. : 418 721-2817
logeuqar@globetrotter.net
www.uqar.qc.ca/logement/contact.htm

Hors campus
www3.uqar.qc.ca/hebergement/

UNIVERSITÉ DU QUÉBEC À TROIS-RIVIÈRES
Résidences du chemin Michel-Sarrazin
3351, boul. des Forges, C. P. 500, Trois-Rivières (Québec) G9A 5H7
Tél. : 819 376-5016 ou 376-5011, poste 2508
Téléc. : 919 376-5199
camille.lauziere@uqtr.ca
www.uqtr.ca/Etudiant/Futur/Etudiant

Résidences du campus
Jacques Baillargeon
1660, Père-Marquette #1, Trois-Rivières (Québec) G8Z 4N6
Tél. : 819 378-0385
Téléc. : 819 378-8751
info@campusUQTR.com
www.campusuqtr.com

Gîte universitaire
1550, Père Marquette, Trois-Rivières (Québec) G8Z 4G5
Tél. : 819 374-4545 ou 1 866 450-4545
Téléc. : 819 374-8447
gite@uqtr.ca
www.uqtr.uquebec.ca/gite/contact.html

UNIVERSITÉ D'OTTAWA
Housing Services
University of Ottawa
100, Thomas More St., Room 308, P. O. Box 450
Ottawa, K1N 6N5
Résidences campus
Tél. : 613 562-5885
Téléc. : 613 562-5109
uottawa.ca/student/housing
residenc@ottawa.ca

Hors campus
Tél. : 613 562-5800, poste 4426 ou 613 562-5372

ÉCOLE DE TECHNOLOGIE SUPÉRIEURE (É.T.S.)
Secrétariat des résidences de l'É.T.S.
255, rue Peel, Montréal (Québec) H3C 3R9
Tél. : 514 396-8561
Téléc. : 514 396-8610
residences@etsmtl.ca
www.etsmtl.ca/residences

Hors campus
Service aux étudiants, local 0130
Tél. : 514 396-8800, poste 7673
nancy.lavoie@etsmtl.ca
www.etsmtl.ca/zone3/actuel_etu/hors_campus.htm

Auberge de jeunesse de Montréal
1030, rue Mackay, Montréal (Québec) H3G 2H1
Tél. : 514 843-3317
Téléc. : 514 934-3251
info@hostellingmontreal.com
www.hostellingmontreal.com

Les fiches descriptives des programmes de baccalauréat par domaines d'études et par disciplines

S

B

15571 TRADUCTION / TRADUCTION PROFESSIONNELLE / TRANSLATION

C BAC 6 TRIMESTRES — CUISEP 253-000 

E **Compétences à acquérir**

- Maîtriser la langue française et anglaise.
- Transposer un texte d'une langue à une autre.
- Faire de la traduction technique, commerciale et littéraire ainsi que de la révision et de la correction d'épreuves.
- Faire de la recherche terminologique et utiliser les ouvrages de référence.

F **Éléments du programme**

- Grammaire différentielle et stylistique comparée
- Grammaire et lexique
- Langue anglaise et traduction
- Lexicologie et terminologie différentielles
- Rédaction professionnelle
- Terminologie et terminographie
- Thème
- Version

G **Admission** (voir p. 20 G)

DEC ou l'équivalent.

OU

Concordia : DEC et l'équivalent de deux cours de niveau collégial ou l'équivalent dans la langue qui sera étudiée; lettre explicative et, au besoin, test de placement.

Laval : DEC ou l'équivalent et avoir des compétences en anglais de niveau avancé I pour les candidats issus d'un cégep francophone **OU** DEC ou l'équivalent comprenant un cours de français de la série 900 (ou l'équivalent) pour les candidats issus d'un cégep anglophone **ET** test d'aptitude obligatoire à l'admission.

Montréal : Avoir réussi 24 crédits de cours universitaires autres que des crédits obtenus dans le cadre de cours préparatoires aux études universitaires et réussir un test d'anglais et de français oral et écrit.

UQO : Diplôme d'un cégep francophone : DEC et un cours d'anglais avancé de niveau collégial de la série 600 ou posséder un degré équivalent de formation **OU Diplôme d'un cégep anglophone :** DEC et un cours de français avancé de niveau collégial de la série 600 ou posséder un degré équivalent de formation **ET** examen d'admission évaluant le niveau d'anglais et de français du candidat.

R

LETTRES

Endroits de formation (voir p. 414)

H

	Contingentement (I)	Coop (J)	Cote R* (K)
Concordia	■	■	25.000
Laval			
McGill			
Montréal	■	■	24.103
Sherbrooke	□	□	—
UQO	□	□	—

** Le nombre inscrit indique la **cote R** qui a été utilisée pour l'**admission de l'année précédente** par l'université concernée. Pour connaître la cote R exigée pour l'admission 2008, communiquer avec les établissements concernés.*

Professions reliées L

C.N.P.

5125 Interprète

5125 Terminologue

5125 Traducteur

Endroits de travail M

Données non disponibles.

Salaire 

Le salaire hebdomadaire moyen est de 756 $ (janvier 2005).

Remarques 

- Pour porter le titre de traducteur, de terminologue ou d'interprète agréé, il faut être membre de l'Ordre professionnel des traducteurs, terminologues et interprètes agréés du Québec.
- L'Université du Québec en Outaouais (UQO) offre un certificat en Initiation à la traduction professionnelle et un certificat en Initiation à la rédaction professionnelle.

P

STATISTIQUES D'EMPLOI

	2001	2003	2005
Nb de personnes diplômées	174	180	239
% en emploi	81,3 %	84,7 %	77,4 %
% à temps plein	88,0 %	87,6 %	90,3 %
% lié à la formation	76,1 %	88,0 %	78,4 %

62 LETTRES ET LANGUES Q

Comment lire une fiche de programme universitaire

A **Numéro d'identification** du programme permettant l'accès à certains fichiers du système REPÈRES.

B **Titre du programme francophone et anglophone, s'il y a lieu.** Un même programme peut porter plus d'un titre, selon l'université.

C Identification de la **filière de formation** (sanction) – **BAC** : baccalauréat et **nombre total de trimestres requis** pour compléter le programme d'études (cette durée exclut le travail personnel de l'étudiant).

D **Code CUISEP.** Ce code est tiré de la Classification uniforme en information scolaire et professionnelle. Il sera fort utile dans la recherche d'information complémentaire à partir de documents ou pour accéder à certains fichiers du système REPÈRES.

E Identification des **compétences à acquérir** dans le cadre du programme. Cette rubrique décrit les habiletés et les aptitudes que le programme développera chez l'étudiant.

F Liste **non exhaustive** des **principaux cours** offerts dans le programme.

G Liste des **préalables** exigés par les **établissements universitaires** offrant le programme. **Il est à noter que les titulaires d'un DEC intégré en science, lettres et arts sont admissibles dans tous les programmes universitaires de premier cycle,** exception faite de quelques programmes en arts, en musique et en danse. Voilà pourquoi cette exigence ne figure pas dans les fiches descriptives. Consulter le **tableau des équivalences – Cours / Objectifs** à la page suivante.

H Liste des **établissements universitaires** offrant le programme de formation. Pour connaître les coordonnées des établissements, consulter l'**Index alphabétique des établissements d'enseignement** à la page 414.

I Les cases noircies indiquent les **établissements** où l'**admission** est **contingentée**.

J Les cases noircies indiquent les **établissements** où le **programme** est offert en **enseignement coopératif**.

K Le nombre inscrit indique la **cote R** qui a été utilisée pour l'**admission de l'année précédente** par l'université concernée. Pour connaître la cote R exigée pour l'admission 2008, communiquer avec les établissements concernés.

L Liste sommaire de **professions reliées**, c'est-à-dire de professions qui peuvent être exercées après avoir complété le programme avec succès.

M Liste sommaire des types **d'employeurs éventuels** des personnes qui ont complété le programme avec succès.

N **Indication du salaire.** Le salaire est, dans la majorité des cas, présenté sur une **base hebdomadaire**. Il correspond à la moyenne des sommes reçues en guise de rémunération pour un emploi occupé à temps plein pendant une semaine. Les données fournies sont tirées de « *La Relance à l'université* » publiée par le ministère de l'Éducation, du Loisir et du Sport.

O **Remarques.** On trouve sous cette rubrique des renseignements complémentaires relatifs au programme, à l'exercice de la profession – appartenance à un ordre professionnel, par exemple – ou aux établissements d'enseignement. Les critères d'admission à l'entrée de la profession sont également fournis.

P **Statistiques d'emploi.** Les années indiquées dans les tableaux (2001-2003-2005) correspondent aux années de la relance faite auprès des personnes diplômées (ex. : **2005 :** Promotion des élèves de l'**année scolaire 2002-2003**).

Le tableau indique donc pour ces années de relance :

- le **nombre de personnes diplômées;**

De ce nombre :

- *% en emploi* = le **pourcentage des personnes diplômées qui ont obtenu un emploi;**
- *% à temps plein* = le **pourcentage de celles qui ont obtenu un emploi et qui travaillent à temps plein;**
- *% lié à la formation* = le **pourcentage des personnes qui travaillent à temps plein et qui jugent que leur travail correspond à leur formation.**

Certaines statistiques d'emploi sont manquantes en raison de la non-disponibilité des données correspondantes.

Les statistiques proviennent des données recueillies par les responsables du MELS de *La Relance à l'université.*

N.B. : Les statisques peuvent être consultées sur le site du MELS :
http://www.mels.gouv.qc.ca/Relance/Relance.htm

Q Nom de la **discipline**.

R Nom du **domaine d'études**.

S Programme désigné « Lauréat » dans le *Palmarès des carrières 2007.* Voir la liste complète des programmes concernés à la page suivante.

« Lauréat » du Palmarès des carrières 2007

Septembre éditeur publie depuis 2002 le Guide Choisir – Université qui permet de conna[illegible] grammes et les établissements d'enseignement universitaire du Québec.

Fort de son expertise, Septembre éditeur vous offre depuis trois ans un nouvel outil pour vous aider dans votre démarche de choix de formation, le *Palmarès des carrières.*

Cet ouvrage se veut un exercice de stratégie quant à l'avenir : comment évaluer chaque métier et profession en fonction des contextes et des conditions qui lui sont associés et qui sont favorables à la carrière ouverte, évolutive, adaptable aussi bien aux besoins personnels qu'aux exigences de la conjoncture économique.

L'exercice permet donc à des programmes de formation de se distinguer davantage par rapport à d'autres. On découvrira ainsi des programmes « lauréats ».

Nous sommes heureux de vous faire profiter de cette recherche en identifiant cette année dans le Guide Choisir – Université tous les programmes porteurs d'opportunités pour l'avenir!

Pour ce faire, vous trouverez dans les fiches des programmes concernés une pastille « Lauréat du Palmarès des carrières 2007 ».

Pour en savoir davantage, nous vous invitons à vous procurer à chaque année le *Palmarès des carrières* sur le site www.septembre.com ou en composant le 1 800 361-7755. Cet ouvrage est en vente dans toutes les librairies.

Liste des programmes lauréats

Index alphabétique des programmes de baccalauréat

A

PAGE

A B C

PAGE

B

C

C D

PAGE

D

E

E F

PAGE

F

G

HIJKL

PAGE

H

I

J

K

L

LMNOP

PAGE

P R S

PAGE

T

U

W

DOMAINE D'ÉTUDES

ARTS

Discipline

BEAUX-ARTS ET ARTS APPLIQUÉS

15907 ART DRAMATIQUE / ÉTUDES THÉÂTRALES / THÉÂTRE / DRAMA / THEATRE PERFORMANCE, SCENOGRAPHY

BAC 6 TRIMESTRES CUISEP 223-100

Compétences à acquérir

- Interpréter des rôles.
- Diriger des acteurs.
- Faire la mise en scène.
- Coordonner les activités liées à la réalisation d'un spectacle, d'une pièce de théâtre, etc.

Éléments du programme

- Création dramatique
- Critique et représentation
- Dramaturgie
- Espace scénique
- Formation d'acteurs
- Histoire du théâtre
- Production de spectacles
- Techniques scéniques

Admission (voir p. 20 G)

DEC ou l'équivalent.

OU

Concordia: DEC ou l'équivalent, entrevues/auditions, lettre explicative et/ou soumission de travaux personnels.
UQAM : DEC ou l'équivalent et questionnaire, audition, entrevue.

Endroits de formation (voir p. 414)

	Contingentement	Coop	Cote R
Bishop's	☐	☐	—
Concordia	■	☐	—
Laval	☐	☐	—
McGill	☐	☐	—
UQAM	■	☐	—

Professions reliées

C.N.P.

5135	Acteur
5121	Auteur dramatique
5123	Critique d'art
5131	Directeur artistique
5131	Directeur technique de productions artistiques
5131	Metteur en scène de théâtre
5135	Narrateur
5131	Producteur (cinéma, radio, télévision, théâtre)
5135	Professeur d'art dramatique (collège ou université)
5226	Régisseur

Endroits de travail

- Compagnies théâtrales
- Éditeurs de journaux et revues
- Établissements d'enseignement
- Maisons de production
- Télédiffuseurs

Salaire

Le salaire hebdomadaire moyen est de 510 $ (janvier 2005).

Remarques

- Pour enseigner au primaire et au secondaire, il faut être titulaire d'un permis ou d'un brevet d'enseignement permanent émis par le ministère de l'Éducation, du Loisir et du Sport.
- Il est préférable de faire partie d'une union ou d'une association d'artistes professionnels reconnue pour exercer ces professions.
- L'Université du Québec à Montréal (UQAM) offre quatre concentrations : Études théâtrales; Enseignement; Jeu; Scénographie.
- L'Université Laval offre un diplôme de 1er cycle ainsi qu'un certificat en Théâtre.

STATISTIQUES D'EMPLOI

	2001	2003	2005
Nb de personnes diplômées	91	113	91
% en emploi	69,1 %	63,0 %	59,6 %
% à temps plein	50,0 %	60,8 %	64,3 %
% lié à la formation	52,6 %	58,1 %	50,0 %

ARTS

15900/ 15909	ARTS (INTERDISCIPLINAIRE) / INTERMEDIA-CYBERARTS	
	BAC 6 TRIMESTRES	CUISEP 210/220-000

Compétences à acquérir

- Concevoir, gérer et diffuser des projets de création liés à plusieurs domaines de l'art et à diverses techniques.
- Selon les concentrations choisies, acquérir les habiletés relatives au travail de création artistique (peinture, sculpture, céramique, etc.), à la gestion de projets artistiques, au design d'aménagements, à la réalisation de projets cinématographiques, à la mise en scène, etc.

Cinq cheminements sont offerts :

- Arts numériques; Arts plastiques; Cinéma-vidéo; Design; Théâtre.

Éléments du programme

- Production en cinéma et vidéo
- Jeu et direction d'acteur au cinéma
- Création d'images numériques
- Dessin
- Dramaturgie et mise en scène
- Histoire de l'interdisciplinarité
- Peinture
- Sculpture
- Montage
- Modelage
- Conception et techniques du son au cinéma et au théâtre
- Projets

Admission (voir p. 20 G)

Condordia : DEC ou l'équivalent, lettre d'intention et portfolio.
UQAC : DEC en Arts pastiques, DEC en Arts et lettres ou tout autre DEC ayant un rapport avec la concentration choisie dans le Baccalauréat interdisciplinaire en arts **OU** être agé d'au moins vingt et un ans, posséder des connaissances appropriées et une expérience pertinente, présenter un dossier et se soumettre à une entrevue **OU** avoir complété un minimum de quinze crédits universitaires avec une moyenne de 2,3/4,3, présenter un dossier et se soumettre à une entrevue.

Endroits de formation (voir p. 414)

	Contingentement	Coop	Cote R
Condordia	□	□	—
UQAC	■	□	—

Professions reliées

C.N.P.	
—	Animateur d'activités socio-culturelles
5136	Artiste peintre
5227	Assistant à la réalisation
5243	Concepteur de décors
5243	Concepteur-designer d'expositions
5123	Critique d'art
5242	Décorateur-ensemblier
5241	Dessinateur d'animation 2D et 3D
5131	Directeur artistique
5241	Designer visuel en multimédia
5131	Directeur technique de productions artistiques
5136	Graveur d'art
5244	Graveur d'art (orfèvrerie)
5131	Metteur en scène de théâtre
5136	Peintre-scénographe
5136	Professeur d'arts plastiques
5244	Sculpteur
5241	Web designer

Endroits de travail

- À son compte
- Établissements d'enseignement
- Industrie du multimédia
- Maisons de production cinématographique
- Télédiffuseurs
- Théâtres

Salaire

Le salaire hebdomadaire moyen est de 442 $ (janvier 2003).

Remarque

Pour enseigner au primaire et au secondaire, il faut être titulaire d'un permis ou d'un brevet d'enseignement permanent émis par le ministère de l'Éducation, du Loisir et du Sport.

STATISTIQUES D'EMPLOI

	2001	2003	2005
Nb de personnes diplômées	140	80	—
% en emploi	49,4 %	53,8 %	—
% à temps plein	73,2 %	64,3 %	—
% lié à la formation	46,7 %	55,6 %	—

15902 ARTS PLASTIQUES / ARTS VISUELS / ARTS VISUELS ET MÉDIATIQUES / CONCEPTION ET CRÉATION VISUELLE / DESIGN / FINE ARTS

BAC 6 TRIMESTRES — CUISEP 214-000

Compétences à acquérir

- Utiliser divers médiums de production artistique (huile, acrylique, encres, bois, terre, plâtre, etc.) pour créer des œuvres originales.
- Développer des modes d'expression personnelle.
- Produire des œuvres en vue de préparer des expositions.
- Améliorer ses dispositions à percevoir et à s'exprimer.
- Renforcer sa dextérité dans la manipulation d'instruments et accroître la souplesse et la précision du geste artistique.

Éléments du programme

- Art actuel au Québec
- Arts médiatiques
- Arts visuels actuels
- Atelier
- Dessin
- Fondements de la sculpture
- Histoire de l'art
- Images et idées
- Lithographie
- Procédés photographiques et vidéographiques
- Sérigraphie
- Sociologie de l'art
- Techniques de fabrication

Admission (voir p. 20 G)

Bishop's : DEC ou l'équivalent, DEC en Arts appliqués, DEC en Communications graphiques ou leur équivalent **ET/OU** entrevue, portfolio, curriculum vitæ.

Concordia : DEC ou l'équivalent, lettre explicative, soumission de travaux personnels **ET/OU** entrevues/auditions.

Laval : DEC en Arts plastiques ou DEC en Arts et lettres ou DEC en Sciences, lettres et arts et au moins deux cours d'atelier en arts plastiques de niveau collégial, ainsi que deux cours d'histoire de l'art et présenter un dossier visuel de travaux personnels **OU** DEC et avoir réussi les cours suivants : arts plastiques 112, 122, 212, 232, 312, 412, plus deux cours d'histoire de l'art ou avoir des acquis équivalents et présenter un dossier visuel de travaux personnels **OU** DEC en Technologie de l'architecture, Techniques de design de présentation, Techniques de design d'intérieur, Photographie, Graphisme, Techniques de design industriel, Techniques de métiers d'art, Arts et technologies des médias, Arts et technologies informatisées **OU** certificat en Arts plastiques **OU** autre DEC technique jugé équivalent **ET** entrevue et portfolio.

UQAM : DEC ou l'équivalent et dossier visuel obligatoire.

UQO : DEC ou l'équivalent, DEC en Arts appliqués, DEC en Communications graphiques ou leur équivalent **ET** dossier visuel, curriculum vitae.

UQTR : DEC en Arts plastiques ou DEC en Arts et lettres **OU** DEC technique ou tout autre DEC **ET** présenter un dossier visuel de travaux personnels en arts plastiques et se soumettre à une entrevue.

Endroits de formation (voir p. 414)

	Contingentement	Coop	Cote R
Bishop's	□	□	—
Concordia	■	□	—
Laval	□	□	—
UQAM	■	□	—
UQO	■	□	23.000
UQTR	□	□	—

Professions reliées

C.N.P.

5136	Artiste peintre
5241	Bédéiste
5241	Caricaturiste
5243	Concepteur de décors
5243	Concepteur-designer d'expositions
5241	Designer graphique
5241	Dessinateur d'animation
5131	Directeur artistique
5136	Graveur d'art
5221	Photographe
5136	Professeur d'arts plastiques
5136	Professeur d'arts plastiques à l'université
5136	Sculpteur
5136	Sérigraphiste
5244	Souffleur de verre (artisan)

Endroits de travail

- À son compte
- Entreprises en multimédia
- Établissements d'enseignement
- Galeries d'art
- Gouvernements fédéral et provincial
- Maisons d'édition (journaux et revues)
- Municipalités (services des loisirs)

15902 ARTS PLASTIQUES / ARTS VISUELS / ARTS VISUELS ET MÉDIATIQUES / CONCEPTION ET CRÉATION VISUELLE / DESIGN / FINE ARTS

(SUITE)

Salaire

Le salaire hebdomadaire moyen est de 531 $ (janvier 2005).

Remarques

- Pour enseigner au primaire et au secondaire, il faut être titulaire d'un permis ou d'un brevet d'enseignement permanent émis par le ministère de l'Éducation, du Loisir et du Sport.
- Il est préférable de faire partie d'une union ou d'une association d'artistes professionnels reconnue pour exercer ces professions.
- L'Université du Québec à Montréal (UQAM), l'Université du Québec à Trois-Rivières (UQTR) et l'Université Laval offrent un certificat en Arts plastiques.
- L'Université Concordia offre une majeure en Computation Arts.
- L'Université du Québec en Outaouais offre des majeures en : Design graphique; Arts visuels; Muséologie; Bande dessinée. Elle offre également quatre mineures et quatre certificats : Design graphique; Arts visuels; Cybermuséologie; Bande dessinée.
- L'Université Bishop's offre un certificat en Studio Arts.
- L'Université du Québec à Montréal (UQAM) offre deux profils : Pratique artistique; Enseignement des arts visuels et médiatiques.

STATISTIQUES D'EMPLOI

	2001	2003	2005
Nb de personnes diplômées	89	202	200
% en emploi	58,1 %	65,6 %	46,2 %
% à temps plein	66,7 %	73,3 %	70,0 %
% lié à la formation	58,3 %	68,8 %	40,5 %

15910 CINÉMA / ÉTUDES CINÉMATOGRAPHIQUES / ÉTUDES CINÉMATOGRAPHIQUES ET LITTÉRATURE COMPARÉE / FILM PRODUCTION / FILM STUDIES

BAC 6 TRIMESTRES — CUISEP 213-100

Compétences à acquérir

- Analyser les films et leur rapport à la société.
- Connaître et utiliser les diverses techniques et les divers équipements de tournage, d'éclairage, de sonorisation et de montage de films.
- Rédiger des textes et des scénarios.
- Réaliser et faire le montage de films.
- Préparer, organiser et coordonner la production de films.
- Faire le choix d'acteurs, de costumes, de décors et de lieux de tournage.

Éléments du programme

- Communication et médias de masse
- Histoire du cinéma
- Montage
- Production
- Recherches en communication
- Techniques cinématographiques
- Théories du cinéma

Admission (voir p. 20 G)

Concordia : DEC ou l'équivalent, lettre explicative et soumission de travaux personnels.

Montréal : DEC ou l'équivalent **OU** avoir réussi 24 crédits de niveau universitaire autres que des crédits obtenus dans le cadre de cours préparatoires aux études universitaires.

Endroits de formation (voir p. 414)

	Contingentement	Coop	Cote R*
Concordia	■	□	—
Montréal	■	□	22.000 et 26.210

** Le nombre inscrit indique la **cote R** qui a été utilisée pour l'**admission de l'année précédente** par l'université concernée. Pour connaître la cote R exigée pour l'admission 2008, communiquer avec les établissements concernés.*

Professions reliées

C.N.P.	
5123	Critique de cinéma
5131	Directeur artistique
5131	Directeur de la distribution
5131	Directeur de la photographie
5131	Directeur de production (cinéma, télévision)
5131	Directeur technique de productions artistiques
5131	Monteur de films
5131	Producteur (cinéma, radio, télévision, théâtre)
5131	Réalisateur (cinéma, radio, télévision)
5226	Régisseur
5121	Scénariste-dialoguiste

Endroits de travail

- Établissements d'enseignement
- Industrie du multimédia
- Maisons de production cinématographiques et de matériel visuel
- Télédiffuseurs

Salaire

Le salaire hebdomadaire moyen est de 646 $ (janvier 2005).

Remarques

- L'Université Laval offre un certificat en Études cinématographiques.
- L'Université Bishop's offre une concentration en Études cinématographiques offerte par le département d'anglais.

STATISTIQUES D'EMPLOI

	2001	2003	2005
Nb de personnes diplômées	83	116	134
% en emploi	61,2 %	66,7 %	69,1 %
% à temps plein	96,7 %	72,9 %	83,9 %
% lié à la formation	51,7 %	57,1 %	61,7 %

ARTS

15971 COMMUNICATION GRAPHIQUE / CRÉATION EN MULTIMÉDIA INTERACTIF / DESIGN / DESIGN GRAPHIQUE

BAC 6 TRIMESTRES — CUISEP 217-500

Compétences à acquérir

- Créer des images, des illustrations, des maquettes en vue de traduire des idées ou des messages (affiches, enseignes, logos).
- Concevoir des images de kiosques, de la publicité ou des films animés.
- Développer un langage visuel, logique, raffiné, esthétique et original.

Éléments du programme

- Analyse critique du design
- Créativité et images
- Design de produits
- Design graphique
- Dessin d'observation
- Idéation publicitaire
- Illustration
- Langage graphique
- Multimédia
- Processus de design
- Scénarisation

Admission (voir p. 20 G)

Concordia : DEC ou l'équivalent, lettre explicative et soumission de travaux personnels.

Laval : DEC en Arts plastiques et avoir réussi : un cours d'initiation à l'informatique ou un cours à forte concentration technologique **OU** DEC préuniversitaire ou technique et avoir réussi les cours de niveau collégial suivants : deux cours de dessin, un cours de pictural, un cours de sculptural ou 3D, deux cours d'histoire de l'art, un cours d'initiation à l'informatique ou un cours à forte concentration technologique et présenter un dossier visuel conforme aux normes fixées par le programme **OU** certificat universitaire en Arts plastiques et avoir réussi un cours d'initiation à l'informatique ou un cours à forte concentration technologique **ET** entrevue et portfolio.

UQAM : DEC ou l'équivalent, portfolio et questionnaire.

UQAT : DEC ou l'équivalent **OU** DEC en Techniques d'intégration multimédia, en Arts, en Informatique, en Sciences humaines, en Lettres, en Cinéma, en Communication et documentation, en Technologie des médias, en Bureautique, en Électronique, en Techniques de design de présentation, en Graphisme, en Techniques de design industriel ou tout autre domaine nécessitant l'intégration des NTIC **OU** détenir un diplôme universitaire.

UQO : DEC ou l'équivalent ou DEC en Arts appliqués ou DEC en Communications graphiques ou l'équivalent **ET** dossier visuel, curriculum vitae.

Endroits de formation (voir p. 414)

	Contingentement	Coop	Cote R
Concordia	■	■	27.000
Laval	□	□	—
UQAM	■	□	—
UQAT	■	□	—
UQO	■	□	23.000

Professions reliées

C.N.P.	
5241	Bédéiste
5241	Caricaturiste
0213	Chargé de projet multimédia
5241	Concepteur d'animation 2D et 3D
5243	Concepteur-designer d'expositions
5241	Concepteur-idéateur de produits multimédias
5121	Scénariste en multimédia
5241	Designer graphiste
5241	Dessinateur d'animation
5241	Graphiste
5243	Héraldiste
5121	Idéateur
5241	Illustrateur
5121	Scénariste en multimédia
5241	Web designer

Endroits de travail

- À son compte
- Agences de communication
- Agences de publicité
- Éditeurs de jounaux
- Firmes d'informatique
- Industrie du multimédia
- Maisons d'édition
- Studios de design

Salaire

Le salaire hebdomadaire moyen est de 475 $ (janvier 2005).

15971 COMMUNICATION GRAPHIQUE / CRÉATION EN MULTIMÉDIA INTERACTIF / DESIGN / DESIGN GRAPHIQUE

(SUITE)

Remarques

- L'Université Laval offre un certificat en Art et science de l'animation interactive.
- L'Université du Québec en Abitibi-Témiscamingue offre un baccalauréat de 90 crédits composé d'une majeure et d'une mineure au choix : Production artistique; Arts plastiques; Programmation multimédia; Pratiques rédactionnelles; Gestion; Création 3D; Personnalisée.
- L'Université du Québec en Outaouais (UQO) offre différentes majeures : Design graphique; Arts visuels; Muséologie; Bande dessinée. Elle offre également quatre certificats et quatre mineures : Design graphique; Arts visuels; Cybermuséologie; Bande dessinée.

ARTS

STATISTIQUES D'EMPLOI

	2001	2003	2005
Nb de personnes diplômées	128	161	208
% en emploi	79,3 %	80,9 %	75,2 %
% à temps plein	89,0 %	98,2 %	80,7 %
% lié à la formation	89,2 %	78,7 %	65,9 %

15908 DANSE

BAC 6 TRIMESTRES | CUISEP 216-000

Compétences à acquérir

- Développer sa créativité et ses habiletés corporelles.
- Concevoir ou exécuter des chorégraphies.
- Enseigner la danse.

Éléments du programme

- Création
- Danse et musique
- Esthétique chorégraphique
- Histoire de la danse
- Interprétation
- Intervention pédagogique en danse
- Stages

Admission (voir p. 20 G)

Concordia : DEC ou l'équivalent et entrevue/audition.

UQAM : DEC en danse ou l'équivalent **OU** DEC dans une autre concentration et avoir suivi une formation soutenue et régulière en danse **ET** audition.

Endroits de formation (voir p. 414)

	Contingentement	Coop	Cote R
Concordia	■	□	—
UQAM	■	□	—

Professions reliées

C.N.P.

5131	Chorégraphe
5134	Danseur
5131	Producteur d'événements artistiques
5134	Professeur de danse

Endroits de travail

- À son compte
- Écoles de danse
- Entreprises de production de films
- Établissements d'enseignement
- Troupes de danse

Salaire

Le salaire hebdomadaire moyen est de 410 $ (janvier 2005).

Remarques

- Pour enseigner au primaire et au secondaire, il faut être titulaire d'un permis ou d'un brevet d'enseignement permanent émis par le ministère de l'Éducation, du Loisir et du Sport.
- L'Université Concordia offre la majeure.
- L'Université du Québec à Montréal (UQAM) offre deux concentrations : Enseignement; Pratiques artistiques.

STATISTIQUES D'EMPLOI

	2001	2003	2005
Nb de personnes diplômées	28	18	28
% en emploi	94,1 %	81,8 %	61,1 %
% à temps plein	37,5 %	77,8 %	45,5 %
% lié à la formation	50,0 %	85,7 %	40,0 %

15909 GESTION ET DESIGN DE LA MODE

BAC 6 TRIMESTRES — CUISEP 215-000

Compétences à acquérir

- Concevoir une collection de vêtements.
- Intégrer les valeurs de l'esthétique industrielle.
- Diriger la production d'une collection de vêtements.
- Respecter les normes de productivité et de qualité.
- Coordonner un programme de commercialisation d'une collection de vêtements.
- Considérer les données concurrentielles des marchés.

Trois concentrations sont offertes :

- Commercialisation de la mode; Design et stylisme de mode; Gestion industrielle de la mode.

Éléments du programme

- Commerce international
- Comptabilité et financement de la PME
- Design informatisé
- Marketing de mode
- Psychosociologie de la mode et du vêtement
- Stylisme de mode
- Technologie et équipement

Admission (voir p. 20 G)

Concentration **Design et stylisme de mode** : DEC en Design et stylisme, DEC en Dessin de mode ou DEC en Mode féminine ou en mode masculine. Concentrations **Commercialisation de la mode** et **Gestion industrielle de la mode** : DEC ou l'équivalent et avoir réussi un cours de mathématiques de niveau collégial.

Endroit de formation (voir p. 414)

	Contingentement	Coop	Cote R*
UQAM	■	□	25.000

** Le nombre inscrit indique la* ***cote R*** *qui a été utilisée pour* ***l'admission de l'année précédente*** *par l'université concernée. Pour connaître la cote R exigée pour l'admission 2008, communiquer avec les établissements concernés.*

Professions reliées

C.N.P.

0611	Coordonnateur de la commercialisation
5243	Créateur de costumes
5243	Designer de mode
0611	Gérant des ventes
5243	Modéliste de chaussures
5243	Modéliste en textiles
5243	Modéliste en vêtements
5243	Styliste de mode

Endroits de travail

- À son compte
- Industrie de la mode
- Industrie manufacturière

Salaire

Le salaire hebdomadaire moyen est de 642 $ (janvier 2003).

Remarques

- La concentration Commercialisation de la mode est contingentée.
- Ce programme est offert à l'école supérieure de mode de Montréal, un partenariat de l'Université du Québec à Montréal (UQAM) et du Collège LaSalle.

STATISTIQUES D'EMPLOI

	2001	2003	2005
Nb de personnes diplômées	48	71	—
% en emploi	80,6 %	62,5 %	—
% à temps plein	96,0 %	96,7 %	—
% lié à la formation	70,8 %	65,5 %	—

ARTS

15903 HISTOIRE DE L'ART / ART EDUCATION / ART HISTORY

BAC 6 TRIMESTRES — CUISEP 218-000

Compétences à acquérir

- Faire montre d'un discours critique et analytique sur les divers types d'arts et d'œuvres au cours des âges.
- Faire des recherches pour approfondir la compréhension de l'art et des œuvres dans un domaine en particulier.
- Assurer la conservation et la diffusion d'œuvres d'art.
- Rédiger des textes sur l'art.

Éléments du programme

- Approches historiques de l'objet d'art
- Architecture
- Historiographie critique
- Initiation au musée d'art
- Lecture et analyse d'œuvres d'art
- Perception visuelle
- Sociologie de l'art
- Théories de l'art

Admission (voir p. 20 G)

DEC ou l'équivalent.

OU

Concordia : DEC ou l'équivalent, lettre explicative et soumission de travaux.

Montréal : DEC ou l'équivalent **OU** avoir réussi 24 crédits de cours universitaires autres que des crédits obtenus dans le cadre de cours préparatoires aux études universitaires.

Endroits de formation (voir p. 414)

	Contingentement	Coop	Cote R
Concordia	■	■	27.000
Laval	□	□	—
McGill	□	□	—
Montréal	□	□	—
UQAM	□	□	—

Professions reliées

C.N.P.

5112	Conservateur de musée
5123	Critique d'art
5123	Critique de cinéma
5123	Critique littéraire
5124	Éducateur dans les musées
4169	Historien de l'art

Endroits de travail

- Bibliothèques
- Établissements d'enseignement collégial et universitaire
- Galeries d'art
- Maisons de la culture
- Médias d'information
- Musées

Salaire

Le salaire hebdomadaire moyen est de 616 $ (janvier 2005).

Remarques

- L'Université du Québec à Montréal (UQAM) offre une mineure en Histoire de l'art.
- L'Université Laval offre un diplôme de 1er cycle et un certificat en Histoire de l'art.
- L'Université Bishop's offre un «Honours» : Art History.

ARTS

STATISTIQUES D'EMPLOI

	2001	2003	2005
Nb de personnes diplômées	105	133	139
% en emploi	40,0 %	43,9 %	37,9 %
% à temps plein	66,7 %	86,0 %	69,7 %
% lié à la formation	10,0 %	27,0 %	17,4 %

15905 MUSIQUE / MUSIC

BAC 6 TRIMESTRES — CUISEP 221-000

Compétences à acquérir

- Interpréter, créer et arranger des œuvres musicales.
- Diriger des ensembles musicaux.
- Enseigner la musique ou le chant.
- Accompagner des musiciens ou des chanteurs.

Éléments du programme

- Analyse et écriture
- Formation auditive
- Histoire de la musique
- Musicothérapie
- Grands ensembles
- Harmonie
- Instrument principal
- Rythmique

Admission (voir p. 20 G)

Bishop's : DEC ou l'équivalent et audition.

Concordia : DEC ou l'équivalent, lettre explicative, soumission de travaux personnels et/ou entrevues, auditions, test théorique.

Laval : DEC ou l'équivalent et avoir réussi l'une des deux séries suivantes de cours de musique : 101, 201, 301, 401; 111, 211, 311, 411; 121, 221, 321, 421 ou 131, 231, 331, 431 **ou** 105, 205, 305, 405; 106, 206, 306, 406; 111, 211, 311, 411; 121, 221, 321, 421 ou 131, 231, 331, 431, préciser le type d'instrument et le cheminement sur le formulaire d'admission et se soumettre à un test d'aptitude.

McGill : DEC en Musique ou l'équivalent et audition.

Montréal : DEC ou l'équivalent et réussir les tests d'admission en savoir théorique, en solfège et en dictée musicale et faire la preuve de ses qualités musicales au cours d'une audition. Se présenter à une entrevue.

Sherbrooke : DEC en Musique et se présenter à l'audition instrumentale et aux examens théoriques de qualification (solfège, dictée, théorie, harmonie et histoire).

UQAM : Musique 101, 201, 301, 401; 111, 211, 311, 411; 121, 221, 321, 421 (ou 131, 231, 331), 431 **et** entrevue, tests d'admission, examen instrumental de qualification, test de classement **OU** DEC dans une autre discipline et posséder des compétences musicales adéquates et tests d'entrée.

Endroits de formation (voir p. 414)

	Contingentement	Coop	Cote R
Bishop's	□	□	—
Concordia	■	□	—
Laval	□	□	—
McGill	■	□	—
Montréal	■	□	—
Sherbrooke	□	□	—
UQAM*	■	□	—

* Contingenté seulement pour les concentrations en musicothérapie et en enseignement.

Professions reliées

C.N.P.	
5132	Auteur-compositeur-interprète
5133	Chanteur de concert
5132	Chef d'orchestre
5133	Choriste
5123	Critique d'art
5132	Directeur musical
5133	Instrumentiste
5133	Musicien
5133	Musicologue
3144	Musicothérapeute
5132	Orchestrateur
4131	Professeur de chant
4131	Producteur de disques
4121	Professeur de musique
4121	Professeur de musique instrumentale à l'université
4121	Professeur de musique instrumentale au collège

Endroits de travail

- À son compte
- Conservatoires de musique
- Établissements d'enseignement
- Orchestres
- Organismes divers (SOCAM, Conseils des arts du Canada, etc.)
- Télédiffuseurs

15905 MUSIQUE / MUSIC
(SUITE)

Salaire

Le salaire hebdomadaire moyen est de 559 $ (janvier 2005).

Remarques

- Différentes options sont offertes selon les établissements : Composition; Éducation musicale; Histoire de la musique; Interprétation; Jazz; Musique et culture; Multimédia; Musicologie, etc.
- Pour enseigner au primaire et au secondaire, il faut détenir un permis ou un brevet d'enseignement permanent émis par le ministère de l'Éducation, du Loisir et du Sport.
- Pour obtenir l'accréditation de musicothérapeute (MTA) auprès de l'Association de musicothérapeute du Canada, le candidat doit faire la preuve qu'il possède une expérience de travail d'au moins 1 000 heures sous supervision d'un musicothérapeute accrédité.
- L'Université du Québec à Montréal (UQAM) offre cinq concentrations : Enseignement; Histoire de la musique et musicologie; Interprétation; Interprétation musique populaire; Musicothérapie.
- L'Université Laval offre un diplôme de 1er cycle en Jazz et musique populaire ainsi qu'un certificat en Culture musicale. Le baccalauréat en Musique comporte cinq cheminements : Mentions en composition; Histoire; Interprétation (classique), Interprétation (jazz et musique populaire); Sans mention.

ARTS

STATISTIQUES D'EMPLOI

	2001	2003	2005
Nb de personnes diplômées	277	316	297
% en emploi	45,6 %	57,8 %	54,4 %
% à temps plein	53,7 %	52,6 %	44,9 %
% lié à la formation	59,1 %	64,3 %	59,1 %

DOMAINE D'ÉTUDES

DROIT

Discipline

15600 DROIT / CIVIL LAW / COMMON LAW

BAC 6 TRIMESTRES — CUISEP 531-000

Compétences à acquérir

- Connaître et appliquer les principes fondamentaux du droit.
- Appliquer les règles de droit à des situations concrètes.
- S'exprimer en termes juridiques oralement ou par écrit.
- Intervenir dans la défense et la promotion des droits.
- Représenter une personne ou un groupe devant les tribunaux.
- Rédiger des actes juridiques.
- Informer le client de ses droits et obligations.
- Conseiller les personnes désireuses de signer des actes, des conventions ou des contrats de toutes sortes.
- Conférer aux contrats une authenticité légale.
- Assurer la conservation des documents légaux.
- Travailler au financement et à l'administration d'immeubles, à la planification successorale et fiscale et aux règlements de successions.

Éléments du programme

- Droit commercial
- Droit constitutionnel et administratif
- Droit international
- Droit pénal
- Droit social et du travail
- Exécution et extinction des obligations
- Interprétation des lois
- La preuve
- Recherche et rédaction juridiques

Admission (voir p. 20 G)

DEC ou l'équivalent.

OU

Montréal : Avoir complété le certificat en Droit général et pouvoir se qualifier à titre de candidat de transfert **OU** avoir réussi 48 crédits de cours universitaires autres que des crédits obtenus dans le cadre de cours préparatoires aux études universitaires.

Sherbrooke : Des conditions particulières d'admission peuvent s'appliquer à certaines catégories de candidats détenteurs de diplômes *Common Law* et autres. Les clientèles adultes doivent se présenter à une entrevue d'admission. **Baccalauréat en Droit avec cheminement en biotechnologie :** DEC ou l'équivalent et mathématiques 103, 203; physique 101, 201, 301; chimie 101, 201; biologie 301 **OU** DEC dans la famille des techniques biologiques ou l'équivalent et mathématiques 103, 203 ou leur équivalent; chimie 101, 201 ou leur équivalent.

ET/OU

Entrevues, tests d'admission, excellence du dossier scolaire et lettre de motivation personnelle selon les établissements.

Endroits de formation (voir p. 414)

	Contingentement	Coop	Cote R*
Laval	■	□	27.054
McGill	■	□	—
Montréal	■	□	29.500
Sherbrooke	■	■	25.400 à 25.900
UQAM	■	□	27.750

** Le nombre inscrit indique la **cote R** qui a été utilisée pour l'**admission de l'année précédente** par l'université concernée. Pour connaître la cote R exigée pour l'admission 2008, communiquer avec les établissements concernés.*

Professions reliées

C.N.P.	
4168	Agent du service extérieur diplomatique
4112	Avocat
4112	Avocat de la Couronne
4112	Conseiller juridique
4165	Coroner
1221	Curateur public
4111	Juge
1227	Juge de paix
4112	Légiste
4122	Médiateur
4112	Notaire
0012	Protecteur du citoyen
1227	Protonotaire

Endroits de travail

- À son compte
- Bureaux de l'aide juridique
- Cabinets d'avocats
- Cabinets de notaires
- Gouvernements fédéral et provincial
- Grandes entreprises
- Institutions financières
- Municipalités
- Sociétés de fiducie

Salaire

Le salaire hebdomadaire moyen est de 833 $ (janvier 2005).

15600 DROIT / CIVIL LAW / COMMON LAW (SUITE)

Remarques

- Pour exercer les professions citées et porter le titre, il faut être membre du Barreau du Québec ou de la Chambre des notaires du Québec.
- Des études de 2e cycle sont nécessaires pour exercer les professions suivantes : notaire et coroner.
- La profession de juge est une nomination donnée par les autorités responsables aux personnes d'expérience considérées aptes à exercer cette fonction.
- En vertu d'une entente conclue entre l'Université de Sherbrooke et l'Université Queen's de Kingston, Ontario, les étudiants de l'Université de Sherbrooke peuvent obtenir un baccalauréat en Droit civil et un autre en Common Law en quatre années d'études.
- L'Université de Sherbrooke offre une formule conjuguant un diplôme en Droit et un diplôme en Biologie. Au terme de neuf sessions de cours, l'étudiant obtient un baccalauréat en Droit avec cheminement en Biotechnologie et une maîtrise en Biologie, cheminement en Biologie moléculaire et Droit.
- Les étudiants de l'Université du Québec à Montréal (UQAM) peuvent obtenir, en vertu d'une entente avec l'Université de Windsor en Ontario, un baccalauréat en Droit civil et un autre en Common Law en quatre années d'études.
- L'Université Laval offre un certificat en Droit.

DROIT

STATISTIQUES D'EMPLOI

	2001	2003	2005
Nb de personnes diplômées	851	861	772
% en emploi	67,1 %	51,1 %	55,3 %
% à temps plein	93,7 %	94,6 %	93,4 %
% lié à la formation	85,8 %	84,4 %	88,1 %

DOMAINE D'ÉTUDES

LETTRES

Discipline

LETTRES ET LANGUES

15500 ALLEMAND / ÉTUDES ALLEMANDES / ÉTUDES ALLEMANDES ET HISTOIRE / GERMAN STUDIES

BAC 6 TRIMESTRES — CUISEP 251-510

Compétences à acquérir

- Comprendre, lire, parler et écrire l'allemand.
- Connaître la littérature et la culture germanique.
- Traduire ou rédiger des textes.
- Faire de l'interprétation.
- Enseigner l'allemand.

Éléments du programme

- Actualités allemandes
- Cours pratiques de langue allemande
- Étude de textes
- Grammaire avancée
- Littérature contemporaine
- Notions générales de linguistique
- Rédaction
- Société et culture allemande
- Traduction

Admission (voir p. 20 G)

McGill : DEC ou l'équivalent **OU** avoir une formation équivalant aux cours d'allemand du niveau collégial 101, 201.

Montréal : DEC ou l'équivalent **OU** avoir réussi 24 crédits de cours universitaires autres que des crédits obtenus dans le cadre de cours préparatoires aux études universitaires **ET** attester d'une connaissance élémentaire de l'allemand en ayant réussi deux cours de niveau collégial.

Endroits de formation (voir p. 414)

	Contingentement	Coop	Cote R
McGill	☐	☐	—
Montréal	☐	☐	—

Professions reliées

C.N.P.	
4168	Diplomate
5122	Directeur littéraire
5125	Interprète
4169	Linguiste
4131	Professeur de langues modernes
5125	Traducteur

Endroits de travail

- À son compte
- Établissements d'enseignement
- Firmes de traduction
- Gouvernements fédéral et provincial
- Maisons d'éditions
- Médias d'information
- Organismes internationaux

Salaire

Le salaire hebdomadaire moyen est de 569 $ (janvier 2005).

Remarques

- Pour enseigner au primaire et au secondaire, il faut détenir un permis ou un brevet d'enseignement permanent émis par le ministère de l'Éducation, du Loisir et du Sport.
- Pour porter le titre de traducteur ou d'interprète agréé, il faut être membre de l'Ordre professionnel des traducteurs, terminologues et interprètes agréés du Québec.
- L'Université Laval offre un certificat en Langue allemande.
- L'Université Bishop's offre une mineure en Allemand.

STATISTIQUES D'EMPLOI

	2001	2003	2005
Nb de personnes diplômées	87	112	114
% en emploi	63,8 %	50,7 %	56,3 %
% à temps plein	63,3 %	73,7 %	83,3 %
% lié à la formation	36,8 %	50,0 %	40,0 %

15594/ 15595 ANGLAIS / ANGLAIS, LANGUE ET LITTÉRATURE COMPARÉE (LINGUISTIQUE) / ÉTUDES ANGLAISES / ÉTUDES ANGLAISES ET INTERCULTURELLES / ÉTUDES ANGLAISES ET LITTÉRATURE COMPARÉE / LITTÉRATURE DE LANGUES ANGLAISE ET FRANÇAISE / ENGLISH AND CREATIVE WRITING / ENGLISH AND INTERCULTURAL STUDIES / ENGLISH LITERATURE

BAC 6 TRIMESTRES — CUISEP 251-200

Compétences à acquérir

- Comprendre, lire, parler et écrire la langue anglaise.
- Connaître la littérature et la culture anglophones.
- Traduire ou rédiger des textes.
- Faire de l'interprétation.
- Enseigner.

Éléments du programme

- Analyse de textes
- Genres littéraires
- Grammaire pratique : le verbe
- Introduction à la linguistique
- Polymécanique du langage
- Rédaction
- Sociolinguistique et analyse du discours
- Traduction

Admission (voir p. 20 G)

Bishop's : DEC ou l'équivalent.

Concordia : DEC ou l'équivalent et lettre explicative et soumission de travaux personnels.

Laval : DEC et faire la preuve d'avoir atteint, en anglais, des compétences de niveau avancé d'un test d'anglais standardisé (pour les candidats dont la langue maternelle n'est pas l'anglais) **OU** DEC (pour les candidats d'un cégep anglophone).

McGill : Test de classement obligatoire.

Montréal : DEC ou l'équivalent **OU** avoir réussi 24 crédits de niveau universitaire autres que des crédits obtenus dans le cadre de cours préparatoires aux études universitaires **ET** tests de connaissance de l'anglais oral et écrit.

Sherbrooke : DEC ou l'équivalent et avoir acquis dans la langue anglaise une formation équivalente à deux cours de niveau collégial.

Endroits de formation (voir p. 414)

	Contingentement	Coop	Cote R
Bishop's	□	□	—
Concordia	■	□	—
Laval	□	□	—
McGill	□	□	—
Montréal	□	□	—
Sherbrooke	□	■	—

Professions reliées

C.N.P.

5122	Directeur littéraire
5121	Écrivain
5125	Interprète
4169	Linguiste
5121	Scénariste-dialoguiste
5125	Traducteur

Endroits de travail

- Agences de publicité
- Établissements d'enseignement
- Gouvernements fédéral et provincial
- Grandes entreprises
- Maisons d'édition
- Médias

Salaire

Le salaire hebdomadaire moyen est de 610 $ (janvier 2003).

Remarques

- Pour enseigner au primaire et au secondaire, il faut être titulaire d'un permis ou d'un brevet d'enseignement permanent émis par le ministère de l'Éducation, du Loisir et du Sport.
- Pour porter le titre de traducteur ou d'interprète agréé, il faut être membre de l'Ordre professionnel des traducteurs, terminologues et interprètes agréés du Québec.
- L'Université Laval offre un diplôme de 1er cycle et un certificat en Études anglaises ainsi qu'un certificat en Langue anglaise.
- L'Unversité Concordia offre également un baccalauréat en English and History.
- L'Université Bishop's offre un certificat en Anglais langue seconde.

LETTRES

STATISTIQUES D'EMPLOI

	2001	2003	2005
Nb de personnes diplômées	291	267	—
% en emploi	63,3 %	53,6 %	—
% à temps plein	81,0 %	81,1 %	—
% lié à la formation	47,1 %	39,7 %	—

15590 COMMUNICATION, RÉDACTION ET MULTIMÉDIA / LANGUE FRANÇAISE ET RÉDACTION PROFESSIONNELLE

BAC 6 TRIMESTRES — CUISEP 511-000

Compétences à acquérir

- Concevoir et de gérer des projets dans les domaines de la langue et des communications.
- Maîtriser la langue, l'écriture et les divers types de rédaction professionnelle, et s'initier à diverses pratiques langagières (audio, visuelle, etc.).
- Se familiariser avec le contexte de communication dans ses dimensions sociale, institutionnelle, politique et éthique.
- Développer une attitude critique par l'étude des principaux modèles théoriques et l'analyse de discours spécialisés.
- Exploiter les ressources informatiques dans une perspective de traitement, de mise en forme et de diffusion de l'information.

Éléments du programme

- Communication informatique et multimédia
- Documentation et multimédia
- Enjeux sociaux du multimédia
- Internet et multimédia
- Plans de communication
- Rédaction
- Rédaction technique et promotionnelle
- Révision de textes

Admission (voir p. 20 G)

DEC ou l'équivalent.

Endroits de formation (voir p. 414)

	Contingentement	Coop	Cote R*
Laval	□	□	26.000 à 28.500
Sherbrooke	■	■	—
UQTR	□	□	—

** Le nombre inscrit indique la **cote R** qui a été utilisée pour l'**admission de l'année précédente** par l'université concernée. Pour connaître la cote R exigée pour l'admission 2008, communiquer avec les établissements concernés.*

Professions reliées

C.N.P.

5124	Agent de communication
5124	Agent d'information
5121	Rédacteur en multimédia
5121	Rédacteur technique
5124	Relationniste
5122	Réviseur

Endroits de travail

- À son compte
- Agences de publicité
- Gouvernements fédéral et provincial
- Grandes entreprises
- Industrie du multimédia
- Maisons d'édition
- Médias

Salaire

Le salaire hebdomadaire moyen est de 588 $ (janvier 2005).

Remarques

- L'Université Laval offre également un certificat en rédaction professionnelle.
- L'Université de Sherbrooke offre un cheminement intégré BAC – Maîtrise en Communication, rédaction et multimédia.

STATISTIQUES D'EMPLOI

	2001	2003	2005
Nb de personnes diplômées	452	465	386
% en emploi	51,1 %	45,4 %	44,8 %
% à temps plein	80,9 %	78,7 %	77,5 %
% lié à la formation	61,1 %	50,4 %	53,8 %

15500 ESPAGNOL / ÉTUDES HISPANIQUES / HISPANIC STUDIES / LATIN-AMERICAN AND CARIBBEAN STUDIES / SPANISH

BAC 6 TRIMESTRES — CUISEP 251-200

Compétences à acquérir

- Comprendre la langue espagnole (parlée et écrite).
- S'exprimer en langue espagnole (oralement et par écrit).
- Connaître la réalité hispanique à travers la littérature et la civilisation.
- Traduire ou rédiger des textes.
- Faire de l'interprétation.
- Enseigner l'espagnol.

Éléments du programme

- Cinéma et littérature hispaniques
- Civilisation espagnole
- Civilisation hispano-américaine
- Composition espagnole
- Cours pratiques d'espagnol
- Grammaire avancée
- Stylistique hispanique

Admission (voir p. 20 G)

Bishop's, Concordia : DEC ou l'équivalent
Laval : DEC et test d'équivalence (compétences en espagnol de niveau intermédiaire II).

McGill : DEC ou l'équivalent **OU** avoir réussi 24 crédits de cours universitaires autres que des crédits obtenus dans le cadre de cours préparatoires aux études universitaires **ET** avoir une la formation équivalant aux cours de niveau collégial en espagnol 101 et 201.
Montréal : DEC ou l'équivalent et avoir une formation équivalant aux cours de niveau collégial en espagnol 101 et 201.

Endroits de formation (voir p. 414)

	Contingentement	Coop	Cote R
Bishop's	☐	☐	—
Concordia	☐	☐	—
Laval	☐	☐	—
McGill	☐	☐	—
Montréal	☐	☐	—

Professions reliées

C.N.P.

5122	Directeur littéraire
5125	Interprète
4131	Professeur de langues modernes
5125	Traducteur

Endroits de travail

- Agences de publicité
- Établissements d'enseignement
- Gouvernements fédéral et provincial
- Industrie touristique
- Maisons d'édition
- Médias

Salaire

Le salaire hebdomadaire moyen est de 569 $ (janvier 2005).

Remarques

- Pour porter le titre de traducteur ou d'interprète agréé, il faut être membre de l'Ordre professionnel des traducteurs, terminologues et interprètes agréés du Québec.
- L'Université Laval offre un certificat en Langue espagnole.
- L'Université Bishop's offre un certificat en Études hispaniques.

STATISTIQUES D'EMPLOI

	2001	2003	2005
Nb de personnes diplômées	87	112	114
% en emploi	63,8 %	50,7 %	56,3 %
% à temps plein	63,3 %	73,7 %	83,3 %
% lié à la formation	36,8 %	50,0 %	40,0 %

15584 ÉTUDES ANCIENNES (GRECQUES OU LATINES) / ÉTUDES ANCIENNES, LANGUES MODERNES ET LINGUISTIQUE / ÉTUDES CLASSIQUES / CLASSICAL STUDIES / CLASSICS

BAC 6 TRIMESTRES — CUISEP 251/252-000

Compétences à acquérir

- Développer un esprit critique et analytique par rapport aux civilisations grecque et latine (histoire, évolution, réalisations artistiques, etc.).
- Posséder une bonne connaissance de la langue grecque ancienne ou latine.
- Connaître l'histoire des littératures grecque et latine, la géographie méditerranéenne.
- Connaître et utiliser les outils utiles à l'étude de l'antiquité grecque ou romaine.
- Appliquer une méthode de recherche en bibliothèque.
- Élaborer et rédiger des travaux.

Éléments du programme

- Archéologie hellénistique et romaine
- Crise agraire et révolution à Rome
- Histoire de la Grèce ancienne
- Initiation au grec ancien
- Initiation au latin
- Littérature et mythologie grecques
- Magistratures romaines

Admission (voir p. 20 G)

DEC ou l'équivalent.

OU

Montréal : DEC ou l'équivalent **OU** avoir réussi 24 crédits de niveau universitaire autres que des crédits obtenus dans le cadre de cours préparatoires aux études universitaires.

Endroits de formation (voir p. 414)

	Contingentement	Coop	Cote R
Bishop's	☐	☐	—
Concordia	☐	☐	—
Laval	☐	☐	—
McGill	☐	☐	—
Montréal	☐	☐	—

Professions reliées

C.N.P.

4169	Archéologue
4169	Ethnologue
4169	Historien
5125	Traducteur

Endroits de travail

- À son compte
- Établissements d'enseignement
- Gouvernements fédéral et provincial
- Musées

Salaire

Le salaire hebdomadaire moyen est de 486 $ (janvier 2005).

Remarques

- Différentes options sont offertes selon les établissements : Études anciennes; Études classiques; Philologie, etc.
- Des études de 2e ou 3e cycle peuvent être exigées pour travailler dans le domaine de la recherche scientifique.
- L'Université Laval offre également un certificat en Études classiques.

STATISTIQUES D'EMPLOI

	2001	2003	2005
Nb de personnes diplômées	31	57	52
% en emploi	43,5 %	40,0 %	32,4 %
% à temps plein	70,0 %	68,8 %	83,3 %
% lié à la formation	28,6 %	9,1 %	20,0 %

LETTRES

15400/ 15590/ 15595/ ÉTUDES CANADIENNES / ÉTUDES CANADIENNES-FRANÇAISES / ÉTUDES FRANÇAISES / ÉTUDES FRANÇAISES ET LINGUISTIQUE / ÉTUDES FRANÇAISES ET PHILOSOPHIE / ÉTUDES FRANÇAISES ET QUÉBÉCOISES / ÉTUDES NORD-AMÉRICAINES / ÉTUDES QUÉBÉCOISES / FRANÇAIS, LANGUE ET LITTÉRATURE

BAC 6-9 TRIMESTRES — CUISEP 251-000

Compétences à acquérir

- Maîtriser la langue française.
- Développer des habiletés en recherche, en création et en communication.
- Analyser des textes.
- Suivre l'évolution des genres et des formes de lecture et d'écriture.
- Produire des écrits.
- Réviser ou réécrire des textes issus de traductions.

Éléments du programme

- Création littéraire
- Étude de textes
- Genres littéraires
- Histoire de la langue française
- Langage dramatique
- Psychocritique
- Sémantique
- Stylistique

Admission (voir p. 20 G)

DEC ou l'équivalent.

OU

Concordia : DEC et l'équivalent de deux cours de niveau collégial dans la langue qui sera étudiée.

Montréal : Avoir réussi 24 crédits de cours universitaires autres que des crédits obtenus dans le cadre de cours préparatoires aux études universitaires.

Endroits de formation (voir p. 414)

	Contingentement	Coop	Cote R
Bishop's	☐	☐	—
Concordia	☐	☐	—
McGill	☐	☐	—
Montréal	☐	☐	—
UQTR	☐	☐	—

Professions reliées

C.N.P.	
5122	Directeur littéraire
5121	Écrivain
5121	Lexicographe
5122	Réviseur
5121	Scénariste-dialoguiste

Endroits de travail

- Établissements d'enseignement
- Gouvernements fédéral et provincial
- Maisons d'édition
- Office de la langue française

Salaire

Le salaire hebdomadaire moyen est de 588 $ (janvier 2005).

Remarque

L'Université Laval offre un diplôme et un certificat en Ethnologie du Québec.

LETTRES

STATISTIQUES D'EMPLOI

	2001	2003	2005
Nb de personnes diplômées	452	465	386
% en emploi	51,1 %	45,4 %	44,8 %
% à temps plein	80,9 %	78,7 %	77,5 %
% lié à la formation	61,1 %	50,4 %	53,8 %

15580/ 15590 ÉTUDES LITTÉRAIRES / ÉTUDES LITTÉRAIRES ET CULTURELLES / ÉTUDES LITTÉRAIRES FRANÇAISES / LITTÉRATURE COMPARÉE / LITTÉRATURE COMPARÉE ET PHILOSOPHIE / LITTÉRATURE DE LANGUE FRANÇAISE ET LINGUISTIQUE / LITTÉRATURE DE LANGUES ANGLAISE ET FRANÇAISE

BAC 6 TRIMESTRES — CUISEP 251-400

Compétences à acquérir

- Étudier des œuvres littéraires afin d'y poser un regard critique.
- Écrire des nouvelles, des contes, de la poésie, etc.
- Analyser et interpréter des textes.
- Produire des études claires, rigoureuses et bien documentées sur des sujets littéraires.
- Utiliser les diverses méthodes d'étude littéraire.
- Maîtriser l'expression orale et écrite en français.

Éléments du programme

- Corpus étranger
- Corpus français
- Création littéraire
- Linguistique
- Littérature et langage
- Littérature populaire et culture
- Rhétorique
- Sémiologie

Admission (voir p. 20 G)

DEC ou l'équivalent.

ET

Concordia : Deux cours du cégep ou l'équivalent dans la langue qui sera étudiée.

Laval : DEC ou l'équivalent **OU** DEC d'un cégep anglophone et un cours de français de la série 900 ou l'équivalent.

Montréal : DEC ou l'équivalent **OU** avoir réussi 24 crédits de cours universitaire autre que des crédits obtenus dans le cadre préparatoire aux études universitaires.

UQAC, UQAM : Réussite d'un test de français.

Endroits de formation (voir p. 414)

	Contingentement	Coop	Cote R
Concordia	☐	☐	—
Laval	☐	☐	—
McGill	☐	☐	—
Montréal	☐	☐	—
Sherbrooke	☐	☐	—
UQAC	☐	☐	—
UQAM	☐	☐	—
UQAR	☐	☐	—
UQTR	☐	☐	—

Professions reliées

C.N.P.

5123	Critique littéraire
5122	Directeur littéraire
5121	Écrivain
0016	Éditeur
4169	Philosophe
4121	Professeur de littérature
5121	Scénariste-dialoguiste

Endroits de travail

- À son compte
- Maisons d'édition
- Maisons de productions cinématographiques
- Médias d'information

Salaire

Le salaire hebdomadaire moyen est de 588 $ (janvier 2005).

Remarques

- L'Université Laval offre un diplôme de 1er cycle en Études littéraires et des certificats en Création littéraire, en Littérature française et en Littérature québécoise.
- L'Université du Québec à Montréal (UQAM) offre quatre profils : Perspectives critiques; Études québécoises; Pratiques littéraires et culturelles; Création.
- L'Université du Québec à Rimouski (UQAR) offre un certificat en Productions textuelles, ainsi que divers programmes courts en Arts et lettres.

STATISTIQUES D'EMPLOI

	2001	2003	2005
Nb de personnes diplômées	452	456	386
% en emploi	51,1 %	45,4 %	44,8 %
% à temps plein	80,9 %	78,7 %	77,5 %
% lié à la formation	61,1 %	50,4 %	53,8 %

LETTRES

15591 FRANÇAIS LANGUE SECONDE

BAC 5 TRIMESTRES — CUISEP 251-430

Compétences à acquérir

- Acquérir une connaissance théorique et pratique de la langue française.
- Acquérir et approfondir des connaissances en culture et civilisation françaises.
- Acquérir et approfondir des connaissances en culture et civilisation québécoises.

Éléments du programme

- Civilisation française
- Communication orale
- Grammaire pratique
- Phonétique pratique
- Textes littéraires

Admission (voir p. 20 G)

DEC délivré par un collège anglophone du Québec ou l'équivalent avec une concentration en français ou une session intensive en français; réussir le test de classement obligatoire pour les candidats admis et faire la preuve d'avoir atteint des compétences de niveau avancé.

Endroit de formation (voir p. 414)

	Contingentement	Coop	Cote R
Laval	☐	☐	—

Profession reliée

C.N.P.

5125 Traducteur

Endroits de travail

- À son compte
- Gouvernements fédéral et provincial
- Grandes entreprises

Salaire

Le salaire hebdomadaire moyen est de 659 $ (janvier 2001).

Remarques

- L'Université Laval offre un diplôme en Études de français, langue seconde, un certificat en Français langue seconde ainsi que des certificats de base et intermédiaire-avancé en Français langue étrangère ou seconde.
- L'Université Bishop's offre une majeure et une mineure.

LETTRES

STATISTIQUES D'EMPLOI

	2001	2003	2005
Nb de personnes diplômées	18	10	7
% en emploi	50,0 %	50,0 %	40,0 %
% à temps plein	83,3 %	50,0 %	100 %
% lié à la formation	80,0 %	50,0 %	100 %

15500 LANGUES MODERNES / LANGUES MODERNES ET LINGUISTIQUE

BAC 6 TRIMESTRES — CUISEP 251-200

Compétences à acquérir

- Comprendre, lire, parler et écrire une langue étrangère (russe, italien, espagnol, japonais, etc.).
- Connaître l'histoire des civilisations (russe, italienne).
- Traduire ou rédiger des textes.
- Faire de l'interprétation.
- Enseigner la langue étudiée.

Éléments du programme

- Composition
- Espagnol, anglais, italien, allemand, russe, etc. (selon les établissements et les options)
- Grammaire
- Linguistique
- Littérature

Admission (voir p. 20 G)

DEC ou l'équivalent.

OU

Concordia : DEC ou l'équivalent et deux cours du cégep ou l'équivalent dans la langue qui sera étudiée.

Montréal : Avoir réussi 24 crédits de cours universitaires autres que des crédits obtenus dans le cadre de cours préparatoires aux études universitaires et avoir complété la formation équivalant à deux cours de niveau collégial dans la langue qui sera étudiée. *N.B. Si cette formation n'a pu être assurée dans un collège, l'université peut y suppléer.*

UQAC : DEC ou l'équivalent et avoir atteint en espagnol la formation équivalente à deux cours de niveau collégial. *N.B. Si cette formation n'a pu être assurée dans le collège fréquenté, l'Université peut y suppléer. Lorsque le dossier n'en fait pas mention, les connaissances et l'expérience pourront être évaluées lors d'une entrevue auprès d'un jury formé de deux professeurs, dont le directeur du module.*

Endroits de formation (voir p. 414)

	Contingentement	Coop	Cote R
Bishop's	☐	☐	—
Concordia	☐	☐	—
McGill	☐	☐	—
Montréal	☐	☐	—
UQAC	☐	☐	—

Professions reliées

C.N.P.	
4168	Diplomate
5122	Directeur littéraire
5125	Interprète
4131	Professeur de langues modernes
5125	Traducteur

Endroits de travail

- À son compte
- Agences de publicité
- Établissements d'enseignement
- Gouvernements fédéral et provincial
- Grandes entreprises
- Maisons d'édition
- Médias d'information
- Office de la langue française

Salaire

Le salaire hebdomadaire moyen est de 569 $ (janvier 2005).

Remarques

- Pour enseigner au primaire et au secondaire, il faut être titulaire d'un permis ou d'un brevet d'enseignement permanent émis par le ministère de l'Éducation, du Loisir et du Sport.
- Pour porter le titre de traducteur ou d'interprète, il faut être membre de l'Ordre des traducteurs, terminologues et interprètes agréés du Québec.
- L'Université Laval offre un certificat en Linguistique ainsi qu'en Études russes.
- L'Unversité Bishop's offre un certificat en Langues modernes.

STATISTIQUES D'EMPLOI

	2001	2003	2005
Nb de personnes diplômées	87	112	114
% en emploi	63,8 %	50,7 %	56,3 %
% à temps plein	63,3 %	73,7 %	83,3 %
% lié à la formation	36,8 %	50,0 %	40,0 %

LETTRES

15585 LINGUISTIQUE / SCIENCES DU LANGAGE

BAC 6 TRIMESTRES — CUISEP 253-000

Compétences à acquérir

- Étudier l'origine, la structure et l'évolution des langues.
- Étudier divers aspects de l'acquisition et de l'apprentissage des langues, du fonctionnement des langues (phonologie, morphologie, sémantique et syntaxe et du langage humain).
- Appliquer des théories linguistiques à l'enseignement, à la traduction et à la communication en général.
- Analyser et décrire les langues anciennes et modernes.
- Analyser et interpréter des caractéristiques linguistiques en tenant compte des régions, des niveaux de langue et des époques.

Éléments du programme

- Analyse de textes
- Grammaire générative
- Linguistique
- Morphologie et syntaxe
- Phonologie
- Psycholinguistique et neurolinguistique
- Sémantique et paradigmatique

Admission (voir p. 20 G)

DEC ou l'équivalent.

ET

UQAM : Test de grammaire française et test d'anglais.

OU

Laval : Pour les candidats issus d'un collège anglophone, être titulaire d'un DEC comprenant un cours de français de la série 900 ou l'équivalent.

Montréal : Avoir réussi 24 crédits de cours universitaires autres que des crédits obtenus dans le cadre de cours préparatoires aux études universitaires.

Endroits de formation (voir p. 414)

	Contingentement	Coop	Cote R
Concordia	□	□	—
Laval	□	□	—
McGill	□	□	—
Montréal	□	□	—
UQAC	□	□	—
UQAM	□	□	—

Professions reliées

C.N.P.

5121	Lexicographe
4169	Linguiste
4169	Philologue
5122	Réviseur
5125	Terminologue

Endroits de travail

- À son compte
- Établissements d'enseignement
- Gouvernements fédéral et provincial
- Maisons d'édition

Salaire

Le salaire hebdomadaire moyen est de 622 $ (janvier 2005).

Remarques

- Pour enseigner au primaire et au secondaire, il faut être titulaire d'un permis ou d'un brevet d'enseignement permanent émis par le ministère de l'Éducation, du Loisir et du Sport.
- Pour porter le titre de terminologue, il faut être membre de l'Ordre professionnel des traducteurs, terminologues et interprètes agréés du Québec.
- L'Université du Québec à Montréal (UQAM) offre quatre concentrations en Sciences du langage : Linguistique appliquée à la didactique de l'anglais langue seconde aux adultes; Linguistique appliquée à la didactique du français langue seconde aux adultes; Rédaction et révision de texte; Sciences du langage et sciences humaines. Elle offre également une majeure et une mineure en Sciences du langage.
- L'Université Laval offre un certificat en Linguistique.

LETTRES

STATISTIQUES D'EMPLOI

	2001	2003	2005
Nb de personnes diplômées	94	61	74
% en emploi	45,0 %	37,5 %	40,0 %
% à temps plein	85,2 %	83,3 %	66,7 %
% lié à la formation	43,5 %	40,0 %	41,7 %

15571 TRADUCTION / TRADUCTION PROFESSIONNELLE / TRANSLATION

BAC 6 TRIMESTRES — CUISEP 253-000

Compétences à acquérir

- Maîtriser la langue française et anglaise.
- Transposer un texte d'une langue à une autre.
- Faire de la traduction technique, commerciale et littéraire ainsi que de la révision et de la correction d'épreuves.
- Faire de la recherche terminologique et utiliser les ouvrages de référence.

Éléments du programme

- Grammaire différentielle et stylistique comparée
- Grammaire et lexique
- Langue anglaise et traduction
- Lexicologie et terminologie différentielles
- Rédaction professionnelle
- Terminologie et terminographie
- Thème
- Version

Admission (voir p. 20 G)

DEC ou l'équivalent.

OU

Concordia : DEC et l'équivalent de deux cours de niveau collégial ou l'équivalent dans la langue qui sera étudiée; lettre explicative et, au besoin, test de placement.

Laval : DEC ou l'équivalent et avoir des compétences en anglais de niveau avancé I pour les candidats issus d'un cégep francophone **OU** DEC ou l'équivalent comprenant un cours de français de la série 900 (ou l'équivalent) pour les candidats issus d'un cégep anglophone **ET** test d'aptitude obligatoire à l'admission.

Montréal : Avoir réussi 24 crédits de cours universitaires autres que des crédits obtenus dans le cadre de cours préparatoires aux études universitaires et réussir un test d'anglais et de français oral et écrit.

UQO : Diplôme d'un cégep francophone : DEC et un cours d'anglais avancé de niveau collégial de la série 600 ou posséder un degré équivalent de formation **OU Diplôme d'un cégep anglophone :** DEC et un cours de français avancé de niveau collégial de la série 600 ou posséder un degré équivalent de formation **ET** examen d'admission évaluant le niveau d'anglais et de français du candidat.

Endroits de formation (voir p. 414)

	Contingentement	Coop	Cote R*
Concordia	■	■	25.000
Laval	□	□	—
McGill	□	□	—
Montréal	■	■	24.103
Sherbrooke	□	□	—
UQO	□	□	—

** Le nombre inscrit indique la **cote R** qui a été utilisée pour l'**admission de l'année précédente** par l'université concernée. Pour connaître la cote R exigée pour l'admission 2008, communiquer avec les établissements concernés.*

Professions reliées

C.N.P.

5125 Interprète
5125 Terminologue
5125 Traducteur

Endroits de travail

Données non disponibles.

Salaire

Le salaire hebdomadaire moyen est de 756 $ (janvier 2005).

Remarques

- Pour porter le titre de traducteur, de terminologue ou d'interprète agréé, il faut être membre de l'Ordre professionnel des traducteurs, terminologues et interprètes agréés du Québec.
- L'Université du Québec en Outaouais (UQO) offre un certificat en Initiation à la traduction professionnelle et un certificat en Initiation à la rédaction professionnelle.

LETTRES

STATISTIQUES D'EMPLOI

	2001	2003	2005
Nb de personnes diplômées	174	180	239
% en emploi	81,3 %	84,7 %	77,4 %
% à temps plein	88,0 %	87,6 %	90,3 %
% lié à la formation	76,1 %	88,0 %	78,4 %

DOMAINE D'ÉTUDES

SCIENCES APPLIQUÉES

Disciplines

AGRICULTURE, FORESTERIE ET GÉOMATIQUE

PROGRAMMES D'ÉTUDES	PAGES

AGRONOMIE / AGRICULTURAL SCIENCE / SOIL SCIENCE

BAC 8 TRIMESTRES — CUISEP 311-100

Compétences à acquérir

- Assurer une saine gestion et utilisation des ressources vouées à la production agricole et alimentaire.
- Assurer la vulgarisation des sciences agronomiques.
- Résoudre des problèmes agricoles par l'application des sciences biologiques.
- Améliorer la productivité des sols, des plantes et des animaux.
- Veiller à la protection et à la conservation des ressources biologiques ou biophysiques agricoles.

Éléments du programme

- Anatomie et physiologie animales
- Comptabilité des entreprises
- Fertilisation des sols
- Genèse et classification des sols
- Génétique
- Nutrition animale
- Physiologie végétale
- Sciences du sol

Admission (voir p. 20 G)

Laval : DEC en Sciences de la nature **OU** tout autre DEC et mathématiques NYA, NYB ou 103-77, 203-77; physique 101 ou NYA; chimie NYA, NYB ou 101, 201; biologie NYA ou 301. *N. B. : Pour connaître les passerelles entre un DEC technique et ce programme, contacter la Faculté des sciences de l'agriculture et de l'alimentation.*

McGill : DEC ou l'équivalent et mathématiques 201-NYA, 201-NYB; physique 203-NYA, 203-NYB, 203-NYC; chimie 202-NYA, 202-NYB; biologie 101-NYA.

Endroits de formation (voir p. 414)

	Contingentement	Coop	Cote R
Laval	☐	☐	—
McGill	☐	☐	—

Professions reliées

C.N.P.

2121	Agronome
2123	Agronome-dépisteur
2123	Agronome des services de vulgarisation
2123	Agronome en agriculture biologique
2123	Agronome en production animale
2123	Agronome en production végétale
2115	Agronome pédologue
2121	Bactériologiste des sols
2121	Entomologiste
2123	Malherbologiste
2121	Phytobiologiste
2121	Zoologiste

Endroits de travail

- Bureaux d'experts-conseils en gestion agricole
- Coopératives agricoles
- Entreprises agricoles
- Gouvernements fédéral et provincial
- Organismes internationaux

Salaire

Le salaire hebdomadaire moyen est de 696 $ (janvier 2005).

Remarques

- Pour exercer la profession et porter le titre d'agronome, il faut être membre de l'Ordre des agronomes du Québec.
- Des études de 2e cycle sont nécessaires pour exercer les professions suivantes : agronome pédologue, bactériologiste des sols, entomologiste, malherbologiste, phytopathologiste.
- L'université McGill offre une majeure d'une durée de trois ans.
- L'Université Laval offre un certificat en Horticulture et gestion d'espaces verts ainsi qu'en Production laitière et bovine.

STATISTIQUES D'EMPLOI

	2001	2003	2005
Nb de personnes diplômées	177	168	181
% en emploi	75,9 %	67,7 %	69,3 %
% à temps plein	91,1 %	94,4 %	95,5 %
% lié à la formation	89,1 %	90,6 %	88,1 %

SCIENCES APPLIQUÉES

15375 AMÉNAGEMENT ET ENVIRONNEMENT FORESTIERS (GÉNIE FORESTIER)

BAC 8 TRIMESTRES — CUISEP 315-100

Compétences à acquérir

- Assurer l'aménagement et la protection des forêts.
- Assurer le renouvellement naturel ou artificiel de la forêt.
- Veiller à la protection de l'environnement et des habitats fauniques.
- Effectuer des études d'impact de différents projets sur les écosystèmes.
- Aménager de façon intégrée les différentes ressources forestières.
- Planifier les interventions forestières.

Éléments du programme

- Aménagement forestier
- Dendrométrie
- Écologie forestière
- Évaluation forestière
- Gestion de projets forestiers
- Stages pratiques rémunérés et crédités
- Sylviculture
- Systématique et dendrologie

Admission (voir p. 20 G)

Laval : DEC en Sciences, lettres et art.

UQAT : DEC en Sciences de la nature.

OU

DEC en Technologie forestière ou dans la famille des techniques biologiques.

OU

Tout autre DEC et mathématiques NYA, NYB, NYC ou 103-77, 105-77, 203-77; physique NYA, NYB, NYC ou 101, 201, 301; chimie NYA, NYB ou 101, 201; biologie NYA ou 301. *N.B. : Les titulaires du DEC en Technologie forestière ou d'un DEC dans la famille des techniques biologiques sont dispensés du cours de biologie NYA ou 301.*

Endroits de formation (voir p. 414)

	Contingentement	Coop	Cote R
Laval	☐	☐	—
UQAT*	☐	☐	—

** À la suite d'une entente entre l'Université du Québec en Abitibi-Témiscamingue et l'Université Laval, ce programme sera offert à l'UQAT (les 2 premières années).*

Professions reliées

C.N.P.
2122 Ingénieur forestier
2122 Sylviculteur

Endroits de travail

- Bureaux d'ingénieurs forestiers
- Centres de recherche forestière
- Consultants forestiers
- Entrepreneurs forestiers
- Entreprises de transformation du bois
- Firmes d'exploitation forestière
- Gouvernements fédéral et provincial
- Municipalités
- Organismes de forêt privée

Salaire

Le salaire hebdomadaire moyen est de 797 $ (janvier 2005).

Remarques

- Pour exercer la profession et porter le titre d'ingénieur forestier, il faut être membre de l'Ordre des ingénieurs forestiers du Québec.
- L'Ordre des ingénieurs forestiers du Québec requiert de compléter une période de formation pratique de 32 semaines sous la surveillance d'un membre de l'Ordre.
- L'Université Laval offre un certificat interuniversitaire Gestion en foresterie.

STATISTIQUES D'EMPLOI

	2001	2003	2005
Nb de personnes diplômées	70	80	78
% en emploi	73,1 %	70,8 %	52,7 %
% à temps plein	100 %	97,8 %	96,6 %
% lié à la formation	89,5 %	93,3 %	92,9 %

15353 GÉNIE AGROENVIRONNEMENTAL (GÉNIE RURAL) / AGRICULTURAL AND BIOSYSTEMS ENGINEERING

BAC 8 TRIMESTRES — CUISEP 311-000

Compétences à acquérir

- Résoudre divers problèmes liés à l'exploitation agricole et à l'industrie alimentaire.
- Concevoir et superviser la fabrication de bâtiments, de machines et d'outils agricoles, de machines destinées à la mécanisation des travaux et des procédés de manutention.
- Concevoir des systèmes pour le traitement, la conservation et la transformation des produits agricoles et alimentaires ainsi que des systèmes de drainage, d'irrigation et d'utilisation de l'énergie.

Éléments du programme

- Chimie des aliments
- Concepts de génie agroalimentaire
- Hydrologie agricole
- Manutention et séchage
- Mathématiques
- Systèmes environnementaux

Admission (voir p. 20 G)

Laval : DEC en Sciences de la nature ou en Sciences, lettres et arts **OU** autre DEC et mathématiques NYA, NYB, NYC ou 103-77, 105-77, 203-77; physique NYA, NYB, NYC ou 101, 201, 301; chimie NYA, NYB ou 101, 201; biologie NYA ou 301. *N.B. : Pour connaître les passerelles entre un DEC technique et ce programme, contacter la Faculté des sciences de l'agriculture et de l'alimentation.*

McGill : DEC ou l'équivalent et mathématiques 201-NYA, 201-NYB; physique 203-NYA, 203-NYB, 203-NYC; chimie 202-NYA, 202-NYB; biologie 101-NYA.

Endroits de formation (voir p. 414)

	Contingentement	Coop	Cote R
Laval	☐	☐	—
McGill	☐	☐	—

Professions reliées

C.N.P.

2121	Agronome
2123	Agronome des services de vulgarisation
6221	Expert-conseil en commercialisation
2148	Ingénieur agricole
2148	Ingénieur en système aquicole
2148	Ingénieur spécialiste de la qualité des procédés (industrie agroalimentaire)
2148	Ingénieur spécialiste de l'installation de systèmes (industrie agroalimentaire)
2222	Inspecteur en environnement agricole

Endroits de travail

- Entreprises agricoles
- Entreprises de fabrication de matériel agricole
- Entreprises en construction
- Firmes d'experts-conseils
- Gouvernements fédéral et provincial
- Industrie agroalimentaire
- Municipalités

Salaire

Le salaire hebdomadaire moyen est de 861 $ (janvier 2005).

Remarques

- Pour exercer la profession et porter le titre d'ingénieur, il faut être membre de l'Ordre des ingénieurs du Québec.
- Pour exercer la profession et porter le titre d'agronome, il faut être membre de l'Ordre des agronomes du Québec.

STATISTIQUES D'EMPLOI

	2001	2003	2005
Nb de personnes diplômées	29	27	16
% en emploi	68,0 %	37,5 %	50,0 %
% à temps plein	94,1 %	100 %	83,3 %
% lié à la formation	68,8 %	83,3 %	80,0 %

15354 GÉNIE ALIMENTAIRE

BAC 8 TRIMESTRES — CUISEP 312-000

Compétences à acquérir

- Appliquer les principes et les concepts du génie alimentaire à la manutention, à la fabrication, au traitement, à la transformation et à la distribution des aliments.
- Connaître les divers systèmes et procédures de la chaîne alimentaire, du producteur agricole jusqu'au consommateur.
- Concevoir des procédés et des équipements alimentaires.
- Établir un système de contrôle de la qualité.
- Se familiariser avec l'évaluation et l'installation de systèmes.

Éléments du programme

- Analyse économique en ingénierie
- Biochimie structurale
- Chimie des aliments
- Concepts de génie alimentaire
- Dynamique et contrôle des procédés
- Mathématiques

Admission (voir p. 20 G)

DEC en Sciences de la nature ou en Sciences, lettres et arts.

OU

Tout autre DEC et mathématiques NYA, NYB, NYC ou 103-77, 105-77, 203-77; physique NYA, NYB, NYC ou 101, 201, 301; chimie NYA, NYB ou 101, 201; biologie NYA ou 301. *N.B. : Pour connaître les passerelles entre un DEC technique et ce programme, contacter la Faculté des sciences de l'agriculture et de l'alimentation.*

Endroit de formation (voir p. 414)

	Contingentement	Coop	Cote R
Laval	☐	☐	—

Professions reliées

C.N.P.

- 2148 Ingénieur alimentaire (représentation technique et vente)
- 2134 Ingénieur chimiste de la production
- 2148 Ingénieur-concepteur dans l'industrie alimentaire
- 2141 Ingénieur des méthodes de production
- 2141 Ingénieur des techniques de fabrication
- 2148 Ingénieur en recherche et développement alimentaire
- 2148 Ingénieur en transport alimentaire
- 2148 Ingénieur spécialiste de l'installation des systèmes (industrie agroalimentaire)
- 2148 Ingénieur spécialiste de la gestion des procédés alimentaires
- 2148 Ingénieur spécialiste de la qualité des procédés alimentaires
- 2121 Scientifique en produits alimentaires

Endroits de travail

- Bureaux d'ingénieurs
- Centres de recherche
- Entreprises de distribution des aliments
- Entreprises de fabrication d'équipements d'usines alimentaires
- Entreprises de fabrication des aliments
- Laboratoires

Salaire

Le salaire hebdomadaire moyen est de 776 $ (janvier 2005).

Remarque

Pour exercer la profession et porter le titre d'ingénieur, il faut être membre de l'Ordre des ingénieurs du Québec.

STATISTIQUES D'EMPLOI

	2001	2003	2005
Nb de personnes diplômées	—	14	7
% en emploi	—	72,7 %	83,3 %
% à temps plein	—	100 %	100 %
% lié à la formation	—	87,5 %	100 %

15371 GÉNIE GÉOMATIQUE / SCIENCES GÉOMATIQUES

BAC 7-8 TRIMESTRES — CUISEP 432-100

Compétences à acquérir

- Développer des outils informatiques facilitant la connaissance et la gestion des territoires.
- Acquérir des données à partir d'images satellitaires, de photographies aériennes, de relevés, etc.
- Exécuter les travaux d'arpentage de terrains et de mesurage (bornes, bornages et levés de plans) nécessaires à l'établissement du droit de propriété et à l'aménagement des territoires urbains, ruraux, forestiers et miniers.
- Produire des certificats de localisation et des relevés des lacs, des rivières et des fleuves.
- Faire la représentation cartographique du territoire et des cours d'eau.

Éléments du programme

- Géodésie
- Mathématiques
- Photogrammétrie
- Physique géomatique
- Positionnement par satellites GPS
- Stages pratiques rémunérés et crédités
- Statistique
- Télédétection
- Topométrie

Admission (voir p. 20 G)

Laval : DEC en Sciences, lettres et arts ou tout autre DEC et mathématiques NYA, NYB, NYC ou 103-77, 105-77, 203-77; physique NYA, NYB, NYC ou 101, 201, 301.
Sherbrooke : DEC en Sciences de la nature ou l'équivalent et mathématiques 103,105, 203; physique 101, 201, 301-78 ou avoir atteint les objectifs suivants : 00UN, 00UQ, 00UP ou 022X, 022Y, 022Z ou 01Y1, 01Y2, 01Y4 et 00UR, 00US, 00UT **OU** DEC en Technologie de la géomatique – Cartographie ou Géodésie **OU** tout autre DEC et avoir une cote de rendement collégial (CRC) minimale de 24 et mathématiques 103 ou l'équivalent ou avoir atteint l'objectif 00UN ou 022X ou 01Y1 et s'engager à suivre toutes les activités de mise à niveau déterminées par le département.

Endroit de formation (voir p. 414)

	Contingentement	Coop	Cote R
Laval	□	□	—
Sherbrooke	□	■	—

Professions reliées

C.N.P.
2154 Arpenteur-géomètre
2154 Ingénieur en géomatique
2154 Géomaticien

Endroits de travail

- Consultants en développement de systèmes
- Entreprises privées dans tous les domaines
- Firmes d'arpentage
- Gouvernements fédéral et provincial
- Municipalités

Salaire

Le salaire hebdomadaire moyen est de 752 $ (janvier 2005).

Remarques

- Pour exercer la profession et porter le titre d'arpenteur-géomètre, il faut être membre de l'Ordre professionnel des arpenteurs-géomètres du Québec.
- À l'Université de Sherbrooke, ce programme relève de la Faculté des lettres et sciences humaines et du département de biologie de la Faculté des sciences.
- Le baccalauréat en Génie géomatique de l'Université Laval est en processus d'accréditation pour donner accès à l'Ordre des ingénieurs du Québec.

STATISTIQUES D'EMPLOI

	2001	2003	2005
Nb de personnes diplômées	46	33	33
% en emploi	89,2 %	85,7 %	91,7 %
% à temps plein	100 %	100 %	100 %
% lié à la formation	93,9 %	91,7 %	86,4 %

15375 OPÉRATIONS FORESTIÈRES (GÉNIE FORESTIER)

BAC 8 TRIMESTRES — CUISEP 315-500

Compétences à acquérir

- Assurer la gestion des ressources humaines, financières et matérielles pour des entreprises forestières.
- Planifier et superviser la récolte et le transport de la matière ligneuse.
- Assurer l'approvisionnement des usines de transformation.
- Veiller à la protection des sites forestiers.
- Voir à la régénération des forêts.

Éléments du programme

- Anatomie et structure du bois
- Botanique forestière
- Dépôts et sols forestiers
- Mécanique appliquée au génie forestier
- Opérations forestières
- Probabilités et statistiques
- Protection des forêts
- Récolte, transport et équipement forestier
- Stages coopératifs rémunérés
- Sylviculture

Admission (voir p. 20 G)

Laval : DEC en Sciences, lettres et art.

UQAT : DEC en Sciences de la nature.

OU

Tout autre DEC et mathématiques NYA, NYB, NYC ou 103-77, 105-77, 203-77; physique NYA, NYB, NYC ou 101, 201, 301; chimie NYA, NYB ou 101, 201; biologie NYA ou 301. *N.B. : Les titulaires du DEC en Technologie forestière ou d'un DEC de la famille des techniques biologiques sont dispensés du cours de biologie NYA ou 301.*

Endroits de formation (voir p. 414)

	Contingentement	Coop	Cote R
Laval	□	■	—
UQAT*	□	■	—

** À la suite d'une entente entre l'Université du Québec en Abitibi-Témiscamingue et l'Université Laval, ce programme sera offert à l'UQAT (les 2 premières années).*

Professions reliées

C.N.P.

2122	Exploitant forestier
2122	Ingénieur forestier
2122	Spécialistes des opérations forestières
2122	Sylviculteur

Endroits de travail

- À son compte
- Consultants forestiers
- Entrepreneurs forestiers
- Gouvernements fédéral et provincial
- Industrie forestière
- Pépinières

Salaire

Le salaire hebdomadaire moyen est de 797 $ (janvier 2005).

Remarques

- Pour exercer la professiond'ingénieur forestier et porter le titre, il faut être membre de l'Ordre des ingénieurs forestiers du Québec.
- L'Ordre des ingénieurs forestiers du Québec requiert de compléter une période de formation pratique de 32 semaines sans la surveillance d'un membre de l'Ordre.
- Le régime coopératif est obligatoire.
- L'Université Laval offre un certificat interuniversitaire de Gestion en foresterie.

SCIENCES APPLIQUÉES

STATISTIQUES D'EMPLOI

	2001	2003	2005
Nb de personnes diplômées	70	80	78
% en emploi	73,1 %	70,8 %	52,7 %
% à temps plein	100 %	97,8 %	96,6 %
% lié à la formation	89,5 %	93,3 %	92,9 %

15313 SCIENCES ET TECHNOLOGIE DES ALIMENTS / FOOD SCIENCE

BAC 8 TRIMESTRES — CUISEP 312-500

Compétences à acquérir

- Concevoir et mettre au point de nouveaux produits alimentaires.
- Créer des nouvelles techniques de fabrication et de transformation.
- Assurer une production efficace et respectueuse de l'environnement.
- Veiller à la qualité des produits.
- Préparer la mise en marché.

Trois options sont offertes à Laval :
- Conservation des aliments; Distribution des aliments; Transformation industrielle des aliments.

Trois options sont offertes à McGill :
- Science de l'alimentation; Industrie alimentaire; Chimie alimentaire.

Éléments du programme

- Chimie des aliments
- Contrôle de la qualilté
- Méthodes d'analyse des aliments
- Microbiologie alimentaire
- Principes de conservation
- Procédés de transformation alimentaire

Admission (voir p. 20 G)

Laval : DEC en Sciences, lettres et arts ou tout autre DEC et mathématiques NYA, NYB, NYC ou 103, 105, 203; physique NYA, NYB, NYC ou 101, 201, 301; chimie NYA, NYB ou 101, 201; biologie NYA ou 301. *N.B. : Pour connaître les passerelles entre un DEC technique et ce programme, contacter la Faculté des sciences de l'agriculture et de l'alimentation.*

- Les candidats admis avec un DEC en Sciences qui n'auraient pas suivi et réussi le cours de chimie organique 202 devront suivre son équivalent au cours de la première année d'inscription. Le titulaire d'un DEC en Technologie forestière ou dans la famille des technique biologiques est dispensé du cours biologie 301 ou NYA.

McGill : DEC en Sciences de la nature ou tout autre DEC avec un minimum de mathématiques NYA et deux cours de sciences (physique NYA, NYB ou NYC; chimie NYA ou NYB; biologie NYA).

Endroits de formation (voir p. 414)

	Contingentement	Coop	Cote R
Laval	☐	☐	—
McGill	☐	☐	—

Professions reliées

C.N.P.	
2121	Agronome
2123	Agronome des services de vulgarisation
2112	Chimiste en sciences des aliments
2112	Chimiste spécialiste du contrôle de la qualité
1473	Coordonnateur de la production
0911	Directeur de la production
0412	Directeur des ventes à l'exportation
4163	Expert-conseil en commercialisation
2134	Ingénieur chimiste de la production
2121	Microbiologiste industriel
2121	Scientifique en produits alimentaires

Endroits de travail

- Centres de recherche
- Gouvernements fédéral et provincial
- Industrie des produits alimentaires

Salaire

Le salaire hebdomadaire moyen est de 741 $ (janvier 2005).

Remarques

- Les professionnels en sciences alimentaires peuvent devenir membre de l'Ordre des agronomes du Québec, de l'Ordre des chimistes du Québec et de l'Ordre des ingénieurs du Québec.
- L'Université Laval offre un certificat en Sciences et qualité des aliments et un certificat en Technologie alimentaire et nouveaux aliments.
- L'Université McGill offre un certificat en Science de l'alimentation.
- Les diplômés des options Science de l'alimentation et Chimie alimentaire de l'Université McGill sont accrédités par l'Institute Food technologists (IFT) et l'Institut canadien des sciences et technologie alimentaires (ICSTA).

STATISTIQUES D'EMPLOI

	2001	2003	2005
Nb de personnes diplômées	40	62	40
% en emploi	86,7%	63,8 %	64,3 %
% à temps plein	100 %	96,7 %	100 %
% lié à la formation	88,5 %	89,7 %	94,4 %

ARCHITECTURE, URBANISME ET DESIGN

15332 ARCHITECTURE / DESIGN ARCHITECTURAL

BAC 6-8 TRIMESTRES — CUISEP 453-100

Compétences à acquérir

- Analyser, concevoir et réaliser des édifices, des complexes urbains et ruraux conformes aux besoins et aux ressources de la société.
- Monter et dessiner des plans de divers édifices selon des besoins précis.
- Aménager les espaces intérieurs et extérieurs d'une maison ou d'un ensemble de construction.
- Surveiller les travaux de mise en chantier et leur évolution conformément aux plans et devis.

Éléments du programme

- Atelier de design
- Charpente appliquée
- Climat et physique du bâtiment
- Conception assistée par ordinateur (CAO)
- Construction
- Mécanique, électricité et éclairage
- Stratégie de design

Admission (voir p. 20 G)

Laval : DEC en Sciences de la nature **OU** DEC en Technologie de l'architecture **OU** tout autre DEC et mathématiques NYA ou 103-RE ou 103-77 et physique NYA ou 101. *N. B. : Bien qu'il s'agisse d'un programme contingenté. certaines places sont disponibles à des candidats ayant un parcours particulier en architecture. Envoyer un dossier complémentaire composé d'un curriculum vitae commenté et d'un portfolio.*

McGill : DEC en Sciences de la nature **OU** DEC ou l'équivalent et mathématiques 103, 105, 203; physique 101, 201, 301; chimie 101, 201; biologie 301 et cartable de travaux personnels.

Montréal : DEC en Sciences de la nature, DEC en Sciences humaines (version ultérieure à 1991), DEC en Technologie de l'architecture, DEC en Technologie du génie civil **OU** DEC en Histoire et civilisation et avoir atteint l'objectif 022P (méthodes quantitatives) **OU** DEC ou l'équivalent et avoir atteint les objectifs 022W ou 022X, 022Y en mathématiques et 022P en méthodes quantitatives **OU** avoir réussi 24 crédits de niveau universitaire autres que des crédits obtenus dans le cadre de cours préparatoires aux études universitaires **ET** mathématiques 103, 203 ou mathématiques 103, 307 ou mathématiques 337.

Endroits de formation (voir p. 414)

	Contingentement	Coop	Cote R*
Laval	■	□	27.946
McGill	■	□	29.700
Montréal	■	□	27.255

** Le nombre inscrit indique la* ***cote R*** *qui a été utilisée pour l'****admission de l'année précédente*** *par l'université concernée. Pour connaître la cote R exigée pour l'admission 2008, communiquer avec les établissements concernés.*

Profession reliée

C.N.P.

2151 Architecte

Endroits de travail

- À son compte
- Bureaux d'architectes
- Bureaux d'ingénieurs
- Gouvernements fédéral et provincial
- Municipalités

Salaire

Le salaire hebdomadaire moyen est de 601 $ (janvier 2005).

Remarques

- Pour exercer la profession et porter le titre d'architecte, il faut être titulaire d'une maîtrise, détenir un permis d'exercice et être membre de l'Ordre des architectes du Québec.
- Pour obtenir une reconnaissance professionnelle, les candidats devront, pendant deux ans, travailler sous la surveillance d'architectes approuvés par l'Ordre. Après leur stage, ils devront réussir les examens de pratique requis par l'Ordre.

STATISTIQUES D'EMPLOI

	2001	2003	2005
Nb de personnes diplômées	217	201	200
% en emploi	78,9 %	67,3 %	50,0 %
% à temps plein	97,1 %	88,9 %	95,5 %
% lié à la formation	90,2 %	94,3 %	85,7 %

15334 ARCHITECTURE DE PAYSAGE

BAC 8 TRIMESTRES — CUISEP 217-100

Compétences à acquérir

- Concevoir des plans d'aménagements paysagers et intervenir sur leurs différentes composantes à l'échelle microlocale, locale et régionale.
- Protéger et gérer les milieux naturels comme les champs, les rivières et les littoraux.
- Mettre en valeur les caractéristiques précises d'un paysage.
- Valoriser les aspects culturels d'un site.
- Faire des études d'impacts visuels et environnementaux de grands projets.

Éléments du programme

- Design avec les végétaux
- Dimension psychosociologique
- Géomatique et paysage
- Matériaux et assemblage
- Méthodologie et processus
- Nivellement et drainage
- Problématique et enjeux du paysage
- Processus et design

Admission (voir p. 20 G)

DEC en Sciences de la nature ou DEC en Sciences humaines (version ultérieure à 1991).

OU

DEC ou l'équivalent **OU** avoir réussi 24 crédits de niveau universitaire autres que des crédits obtenus dans le cadre de cours préparatoires aux études universitaires **ET** mathématique 337 ou (103 et 203) ou (103 et 307) ou 360-300.

OU

DEC en Horticulture ornementale, DEC en Techniques d'aménagement du territoire, DEC en Technologie de l'architecture, DEC en Technologie du bâtiment et des travaux publics, DEC en Technologie du génie civil ou DEC en Technologie forestière.

OU

DEC en Histoire et civilisation et avoir atteint l'objectif 022P (méthodes quantitatives).

ET/OU

Entrevue, portfolio, lettre de motivation personnelle et trois lettres de recommandations.

Endroit de formation (voir p. 414)

	Contingentement	Coop	Cote R*
Montréal	■	□	20.000

** Le nombre inscrit indique la **cote R** qui a été utilisée pour l'**admission de l'année précédente** par l'université concernée. Pour connaître la cote R exigée pour l'admission 2008, communiquer avec les établissements concernés.*

Professions reliées

C.N.P.
2152 Architecte paysagiste
2153 Designer de l'environnement

Endroits de travail

- À son compte
- Bureaux d'architectes
- Entrepreneurs paysagistes
- Municipalités

Salaire

Le salaire hebdomadaire moyen est de 611 $ (janvier 2005).

Remarque

Pour devenir membre de l'Association des architectes paysagistes du Québec, il faut avoir compléter deux années de stage chez un architecte paysagiste.

STATISTIQUES D'EMPLOI

	2001	2003	2005
Nb de personnes diplômées	23	21	13
% en emploi	68,8 %	68,8 %	75,0 %
% à temps plein	81,8 %	100 %	100 %
% lié à la formation	77,8 %	81,8 %	83,3 %

15330 DESIGN D'INTÉRIEUR

BAC 6 TRIMESTRES — CUISEP 217-300

Compétences à acquérir

- Comprendre et appliquer les notions relatives aux interrelations personnes et éléments physiques du milieu.
- Concevoir des aménagements à la fois esthétiques et fonctionnels.
- Résoudre les problèmes d'occupation et de transformation de l'espace.
- Superviser la réalisation des travaux et s'assurer de leur conformité avec les plans.

Éléments du programme

- Climat et physique du bâtiment
- Conception assistée par ordinateur (CAO)
- Couleur et lumière en design industriel
- Ergonomie
- Expression 2D et 3D
- Fondements conceptuels
- Formes et couleurs
- Histoire du design d'intérieur
- Matériaux et méthodes
- Stage
- Stratégies de design

Admission (voir p. 20 G)

DEC en Sciences humaines (version ultérieure à 1991), DEC en Sciences de la nature, DEC en Techniques de design d'intérieur, DEC en Technologie de l'architecture ou DEC en Techniques de design industriel.

OU

DEC en Histoire et civilisation et avoir atteint l'objectif 022P en méthodes quantitatives.

OU

DEC ou l'équivalent **OU** avoir réussi 24 crédits de niveau universitaire autres que des crédits obtenus dans le cadre de cours préparatoires aux études universitaires **ET** mathématiques 337 ou (103 et 307) ou (103 et 203) ou 360-300.

ET/OU

Présenter un portfolio, un curriculum vitæ et une lettre de motivation personnelle. Subir, s'il y a lieu, toute entrevue d'admission exigée par l'École de design industriel.

Endroit de formation (voir p. 414)

	Contingentement	Coop	Cote R*
Montréal	■	□	25.800

** Le nombre inscrit indique la **cote R** qui a été utilisée pour l'**admission de l'année précédente** par l'université concernée. Pour connaître la cote R exigée pour l'admission 2008, communiquer avec les établissements concernés.*

Profession reliée

C.N.P.

5242 Designer d'intérieur

Endroits de travail

- À son compte
- Entreprises de décoration intérieure
- Firmes d'architectes

Salaire

Le salaire hebdomadaire moyen est de 565 $ (janvier 2005).

Remarque

L'adhésion à la Société des designers d'intérieur du Québec est fortement recommandée.

STATISTIQUES D'EMPLOI

	2001	2003	2005
Nb de personnes diplômées	46	55	127
% en emploi	71,0 %	72,7 %	60,0 %
% à temps plein	95,5 %	90,6 %	84,4 %
% lié à la formation	57,1 %	75,9 %	63,2 %

15330 DESIGN DE L'ENVIRONNEMENT

BAC 6 TRIMESTRES — CUISEP 217-100

Compétences à acquérir

- Résoudre les problèmes d'occupation et de transformation de l'espace.
- Comprendre et appliquer les notions relatives aux interrelations personnes et éléments physiques du milieu dans le but de concevoir des aménagements harmonieux, qu'il s'agisse d'un environnement urbain, scolaire, hospitalier, commercial, résidentiel ou autre.

Éléments du programme

- Design architectural, industriel et urbain
- Design et informatique
- Design international
- Dessin d'observation
- Dessin et conception
- Espace humain
- Formes et composition

Admission (voir p. 20 G)

DEC ou l'équivalent.

Endroit de formation (voir p. 414)

	Contingentement	Coop	Cote R*
UQAM	■	□	24.000

** Le nombre inscrit indique la **cote R** qui a été utilisée pour l'**admission de l'année précédente** par l'université concernée. Pour connaître la cote R exigée pour l'admission 2008, communiquer avec les établissements concernés.*

Professions reliées

C.N.P.	
2152	Architecte paysagiste
5242	Conseiller en gestion de l'espace
2153	Designer architectural
5242	Designer d'intérieur
2153	Designer de l'environnement
2253	Dessinateur de parcours équestres
4161	Ergonomiste

Endroits de travail

- À son compte
- Ateliers de design
- Bureaux d'architectes
- Entreprises diverses
- Gouvernements fédéral et provincial
- Industrie du meuble
- Municipalités

Salaire

Le salaire hebdomadaire moyen est de 565 $ (janvier 2005).

Remarques

- L'adhésion à la Société des designers d'intérieur du Québec est fortement recommandée.
- Le programme, lorsque combiné à une maîtrise professionnelle en Architecture, permet l'accès à l'Ordre des architectes du Québec.

STATISTIQUES D'EMPLOI

	2001	2003	2005
Nb de personnes diplômées	46	71	127
% en emploi	71,0 %	62,5 %	60,0 %
% à temps plein	95,5 %	96,7 %	84,4 %
% lié à la formation	57,1 %	65,5 %	63,2 %

15337 DESIGN INDUSTRIEL

BAC 8 TRIMESTRES — CUISEP 217-700

Compétences à acquérir

- Concevoir des objets variés (meubles, accessoires ménagers, véhicules, emballages) qui seront fabriqués en série.
- Déterminer les besoins et les objectifs de la clientèle.
- Faire des études de marché.
- Réaliser les dessins et les prototypes.
- Établir le choix des matériaux en fonction de buts visés.

Éléments du programme

- Design
- Dessin et infographie
- Écologie industrielle
- Ergonomie
- Géométrie
- Matériaux
- Méthodologie du design

Admission (voir p. 20 G)

DEC en Sciences humaines (version ultérieure à 1991), DEC en Sciences, lettres et arts, DEC en Sciences de la nature, DEC en Techniques de design industriel, DEC en Techniques de design d'intérieur ou DEC en Technologie de l'architecture.

OU

DEC ou l'équivalent **OU** avoir réussi 24 crédits de niveau universitaire autres que des crédits obtenus dans le cadre de cours préparatoires aux études universitaires **ET** avoir réussi les cours de suivis à l'université à titre de cours préparatoires : mathématiques 337 ou (103 et 203) ou (103 et 307) ou 360-300.

ET

Présenter un portfolio de ses œuvres, un curriculum vitæ et une lettre de motivation personnelle. S'il y a lieu, se présenter à toute entrevue exigée par l'École de design industriel.

Endroit de formation (voir p. 414)

	Contingentement	Coop	Cote R*
Montréal	■	□	23.500

** Le nombre inscrit indique la **cote R** qui a été utilisée pour l'**admission de l'année précédente** par l'université concernée. Pour connaître la cote R exigée pour l'admission 2008, communiquer avec les établissements concernés.*

Profession reliée

C.N.P.
2252 Designer industriel

Endroits de travail

- À son compte
- Bureaux d'architectes
- Entreprises diverses (transport, signalisation, etc.)
- Établissements d'enseignement collégial
- Firmes spécialisées dans la réalisation d'expositions
- Industrie manufacturière
- Municipalités

Salaire

Le salaire hebdomadaire moyen est de 625 $ (janvier 2003).

STATISTIQUES D'EMPLOI

	2001	2003	2005
Nb de personnes diplômées	—	34	—
% en emploi	—	58,3 %	—
% à temps plein	—	100 %	—
% lié à la formation	—	78,6 %	—

SCIENCES APPLIQUÉES

15338 URBANISME / URBAN PLANNING / URBAN STUDIES

BAC 6 TRIMESTRES — CUISEP 621-000

Compétences à acquérir

- Analyser et synthétiser des problématiques urbaines.
- Analyser l'impact des projets urbains sur l'environnement naturel et sur la santé financière des collectivités.
- Élaborer des politiques et des projets d'aménagement et de développement.
- Concevoir des processus de consultation et de concertation avec divers intervenants.
- Mettre au point des outils et des stratégies de protection du patrimoine architectural, de revitalisation des quartiers, de conservation de l'environnement, de mise en valeur des ressources du milieu.
- Tracer des plans et des schémas d'aménagement.
- Assister à l'élaboration d'instruments d'application tels que les réglementations d'urbanisme et la planification de programmes d'équipements collectifs.

Éléments du programme

- Cadre législatif en urbanisme
- Économie et aménagement
- Étude du milieu urbain
- Géomatique
- Techniques de représentation
- Techniques statistiques en urbanisme

Admission (voir p. 20 G)

Concordia, UQAM : DEC ou l'équivalent.

Montréal : DEC ou l'équivalent **OU** avoir réussi 24 crédits de niveau universitaire autres que des crédits obtenus dans le cadre de cours préparatoires aux études universitaires.

Endroits de formation (voir p. 414)

	Contingentement	Coop	Cote R*
Concordia	□	□	—
Montréal	■	□	20.000
UQAM	□	□	—

** Le nombre inscrit indique la **cote R** qui a été utilisée pour l'**admission de l'année précédente** par l'université concernée. Pour connaître la cote R exigée pour l'admission 2008, communiquer avec les établissements concernés.*

Professions reliées

C.N.P.

6463 Inspecteur municipal

2153 Urbaniste

Endroits de travail

- Établissements d'enseignement universitaire
- Firmes d'urbanismes
- Gouvernements fédéral et provincial
- Municipalités

Salaire

Le salaire hebdomadaire moyen est de 681 $ (janvier 2005).

Remarques

- Pour porter le titre d'urbaniste, il faut être membre de l'Ordre des urbanistes du Québec.
- L'Université du Québec à Montréal (UQAM) offre également une majeure en Études urbaines, une mineure en Urbanisme opérationnel et une mineure en Études urbaines, patrimoine urbain.

STATISTIQUES D'EMPLOI

	2001	2003	2005
Nb de personnes diplômées	62	39	45
% en emploi	62,8 %	46,7 %	66,7 %
% à temps plein	96,3 %	85,7 %	85,0 %
% lié à la formation	42,3 %	66,7 %	58,8 %

Bourses d'études

Viens chercher ta part des **21,4 millions** de dollars attribués en bourses d'études!

Moyenne scolaire	Bourse d'admission
95 à 100 %	16 000 $; 4 000 $ par année
92 à 94,9 %	12 000 $; 3 000 $ par année
88 à 91,9 %	10 000 $; 2 500 $ par année
84 à 87,9 %	8 000 $; 2 000 $ par année
80 à 83,9 %	4 000 $; 1 000 $ par année

Bourse du recteur

6 bourses de 30 000 $
(7 500 $ par année)

2e et 3e places

12 bourses de 2 500 $ en bonification de la bourse d'admission (première année seulement)

Date limite : 1er mars

Bourse du chancelier

6 bourses de 26 000 $
(6 500 $ par année)

2e et 3e places

12 bourses de 2 500 $ en bonification de la bourse d'admission (première année seulement)

Date limite : 1er mars

Bourses de l'Université d'Ottawa - Écoles de langue française

42 bourses de 20 000 $
(5 000 $ par année)

Date limite : 31 mars

Bourse de la francophonie

200 bourses de 1 000 $
(2 500 $ avec preuve d'un besoin d'aide financière)

Date limite : 31 mars

Bourses de recherche de premier cycle de la Faculté des sciences

16 bourses de 10 000 $
(Comprend deux stages avec un groupe de recherche)

Date limite : 28 février

Bourses Jean-Chrétien

Nombre variable, bourses de 5 000 $

Date limite : 31 mars

... et plus encore!
Visitez le www.bourses.uOttawa.ca pour plus de détails.

Université d'Ottawa 2008 | www.uOttawa.ca

Étudier à l'Université d'Ottawa c'est...

- avoir le choix parmi plus de 300 programmes dans 111 disciplines.
- suivre tes cours en français ou en anglais, ou encore les deux à la fois. C'est toi qui décides.
- vivre au quotidien en plein cœur du centre-ville d'Ottawa.
- acquérir de l'expérience et gagner de 400 $ à 700 $ par semaine pendant tes stages de travail grâce au régime d'enseignement coopératif offert dans plus de 50 disciplines.
- partir à la découverte du monde en participant à un échange international et profiter de la bourse de mobilité étudiante de 1 000 $ à 2 000 $.

Admission

À partir du 5e secondaire

Tu dois détenir ton diplôme d'études secondaires du Québec avec cinq cours de 5e secondaire et les préalables du programme. Une moyenne minimale de 85 p. 100 est exigée, mais elle ne garantit pas l'admission. Tu es admissible à une bourse d'études et au régime coopératif, et l'hébergement t'est garanti. Ta moyenne d'admission sert à déterminer la valeur de ta bourse d'admission automatique.

À partir du cégep

Tu dois avoir terminé un minimum de 12 cours dans un programme de cégep (excluant les cours d'éducation physique) et les préalables du programme. Une moyenne minimale de 70 p. 100 est exigée, mais elle ne garantit pas l'admission. Nous ne prenons pas en considération la cote de rendement (cote R). Tu es admissible à une bourse d'études et au régime coopératif, et l'hébergement t'est garanti. Tes six meilleurs résultats, incluant un cours de français (ou d'*English*) et excluant les cours d'éducation physique, servent à déterminer la valeur de ta bourse d'admission automatique.

Équivalences reçues après plus d'un an de cégep

Les personnes ayant réussi 12 cours dans un programme de cégep peuvent obtenir des équivalences spécifiques jusqu'à concurrence de 15 crédits universitaires. Celles qui ont réussi plus de 12 cours peuvent obtenir des équivalences jusqu'à concurrence d'une année d'études. Les équivalences accordées dépendent des cours suivis, de la moyenne obtenue et du programme choisi.

Disciplines offertes à l'Université d'Ottawa

Faculté des arts

- Administration des arts
- Allemand
- Anglais langue seconde
- Arts général
- Arts visuels (BA, BAV)
- C Communication
- C Communication et lettres françaises
- Communication et philosophie
- C Communication et science politique
- C Communication et sociologie
- Didactique des langues secondes
- C *English*
- Espagnol
- Éthique appliquée
- Éthique et société
- Études anciennes
- Études anciennes et philosophie
- Études autochtones
- Études canadiennes
- C Études de l'environnement
- C Études de l'environnement et géographie
- Études juives canadiennes
- Études médiévales
- Français langue seconde
- C *French*
- C Géographie
- C Géographie et sociologie
- Géomatique et analyse spatiale
- C Histoire
- C Histoire et science politique
- Histoire et théorie de l'art
- Italien
- Journalisme
- Langue et culture arabes
- *Latin and English Studies*
- Lettres classiques
- C Lettres françaises
- Lettres françaises et éducation
- Linguistique
- Musique (BA, BMus)
- Pédagogie du piano
- Philosophie
- Philosophie et science politique
- Psychologie et linguistique
- Russe
- Sciences des religions
- Théâtre
- C Traduction

Faculté de droit

- *Common Law*
- *Common Law* et science politique
- C Droit civil
- Droit civil et développement international et mondialisation
- Programme national (droit civil et *Common Law*)

Faculté d'éducation

- Formation à l'enseignement
- Lettres françaises et éducation
- Sciences et éducation
- *Teacher Education*

Faculté de génie

- C Génie chimique
- C Génie chimique et biochimie (biotechnologie)
- C Génie civil
- C Génie électrique
- C Génie informatique
- C Génie logiciel
- C Génie mécanique
- C Génie mécanique biomédical
- C Informatique
- C Informatique et mathématiques

École de gestion Telfer

- Administration des affaires
- C Affaires électroniques
- C Comptabilité
- C Finance
- C Gestion des ressources humaines
- C Gestion internationale
- C Management
- C Marketing
- C Sciences commerciales
- C Systèmes d'information et de gestion

Faculté de médecine

- Docteur en médecine (MD)

Faculté des sciences

- C Biochimie
- C Biochimie et génie chimique (biotechnologie)
- C Biologie
- C Chimie
- Géographie physique
- C Géologie
- C Géologie-Physique
- C Informatique et Mathématiques
- C Mathématiques
- C Mathématiques et science économique
- C Physique
- C Physique-Mathématiques
- Sciences biomédicales
- C Sciences biopharmaceutiques
- Sciences de la vie
- C Sciences environnementales
- Sciences et éducation
- Sciences générales
- C Statistique
- Technologie médicale en ophtalmologie

Faculté des sciences de la santé

- Sciences de la nutrition
- Sciences de la santé
- Sciences de l'activité physique
- Sciences infirmières
- Sciences de la radiothérapie (**nouveau**)

Faculté des sciences sociales

- C Administration publique
- C Administration publique et science politique
- Administration publique et gouvernance
- C Anthropologie
- C Anthropologie et sociologie
- *Common Law* et science politique
- C Communication et science politique
- C Communication et sociologie
- Criminologie
- Criminologie et études des femmes
- C Développement international et mondialisation
- C Droit civil et développement international et mondialisation
- C Économie et politiques publiques (**nouveau**)
- C Économie internationale et développement (**nouveau**)
- C Études des conflits et droits humains (**nouveau**)
- Études des femmes
- Études des femmes et science politique
- Études des femmes et sociologie
- Études en mondialisation
- Études internationales et langues modernes
- C Géographie et sociologie
- Gérontologie
- C Histoire et science politique
- C Mathématiques et science économique
- Philosophie et science politique
- Psychologie (B.A.)
- Psychologie (B.Sc.)
- Psychologie et linguistique
- C Science économique
- C Science économique et science politique
- C Science politique
- Sciences sociales de la santé
- Sciences sociales général
- Service social
- C Sociologie

C = **Coop**

PROGRAMMES D'ÉTUDES	PAGES

15355 GÉNIE BIOMÉDICAL

BAC 7-8 TRIMESTRES — CUISEP 413/414-000

Compétences à acquérir

- Appliquer des principes du génie à l'étude, la modification et le contrôle des systèmes biologiques, ainsi qu'à la conception et la fabrication de produits pour la surveillance des fonctions physiologiques et pour l'assistance au diagnostic et au traitement de patients.
- Travailler en étroite collaboration avec des professionnels de plusieurs disciplines : médecins, chirurgiens, biologistes, biochimistes, pharmacologistes, physiothérapeutes, dentistes, infirmières, etc.

Éléments du programme

- Biochimie pour l'ingénieur
- Programmation procédurale
- Calcul 1 et 2
- Algèbre linéaire
- Matériaux
- Mécanique pour l'ingénieur
- Circuits électrique
- Biologie moléculaire et cellulaire pour l'ingénieur
- Introduction aux projets de génie biomédical
- Équations différentielles

Admission (voir p. 20 G)

DEC en Sciences de la nature, DEC en Sciences ou DEC en Sciences appliquées **OU** DEC dans la famille des techniques physiques et mathématiques NYB, NYC (cours de mise à niveau disponible à l'université); chimie NYA; physique NYA et NYB **OU** DEC avec mathématiques NYA, NYB, NYC; physique NYA, NYB; chimie NYA, NYB.

Endroit de formation (voir p. 414)

	Contingentement	Coop	Cote R
Polytechnique	■	□	—

Profession reliée

C.N.P.
2148 Ingénieur biomédical

Endroits de travail

- Fabricants d'appareils biomédicaux
- Centre de recherche
- Hôpitaux
- Firmes de génie conseil
- Universités
- Agences gouvernementales

Salaire

Nouveau programme. Donnée non disponble.

Remarque

Programme sous réserve de l'approbation des instances officielles.

Statistiques

Nouveau programme. Données non disponibles.

15356 GÉNIE BIOTECHNOLOGIQUE

BAC 7-8 TRIMESTRES — CUISEP 413/414-000

Compétences à acquérir

- Développer et mettre en pratique des procédés bioindustriels en tenant compte des exigences liées à la culture des organismes vivants et des produits qu'ils synthétisent.
- Acquérir une formation de base en mathématiques, en physique, en chimie, en biochimie, en biologie des organismes, en microbiologie, en biologie cellulaire et moléculaire.
- Acquérir en biologie moléculaire et en biochimie la formation pratique nécessaire à une conception juste de l'approche expérimentale.
- Acquérir une formation scientifique approfondie sur les propriétés des organismes utilisés en biotechnologie ainsi que sur les propriétés des molécules d'intérêt biotechnologique.
- Comprendre et analyser d'un point de vue mathématique, les phénomènes physicochimiques ayant lieu dans des processus et des procédés biotechnologiques.
- Analyser, simuler, concevoir, mettre à l'échelle et opérer des procédés en biotechnologie.
- Intégrer les connaissances dictées par la nature biologique des organismes et des produits qu'ils synthétisent dans la conception des procédés biotechnologiques.
- Participer aux étapes de la conception des organismes recombinants ou des molécules à produire dans l'esprit du génie simultané.
- Agir d'une manière créative sur des problèmes de procédés biotechnologiques concrets et de les appliquer en recherche ou sur le marché du travail.
- Prendre conscience des implications légales et éthiques de la biotechnologie et du génie biotechnologique.
- Être sensibiliser aux aspects économiques du génie biotechnologique.

Éléments du programme

- Biologie cellulaire
- Biochimie générale I
- Biochimie métabolique
- Biologie moléculaire - Travaux pratiques
- Chimie des macromolécules
- Introduction à la chimie organique
- Biologie des organismes
- Introduction en génie biotechnologique
- Thermodynamique
- Matériaux et biomatériaux
- Normes BPF-BPL, sécurité et biosécurité
- Phénomènes d'échanges
- Régulation des procédés biotechnologiques
- Design des procédés biotechnologiques
- Simulation des procédés biotechnologiques
- Informatique pour ingénieurs
- Génétique et biologie moléculaire
- Microbiologie
- Projets d'intégration

Admission (voir p. 20 G)

DEC ou l'équivalent et mathématiques 103, 105, 203 ou NYA, NYB, NYC ou 00UN, 00UP, 00UQ; physique 101, 201, 301-78 ou NYA, NYB, NYC ou 00UR, 00US, 00UT; chimie 101, 201 ou NYA, NYB ou 00UL, 00UM; biologie 301 ou NYA ou 00UK.

OU

Détenir un diplôme d'études collégiales (DEC) dans la famille des techniques physiques ou l'équivalent et avoir complété les cours de niveau collégial suivants ou leur équivalent : mathématiques 103, 105, 203; physique 101, 201, 301-78; chimie 101; biologie 301.

OU

Détenir un diplôme d'études collégiales (DEC) en Techniques de génie chimique, en Assainissement de l'eau, en Techniques de procédés chimiques, ou en Techniques de laboratoire avec spécialisation en Biotechnologies ou en Chimie analytique. Dans ce cas, à la suite de l'analyse du dossier, les étudiantes et étudiants pourront se voir attribuer des substitutions ou allocations de crédits.

Endroit de formation (voir p. 414)

	Contingentement	Coop	Cote R*
Sherbrooke	■	■	21.500

** Le nombre inscrit indique la **cote R** qui a été utilisée pour l'**admission de l'année précédente** par l'université concernée. Pour connaître la cote R exigée pour l'admission 2008, communiquer avec les établissements concernés.*

Professions reliées

C.N.P.

2134 Ingénieur en biotechnologie
2148 Ingénieur biomédical
2134 Ingénieur chimiste
2134 Ingénieur chimiste (production)
2131 Ingénieur de l'environnement

Endroits de travail

- Industrie pharmaceutique
- Industries agroalimentaire
- Industrie de la pétrochimie
- Industrie des produits chimiques
- Industrie des pâtes et papier
- Entreprises de distribution
- Firmes de génie-conseil
- Centre de recherche

GÉNIE BIOTECHNOLOGIQUE (SUITE)

Salaire

Le salaire hebdomadaire moyen est de 919 $ (janvier 2005).

Remarque

Pour exercer la profession et porter le titre d'ingénieur, il faut être membre de l'Ordre des ingénieurs du Québec.

STATISTIQUES D'EMPLOI

	2001	2003	2005
Nb de personnes diplômées	120	161	129
% en emploi	80,8 %	77,3 %	75,0 %
% à temps plein	98,3 %	97,6 %	96,7 %
% lié à la formation	84,5 %	84,3 %	75,9 %

15356 GÉNIE CHIMIQUE / CHEMICAL ENGINEERING

BAC 7-8 TRIMESTRES — CUISEP 413/414-000

Compétences à acquérir

- Comprendre et appliquer les principes chimiques et la dynamique des réactions dans la transformation de la matière.
- Appliquer les connaissances relatives au design, à la réalisation, au fonctionnement et à la supervision d'une usine en ce qui concerne les procédés de transformation chimique.
- Gérer et optimiser les procédés de fabrication sur le plan économique et de la logistique.
- Concevoir, calculer, élaborer, mettre au point et diriger la construction et le fonctionnement d'équipements de production de produits chimiques.
- Résoudre les problèmes inhérents aux transformations chimiques.
- Contrôler la production et la qualité des produits.

Éléments du programme

- Assainissement industriel
- Calcul des réacteurs chimiques
- Matériaux de l'ingénieur
- Mathématiques de l'ingénieur
- Mécanique des fluides
- Statistiques
- Transfert de chaleur

Admission (voir p. 20 G)

DEC ou l'équivalent et mathématiques 103, 105, 203; physique 101, 201, 301; chimie 101, 201; biologie 301.

OU

Laval : DEC en Sciences de la nature **OU** DEC et mathématiques NYA, NYB, NYC ou 103-77, 105-77, 203-77; physique NYA, NYB ou 101, 201; chimie NYA, NYB ou 101, 201; biologie NYA ou 301. *N.B. : Pour connaître les passerelles entre un DEC technique et ce programme, contacter la Faculté des sciences et de génie.*

McGill : DEC ou l'équivalent et mathématiques 103, 105, 203; physique 101, 201, 301; chimie 101, 201 **OU** DEC technique ou l'équivalent dans certaines spécialisations et avoir réussi certains cours de niveau collégial.

Polytechnique : DEC en Sciences de la nature, DEC en Sciences ou DEC en Sciences appliquées **OU** DEC dans la famille des techniques physiques et mathématiques NYB, NYC (cours de mise à niveau disponible à l'université), chimie NYA; physique NYA et NYB **OU** DEC avec mathématiques NYA, NYB, NYC; physique NYA,NYB; chimie NYA, NYB.

Sherbrooke : DEC en Sciences de la nature, DEC en Techniques de génie chimique, DEC en Assainissement de l'eau, DEC en Techniques de laboratoires, spécialisation Chimie analytique ou Biotechnologie, DEC en Techniques de procédés chimiques (ou DEC en Technologies des pâtes et papier pour le BAC en Génie chimique) **OU** DEC dans la famille des techniques physiques ou l'équivalent et mathématiques 103, 105, 203, physique 101, 201, 301-78; chimie 101; biologie 301 **OU** avoir atteint les objectifs suivants : 00UN, 00UP, 00UQ, 00UR, 00US, 00UT, 00UL, 00UM, 00UK.

UQTR : DEC en Sciences de la nature ou DEC en Sciences, lettres et arts **OU** DEC ou l'équivalent et mathématiques 103 (00UN), 105 (00UQ), 203 (00UP); chimie 101 (00UL), 201 (00UM); physique 101 (00UR), 201 (00US), 301-78 (00UT); biologie 301 (00UK). DEC dans la famille des techniques physiques et mathématiques 103 (00UN), 105 (00UQ), 203 (00UP); physique 101 (00UR), 201 (00US); chimie 101 (00UL) **OU** DEC technique et mathématiques 103 (00UN), 105 (00UQ), 203 (00UP); physique 101 (00UR), 201 (00US); chimie 101 (00UL), 201 (00UM).

Endroits de formation (voir p. 414)

	Contingentement	Coop	Cote R*
Laval	☐	☐	—
McGill	■	☐	25.000
Polytechnique	☐	☐	26.000
Sherbrooke	■	■	21.500
UQTR	☐	☐	—

** Le nombre inscrit indique la **cote R** qui a été utilisée pour l'**admission de l'année précédente** par l'université concernée. Pour connaître la cote R exigée pour l'admission 2008, communiquer avec les établissements concernés.*

Professions reliées

C.N.P.

2134	Ingénieur chimiste
2134	Ingénieur chimiste de la production
2134	Ingénieur chimiste en recherche
2134	Ingénieur chimiste spécialiste des études et projets
2131	Ingénieur civil en écologie générale
2131	Ingénieur de l'environnement
2145	Ingénieur du pétrole
2148	Ingénieur du textile
2144	Ingénieur en transformation des matériaux composites

15356 GÉNIE CHIMIQUE / CHEMICAL ENGINEERING (SUITE)

Endroits de travail

- Centres de recherche
- Bureaux d'ingénieurs
- Établissements d'enseignement
- Gouvernements fédéral et provincial
- Industrie chimique
- Industrie des pâtes et papiers
- Industrie des produits en matière plastique
- Industrie manufacturière
- Industrie pétrolière

Salaire

Le salaire hebdomadaire moyen est de 919 $ (janvier 2005).

Remarques

- Différentes options sont offertes selon les établissements : Biopharmaceutique; Biotechnologie; Génie de l'environnement; Génie des textiles; Génie pharmaceutique; Informatique; Matériaux; Pâtes et papier; Plasturgie; Procédés; Qualité; etc.
- Pour exercer la profession et porter le titre d'ingénieur, il faut être membre de l'Ordre des ingénieurs du Québec.
- Des études de 2e cycle sont nécessaires pour exercer les professions suivantes : ingénieur chimiste spécialiste des études et projets, ingénieur en écologie générale.
- L'École Polytechnique de Montréal offre le programme coopératif pour la concentration Génie biomédical. Les stages rémunérés sont obligatoires (4 mois minimum). Elle offre également un baccalauréat-maîtrise intégré (BMI) et un passage direct du baccalauréat au doctorat.
- L'Université de Sherbrooke offre les baccalauréats Génie chimique et Génie biotechnologique. Elle offre également le double baccalauréat Génie chimique et Liberal Arts offert conjointement avec l'Université Bishop's, d'une durée de quatre ans. Le régime coopératif est obligatoire. Pour le baccalauréat en Génie biotechnologique, le régime coopératif est à temps complet.

SCIENCES APPLIQUÉES

STATISTIQUES D'EMPLOI

	2001	2003	2005
Nb de personnes diplômées	120	161	129
% en emploi	80,8 %	77,3 %	75,0 %
% à temps plein	98,3 %	97,6 %	96,7 %
% lié à la formation	84,5 %	84,3 %	75,9 %

15358 GÉNIE CIVIL / ENGINEERING : CIVIL

BAC 7-8 TRIMESTRES — CUISEP 453-000

Compétences à acquérir

- Concevoir, rénover et entretenir les routes, les structures pour les ponts, les aéroports, les voies de circulation ou les édifices.
- Concevoir des aménagements pour les cours d'eau ou les réseaux d'eau potable et construire des infrastructures qui ont une incidence sur la qualité de vie des gens.
- Proposer l'utilisation de nouveaux matériaux.
- Planifier, diriger et superviser la réalisation des travaux.
- Gérer des projets.
- Faire des recherches et des études dans le but d'améliorer les méthodes de travail et de favoriser l'emploi de procédés et de matériaux nouveaux.

Éléments du programme

- Charpentes métalliques
- Fondations
- Hydrologie
- Mécanique des sols
- Structures
- Topométrie appliquée au génie

Admission (voir p. 20 G)

DEC ou l'équivalent et mathématiques 103, 105, 203; physique 101, 201, 301; chimie 101, 201; biologie 301.

OU

Concordia : DEC ou l'équivalent et mathématiques 103 ou 201-NYA, 203 ou 201-NYB, 105 ou 201-NYC; physique 101 ou 203-NYA, 201 ou 203-NYB; chimie 101 ou 202-NYA.

Laval : DEC en Sciences de la nature **OU** DEC et mathématiques NYA, NYB, NYC ou 103-77, 105-77, 203-77; physique NYA, NYB, NYC ou 101, 201, 301; chimie NYA ou 101; biologie NYA ou 301. *N.B. : Pour connaître les passerelles entre un DEC technique et ce programme, contacter la Faculté des sciences et de génie.*

Polytechnique : DEC en Sciences de la nature, DEC en Sciences ou DEC en Sciences appliquées **OU** DEC dans la famille des techniques physiques et mathématiques NYA, NYB, NYC; physique NYA, NYB NYC; chimie NYA, NYB (cours de mise à niveau disponible à l'université) **OU** DEC technique et mathématiques NYA, NYB, NYC; physique NYA, NYB; chimie NYA.

Sherbrooke : DEC en Sciences de la nature **OU** DEC en Technologie du génie civil, en Technologie de l'architecture, en Technologie de l'estimation et de l'évaluation en bâtiment, en Techniques d'aménagement et d'urbanisme, en Technologie de la géomatique, en Technologie de l'assainissement de l'eau, en Géologie appliquée, en Exploitation minière, en Minéralogie **OU** DEC dans la famille des techniques physiques ou l'équivalent et mathématiques 103, 105, 203; physique 101, 201, 301-78; chimie 101 **OU** avoir complété une année en pré-ingénierie à l'Université Bishop's.

Endroits de formation (voir p. 414)

	Contingentement	Coop	Cote R*
Laval	□	□	—
McGill	■	□	25.000
Polytechnique	□	□	26.000
Concordia	■	■	24.000
Sherbrooke	■	■	25.700

** Le nombre inscrit indique la **cote R** qui a été utilisée pour l'**admission de l'année précédente** par l'université concernée. Pour connaître la cote R exigée pour l'admission 2008, communiquer avec les établissements concernés.*

Professions reliées

C.N.P.	
0711	Entrepreneur en travaux publics
2131	Ingénieur civil
2131	Ingénieur civil des ressources hydriques
2131	Ingénieur civil en écologie générale
2131	Ingénieur de l'environnement
2131	Ingénieur hydraulicien
2131	Officier de génie militaire

Endroits de travail

- Entrepreneurs en construction
- Entrepreneurs en travaux publics
- Établissements d'enseignement
- Firmes d'ingénieurs
- Firmes d'urbanistes
- Forces armées canadiennes
- Gouvernements fédéral et provincial
- Municipalités

Salaire

Le salaire hebdomadaire moyen est de 944 $ (janvier 2005).

15358 GÉNIE CIVIL / ENGINEERING : CIVIL (SUITE)

Remarques

- Différentes options peuvent être offertes selon les établissements : Charpente et génie géotechnique; Environnement et ressources hydriques; Informatique; Infrastructure routière; Qualité, Structure et construction; Systèmes urbains et environnement; etc.
- Pour exercer la profession et porter le titre d'ingénieur, il faut être membre de l'Ordre des ingénieurs du Québec.
- Des études de 2e cycle sont nécessaires pour exercer la profession suivante : ingénieur civil en écologie générale.
- L'École Polytechnique de Montréal offre un baccalauréat-maîtrise intégré (BMI) et un passage direct du baccalauréat au doctorat. Les stages rémunérés sont obligatoires (4 mois).
- L'Université de Sherbrooke offre un double baccalauréat en Génie civil et *Liberal Arts*, offert conjointement avec l'Université Bishop's. Le baccalauréat en Génie civil permet quatre types de cheminements : avec ou sans concentration en Génie de l'environnement, le troisième en collaboration avec l'Université Bishop's et le quatrième conduisant à un double diplôme avec l'Université Bishop's.

SCIENCES APPLIQUÉES

STATISTIQUES D'EMPLOI

	2001	2003	2005
Nb de personnes diplômées	246	198	178
% en emploi	80,4 %	80,1 %	85,0 %
% à temps plein	99,2 %	99,1 %	100 %
% lié à la formation	92,1 %	92,6 %	90,2 %

15358 GÉNIE DE LA CONSTRUCTION

BAC 7 TRIMESTRES — CUISEP 453-000

Compétences à acquérir

- Analyser, concevoir, planifier et contrôler les opérations des projets de construction.
- Diriger et gérer les travaux de construction.
- Faire la conception de solutions et de procédés techniques liés à la réalisation de projets de construction (structures, routes, bâtiments, hydraulique, géotechnique, etc.) et à la gestion des travaux.

Éléments du programme

- Calcul différentiel et intégral
- Chimie et matériaux
- Construction lourde
- Électricité et magnétisme
- Résistances des matériaux et des structures
- Statistique et dynamique
- Structures métalliques

Admission (voir p. 20 G)

L'un ou l'autre des DEC techniques suivants : DEC en Technologie du génie agromécanique, en Technologie de l'architecture, en Technologie de la mécanique du bâtiment, en Technologie de l'estimation et de l'évaluation en bâtiment, en Techniques de l'architecture navale, en Assainissement de l'eau, en Géologie appliquée, en Exploitation (Technologie minérale), en Minéralurgie, en Techniques d'aménagement et d'urbanisme, en Technologie de la géomatique, en Technologie du génie civil. *N.B. : L'étudiant se verra prescrire un cheminement personnalisé en mathématiques et en sciences suite à un test diagnostique.*

Endroit de formation (voir p. 414)

	Contingentement	Coop	Cote R
ÉTS	□	■	—

Professions reliées

C.N.P.

2131 Ingénieur civil
2131 Ingénieur civil des ressources hydriques
2131 Ingénieur civil en écologie générale
2131 Officier de génie militaire

Endroits de travail

- À son compte
- Entrepreneurs en construction
- Firmes de consultants
- Gouvernements fédéral et provincial
- Municipalités

Salaire

Le salaire hebdomadaire moyen est de 944 $ (janvier 2005).

Remarque

Pour exercer la profession et porter le titre d'ingénieur, il faut être membre de l'Ordre des ingénieurs du Québec.

STATISTIQUES D'EMPLOI

	2001	2003	2005
Nb de personnes diplômées	246	198	178
% en emploi	80,4 %	80,1 %	85,0 %
% à temps plein	99,2 %	99,1 %	100 %
% lié à la formation	92,1 %	92,6 %	90,2 %

15363 GÉNIE DE LA PRODUCTION AUTOMATISÉE

BAC 7 TRIMESTRES — CUISEP 455-410/420

Compétences à acquérir

- Concevoir et modifier les systèmes de production en vue d'informatiser et d'automatiser la production de façon partielle ou totale.
- Superviser la production.
- Planifier l'aménagement sur tous les plans, incluant l'aspect économique.
- Appliquer les techniques d'automatisation mécanique, informatique et électronique.

Quatre concentrations sont offertes :

- Informatique industrielle; Production aéronautique; Système manufacturier; Technologie de la santé.

Éléments du programme

- Assurance de la qualité
- Conception et simulation de circuits électroniques
- Ergonomie et sécurité en milieu de travail
- Fabrication assistée par ordinateur (FAO)
- Rentabilité des projets
- Robots industriels

Admission (voir p. 20 G)

Pour le profil d'accueil « Électricité » : DEC en Avionique, en Technologie de conception en électronique, en Technologie de l'électronique, en Technologie de l'électronique industrielle, en Technologie des systèmes ordinés ou en Technologie physique.

OU

Pour le profil d'accueil « Mécanique » : DEC en Techniques de l'architecture navale, en Techniques d'orthèses et de prothèses orthopédiques, en Techniques de construction aéronautique, en Entretien d'aéronefs, en Techniques de génie mécanique, en Technologie de maintenance industrielle, en Techniques de génie mécanique de marine, en Transformation des matériaux composites, en Transformation des matières plastiques.

OU

Pour le profil d'accueil « Production » : DEC en Techniques de la production manufacturière, en Techniques de procédés chimiques, en Techniques du meuble et du bois ouvré, en Technologie du génie industriel, en Technologie du génie agromécanique, en Technologie de la transformation des aliments, en Technologie de la transformation des produits forestiers, en Techniques d'orthèses et de prothèses orthopédiques.

OU

Pour le profil d'accueil « Informatique » : DEC en Techniques de l'informatique.

N.B. : L'étudiant se verra prescrire un cheminement personnalisé en mathématiques et en sciences suite à un test diagnostique.

Endroit de formation (voir p. 414)

	Contingentement	Coop	Cote R
ÉTS	□	■	—

Professions reliées

C.N.P.

2141	Auditeur – qualité
0911	Directeur de production des matières premières
0911	Directeur de production industrielle
2148	Ingénieur-conseil
2141	Ingénieur de la production automatisée
2141	Ingénieur des méthodes de production
2141	Ingénieur des techniques de fabrication
2141	Ingénieur du contrôle de la qualité industrielle
2146	Ingénieur en aérospatiale
2141	Ingénieur industriel

Endroits de travail

- Firmes d'ingénieurs
- Gouvernements fédéral et provincial
- Industrie aéronautique
- Industrie de l'automobile
- Industrie de la robotique
- Industrie manufacturières

Salaire

Le salaire hebdomadaire moyen est de 919 $ (janvier 2005).

Remarques

- Pour exercer la profession et porter le titre d'ingénieur, il faut être membre de l'Ordre des ingénieurs du Québec.
- Des études de 2e cycle sont nécessaires pour exercer la profession suivante : ingénieur en aérospatiale.

STATISTIQUES D'EMPLOI

	2001	2003	2005
Nb de personnes diplômées	167	200	191
% en emploi	97,9 %	89,8 %	85,5 %
% à temps plein	100 %	99,3 %	100 %
% lié à la formation	92,4 %	88,6 %	85,0 %

SCIENCES APPLIQUÉES

15358 GÉNIE DES EAUX

BAC 6 TRIMESTRES — CUISEP

Compétences à acquérir

- Participer activement à la gestion intégrée des ressources en eau dans un but de protection de la santé, de la sécurité et du bien-être du public.
- Protéger, réhabiliter, exploiter, gérer et préserver les ressources en eau et du milieu aquatique, à court et à long terme.
- Prévenir la pollution et l'altération de l'environnement.
- Travailler en étroite collaboration avec les différents spécialistes.
- Participer au développement et à l'application de politiques et de réglementations dans le domaine de l'eau et de l'environnement, et ce, à l'échelle locale, régionale, nationale et internationale.

Éléments du programme

- Chimie des eaux
- Écologie et environnement
- Hydrogéologie
- Hydrologie
- Impacts environnementaux
- Mathématiques de l'ingénieur
- Mécanique des sols
- Microbiologie de l'ingénieur
- Probabilités et statistique
- Traitement de l'eau

Admission (voir p. 20 G)

DEC en Sciences de la nature **OU** tout autre DEC et mathématiques 103, 105, 203 (ou NYA, NYB, NYC); Physique 101, 201 (ou NYA, NYB); Chimie 101, 201 (ou NYA, NYB); biologie 301 (ou NYA) **OU** DEC technique comportant une spécialisation dans le domaine du génie, des sciences pures ou des sciences appliquées, une combinaison particulière de cours préalables.

Endroit de formation (voir p. 414)

	Contingentement	Coop	Cote R
Laval	☐	☐	—

Professions reliées

C.N.P.

- 2131 Ingénieur des eaux
- 2131 Ingénieur de l'environnement
- 2131 Ingénieur en gestion des eaux
- 2131 Officier de génie militaire

Endroits de travail

- Firmes d'ingénieur conseils
- Gouvernements fédéral et provincial
- Hydro-Québec
- Industrie alimentaire
- Municipalités
- Usines d'épuration des eaux usées
- Usines de filtration des eaux potables

Salaire

Nouveau programme. Données nosn disponibles.

Statistiques d'emploi

Nouveau programme. Données non disponibles.

15364 GÉNIE DES MATÉRIAUX ET DE LA MÉTALLURGIE / GÉNIE MÉTALLURGIQUE / MINING, METALS AND MATERIALS ENGINEERING

BAC 8 TRIMESTRES — CUISEP 436-000

Compétences à acquérir

- Appliquer les connaissances acquises sur les matériaux (propriétés, caractéristiques, structure, etc.) aux choix des matériaux en fonction des diverses contraintes auxquelles ils seront soumis au cours des traitements ou des transformations.
- Étudier les relations existantes entre les propriétés et les comportements en service des matériaux, c'est-à-dire leur structure et les procédés de mise en œuvre.
- Travailler à la production, à la transformation, à la mise au point, à la conception et à l'utilisation de divers matériaux aux diverses étapes de réalisation (l'extraction, l'élaboration et l'utilisation), qu'il s'agisse de métaux, d'alliages divers ou de matériaux plus modernes tels que les céramiques polymères et composites.

Éléments du programme

- Calcul
- Contrôle de la qualité des matériaux et des assemblages
- Mécanique des fluides
- Métallurgie mécanique
- Probabilités et statistiques
- Recherche opérationnelle
- Résistance des matériaux
- Techniques de caractérisation des matériaux
- Thermodynamique
- Transfert de chaleur de la matière

Admission (voir p. 20 G)

DEC ou l'équivalent et mathématiques 103, 105, 203; physique 101, 201, 301; chimie 101, 201; biologie 301.

OU

Laval : DEC en Sciences de la nature **OU** DEC et mathématiques NYA, NYB, NYC ou 103-77, 105-77, 203-77; physique NYA, NYB, NYC ou 101, 201, 301; chimie NYA, NYB ou 101, 201. *N.B. : Pour connaître les passerelles entre un DEC technique et ce programme, contacter la Faculté des sciences et de génie.*

McGill : DEC technique ou l'équivalent dans certaines spécialisations, plus certains cours de niveau collégial ou leur équivalent.

Polytechnique : DEC en Sciences de la nature, DEC en Sciences ou DEC en Sciences appliquées **OU** DEC dans la famille des techniques physiques et mathématiques NYA (cours de mise à niveau disponible à l'université); physique NYA, NYB, NYC; chimie NYA **OU** DEC et mathématiques NYA, NYB, NYC; physique NYA, NYB, NYC; chimie NYA.

Endroits de formation (voir p. 414)

	Contingentement	Coop	Cote R*
Laval	□	■	—
McGill	■	■	25.000
Polytechnique	□	□	—

** Le nombre inscrit indique la **cote R** qui a été utilisée pour l'**admission de l'année précédente** par l'université concernée. Pour connaître la cote R exigée pour l'admission 2008, communiquer avec les établissements concernés.*

Professions reliées

C.N.P.

- 2142 Ingénieur en matériaux et en métallurgie
- 2115 Ingénieur en métallurgie physique
- 2142 Ingénieur métallurgiste
- 2131 Officier de génie militaire

Endroits de travail

- Entreprises de fabrication de produits métalliques
- Établissements d'enseignement
- Firmes d'ingénieurs
- Forces armées canadienne
- Gouvernements fédéral et provincial
- Industrie de l'aluminium
- Industrie manufacturière
- Industrie minière
- Industrie sidérurgique
- Laboratoires

Salaire

Le salaire hebdomadaire moyen est de 956 $ (janvier 2005).

Remarques

- Pour exercer la profession et porter le titre d'ingénieur, il faut être membre de l'Ordre des ingénieurs du Québec.
- L'Université du Québec à Chicoutimi (UQAC) offre une concentration en Génie métallurgique dans le cadre du BAC en Génie unifié (ingénierie).
- À l'Université Laval, le régime coopératif est obligatoire. L'université offre un certificat en Génie de la plasturgie.

STATISTIQUES D'EMPLOI

	2001	2003	2005
Nb de personnes diplômées	47	56	40
% en emploi	79,3 %	67,6 %	48,0 %
% à temps plein	100 %	92,0 %	100 %
% lié à la formation	91,3 %	91,3 %	75,0 %

SCIENCES APPLIQUÉES

15368 GÉNIE DES MINES / GÉNIE DES MINES ET DE LA MINÉRALURGIE / GÉNIE MINIER / MINING ENGINEERING

BAC 8 TRIMESTRES — CUISEP 438-000

Compétences à acquérir

- Déterminer à l'aide d'études et d'estimations la rentabilité de nouveaux gisements de minerais.
- Concevoir les plans d'aménagement des mines et des installations.
- Coordonner et superviser l'aménagement et l'exploitation des sites miniers.
- Gérer les ressources humaines et matérielles.
- Analyser les méthodes de production.
- Participer à la réalisation de grands projets de construction (métro, routes, tunnels, etc.).

Éléments du programme

- Analyse numérique
- Géomécanique
- Mathématiques de l'ingénieur
- Mécanique des roches
- Probabilités et statistiques
- Soutènement minier
- Ventilation minière

Admission (voir p. 20 G)

DEC ou l'équivalent et mathématiques 103, 105, 203; physique 101, 201, 301; chimie 101, 201; biologie 301.

OU

Laval : DEC en Sciences de la nature **OU** DEC et mathématiques NYA, NYB, NYC ou 103-77, 105-77 et 203-77; physique NYA, NYB, NYC ou 101, 201, 301; chimie NYA, NYB ou 101, 201. *N.B. : Pour connaître les passerelles entre un DEC technique et ce programme, contacter la Faculté des sciences et de génie.*

McGill : DEC technique ou l'équivalent dans certaines spécialisation et avoir réussi certains cours de niveau collégial.

Polytechnique : DEC en Sciences de la nature ou DEC en Sciences appliquées **OU** DEC dans la famille des techniques physiques et mathématiques NYA (cours de mise à niveau disponible à l'université); physique NYA, NYB, NYC; chimie NYA **OU** DEC et mathématiques NYA, NYB, NYC; physique NYA, NYB; chimie NYA.

Endroits de formation (voir p. 414)

	Contingentement	Coop	Cote R*
Laval	□	■	—
McGill	■	■	25.000
Polytechnique	□	■	26.000

** Le nombre inscrit indique la **cote R** qui a été utilisée pour l'**admission de l'année précédente** par l'université concernée. Pour connaître la cote R exigée pour l'admission 2008, communiquer avec les établissements concernés.*

Professions reliées

C.N.P.

0811 Directeur de production des matières premières
2143 Ingénieur minier

Endroit de travail

Industrie minière

Salaire

Le salaire hebdomadaire moyen est de 1 093 $ (janvier 2003).

Remarques

- Pour exercer la profession et porter le titre d'ingénieur, il faut être membre de l'Ordre des ingénieurs du Québec.
- L'École Polytechnique de Montréal offre un baccalauréat-maîtrise intégré (BMI) et un passage direct du baccalauréat au doctorat. Le régime coopératif est obligatoire pour le baccalauréat en Génie minier.
- L'Université du Québec en Abitibi-Témiscamingue (UQAT) offre la première année du programme de l'École Polytechnique.
- À l'Université Laval, le régime coopératif est obligatoire.

STATISTIQUES D'EMPLOI

	2001	2003	2005
Nb de personnes diplômées	37	33	—
% en emploi	81,5 %	76,5 %	—
% à temps plein	95,5 %	100 %	—
% lié à la formation	76,2 %	76,9 %	—

15350 GÉNIE DES SYSTÈMES ÉLECTROMÉCANIQUES / GÉNIE ÉLECTROMÉCANIQUE

BAC 8 TRIMESTRES CUISEP 400-000

Compétences à acquérir

- Concevoir, réaliser et analyser des éléments et des systèmes du milieu industriel.
- Mesurer l'impact de la technologie et de la production industrielle sur l'homme et son environnement.

Éléments du programme

- Commandes et automatismes
- Électronique de puissance
- Éléments de robotique
- Éléments finis en mécanique des solides
- Fabrication assistée par ordinateur (FAO)
- Ingénierie, design et communication
- Réseaux de distribution électrique
- Systèmes hydrauliques et pneumatiques

Admission (voir p. 20 G)

UQAR : DEC dans la famille des techniques physiques ou l'équivalent et mathématiques 103, 105, 203 et un cours de physique **OU** DEC ou l'équivalent et mathématiques 103, 105, 203; physique 101, 201, 301; chimie 101, 201; biologie 301.

UQAT : DEC en Sciences et les cours de la structure d'accueil en ingénierie : 101-NYA-05, 201-NYA-05, 201-NYC-05, 201-NYB-05, 203-NYA-05, 203-NYB-05, 203-NYC-05, 202-NYC-05, 202-NYB-05 **OU** DEC technique et chimie 202-NYA-05; calcul différentiel 201-NYA-05; algèbre 201-NYC-05; calcul intégral 201-NYB-05; mécanique 203-NYA-05; électricité et magnétisme 203-NYC-05 **OU** DEC dans une discipline connexe et chimie 202-NYA-05 ou 202-NYB-05; calcul intégral 201-NYB-05; mécanique 203-NYA-05; électricité et magnétisme 203-NYB-05; ondes et physique moderne 203-NYC-05.

Endroits de formation (voir p. 414)

	Contingentement	Coop	Cote R
UQAR	☐	☐	—
UQAT	☐	☐	—

Professions reliées

C.N.P.	
4161	Agent des brevets
2141	Ingénieur des méthodes de production
2132	Ingénieur mécanicien
2133	Ingénieur électricien (énergie)
2132	Ingénieur en mécanique (énergie)
2132	Ingénieur mécanicien
2133	Officier en génie électrique et mécanique

Endroit de travail

Différents secteurs de l'activité industrielle.

Salaire

Consulter les fiches des programmes Génie électrique (p. 97) et Génie mécanique (p. 101).

Remarque

Pour exercer la profession et porter le titre d'ingénieur, il faut être membre de l'Ordre des ingénieurs du Québec.

Statistiques d'emploi

Consulter les fiches des programmes Génie électrique (p. 97) et Génie mécanique (p. 101).

15358 GÉNIE DU BÂTIMENT / ENGINEERING : BUILDING

BAC 8 TRIMESTRES — CUISEP 453-000

Compétences à acquérir

- Concevoir, analyser et planifier les nombreux aspects de la construction : plans, charpentes, structures, climatisation, chauffage, éclairage et matériaux.
- Superviser la construction, la rénovation, l'exploitation ou la démolition d'ouvrages.
- Faire l'analyse et la conception des charpentes, l'estimation des coûts et la gestion des travaux.
- Travailler au contrôle du bruit, à l'isolation thermique, à l'économie des ressources, à l'énergie solaire, à la structure, aux matériaux et aux systèmes mécaniques des bâtiments.

Éléments du programme

- Acoustique du bâtiment
- Dessin de structure
- Éclairage du bâtiment
- Mécanique des fluides
- Méthodes de construction
- Statistiques
- Thermodynamique

Admission (voir p. 20 G)

DEC en Sciences de la nature **OU** DEC ou l'équivalent et mathématiques 103 ou 201-NYA, 203 ou 201-NYB, 105 ou 201-NYC; physique 101 ou 203-NYA, 201 ou 203-NYB; chimie 101 ou 202-NYA.

Endroit de formation (voir p. 414)

	Contingentement	Coop	Cote R*
Concordia	■	■	24.000

** Le nombre inscrit indique la **cote R** qui a été utilisée pour l'**admission de l'année précédente** par l'université concernée. Pour connaître la cote R exigée pour l'admission 2008, communiquer avec les établissements concernés.*

Professions reliées

C.N.P.
1235 Évaluateur agréé
2131 Ingénieur civil
2132 Ingénieur en mécanique du bâtiment

Endroits de travail

- À son compte
- Entrepreneurs en construction
- Firmes d'architectes
- Firmes d'ingénieurs
- Gouvernements fédéral et provincial
- Municipalités

Salaire

Le salaire hebdomadaire moyen est de 944 $ (janvier 2005).

Remarques

- Pour exercer la profession et porter le titre d'ingénieur, il faut être membre de l'Ordre des ingénieurs du Québec.
- Pour porter le titre d'évaluateur agréé, il faut être membre de l'Ordre des évaluateurs agréés du Québec.

STATISTIQUES D'EMPLOI

	2001	2003	2005
Nb de personnes diplômées	246	198	178
% en emploi	80,4 %	80,1 %	85,0 %
% à temps plein	99,2 %	99,1 %	100 %
% lié à la formation	92,1 %	92,6 %	90,2 %

15375 GÉNIE DU BOIS

BAC 8 TRIMESTRES — CUISEP 315-700

Compétences à acquérir

- Planifier et diriger des travaux d'entreprises industrielles en transformation du bois.
- Travailler à la création de nouveaux produits.
- Transformer des ressources forestières en produits utilitaires.
- Appliquer des principes d'ingénierie à la transformation du bois.
- Optimiser des procédés de transformation ou d'amélioration du bois par des techniques modernes de contrôle et de gestion.
- Concevoir et commercialiser de nouveaux produits.

Éléments du programme

- Anatomie et structure du bois
- Botanique forestière
- Laboratoire de physique et mécanique du bois
- Sciages, placages et contreplaqués
- Séchage et préservation
- Stages coopératifs rémunérés (4 sessions)
- Statique et résistance des matériaux
- Transformation du bois

Admission (voir p. 20 G)

DEC en Sciences de la nature ou en Sciences, lettres et arts.

ou

Tout autre DEC et mathématiques NYA, NYB, NYC ou 103-77, 105-77, 203-77; physique NYA, NYB, NYC ou 101, 201, 301; chimie NYA, NYB ou 101, 201; biologie NYA ou 301. *N.B. : Les titulaires du DEC en technologie forestière ou d'un DEC de la famille des techniques biologiques sont dispensés du cours de biologie NYA ou 301.*

Endroit de formation (voir p. 414)

	Contingentement	Coop	Cote R
Laval	□	■	—

Professions reliées

C.N.P.

0811 Directeur de production des matières premières

2122 Ingénieur forestier en sciences du bois

Endroits de travail

- Centres de recherche
- Firmes de consultation en ingénierie
- Gouvernements fédéral et provincial
- Industrie de la transformation du bois

Salaire

Le salaire hebdomadaire moyen est de 797 $ (janvier 2005).

Remarques

- Pour exercer la profession et porter le titre d'ingénieur forestier, il faut être membre de l'Ordre des ingénieurs forestiers du Québec.
- À l'Université Laval, le régime coopératif est obligatoire.

STATISTIQUES D'EMPLOI

	2001	2003	2005
Nb de personnes diplômées	70	80	78
% en emploi	73,1 %	70,8 %	52,7 %
% à temps plein	100 %	97,8 %	96,6 %
% lié à la formation	89,5 %	93,3 %	92,9 %

SCIENCES APPLIQUÉES

15359 GÉNIE ÉLECTRIQUE

BAC 7-8 TRIMESTRES CUISEP 455-300

Compétences à acquérir

- Concevoir et dessiner des plans d'équipements électriques.
- Analyser, concevoir et réaliser des systèmes électriques et informatiques.
- Superviser la construction, l'installation et le fonctionnement des équipements électriques.
- Évaluer le coût de la construction d'ouvrages et prévoir les coûts de la main-d'œuvre.
- Surveiller et coordonner le travail des divers techniciens.

Éléments du programme

- Analyse numérique pour l'ingénieur
- Électromagnétisme
- Électronique
- Mathématiques de l'ingénieur
- Physique des composantes électroniques
- Signaux et systèmes directs

Admission (voir p. 20 G)

Concordia : DEC ou l'équivalent et mathématiques 103 ou 201-NYA, 203 ou 201-NYB,105 ou 201-NYC; physique 101 ou 203-NYA, 201 ou 203-NYB, 301 ou 301-NYC; chimie 101 ou 202-NYA.

ÉTS : Profil d'accueil « Électrique » : DEC en Technologie de l'électronique industrielle, en Technologie de l'électronique, en Technologie physique, en Technologie de conception électronique, en Avionique;
Profil d'accueil « Électrique et informatique » : Technologie des systèmes ordinés;
Profil d'accueil « Informatique » : Techniques de l'informatique. *N.B. : L'étudiant se verra prescrire un cheminement personnalisé en mathématiques et en sciences suite à un test diagnostique.*

Laval : DEC en Sciences de la nature **OU** DEC ou l'équivalent et mathématiques NYA, NYB, NYC ou 103-77, 105-77, 203-77; physique NYA, NYB, NYC ou 101, 201, 301; chimie NYA ou 101; biologie NYA ou 301. *N.B. : Pour connaître les passerelles entre un DEC technique et ce programme, contacter la Faculté des sciences et de génie.*

McGill : DEC ou l'équivalent et mathématiques 103, 105, 203; physique 101, 201, 301; chimie 101, 201.

Polytechnique : DEC en Sciences de la nature **OU** DEC dans la famille des techniques physiques et mathématiques NYA (cours de mise à niveau à l'université); physique NYA, NYB; chimie NYA **OU** DEC et mathématiques NYA, NYB, NYC; physique NYA, NYB, NYC; chimie NYA.

Sherbrooke : DEC en Sciences de la nature **OU** DEC ou l'équivalent et mathématiques 103, 105, 203; physique 101, 201, 301; chimie 101, 201; biologie 301 **OU** DEC dans la famille des techniques physiques ou l'équivalent et avoir réussi les cours de mathématiques 103, 105, 203; physique 101, 201, 301 et chimie 101 **OU** DEC en Technologie de l'électronique industrielle, en Technologie de l'électronique, en Technologie de conception électronique, en Technologie physique, en Technologie de systèmes ordinés, en Avionique ou l'équivalent.

UQAC, UQTR : DEC en Sciences de la nature **OU** DEC ou l'équivalent et mathématiques 103 (00UN), 105 (00UQ), 203 (00UP); physique 101 (00UR), 201 (00US), 301 (00UT); chimie 101 (00UL), 201 (00UM); biologie 301 (00UK) **OU** DEC dans la famille des techniques physiques et mathématiques 103 (00UN), 105 (00UQ), 203 (00UP); chimie 101 (00UL), 201 (00UM); physique 101 (00UR), 201 (00US), 301 (00UT).

UQAR : DEC en Sciences de la nature **OU** DEC ou l'équivalent et mathématiques 103, 105, 203; un cours de physique; chimie 101, 201; biologie 301 **OU** DEC dans la famille des techniques physiques ou l'équivalent et mathématiques 103, 105 et 203 et un cours de physique.

Endroits de formation (voir p. 414)

	Contingentement	Coop	Cote R*
Concordia	■	■	24.000
ÉTS	□	■	—
Laval	□	□	—
McGill	■	□	25.000
Polytechnique	□	□	26.000
Sherbrooke	■	■	21.500
UQAC	□	□	—
UQAR	□	□	—
UQTR	□	□	—

** Le nombre inscrit indique la **cote R** qui a été utilisée pour l'**admission de l'année précédente** par l'université concernée. Pour connaître la cote R exigée pour l'admission 2008, communiquer avec les établissements concernés.*

15359 GÉNIE ÉLECTRIQUE (SUITE)

Professions reliées

C.N.P.

2133	Ingénieur électricien (énergie)
2133	Ingénieur électronicien
2146	Ingénieur en aérospatiale
2133	Ingénieur en électrotechnique
2147	Ingénieur en informatique
2147	Ingénieur en intelligence artificielle
2132	Ingénieur en sciences nucléaires
2133	Ingénieur en télécommunications
2132	Ingénieur spécialiste des installations d'énergie
2131	Officier de génie militaire
2146	Officier en génie aérospatial
2147	Spécialiste en télécommunications (informatique)

Endroits de travail

- Centrales électriques
- Fabricants d'appareil audio et vidéo
- Firmes d'ingénieurs
- Forces armées canadiennes
- Gouvernements fédéral et provincial
- Industrie de l'avionique
- Industrie de l'informatique
- Industrie des télécommunications

Salaire

Le salaire hebdomadaire moyen est de 869 $ (janvier 2005).

Remarques

- Plusieurs concentrations sont offertes selon les établissements : Avionique; Commande industrielle; Énergie électrique; Informatique; Mécatronique; Technologie de l'information; Télécommunications; Technologie de la santé.
- Pour exercer la profession et porter le titre d'ingénieur, il faut être membre de l'Ordre des ingénieurs du Québec.
- Des études de 2e cycle sont nécessaires pour exercer les professions suivantes : ingénieur en aérospatiale, ingénieur biomédical, ingénieur en sciences nucléaires et ingénieur spécialiste des installations d'énergie.
- Le régime coopératif est obligatoire à l'École de technologie supérieure (ÉTS) et à l'Université de Sherbrooke.
- L'École Polytechnique de Montréal offre un baccalauréat-maîtrise intégré (BMI) et un passage direct du baccalauréat au doctorat. Les stages rémunérés sont obligatoires (4 mois).
- L'Université de Sherbrooke offre un cheminement en Bioingénierie à l'intérieur du baccalauréat en Génie électrique.

STATISTIQUES D'EMPLOI

	2001	2003	2005
Nb de personnes diplômées	539	502	586
% en emploi	90,3 %	72,1 %	70,9 %
% à temps plein	98,7 %	98,5 %	96,3 %
% lié à la formation	90,1 %	86,3 %	72,3 %

SCIENCES APPLIQUÉES

15361 GÉNIE GÉOLOGIQUE

BAC 8 TRIMESTRES — CUISEP 433-000

Compétences à acquérir

- Trouver des solutions aux problèmes de l'industrie minérale, de la construction et de la protection de l'environnement.
- Rechercher et évaluer les ressources minérales et énergétiques ainsi que les eaux souterraines.
- Rassembler et étudier des données relatives aux gisements de minerais, guider le choix des techniques liées à leur exploitation et des méthodes d'exploration.
- Évaluer l'impact des projets et des activités humaines sur l'environnement.
- Faire l'étude du sol et du socle en prévision de grands projets de construction (routes, tunnels, barrages et édifices).

Éléments du programme

- Géologie minière et de l'exploration
- Hydrogéologie
- Mécanique des roches appliquée
- Minéralogie
- Résistance des matériaux

Admission (voir p. 20 G)

DEC ou l'équivalent et mathématiques 103, 105, 203; physique 101, 201, 301; chimie 101, 201; biologie 301

OU

Laval : DEC en Sciences de la nature **OU** tout autre DEC et mathématiques NYA, NYB, NYC ou 103-77, 105-77, 203-77; physique NYA, NYB ou 101, 201; chimie NYA, NYB ou 101, 201. *N.B. : Pour connaître les passerelles entre un DEC technique et ce programme, contacter la Faculté des sciences et de génie.*

Polytechnique : DEC en Sciences de la nature ou DEC en Sciences appliquées **OU** DEC dans la famille des techniques physiques et mathématiques NYA (cours de mise à niveau disponible à l'université) **OU** DEC et mathématiques NYA, NYB, NYC; physique NYA, NYB, NYC; chimie NYA.

UQAC : DEC en Sciences de la nature **OU** DEC dans la famille des techniques physiques ou l'équivalent et mathématiques 103, 105 et 203; physique 101, 201 plus un cours de chimie et un cours de géologie ou de physique 301.

Endroits de formation (voir p. 414)

	Contingentement	Coop	Cote R*
Laval	☐	☐	—
Polytechnique	☐	■	26.000
UQAC	☐	☐	—

** Le nombre inscrit indique la **cote R** qui a été utilisée pour l'**admission de l'année précédente** par l'université concernée. Pour connaître la cote R exigée pour l'admission 2008, communiquer avec les établissements concernés.*

Professions reliées

C.N.P.

- 0811 Directeur de production des matières premières
- 2113 Géophysicien
- 2113 Géophysicien-prospecteur
- 2144 Hydrogéologue
- 2144 Ingénieur en mécanique des sols
- 2144 Ingénieur géologue

Endroits de travail

- Entrepreneurs en construction
- Firmes d'ingénieurs
- Gouvernements fédéral et provincial
- Industrie minière
- Industrie pétrolière

Salaire

Le salaire hebdomadaire moyen est de 760 $ (janvier 2005).

Remarques

- Pour exercer la profession et porter le titre d'ingénieur, il faut être membre de l'Ordre des ingénieurs du Québec.
- Des études de 2e cycle sont nécessaires pour exercer les professions suivantes : géophysicien, géophysicien-prospecteur.
- L'École Polytechnique de Montréal offre un baccalauréat-maîtrise intégré (BMI) et un passage direct du baccalauréat au doctorat. Elle offre également les concentration suivantes : Environnement; Géologie informatique; Ouvrages et construction. Le régime coopératif est obligatoire pour le baccalauréat en Génie géologique.
- L'Université du Québec en Abitibi-Témiscamingue (UQAT) offre la première année du programme de l'École Polytechnique.

STATISTIQUES D'EMPLOI

	2001	2003	2005
Nb de personnes diplômées	43	42	45
% en emploi	33,3 %	56,8 %	41,4 %
% à temps plein	100 %	100 %	100 %
% lié à la formation	100 %	85,7 %	100 %

15363 GÉNIE INDUSTRIEL / ENGINEERING : INDUSTRIAL

BAC 8 TRIMESTRES — CUISEP 455-410/420

Compétences à acquérir

- Concevoir, organiser, intégrer et analyser des systèmes de production dans les diverses composantes : main-d'œuvre, matériaux, machines et capitaux.
- Optimiser le système de production, l'efficacité et la productivité d'une entreprise.
- Instaurer l'utilisation de nouvelles technologies telles que la conception et la fabrication par ordinateur, la robotique ou l'automatisation programmée.
- Assurer l'emploi efficace, sûr et économique du personnel, des matériaux et des équipements d'une entreprise.

Éléments du programme

- Aménagement d'usine et manutention
- Analyse des tâches et conception de produits
- Design mécanique et mécanisation
- Mathématiques appliquées
- Planification d'installations industrielles
- Probabilités et statistiques
- Sécurité et hygiène industrielles

Admission (voir p. 20 G)

DEC en Sciences de la nature.

OU

Concordia : DEC ou l'équivalent et mathématiques 103 ou 201-NYA, 203 ou 201-NYB, 105 ou 201-NYC; physique 101 ou 203-NYA, 201 ou 203-NYB; chimie 101 ou 202-NYA.

Polytechnique : DEC en Sciences de la nature ou DEC en Sciences appliquées **OU** DEC dans la famille des techniques physiques et mathématiques NYA (cours de mise à niveau disponible à l'université); physique NYA, NYB; chimie NYA **OU** DEC et mathématiques NYA, NYB, NYC; physique NYA, NYB; chimie NYA.

UQTR : DEC en Sciences, lettres et arts ou DEC en Sciences de la nature **OU** DEC ou l'équivalent et mathématiques 103 (00UN), 105 (00UQ), 203 (00UP); physique 101 (00UR), 201 (00US), 301-78 (00UT); chimie 101 (00UL), 201 (00UM); biologie 301 (00UK) **OU** DEC dans la famille des techniques physiques ou l'équivalent **OU** DEC technique et mathématique 103 (00UN), 105 (00UQ), 203 (00UP); physique 101 (00UR), 201 (00US); chimie 101 (00UL).

Endroits de formation (voir p. 414)

	Contingentement	Coop	Cote R*
Concordia	■	■	24.000
Polytechnique	□	□	26.000
UQTR	□	□	—

** Le nombre inscrit indique la **cote R** qui a été utilisée pour l'**admission de l'année précédente** par l'université concernée.*

Pour connaître la cote R exigée pour l'admission 2008, communiquer avec les établissements concernés.

Professions reliées

C.N.P.	
2141	Auditeur – qualité
0911	Directeur de production des matières premières
0911	Directeur de production industrielle
4161	Ergonomiste
4161	Hygiéniste industriel
2148	Ingénieur-conseil
2141	Ingénieur des méthodes de production
2141	Ingénieur des techniques de fabrication
2141	Ingénieur du contrôle de la qualité industrielle
2141	Ingénieur industriel

Endroits de travail

- Firmes d'ingénieurs
- Gouvernements fédéral et provincial
- Industrie de l'automobile
- Industrie de la fabrication de produits en matière plastique
- Industrie forestière
- Industrie manufacturières
- Industrie minière
- Industrie pétrolière

Salaire

Le salaire hebdomadaire moyen est de 919 $ (janvier 2005).

Remarques

- Pour exercer la profession et porter le titre d'ingénieur, il faut être membre de l'Ordre des ingénieurs du Québec.
- Des études de 2e cycle sont nécessaires pour exercer les professions suivantes : ergonomiste et hygiéniste industriel.
- L'École Polytechnique de Montréal offre un baccalauréat-maîtrise intégré (BMI) et un passage direct du baccalauréat au doctorat. Elle offre également les concentration suivantes : Informatique; Innovation technologique; Orientation personnalisée. Stages rémunérés et obligatoires (4 mois).

STATISTIQUES D'EMPLOI

	2001	2003	2005
Nb de personnes diplômées	167	200	191
% en emploi	97,9 %	89,8 %	85,5 %
% à temps plein	100 %	99,3 %	100 %
% lié à la formation	92,4 %	88,6 %	85,0 %

15360 GÉNIE MÉCANIQUE / MECHANICAL ENGINEERING

BAC 7-8 TRIMESTRES — CUISEP 455-400

Compétences à acquérir

- Concevoir ou améliorer des systèmes mécaniques (moteur, transmission, turbines) utilisés dans la fabrication de machines et appareils de toutes sortes en production industrielle ou dans le domaine du bâtiment.
- Superviser la réalisation des plans.
- Choisir les matériaux et la méthode de fabrication.
- Diriger les travaux de fabrication et les essais de prototypes.
- Évaluer les installations et les procédés mécaniques de fabrication et s'assurer du respect des normes de sécurité.
- Recommander des méthodes d'entretien.

Éléments du programme

- Dessin de machines
- Mathématiques du génie mécanique
- Probabilités et statistiques
- Production industrielle
- Thermodynamique technique

Admission (voir p. 20 G)

Concordia : DEC ou l'équivalent et mathématiques 103 ou 201-NYA, 203 ou 201-NYB, 105 ou 201-NYC; physique 101 ou 203-NYA, 201 ou 203-NYB; chimie 101 ou 202-NYA.

ÉTS : L'un ou l'autre des DEC techniques suivants : DEC en Techniques de l'architecture navale, en Techniques de construction aéronautique, en Entretien d'aéronefs, en Techniques de génie mécanique de marine, en Techniques de génie métallurgique, en Techniques de génie mécanique, en Techniques de procédés chimiques, en Techniques de production manufacturière, en Techniques de tranformation des matériaux composites, en Techniques de transformation des matières plastiques, en Techniques du meuble et de l'ébénisterie, en Technologie de la mécanique du bâtiment, en Technologie de la production textile, en Technologie de maintenance industrielle, en Technologie du génie agromécanique, en Technologie du génie industriel, en Techniques de design industriel, en Technologie physique. *N.B. : L'étudiant se verra prescrire un cheminement personnalisé en mathématiques et en sciences suite à un test diagnostique.*

Laval : DEC en Sciences de la nature **OU** DEC ou l'équivalent et mathématiques NYA, NYB, NYC ou 103-77, 105-77, 203-77; physique NYA, NYB, NYC ou 101, 201, 301; chimie NYA ou 101; biologie NYA ou 301. *N.B. : Pour connaître les passerelles entre un DEC technique et ce programme, contacter la Faculté des sciences et de génie.*

McGill : DEC ou l'équivalent et mathématiques 103, 105, 203; physique 101, 201, 301; chimie 101, 201.

Polytechnique : DEC en Sciences de la nature ou DEC en Sciences appliquées **OU** DEC dans la famille des techniques physiques et mathématiques NYA (cours de mise à niveau disponible à l'université); physique NYA, NYB; chimie NYA **OU** DEC et mathématiques NYA, NYB, NYC; physique NYA, NYB; chimie NYA.

Sherbrooke : DEC en Sciences de la nature **OU** DEC en Techniques de génie mécanique, DEC en Techniques de construction aéronautique **OU** DEC ou l'équivalent et mathématiques 103, 105, 203; physique 101, 201, 301; chimie 101, 201; biologie 301 **OU** DEC dans la famille des techniques physiques ou l'équivalent et avoir réussi les cours de mathématiques 103, 105, 203; physique 101, 201, 301-78; chimie 101 **OU** DEC technique et mathématiques 103, 105, 203; chimie 101; physique 101, 201, 301.

UQAC : DEC en Sciences de la nature **OU** DEC ou l'équivalent et mathématiques 103, 105, 203; physique 101, 201, 301; chimie 101, 201; biologie 301 **OU** DEC dans la famille des techniques physiques ou l'équivalent et avoir réussi les cours de mathématiques 103, 105, 203; physique 101, 201, 301-78; chimie 101 **OU** DEC technique et mathématiques 103, 105, 203; chimie 101; physique 101, 201, 301.

UQAR : DEC en Sciences de la nature **OU** DEC ou l'équivalent et mathématiques 103, 105, 203; un cours de physique; chimie 101, 201; biologie 301 **OU** DEC dans la famille des techniques physiques ou l'équivalent et mathématiques 103, 105, 203 et un cours de de physique.

UQAT : DEC en Sciences et les cours de la structure d'accueil en ingénierie : évolution et diversité du vivant 101-NYA-05; calcul différentiel 201-NYA-05; algèbre 201-NYC-05; calcul intégral 201-NYB-05; mécanique 203-NYA-05; électricité et magnétisme 203-NYB-05; ondes et physique moderne 203-NYC-05; chimie 202-NYA-05 ou mathématiques 201-NYA-05, 201-NYB-05, 201-NYC-05; physique 203-NYA-05, 203-NYB-05 **OU** DEC dans une discipline connexe et : chimie 202-NYA-05 ou 202-NYB-05; mathématiques 201-NYA-05, 201-NYB-05, 201-NYC-05; physique 203-NYA-05, 203-NYB-05, 203-NYC-05

UQTR : DEC en Sciences de la nature ou DEC en Sciences, lettres et arts **OU** DEC ou l'équivalent et mathématiques 103 (00UN), 105 (00UQ), 203 (00UP); physique 101 (00UR), 201 (00US), 301-78 (00UT); biologie 301 (00UK) **OU** DEC en technologie physique et mathématiques 103 (00UN), 105 (00UQ), 203 (00UP); physique 101 (00UR), 201 (00US); chimie 101 (00UL).

15360 GÉNIE MÉCANIQUE / MECHANICAL ENGINEERING (SUITE)

Endroits de formation (voir p. 414)

	Contingentement	Coop	Cote R*
Concordia	■	■	24.000
ÉTS	□	■	—
Laval	□	□	—
McGill	■	□	25.000
Polytechnique	□	□	26.000
Sherbrooke	■	■	24.300
UQAC	□	□	—
UQAR	□	□	—
UQAT	□	□	—
UQTR	□	□	—

** Le nombre inscrit indique la **cote R** qui a été utilisée pour l'**admission de l'année précédente** par l'université concernée. Pour connaître la cote R exigée pour l'admission 2008, communiquer avec les établissements concernés.*

Professions reliées

C.N.P.	
2141	Ingénieur du contrôle de la qualité industrielle
2146	Ingénieur en aérospatiale
2148	Ingénieur en construction navale
2148	Ingénieur en génie maritime
2132	Ingénieur en mécanique du bâtiment
2141	Ingénieur industriel
2132	Ingénieur mécanicien
2132	Ingénieur spécialiste des installations d'énergie
2133	Officier du génie électrique et mécanique
2146	Officier en génie aérospatial

Endroits de travail

- Centres de recherche
  Firmes d'ingénieurs
- Gouvernements fédéral et provincial
- Industrie de l'aérospatiale
- Industrie de la robotique
- Industrie des pâtes et papier
- Industrie manufacturière
- Industrie maritime

Salaire

Le salaire hebdomadaire moyen est de 886 $ (janvier 2005).

Remarques

- Différentes options sont offertes selon les établissements : Aéronautique; Conception mécanique; Design; Énergie; Fabrication; Génie ferroviaire; Mécanique du bâtiment; Mécatronique; Plasturgie; etc.
- Pour exercer la profession et porter le titre d'ingénieur, il faut être membre de l'Ordre des ingénieurs du Québec.
- Des études de 2e cycle sont nécessaires pour exercer les professions suivantes : ingénieur spécialiste des installations d'énergie, ingénieur en aérospatiale.
- L'École Polytechnique de Montréal offre un baccalauréat-maîtrise intégré (BMI) et un passage direct du baccalauréat au doctorat.
- L'Université de Sherbrooke permet un cheminement avec concentration en Génie aéronautique avec le baccalauréat en Génie mécanique. Le régime coopératif est obligatoire.
- Stages rémunérés et obligatoires (4 mois) à l'École Polytechnique de Montréal.

STATISTIQUES D'EMPLOI

	2001	2003	2005
Nb de personnes diplômées	521	595	731
% en emploi	88,8 %	83,1 %	78,3 %
% à temps plein	99,6 %	98,9%	99,2 %
% lié à la formation	89,4 %	87,7 %	83,7 %

15359 GÉNIE MICROÉLECTRONIQUE

BAC 8 TRIMESTRES — CUISEP 455-350

Compétences à acquérir

- Programmer des éléments logiciels.
- Concevoir des systèmes et des composantes microélectroniques (puces).
- Acquérir des connaissances en génie électrique et en télécommunications.
- Maîtriser les concepts et les lois fondamentales qui entourent les propriétés des matériaux.
- Utiliser diverses techniques de fabrication des composantes miniaturisées.

Éléments du programme

- Algèbre
- Génie
- Microélectronique
- Physique
- Stages

Admission (voir p. 20 G)

DEC en Sciences de la nature.

OU

DEC en Sciences et mathématiques 103, 105, 203; physique 101, 201, 301; chimie 101-201 et biologie 301.

OU

DEC en Technologie de l'électronique industrielle, en Technologie de l'électronique, spécialisation Audiovisuel, en Technologie physique, en Technologie de systèmes ordinés, en Avionique **ET** mathématiques 105, 203; physique 101, 201, 301.

OU

DEC en Informatique ou l'équivalent et mathématiques 103, 105, 203; physique 101, 201 et 301.

Endroit de formation (voir p. 414)

	Contingentement	Coop	Cote R*
UQAM	■	■	22.000

** Le nombre inscrit indique la **cote R** qui a été utilisée pour l'**admission de l'année précédente** par l'université concernée. Pour connaître la cote R exigée pour l'admission 2008, communiquer avec les établissements concernés.*

Professions reliées

C.N.P.

2162	Concepteur de logiciels
2133	Designer de circuits intégrés
2133	Ingénieur électronicien
2133	Ingénieur en microélectronique
2147	Ingénieur en télécommunication

Endroits de travail

- À son compte
- Fabricants d'appareils de télécommunications
- Fabricants d'ordinateurs
- Industrie de l'aérospatiale
- Industrie de l'automobile

Salaire

Le salaire hebdomadaire moyen est de 869 $ (janvier 2005).

Remarques

- Ce programme conduit au grade de bachelier en ingénierie.
- L'Université Concordia offre une spécialisation en Microélectronique dans le cadre du programme Computer Science (Software Systems).
- L'Université de Sherbrooke offre une concentration en Microélectronique à l'intérieur du BAC en Génie électrique.

STATISTIQUES D'EMPLOI

	2001	2003	2005
Nb de personnes diplômées	539	502	589
% en emploi	90,3 %	72,1 %	70,9 %
% à temps plein	98,7 %	98,5 %	96,3 %
% lié à la formation	90,1 %	86,3 %	72,3 %

15369 GÉNIE PHYSIQUE

BAC 8 TRIMESTRES — CUISEP 455/456-000

Compétences à acquérir

- Concevoir, expérimenter et mettre au point des outils de haute technologie pour la fabrication d'instruments de précision et l'analyse des objets (aérospatial, optique, nucléaire, biomédical).
- Diriger des équipes de spécialistes en vue de réaliser des projets.
- Travailler à l'élaboration et à la recherche de nouvelles techniques de production et de nouveaux produits (métallurgie, mines, informatique, météorologie, etc.).

Éléments du programme

- Circuits logiques
- Électromagnétisme
- Optique instrumentale
- Physique atomique et nucléaire
- Résistance des matériaux
- Thermodynamique

Admission (voir p. 20 G)

Laval : DEC en Sciences de la nature **OU** DEC et mathématiques NYA, NYB, NYC ou 103-77, 105-77 et 203-77; physique NYA, NYB, NYC ou 101, 201, 301; chimie NYA ou 101; biologie NYA ou 301. *N.B. : Pour connaître les passerelles entre un DEC technique et ce programme, contacter la Faculté des sciences et de génie.*

Polytechnique : DEC en Sciences de la nature, DEC en Sciences ou DEC en Sciences appliquées **OU** DEC dans la famille des techniques physiques et mathématiques NYA (cours de mise à niveau disponible à l'université); physique NYA, NYB; chimie NYA **OU** DEC et mathématiques NYA, NYB, NYC; physique NYA, NYB, NYC; chimie NYA.

Endroits de formation (voir p. 414)

	Contingentement	Coop	Cote R
Laval	☐	☐	—
Polytechnique	☐	☐	—

Professions reliées

C.N.P.	
2148	Ingénieur biomédical
2147	Ingénieur de l'implantation des nouveaux produits (photonique)
2141	Ingénieur de la production automatisée
2147	Ingénieur des méthodes de production
2147	Ingénieur en optique
2132	Ingénieur en sciences nucléaires
2148	Ingénieur physicien
2131	Officier de génie militaire

Endroits de travail

- Centres de recherche
- Établissements d'enseignement universitaire
- Fabricants d'ordinateurs et de périphériques
- Gouvernements fédéral et provincial
- Industrie du nucléaire
- Industrie métallurgique
- Industrie minière

Salaire

Le salaire hebdomadaire moyen est de 957 $ (janvier 2005).

Remarques

- Pour exercer la profession et porter le titre d'ingénieur, il faut être membre de l'Ordre des ingénieurs du Québec.
- Des études de 2e cycle sont nécessaires pour exercer les professions suivantes : ingénieur biomédical et ingénieur en sciences nucléaires.
- L'École Polytechnique de Montréal offre un baccalauréat-maîtrise intégré (BMI) et un passage direct du baccalauréat au doctorat. Elle offre également les concentration suivantes : Génie micro et nanotechnologies; Génie photonique. Les stages rémunérés sont obligatoires (4 mois minimum).

STATISTIQUES D'EMPLOI

	2001	2003	2005
Nb de personnes diplômées	38	37	73
% en emploi	63,2 %	34,3 %	35,8 %
% à temps plein	100 %	91,7 %	89,5 %
% lié à la formation	83,3 %	90,9 %	64,7 %

SCIENCES APPLIQUÉES

15350 INGÉNIERIE DE L'ALUMINIUM

BAC 8 TRIMESTRES — CUISEP 436-000

Compétences à acquérir

- Assurer la conception technique en production de biens et services, en exploitation des ressources, en gestion de projets industriels liés à plusieurs domaines de la technologie.
- Contrôler des procédés et superviser des opérations de production de biens et de services ou d'exploitation des ressources.

Deux concentrations sont offertes :
- Métallurgie et transformation.
- Production industrielle.

Éléments du programme

- Résistance des matériaux
- Ingénierie de l'aluminium
- Matériaux de l'ingénieur
- Méthodes d'analyse de l'ingénieur
- Calcul avancé I et II
- Statistiques de l'ingénieur
- Stages ou projets

Admission (voir p. 20 G)

DEC en Sciences de la nature **OU** DEC ou l'équivalent et mathématiques 103, 105, 203; physique 101, 201, 301; chimie 101, 201; biologie 301.

OU

DEC dans la famille des techniques physiques ou l'équivalent et avoir réussi les cours de mathématiques 103, 105, 203; physique 101, 201, 301; chimie 101 **OU** tout autre DEC professionnel ou l'équivalent et avoir complété les cours de niveau collégial suivants ou leur équivalent : mathématiques 103, 105, 203; physique 101, 201, 301; chimie 101.

Endroit de formation (voir p. 414)

	Contingentement	Coop	Cote R
UQAC	☐	☐	—

Professions reliées

C.N.P.
- 2148 Ingénieur-conseil
- 2134 Ingénieur chimiste de la production
- 2134 Ingénieur des méthodes de production
- 2141 Ingénieur des techniques de fabrication
- 2141 Ingénieur industriel
- 2142 Ingénieur métallurgiste

Endroits de travail

- Entreprises industrielles
- Firmes d'ingénieurs
- Gouvernements fédéral et provincial

Salaire

Le salaire hebdomadaire moyen est de 855 $ (janvier 2005).

Remarques

- Pour exercer la profession et porter le titre d'ingénieur, il faut être membre de l'Ordre des ingénieurs du Québec.
- Pour être agent des brevets, il faut avoir réussi l'examen du Bureau canadien des brevets et marques.
- L'Université du Québec à Chicoutimi (UQAC) offre la possibilité de faire des stages rémunérés dans le cadre de ce programme.

STATISTIQUES D'EMPLOI

	2001	2003	2005
Nb de personnes diplômées	33	42	18
% en emploi	79,2 %	88,6 %	92,9 %
% à temps plein	100 %	96,8 %	100 %
% lié à la formation	94,7 %	93,3 %	92,3 %

INFORMATIQUE

PROGRAMMES D'ÉTUDES	PAGES

15340 GÉNIE DES OPÉRATIONS ET DE LA LOGISTIQUE

BAC 7 TRIMESTRES — CUISEP 111/153-000

Compétences à acquérir

- Concevoir, organiser, coordonner, améliorer et contrôler des organisations de services, de logistique et des organisations manufacturières.
- Définir des critères de performances, effectuer l'évaluation des opérations, poser un diagnostic et apporter les correctifs nécessaires aux activités de l'entreprise.
- Réviser les processus d'affaires ou opérationnels et apporter les améliorations nécessaires.
- Concevoir de nouveaux systèmes d'entreprises, en faire l'évaluation coût/bénéfices et les implanter.
- Concevoir et implanter des réseaux d'entreprise visant l'offre de services spécialisés ou la transformation de matières premières en produits finis.
- Concevoir les centres de production et de distribution et en assurer le fonctionnement.
- Concevoir et assurer le bon fonctionnement des chaînes logistiques et d'approvisionnement.

Deux concentrations sont offertes :

- Produits; Services.

Éléments du programme

- Outils de conception et d'analyse de produits et de services
- Méthodes quantitatives en logistique
- Gestion des opérations, des flux et des stocks
- Systèmes de distribution
- Simulation des opérations
- Probabilités et statistiques
- Projet synthèse
- Stages industriels

Admission (voir p. 20 G)

Pour le profil Génie de la production : DEC en Technologie du génie industriel ou DEC en Techniques de production manufacturière.

OU

Pour le profil Informatique : DEC en Techniques de l'informatique, spécialisation Informatique de gestion ou Informatique industrielle.

OU

Pour le profil Réseaux : DEC en Techniques de l'informatique, spécialisation en Gestion de réseaux informatiques.

OU

Pour profil Administration : DEC en Techniques de la logistique du transport, en Techniques de comptabilité et de gestion, en Conseil en assurances et services financiers ou en Gestion de commerce.

OU

DEC technique équivalent tel qu'établi par le comité d'admission.

OU

DEC technique autre que ceux énumérés précédemment, DEC en Sciences de la nature (200.B0) **ET** avoir réussi un minimum de 30 crédits dans un des programmes d'accueil précédemment mentionnés. Les cours doivent avoir été préalablement approuvés par les autorités compétentes à l'École.

Endroit de formation (voir p. 414)

	Contingentement	Coop	Cote R
ÉTS	□	■	—

Professions reliées

C.N.P.

2141	Ingénieur de la production automatisée
2141	Ingénieur des méthodes de production
2141	Ingénieur-spécialiste du rendement
2141	Ingénieur industriel

Endroits de travail

- Secteurs des services
- Institutions financières
- Secteur de la santé
- Entreprises manufacturières

Salaire

Donnée non disponible.

Remarque

Pour exercer la profession et porter le titre d'ingénieur, il faut être membre de l'Ordre des ingénieurs du Québec.

Statistiques d'emploi

Données non disponibles.

SCIENCES APPLIQUÉES

15340 GÉNIE DES TECHNOLOGIES DE L'INFORMATION

BAC 7 TRIMESTRES — CUISEP 153-000

Compétences à acquérir

- Planifier, organiser, diriger et contrôler la mise en œuvre de systèmes complexes intégrant plusieurs technologies de l'information.
- Communiquer efficacement avec les ingénieurs et les professionnels spécialisés en technologies de l'information rattachés à la mise en œuvre de projets.
- Intervenir dans tous les types d'entreprises et tous les secteurs d'activités (primaire, secondaire, tertiaire).
- Travailler dans un environnement d'affaires où les technologies de l'information, notamment Internet et le multimédia, sont omniprésentes.
- Jouer le rôle d'intégrateurs de systèmes et de technologies et d'ingénieurs d'applications.
- Assumer la responsabilité de projets de grande envergure.
- Instaurer, dans une entreprise de taille moyenne, des activités de commerce électronique.
- Analyser les besoins de l'entreprise en ce qui a trait aux nouvelles technologies et jouer auprès d'elle un rôle de conseiller.
- Négocier avec les firmes qui fournissent produits et services technologiques.

Éléments du programme

- Base de données multimédia
- Calcul différentiel et intégral
- Commerce électronique
- Conception de logiciels
- Réseaux de télécommunication

Admission (voir p. 20 G)

DEC en Techniques d'intégration multimédia, en Techniques de l'informatique ou en Technologie de systèmes ordinés.

N.B. : L'étudiant se verra prescrire un cheminement personnalisé en mathématiques et en sciences suite à un test diagnostique.

Endroit de formation (voir p. 414)

	Contingentement	Coop	Cote R
ÉTS	□	■	—

Professions reliées

C.N.P.

2147 Architecte de systèmes informatiques
2171 Expert-conseil en technologies de l'information
2163 Gestionnaire des systèmes
2171 Ingénieur en développement technologique
2147 Ingénieur en informatique
2171 Intégrateur des technologies

Endroits de travail

- À son compte
- Firmes d'experts-conseils
- Industrie du multimédia
- Moyennes et grandes entreprises

Salaire

Le salaire hebdomadaire moyen est de 819 $ (janvier 2005).

Remarque

Pour exercer la profession et porter le titre d'ingénieur, il faut être membre de l'Ordre des ingénieurs du Québec.

SCIENCES APPLIQUÉES

STATISTIQUES D'EMPLOI

	2001	2003	2005
Nb de personnes diplômées	831	1 172	1160
% en emploi	90,0 %	80,0 %	76,3 %
% à temps plein	99,6 %	97,1 %	96,1 %
% lié à la formation	93,8 %	86,4 %	80,4 %

15373 GÉNIE INFORMATIQUE / INFORMATIQUE DE GÉNIE / COMPUTER ENGINEERING / COMPUTER SCIENCE / ENGINEERING : COMPUTER

BAC 8-12 TRIMESTRES — CUISEP 455-353

Compétences à acquérir

- Concevoir, mettre au point et modifier des appareils et des installations informatiques.
- Élaborer des plans et estimer les coûts de fabrication d'appareils.
- Superviser le montage de prototype et de circuits électroniques.
- Surveiller la fabrication, la vérification et l'essai de nouveaux dispositifs.
- Intégrer les différents aspects informatiques (logiciels et appareils) de façon à assurer les diverses activités de l'entreprise telles que la conception, la gestion, la fabrication et la production.

Éléments du programme

- Architecture des systèmes numériques
- Calcul matriciel en génie
- Circuits logiques
- Électronique
- Mathématiques de l'ingénieur
- Systèmes logiques – microprocesseurs

Admission (voir p. 20 G)

DEC ou l'équivalent et mathématiques 103, 105, 203; physique 101, 201, 301; chimie 101, 201; biologie 301.

OU

Concordia : DEC ou l'équivalent et mathématiques 103 ou 201-NYA, 203 ou 201-NYB, 105 ou 201-NYC; physique 101 ou 203-NYA, 201 ou 203-NYB; chimie 101 ou 202-NYA.

Laval : DEC en Sciences de la nature **OU** DEC et mathématiques NYA, NYB, NYC ou 103-77, 105-77, 203-77; physique NYA, NYB, NYC ou 101, 201, 301; chimie NYA ou 101; biologie NYA ou 301. *N.B. : Pour connaître les passerelles entre un DEC technique et ce programme, contacter la Faculté des sciences et de génie.*

McGill : DEC ou l'équivalent et mathématiques 103, 105, 203; physique 101, 201, 301; chimie 101, 201.

Polytechnique : DEC en Sciences de la nature ou DEC en Sciences appliquées **OU** DEC dans la famille des techniques physiques et mathématiques NYA (cours de mise à niveau disponible à l'université); physique NYA, NYB; chimie NYA **OU** DEC et mathématiques NYA, NYB NYC; physique NYA, NYB; chimie NYA.

Sherbrooke : DEC en Sciences de la nature **OU** DEC en Technologie de l'électronique industrielle, en Technologie de l'électronique, en Technologie de conception électronique, en Technologie physique, en Technologie de systèmes ordinés, en Avionique ou l'équivalent **OU** DEC dans la famille des techniques physiques ou l'équivalent et mathématiques 103, 105 et 203; physique 101, 201 et 301-78; chimie 101.

UQAC : DEC en Sciences de la nature **OU** DEC ou l'équivalent et avoir complété les cours de niveau collégial suivants ou l'équivalent : mathématiques 103, 105, 203; physique 101, 201, 301; chimie 101, 201; biologie 301 **OU** DEC en Informatique **OU** tout autre DEC technique ou l'équivalent et avoir complété les cours de niveau collégial suivants ou leur équivalent : mathématiques 103, 105, 203; physique 101, 201, 301; et un cours en sciences excluant les cours de mathématiques et de physique.

UQO : DEC en Sciences de la nature ou l'équivalent **OU** DEC techniques ou l'équivalent et mathématiques 00UN (ou 01Y1 ou 022X ou le cours 103) et 00UP (ou 01Y2 ou 022Y ou le cours 203) et 00UQ (ou 01Y4 ou 022Z ou le cours 105 ou 122); physique 00UR (ou 01Y7 ou le cours 101) et 00US (ou 01YF ou le cours 201) et 00UT (ou 01YG ou le cours 301); biologie 00UK (ou 01Y5 ou 022V ou le cours 301); chimie 00UL (ou 01Y6 ou le cours 101) et 00UM (ou 01YH ou le cours 201).

UQTR : DEC en Sciences de la nature ou l'équivalent **OU** DEC et mathématiques 103 (00UN), 105 (00UQ), 203 (00UP); physique 101 (00UR), 201 (00US), 301-78 (00UT); chimie 101 (00UL), 201 (00UM); biologie 301 (00UK) **OU** DEC dans la famille des techniques physiques et mathématiques 103 (00UN), 105 (00UQ), 203 (00UP); physique 101 (00UR), 201 (00US); chimie 101 (00UL).

Endroits de formation (voir p. 414)

	Contingentement	Coop	Cote R*
Concordia	■	■	24.400
Laval	□	□	—
McGill	■	□	25.000
Polytechnique	□	□	26.000
Sherbrooke	■	■	21.500
UQAC	□	□	—
UQTR	□	□	—
UQO	□	□	—

** Le nombre inscrit indique la **cote R** qui a été utilisée pour l'**admission de l'année précédente** par l'université concernée. Pour connaître la cote R exigée pour l'admission 2008, communiquer avec les établissements concernés.*

SCIENCES APPLIQUÉES

15373 GÉNIE INFORMATIQUE / INFORMATIQUE DE GÉNIE / COMPUTER ENGINEERING / COMPUTER SCIENCE / ENGINEERING : COMPUTER

(SUITE)

Professions reliées

C.N.P.

2147 Architecte de systèmes informatiques
2147 Ingénieur en informatique
2147 Ingénieur en inteligence artificielle

Endroits de travail

- Entreprises spécialisées dans les services informatiques
- Fabricants d'ordinateurs et de périphériques
- Firmes d'ingénieurs
- Gouvernements fédéral et provincial
- Grossistes d'ordinateurs et de matériel connexe

Salaire

Le salaire hebdomadaire moyen est de 834 $ (janvier 2005).

Remarques

- Pour exercer la profession et porter le titre d'ingénieur, il faut être membre de l'Ordre des ingénieurs du Québec.
- Le régime coopératif est obligatoire à l'Université de Sherbrooke.
- L'École Polytechnique de Montréal offre un baccalauréat-maîtrise intégré (BMI) et un passage direct du baccalauréat au doctorat. Elle offre également les concentrations suivantes : Informatique industrielle; Télématique et réseautique. Il est aussi possible de suivre l'orientation Multimédia. Les stages rémunérés sont obligatoires.
- L'Université du Québec en Outaouais (UQO) offre un cheminement de formation pratique et intégré (stages rémunérés et non crédités).
- L'Université du Québec à Trois-Rivières (UQTR) offre le baccalauréat en Génie électrique, concentration Génie informatique.

SCIENCES APPLIQUÉES

STATISTIQUES D'EMPLOI

	2001	2003	2005
Nb de personnes diplômées	273	388	519
% en emploi	91,1 %	73,7 %	76,2 %
% à temps plein	100 %	100 %	96,9 %
% lié à la formation	97,4 %	91,8 %	79,8 %

15340 GÉNIE LOGICIEL / COMPUTER SCIENCE SOFTWARE APPLICATION / SOFTWARE ENGINEERING

BAC 7 TRIMESTRES — CUISEP 455-353

Compétences à acquérir

- Concevoir et développer de nouveaux systèmes ou de nouveaux logiciels selon les principes de l'ingénierie.
- Analyser les problèmes en vue de l'implantation de solutions logicielles économiques.
- Établir des objectifs mesurables sur le plan de la sécurité, de l'utilisation, de l'impact sur la productivité, de la maintenance, de la fiabilité, de l'adaptabilité et de la viabilité économique.
- Implanter les solutions par des programmes bien structurés.
- Vérifier que les logiciels répondent aux objectifs.
- Gérer et coordonner efficacement des projets logiciels et des équipes.

Éléments du programme

- Analyse et conception des interfaces usagers
- Architecture et conception de logiciels
- Base de données de haute performance
- Conception de logiciels
- Conception de systèmes informatiques en temps réel
- Concepts avancés en programmation orientée objet
- Langages formels et semi-formels
- Sécurité des systèmes

Admission (voir p. 20 G)

Concordia : DEC ou l'équivalent et mathématiques 103 ou 201-NYA, 203 ou 201-NYB, 105 ou 201-NYC; physique 101 ou 203-NYA, 201 ou 203-NYB, 301 ou 203-NYC; chimie 101 ou 202-NYA.

ÉTS : DEC Techniques de l'informatique ou DEC en Technologie des systèmes ordinés ou DEC en Techniques d'intégration multmédia. *N.B. : L'étudiant se verra prescrire un cheminement personnalisé en mathématiques et en sciences suite à un test diagnostique.*

Laval : DEC en Sciences de la nature **OU** DEC et mathématiques NYA, NYB, NYC ou 103-77, 105-77, 203-77; physique NYA, NYB, NYC ou 101, 201, 301; chimie NYA ou 101; biologie NYA ou 301.
N.B. : Le titulaire d'un DEC en Techniques de l'informatique bénéficie d'une dispense pour certains cours. Pour connaître les passerelles entre un DEC technique et ce programme, contacter la Faculté des sciences et de génie.

McGill : DEC en Sciences appliquées (génie) et mathématiques NYA, NYB, NYC (00UN, 00UP, 00UQ); physique NYA, NYB, NYC (00UR, 00US, 00UT); chimie NYA, NYB (00UL, 00UM).

Polytechnique : DEC en Sciences de la nature ou DEC en Sciences appliquées **OU** DEC dans la famille des techniques physiques et mathématiques NYA (cours de mise à niveau disponible à l'université); physique NYA, NYB; chimie NYA **OU** DEC et mathématique; physique NYA, NYB; chimie NYA.

Endroits de formation (voir p. 414)

	Contingentement	Coop	Cote R*
Concordia	■	■	24.000
ÉTS	□	■	—
Laval	□	■	—
McGill	□	■	25.000
Polytechnique	□	□	26.000

** Le nombre inscrit indique la **cote R** qui a été utilisée pour **l'admission de l'année précédente** par l'université concernée. Pour connaître la cote R exigée pour l'admission 2008, communiquer avec les établissements concernés.*

Professions reliées

C.N.P.

2173	Architecte d'applications
2173	Concepteur de logiciels
2173	Ingénieur en logiciels
2173	Ingénieur-concepteur en logiciels

Endroits de travail

- Firmes d'ingénieurs
- Firmes de consultants en informatiques
- Gouvernements fédéral et provincial

Salaire

Le salaire hebdomadaire moyen est de 819 $ (janvier 2005).

SCIENCES APPLIQUÉES

15340 GÉNIE LOGICIEL / COMPUTER SCIENCE SOFTWARE APPLICATION / SOFTWARE ENGINEERING

(SUITE)

Remarques

- Pour exercer la profession et porter le titre d'ingénieur, il faut être membre de l'Ordre des ingénieurs du Québec.
- Le régime coopératif est obligatoire à l'École de technologie supérieure (ÉTS).
- L'École Polytechnique de Montréal offre un baccalauréat-maîtrise intégré (BMI) et un passage direct du baccalauréat au doctorat. Elle offre également l'orientation Multimédia dans le cadre du baccalauréat en Génie logiciel. Les stages rémunérés sont obligatoires (4 mois minimum).
- L'Université Laval offre le baccalauréat avec ou sans les concentrations suivantes : Logiciels industriels; Conception et développement des jeux vidéos; Sécurité et fiabilité des logiciels.
- L'Université McGill permet aux étudiants de changer leur programme Software Engineering (BSE) pour Electrical or Computer Engineering (BENG) avec l'autorisation du Coordonnateur des programmes du Department of Electrical and Computer Engineering. Les étudiants peuvent également obtenir une expérience de travail durant leur études grâce aux programme IYES (Internshio Program) et IP (Industrial Practicum).

SCIENCES APPLIQUÉES

STATISTIQUES D'EMPLOI

	2001	2003	2005
Nb de personnes diplômées	831	1 172	1 160
% en emploi	90,0 %	80,0 %	76,3 %
% à temps plein	99,6 %	97,1 %	96,1 %
% lié à la formation	93,8 %	86,4 %	80,4 %

15340 IMAGERIE ET MÉDIAS NUMÉRIQUES / COMPUTATION ARTS / IMAGING AND DIGITAL MEDIA

BAC 8 TRIMESTRES — CUISEP 153-340

Compétences à acquérir

- Définir, gérer et mettre en œuvre des projets d'envergure intégrant un ou plusieurs supports numériques d'information.
- Définir, gérer et mettre en œuvre des projets spécifiques à l'infographie, au traitement d'images, à la vision par ordinateur, aux interfaces, à la réalité virtuelle et à la réalité augmentée.
- Développer sa capacité à concevoir et à réaliser des logiciels fiables, généraux et lisibles et acquérir une expérience de l'utilisation de logiciels modernes et de laboratoires adaptés.

Éléments du programme

- Acquisition des médias numériques
- Analyse et programmation
- Calcul différentiel et intégral
- Gestion des médias numériques
- Infographie
- Structures de données
- Traitement de l'audionumérique
- Transmission et codage des médias numériques

Admission (voir p. 20 G)

Bishop's : DEC ou l'équivalent et mathématiques NYA, NYB; physique NYA, NYB; chimie NYA, NYB; biologie NYA.

Concordia : DEC ou l'équivalent et fournir une lettre d'intention et un portfolio.

Sherbrooke : DEC ou l'équivalent et mathématiques 103, 105 203 ou avoir atteint les objectifs et standards suivants : 00UN, 00UP, 00UQ ou 022X, 022Y, 022Z ou 01Y1, 01Y2, 01Y4.

Endroits de formation (voir p. 414)

	Contingentement	Coop	Cote R*
Bishop's	□	□	—
Concordia	■	■	27.000
Sherbrooke	□	■	—

** Le nombre inscrit indique la **cote R** qui a été utilisée pour l'**admission de l'année précédente** par l'université concernée. Pour connaître la cote R exigée pour l'admission 2008, communiquer avec les établissements concernés.*

Professions reliées

C.N.P.	
2174	Développeur de jeux vidéos
2174	Développeur de logiciels d'animation
2174	Développeur de logiciel d'imagerie médicale
2174	Développeur de médias interactifs
0512	Gestionnaire de projet multimédia
2174	Programmeur-analyste

Endroits de travail

- À son compte
- Firmes d'experts-conseils
- Industrie du logiciel
- Industrie du multimédia
- Moyennes et grandes entreprises

Salaire

Le salaire hebdomadaire moyen est de 819 $ (janvier 2005).

Remarque

L'Université du Québec à Chicoutimi (UQAC) offre une majeure en Conception de jeux vidéo.

STATISTIQUES D'EMPLOI

	2001	2003	2005
Nb de personnes diplômées	831	1 172	1 160
% en emploi	90,0 %	80,0 %	76,3 %
% à temps plein	99,6 %	97,1 %	96,1 %
% lié à la formation	93,8 %	86,4 %	80,4 %

SCIENCES APPLIQUÉES

INFORMATIQUE / INFORMATIQUE ET RECHERCHE OPÉRATIONNELLE / COMPUTER SCIENCE / INFORMATION SYSTEMS

BAC 6 TRIMESTRES — CUISEP 153-000

Compétences à acquérir

- Étudier un problème informatique précis en déterminant les besoins des usagers, la nature des tâches que devra effectuer le système, les coûts de conception et de réalisation et proposer un programme informatique (logiciel) approprié.
- Concevoir un logiciel et encoder le programme.
- Assurer la formation des usagers, l'installation et l'entretien du logiciel.

Éléments du programme

- Algèbre linéaire
- Architecture des ordinateurs
- Méthode de construction de logiciels
- Probabilités
- Programmation structurée
- Structures de données
- Structures internes des ordinateurs
- Systèmes d'exploitation
- Systèmes d'information
- Télé-informatique et réseaux d'ordinateurs

Admission (voir p. 20 G)

Bishop's : DEC en Sciences de la nature et mathématique 103 ou 201-NYA, 203 ou 201-NYB; physique 203-NYA-05 et 203-NYB-05; chimie 202-NYA-05 et 202-NYB-05; biologie 101-NYA-05.

Concordia : DEC ou l'équivalent et mathématiques 103 ou 201-NYA, 203 ou 201-NYB, 105 ou 201-NYC.

Laval : DEC ou l'équivalent et mathématiques NYA, NYB, NYC ou 103-77, 105-77, 203-77 ou 103-RE, 203-RE, 105-RE **OU** DEC en Sciences de la nature. *N.B. : Pour connaître les passerelles entre un DEC technique et ce programme, contacter la Faculté des sciences et de génie.*

McGill : DEC ou l'équivalent et mathématiques 103, 105, 203 **OU** DEC en sciences ou l'équivalent.

Montréal : DEC en Sciences de la nature ou DEC ou l'équivalent **OU** avoir réussi 24 crédits de cours universitaires autres que des crédits obtenus dans le cadre de cours préparatoires aux études universitaires **ET** avoir atteint les objectifs suivants : mathématiques 00UN, 00UP, 00UQ.

Sherbrooke : DEC ou l'équivalent et mathématiques 103, 105, 203 **OU** avoir atteint les objectifs 00UN, 00UP, 00UQ ou 022X, 022Y, 022Z ou 01Y1, 01Y2, 01Y4.

UQAC : DEC ou l'équivalent et mathématiques 103, 105, 203 ou avoir atteint les objectifs 00UN, 00UP, 00UQ.

UQAM : DEC ou l'équivalent et mathématiques 103, 105, 203.

UQAR : DEC ou l'équivalent et mathématiques 103, 105, 203 **OU** DEC en Sciences de la nature **OU** DEC en Techniques de l'Informatique et mathématiques 103, 105, 203 ou l'équivalent. *N.B. : Les candidats ne possédant pas les connaissances suffisantes en mathématiques devront réussir un ou plusieurs cours d'appoint.*

UQO : DEC ou l'équivalent et selon le DEC obtenu : calcul différentiel (objectifs 00UN ou 01Y1 ou 022X ou le cours 103) et algèbre linéaire et géométrie vectorielle (objectifs 00UQ ou 01Y4 ou 022Z ou le cours 105 et 122) ou mathématiques appliquées 302 et calcul intégral (objectifs 00UP ou 01Y2 ou 022Y ou le cours 203) ou statistiques (objectifs 01Y3 ou 022P ou 022W ou le cours 257 ou 307 ou 337).

UQTR : DEC ou l'équivalent et mathématiques 103 (00UN), 105 (00UQ), 203 (00UP) **OU** DEC en Techniques de l'informatique ou l'équivalent et mathématique 103 (00UN), 203 (00UP).

Endroits de formation (voir p. 414)

	Contingentement	Coop	Cote R*
Bishop's	☐	☐	—
Concordia	■	■	24.000
Laval	☐	■	—
McGill	☐	☐	—
Montréal	■	☐	26.000
Sherbrooke	■	■	—
UQAC	☐	☐	—
UQAM	☐	☐	—
UQAR	☐	☐	—
UQO	☐	☐	—
UQTR	☐	☐	—

** Le nombre inscrit indique la **cote R** qui a été utilisée pour l'**admission de l'année précédente** par l'université concernée. Pour connaître la cote R exigée pour l'admission 2008, communiquer avec les établissements concernés.*

SCIENCES APPLIQUÉES

15340 INFORMATIQUE / INFORMATIQUE ET RECHERCHE OPÉRATIONNELLE / COMPUTER SCIENCE / INFORMATION SYSTEMS

(SUITE)

Professions reliées

C.N.P.

2172	Administrateur de bases de données
2281	Administrateur de systèmes informatiques
2171	Analyste en informatique
2171	Analyste en informatique de gestion
2147	Architecte de systèmes informatiques
5241	Assembleur-intégrateur en multimédia
0213	Chargé de projet multimédia
2174	Développeur de jeux d'ordinateur
2173	Concepteur de logiciels
5241	Concepteur-idéateur de produits multimédias
5241	Ergonome des interfaces
2171	Expert-conseil en informatique
0512	Gestionnaire de projet multimédia
0213	Gestionnaire de réseaux informatiques
2174	Programmeur
2174	Programmeur-analyste
2171	Spécialiste en sécurité de systèmes informatiques
5241	Web designer
2175	Webmestre

Endroits de travail

- À son compte
- Centres de recherche
- Compagnies d'assurances
- Entreprises de services informatiques
- Établissements d'enseignement
- Firmes d'experts-conseils
- Gouvernements fédéral et provincial
- Industrie aérospatiale
- Industrie des jeux vidéo
- Industrie du multimédia
- Institutions financières
- Moyennes et grandes entreprises
- Municipalités

Salaire

Le salaire hebdomadaire moyen est de 819 $ (janvier 2005).

Remarques

- À l'Université de Sherbrooke, les titulaires d'un DEC en Techniques de l'informatique ont la possibilité de faire un cheminement accéléré.
- L'Université du Québec à Trois-Rivières (UQTR) offre la possibilité de combiner le baccalauréat en Physique et le baccalauréat en Informatique pour former le double baccalauréat en Physique-Informatique.
- L'Université du Québec en Outaouais (UQO) offre un certificat en Informatique de gestion et un certificat en Technologies de l'information.
- L'Université Laval offre un certificat en Informatique, ainsi qu'un baccalauréat avec ou sans concentrations (Génie logiciel; Affaires électroniques; Sécurité informatique; Internet et application Web; Systèmes d'information organisationnels; Multimédia et développement de jeux vidéos; Systèmes intelligents).
- L'Université Bishop's offre également un certificat en Computer Science et trois autres majeures : Computer imaging; Digital Media and Information, Decision Science.
- L'Université du Québec à Chicoutimi offre une majeure en Conception de jeux vidéo et une autre en Mathématique.
- L'Université du Québec à Montréal (UQAM) offre le programme Informatique dans le cadre du baccalauréat en Mathématiques.
- L'Université du Québec à Rimouski offre une orientation en Génie logiciel de l'Internet ainsi qu'un certificat en Commerce électronique.

STATISTIQUES D'EMPLOI	2001	2003	2005
Nb de personnes diplômées	831	1 172	1 160
% en emploi	90,0 %	80,0 %	76,3 %
% à temps plein	99,6 %	97,1 %	96,1 %
% lié à la formation	93,8 %	86,4 %	80,4 %

SCIENCES APPLIQUÉES

15340 INFORMATIQUE DE GESTION / INFORMATIQUE ET GÉNIE LOGICIEL / INFORMATION SYSTEMS

BAC 6 TRIMESTRES — CUISEP 153-300

Compétences à acquérir

- Élaborer et mettre en œuvre des solutions informatiques afin de répondre aux besoins de traitement de l'information des entreprises.
- Appliquer les techniques de l'informatique et les sciences administratives à la résolution de problèmes de gestion (facturation, contrôle des stocks, fichiers divers, archives, numération, etc.).
- Analyser les besoins d'information aux différents niveaux administratifs et construire des systèmes informatiques répondant à des besoins précis.

Éléments du programme

- Comptabilité générale
- Conception de bases de données
- Développement des systèmes informatiques
- Langages de programmation
- Modèles décisionnels en sciences de la gestion
- Modèles et langages des bases de données
- Principes des systèmes d'exploitation

Admission (voir p. 20 G)

McGill : DEC ou l'équivalent et mathématiques 103, 105, 203.

Sherbrooke : DEC ou l'équivalent et mathématiques 103, 105, 203 ou avoir atteint les objectifs 00UN. 00UP, 00UQ **OU** DEC dans la famille les techniques administratives, en Technologie des systèmes ordinés ou en Techniques de l'informatique **ET** mathématiques 103, 271 ou l'équivalent.

UQAC : DEC ou l'équivalent et mathématiques 103.

UQAM : DEC ou l'équivalent et mathématiques 103, 105, 203 **OU** DEC technique ou l'équivalent.

Endroits de formation (voir p. 414)

	Contingentement	Coop	Cote R*
McGill	■	□	—
Sherbrooke	■	■	—
UQAC	□	□	—
UQAM	□	■	—

** Le nombre inscrit indique la **cote R** qui a été utilisée pour l'**admission de l'année précédente** par l'université concernée. Pour connaître la cote R exigée pour l'admission 2008, communiquer avec les établissements concernés.*

Professions reliées

C.N.P.

2172	Administrateur de bases de données
2171	Analyste en informatique
2171	Analyste en informatique de gestion
2171	Expert-conseil en informatique
0512	Gestionnaire de projet multimédia
2174	Programmeur
5121	Rédacteur technique

Endroits de travail

- Gouvernements fédéral et provincial
- Grandes entreprises
- Firmes de service-conseil en gestion d'entreprise
- Établissements d'enseignement
- Institutions financières
- Municipalités
- Hôpitaux

Salaire

Le salaire hebdomadaire moyen est de 819 $ (janvier 2005).

Remarques

- Voir aussi la fiche du programme Administration (p. 120).
- Trois options sont offertes selon les établissements : Développement de logiciels; Ingénierie de la connaissance; Systèmes d'information.
- La plupart des universités offrent l'option Gestion-informatique et systèmes dans le cadre du BAC en Administration.
- À l'Université de Sherbrooke, les titulaires d'un DEC en Techniques de l'informatique ont la possibilité de faire un cheminement accéléré. Le régime coopératif est obligatoire dans ce cheminement.
- Le programme de l'Université du Québec à Montréal (UQAM) est accrédité par l'Association canadienne d'informatique. Il ne conduit pas au titre d'ingénieur.
- L'Université du Québec en Outaouais (UQO) offre un certificat en Informatique de gestion.

STATISTIQUES D'EMPLOI

	2001	2003	2005
Nb de personnes diplômées	831	1 172	1 160
% en emploi	90,0 %	80,0 %	76,3 %
% à temps plein	99,6 %	97,1 %	96,1 %
% lié à la formation	93,8 %	86,4 %	80,4 %

DOMAINE D'ÉTUDES

SCIENCES DE L'ADMINISTRATION

Discipline

SCIENCES DE L'ADMINISTRATION

PROGRAMMES D'ÉTUDES — PAGES

15800 ADMINISTRATION / ADMINISTRATION DES AFFAIRES / ADMINISTRATION GÉNÉRALE BILINGUE / ADMINISTRATION GÉNÉRALE TRILINGUE / BUSINESS ADMINISTRATION

BAC 6 TRIMESTRES — CUISEP 111/112-000

Compétences à acquérir

- Participer à l'établissement, à la direction et à la gestion d'organismes publics ou privés.
- Déterminer ou refaire les structures de ces organismes.
- Coordonner leur mode de production ou de distribution et leurs politiques économiques et financières.
- Élaborer les objectifs et les buts de l'entreprise en tenant compte des facteurs humains, financiers, environnementaux, matériels et conjoncturels.
- Contrôler et évaluer les rendements de l'entreprise et déterminer les actions correctives qui s'imposent.

Éléments du programme

- Comptabilité de gestion
- Gestion des opérations et de la technologie
- Gestion des ressources humaines
- Gestion financière
- Principes et décisions de marketing
- Statistiques en gestion

Admission (voir p. 20 G)

Bishop's : DEC ou l'équivalent et mathématiques 103, 203.

Concordia : DEC ou l'équivalent et mathématiques 103 ou 201-NYA, 105 ou 201-NYC; économique 920, 921 plus une certaine culture informatique : tous cours de niveau 420. *N.B. : Une cote R de 25.0 en mathématiques est exigée.*

HEC Montréal : DEC ou l'équivalent et mathématiques 103, 105, 203 **OU** DEC dans la famille des techniques administratives et mathématiques 103, 105 et les cours obligatoires de mathématiques du programme révisé.

Laval : DEC ou l'équivalent et mathématiques NYA, NYB, NYC ou 103-77, 105-77, 203-77 ou 103-RE, 105-RE, 203-RE **OU** DEC dans la famille des techniques administratives et mathématiques (NYA ou 103-RE ou 103-77), (302 ou 105-RE ou NYC ou 105-77) ou avoir atteint les objectifs : 00UN, 00UP ou 022X, 022Y, 022Z). Après la réforme du collégial (approche par compétences) : mathématiques NYA ou 103-RE ou 103-77 ou l'un des objectifs suivants : 00UN, 01Y1, 022X; 302 ou 105-RE ou NYC ou 105-77 ou l'un des objectifs suivants : 00UQ, 01Y4, 022Z et les cours obligatoires de mathématiques et statistique du programme révisé. *N.B. : Si la cote R est inférieure à 22, une scolarité d'appoint est exigée.*

McGill : DEC ou l'équivalent et mathématiques 103, 105, 203.

Sherbrooke : DEC ou l'équivalent et mathématiques 103 et 105 (finance, gestion de l'information et des systèmes, gestion des ressources humaines, management et marketing) **OU** DEC dans la famille des techniques administratives et mathématiques 103, 105 (ou 302) et 307 (ou 337).

TÉLUQ : DEC en Sciences humaines ou tout autre DEC général ou technique ou l'équivalent **ET** mathématiques 103, 105, 203 ou réussite du test de mathématiques ou du cours d'appoint **ET** maîtrise du français **ET** niveau de classement II en anglais ou l'équivalent (pour le cheminement Administration générale bilingue).

UQAC : DEC ou l'équivalent et un cours de mathématiques de niveau collégial.

UQAM : DEC en Sciences de la nature, DEC en Sciences humaines, DEC en Siences, lettres et arts ou DEC dans la famille des techniques administratives ou l'équivalent. *N.B. : Le candidat admissible dont on aura établi, à l'aide du dossier, qu'il n'a pas les connaissances requises en mathématiques et en informatique sera admis conditionnellement à la réussite de cours d'appoint dont il pourra être dispensé s'il réussit des tests d'évaluation des connaissances dans ces domaines.*

UQAR : DEC et un cours de mathématiques.

UQAT : DEC en Sciences, en Sciences humaines ou en Techniques de comptabilité et de gestion ou l'équivalent. Les détenteurs d'un DEC qui ne comporte pas au moins un cours de mathématiques (201-NYA-05, 201-NYC-05, 201-AAF-04 ou 201-131-AT) peuvent être admis au programme moyennant la réussite d'un test de mathématiques ou du cours d'appoint MAT1014 (hors programme).

UQO : DEC en Sciences humaines, DEC dans la famille des techniques administratives ou l'équivalent **ET** un des cours et objectifs suivants : mathématiques 00UN (ou 01Y1 ou 022X ou le cours 103), 00UQ (ou 01Y4 ou 022Z ou le cours 105 ou 122), le cours 302 (ou 01Y3 ou 022P ou 022W ou le cours 257 ou 300 ou 307 ou 337). Dans le cas contraire, l'admission sera prononcée moyennant la réussite d'un test ou du cours d'appoint MAT0102.

UQTR : DEC ou l'équivalent **OU** DEC technique ou l'équivalent.

Endroits de formation (voir p. 414)

	Contingentement	Coop	Cote R*
Bishop's	■	■	—
Concordia	■	□	26.000
HEC Montréal	■	□	25.500
Laval	□	■	—
McGill	□	□	—
Sherbrooke	■	■	23.000
TÉLUQ	□	□	—
UQAC	□	□	—
UQAM	■	□	24.600
UQAR	□	□	—
UQAT	□	□	—
UQO	□	■	—
UQTR	□	□	—

** Le nombre inscrit indique la **cote R** qui a été utilisée pour l'**admission de l'année précédente** par l'université concernée.*

15800 ADMINISTRATION / ADMINISTRATION DES AFFAIRES / ADMINISTRATION GÉNÉRALE BILINGUE / ADMINISTRATION GÉNÉRALE TRILINGUE / BUSINESS ADMINISTRATION

(SUITE)

Pour connaître la cote R exigée pour l'admission 2008, communiquer avec les établissements concernés.

Professions reliées

C.N.P.	
1222	Adjoint administratif
0012	Administrateur agréé
1221	Agent d'administration
1228	Agent d'assurance-emploi
1223	Agent de dotation
1223	Agent des ressources humaines
4164	Analyste des emplois
1122	Analyste des méthodes et procédures
1122	Analyste en procédés administratifs
1112	Analyste financier
1113	Cambiste
1111	Comptable de succursale de banque
1122	Conseiller en management
1122	Conseiller en organisation du travail
1121	Conseiller en relations industrielles
4153	Conseiller en retraite et pré-retraite
1112	Conseiller en valeurs mobilières
1122	Consultant en gestion
1113	Courtier en valeurs mobilières
0114	Directeur administratif
0621	Directeur d'agence de voyages
0513	Directeur d'établissement de loisirs
0511	Directeur d'établissement touristique
0513	Directeur d'hippodrome
0013	Directeur d'institution financière
0911	Directeur d'usine de production de textiles
0713	Directeur de l'exploitation des transports routiers
0811	Directeur de production des matières premières
0911	Directeur de production industrielle
0113	Directeur des achats de marchandises
0112	Directeur des ressources humaines
0312	Directeur des services aux étudiants
0611	Directeur des ventes
0611	Directeur du marketing
0014	Directeur général de centre hospitalier
1235	Évaluateur agréé
1235	Évaluateur commercial
6221	Expert-conseil en commercialisation
0632	Exploitant de terrain de camping
1111	Fiscaliste
0016	Gérant d'imprimerie
0643	Officier d'artillerie ou de blindés
0643	Officier d'infanterie
0643	Officier de logistique
1114	Planificateur financier
0312	Registraire de collège ou d'université
0412	Surintendant de parc
1111	Vérificateur des impôts

Endroits de travail

Consulter les fiches des différentes concentrations.

Salaire

Le salaire hebdomadaire moyen est de 769 $ (janvier 2005).

Remarques

- Plusieurs concentrations ou spécialisations sont offertes selon les établissements : Administration des régimes de rentes; Affaires électroniques et systèmes d'information; Assurance; Comptabilité; Droit; Économique; Économie appliquée; Entrepreneuriat et gestion de PME; Entrepreneurship; Finance; Gestion des risques et assurance; Gestion du tourisme; Gestion-information et systèmes; Gestion internationale; Gestion urbaine et immobilière; Management; Marketing; Mathématiques; Méthodes quantitatives; Opérations et logistique; Production; Psychologie; Ressources humaines; Services financiers; Technologies de l'information; Gestion des opérations et de la production; Etc.
- Le diplôme de maîtrise en administration des affaires peut être un atout pour occuper certains postes d'administration publique.
- Pour porter le titre d'administrateur agréé, il faut être membre de l'Ordre des administrateurs agréés du Québec. Elie offre également un certificat en administration
- À l'Université Laval, l'étudiant peut choisir deux concentrations mineures ou une concentration majeure.
- La Télé-université (TÉLUQ) offre le cheminement général bilingue dans le cadre d'une entente avec Arthabaska University. Ce programme est offert à distance, à temps plein et à temps partiel. Elle offre aussi un certificat en Administration.
- À l'Université de Sherbrooke, le régime coopératif est offert à temps complet et le régime régulier est offert à temps partiel.
- L'Université du Québec à Montréal (UQAM) offre huit concentrations ainsi que différents certificats en Administration.
- L'Université du Québec à Trois-Rivières (UQTR) offre deux concentrations.
- L'Université du Québec en Outaouais (UQO) offre aussi un cheminement international régulier et une bidiplômation. Elle offre également un certicat en Administration.
- L'Université Bishop's offre un certificat en Business Administration.
- L'Université du Québec à Rimouski (UQAR) offre cinq certificats en Sciences de la gestion.

STATISTIQUES D'EMPLOI

	2001	2003	2005
Nb de personnes diplômées	1 775	1 982	2 007
% en emploi	81,5 %	81,0 %	80,4 %
% à temps plein	97,5 %	97,1 %	96,1 %
% lié à la formation	87,0 %	86,8 %	83,7 %

15800 ADMINISTRATION : ADMINISTRATION DES RÉGIMES DE RETRAITE

BAC 6 TRIMESTRES CUISEP 111/112-000

Compétences à acquérir

- Gérer des régimes de retraites.
- Acquérir des connaissances légales.
- Maîtriser les mathématiques financières et actuarielles.

Élément du programme

- Fiscalité
- Mathématiques actuarielles
- Mathématiques financières
- Régimes de retraites
- Stage

Admission (voir p. 20 G)

DEC en Sciences de la nature, en Sciences humaines ou DEC en techniques administratives ou l'équivalent. *N.B. : Le candidat admissible dont on aura établi, à l'aide du dossier, qu'il n'a pas les connaissances requises en mathématiques et en informatique sera admis conditionnellement à la réussite de cours d'appoint dont il pourra être dispensé s'il réussit des tests d'évaluation des connaissances dans ces domaines.*

Endroit de formation (voir p. 414)

	Contingentement	Coop	Cote R*
UQAM	■	□	24.000

** Le nombre inscrit indique la **cote R** qui a été utilisée pour l'**admission de l'année précédente** par l'université concernée. Pour connaître la cote R exigée pour l'admission 2008, communiquer avec les établissements concernés.*

Professions reliées

C.N.P.
0111 Administrateur de régimes de retraite
4153 Conseiller en retraite et préretraité

Endroits de travail

- Compagnies d'assurances
- Entreprises diverses
- Gouvernements fédéral et provincial
- Institutions financières

Salaire

Consulter la fiche du programme Administration (p. 120).

Remarque

Ce programme est une option du baccalauréat Administration.

Statistiques d'emploi

Consulter la fiche du programme Administration (p. 120).

SCIENCES DE L'ADMINISTRATION

15800 ADMINISTRATION : AFFAIRES ÉLECTRONIQUES ET SYSTÈMES D'INFORMATION

BAC 6 TRIMESTRES — CUISEP 111/112-000

Compétences à acquérir

- Acquérir une connaissance de l'évolution organisationnelle, technique et économique des affaires électroniques.
- Comprendre les enjeux de la culture Internet.
- Développer des stratégies et des habiletés d'intervention.
- Intégrer les principes généraux de conception de systèmes informatisés, de technologies de l'information et des télécommunications et de gestion des opérations.

Éléments du programme

- Achat et approvisionnement électroniques
- Conception globale et détaillée des systèmes d'information organisationnels
- Introduction à la gestion de projets
- Sécurité, contrôle et gestion du risque
- Séminaire en systèmes d'information
- Stratégies d'affaires électroniques

Admission (voir p. 20 G)

Consulter la fiche du programme Administration (p. 120).

Endroit de formation (voir p. 414)

	Contingentement	Coop	Cote R
Laval	□	■	—

Professions reliées

1122	Consultant en gestion des affaires électroniques
1122	Consultant en gestion des opérations
0213	Directeur de projets informatiques
0611	Directeur du commerce électronique
0213	Gestionnaire en technologies de l'information
0213	Responsable du traitement de l'information

Endroits de travail

- À son compte
- Compagnies d'assurances
- Firmes d'expert-conseil
- Firmes de courtage
- Gouvernements fédéral et provincial
- Institutions financières
- Moyennes et grandes entreprises

Salaire

Consulter la fiche du programme Administration (p. 120).

Remarques

- Il s'agit d'une mineure du baccalauréat en Administration des affaires.
- L'Université Laval offre également un certificat en Affaires électroniques.

Statistiques d'emploi

Consulter la fiche du programme Administration (p. 120).

15437 ADMINISTRATION : AFFAIRES PUBLIQUES ET RELATIONS INTERNATIONALES

BAC 6 TRIMESTRES — CUISEP 632-000

Compétences à acquérir

- Acquérir et intégrer des connaissances générales et scientifiques en affaires publiques et relations internationales sous l'angle du droit, de l'économique et de la science politique.
- Connaître le fonctionnement des principales institutions économiques, juridiques et politiques tant sur le plan national qu'international.
- Acquérir des méthodes et des outils de travail pour recueillir, analyser et traiter l'information.
- Développer ses capacités de synthèse, d'analyse et de critique.
- Acquérir un niveau avancé en anglais et une compétence minimale dans une autre langue étrangère.

Quatre concentrations possibles :
Diplomatie, paix et sécurité; Gouvernance économique internationale; Politiques publiques et environnement; Affaires publiques et management.
N.B. : Le programme est aussi offert sans concentration.

Éléments du programme

- Institutions interrnationales
- Droit constitutionnel
- Principes de microéconomie
- Droit international public général
- Administration publique
- Environnement économique international
- Principes de macroéconomie
- Régimes politiques et sociétés dans le monde

Admission (voir p. 20 G)

DEC ou l'équivalent.

Endroit de formation (voir p. 414)

	Contingentement	Coop	Cote R*
Laval	■	□	30.182

** Le nombre inscrit indique la **cote R** qui a été utilisée pour l'**admission de l'année précédente** par l'université concernée. Pour connaître la cote R exigée pour l'admission 2008, communiquer avec les établissements concernés.*

Professions reliées

C.N.P.

—	Agent du service extérieur diplomatique canadien
1221	Agent d'administration
4163	Agent de développement économique
4163	Agent de développement international
4168	Attaché politique
4164	Intervenant socioéconomique
5123	Journaliste
4169	Politicologue

Endroits de travail

- Entreprises multinationales
- Firmes d'import-export
- Fonction publique et parapublique
- Médias
- Organismes internationaux
- Organismes gouvernementaux

Salaire

Le salaire hebdomadaire moyen est de 670 $ (janvier 2005).

Remarque

Ce programme est également offert selon le profil international.

STATISTIQUES D'EMPLOI

	2001	2003	2005
Nb de personnes diplômées	536	500	606
% en emploi	51,5 %	46,6 %	48,9 %
% à temps plein	90,1 %	91,9 %	85,9 %
% lié à la formation	36,1 %	40,8 %	36,6 %

SCIENCES DE L'ADMINISTRATION

15802 ADMINISTRATION : COMPTABILITÉ / COMPTABILITÉ GÉNÉRALE / COMPTABILITÉ DE MANAGEMENT / COMPTABILITÉ PROFESSIONNELLE / SCIENCES COMPTABLES / ACCOUNTING / ACCOUNTANCY

BAC 6 TRIMESTRES — CUISEP 111-100

Compétences à acquérir

- Appliquer les connaissances acquises dans les domaines de la comptabilité, de la fiscalité et de la vérification.
- Participer à l'élaboration des objectifs, des politiques et de la stratégie globale de l'entreprise ainsi qu'à la gestion de ses ressources.
- Déterminer ou négocier les modes de financement.
- Procéder au contrôle des opérations comptables.
- Élaborer des budgets.
- Planifier, diriger et contrôler de façon stratégique les affaires financières.
- Conseiller l'administration sur les nouvelles mesures fiscales.
- Établir des états financiers.
- Être apte à passer les examens des ordres comptables (CA, CGA, CMA).

Éléments du programme

- Analyse économique
- Compréhension et analyse des états financiers
- Comptabilité
- Fiscalité
- Statistiques
- Vérification des systèmes comptables
- Vérification externe

Admission (voir p. 20 G)

Bishop's : DEC ou l'équivalent et mathématiques NYA, NYB; physique NYA, NYB; chimie NYA, NYB; biologie NYA.

Concordia : DEC ou l'équivalent et mathématiques 103 ou 201-NYA, 105 ou 201-NYC; économique 920, 921 plus une certaine culture informatique : tout cours de niveau 420. *N.B. : Une cote R de 25.0 en mathématiques est exigée.*

HEC Montréal : DEC ou l'équivalent et mathématiques 103, 105, 203 **OU** DEC dans la famille des techniques administratives et mathématiques 103, 105 et les cours obligatoires de mathématiques du programme révisé.

Laval : Consulter la fiche du programme Administration (p. 120).

McGill : DEC ou l'équivalent et mathématiques 103, 105, 203.

Sherbrooke : DEC et mathématiques 103, 105, 203 **OU** DEC dans la famille des techniques administratives et mathématiques 103, 105 (ou 302) et 307 (ou 337).

UQAC : DEC en Sciences de la nature **OU** DEC ou l'équivalent et un cours de mathématiques de niveau collégial.

UQAM : DEC en Sciences de la nature, en Sciences humaines ou DEC dans la famille des techniques administratives ou l'équivalent. *N.B. : Le candidat admissible dont on aura établi, à l'aide du dossier, qu'il n'a pas les connaissances requises en mathématiques et en informatique sera admis conditionnellement à la réussite de cours d'appoint dont il pourra être dispensé s'il réussit des tests d'évaluation des connaissances dans ces domaines.*

UQAR : DEC ou l'équivalent et un cours de mathématiques de niveau collégial ou l'équivalent.

UQAT : DEC en Sciences, en Sciences humaines ou en Techniques de comptabilité et de gestion ou l'équivalent. Les détenteurs d'un DEC qui ne comporte pas au moins un cours de mathématiques (201-NYA-05, 201-NYC-05, 201-AAF-04 ou 201-131-AT) peuvent être admis au programme moyennant la réussite d'un test de mathématiques ou du cours d'appoint MAT1014 (hors programme).

UQO : DEC en Sciences humaines **OU** DEC dans la famille des techniques administratives ou l'équivalent et avoir réussi un des cours ou des objectifs suivants en mathématiques : 00UN (ou 01Y1 ou 022X ou le cours 103), 00UQ (ou 01Y4 ou 022Z ou le cours 105 ou 122), le cours 302 (ou 01Y3 ou 022P ou 022W ou le cours 257 ou 300 ou 307 ou 337). Dans le cas contraire, l'admission sera prononcée moyennant la réussite d'un test ou du cours d'appoint MAT0102.

UQTR : DEC en Sciences humaines, DEC en Sciences, lettres et arts ou DEC ou l'équivalent.

15802 ADMINISTRATION : COMPTABILITÉ / COMPTABILITÉ GÉNÉRALE / COMPTABILITÉ DE MANAGEMENT / COMPTABILITÉ PROFESSIONNELLE / SCIENCES COMPTABLES / ACCOUNTING / ACCOUNTANCY

(SUITE)

Endroits de formation (voir p. 414)

	Contingentement	Coop	Cote R*
Bishop's	■	■	—
Concordia	■	■	27.000
HEC Montréal	■	□	25.500
Laval	□	■	—
McGill	■	□	—
Sherbrooke	■	■	23.000
UQAC	□	□	—
UQAM	■	□	23.000
UQAR	□	□	—
UQAT	□	□	—
UQTR	□	■	—
UQO	□	□	—

** Le nombre inscrit indique la **cote R** qui a été utilisée pour l'**admission de l'année précédente** par l'université concernée. Pour connaître la cote R exigée pour l'admission 2008, communiquer avec les établissements concernés.*

Professions reliées

C.N.P.	
1114	Administrateur fiduciaire
1212	Comptable adjoint
1111	Comptable agréé (CA)
1111	Comptable de succursale de banque
1111	Comptable en management accrédité (CMA)
1111	Comptable général licencié (CGA)
1122	Conseiller en management
0114	Directeur administratif
1111	Fiscaliste
1111	Syndic
1111	Vérificateur des impôts

Endroits de travail

- À son compte
- Cabinets comptables
- Gouvernements fédéral et provincial
- Grandes entreprises
- Institutions financières
- Municipalités
- Secteurs industriels divers

Salaire

Le salaire hebdomadaire moyen est de 733 $ (janvier 2005).

Remarques

- Consulter la fiche du programme Administration (p. 120).
- Pour exercer la profession et porter le titre de comptable agréé, il faut être membre de l'Ordre des comptables agréés du Québec.
- Pour porter le titre de comptable en management accrédité, il faut être membre de l'Ordre des comptables en management accrédités du Québec.
- Pour porter le titre de comptable général accrédité, il faut être membre de l'Ordre des comptables généraux accrédités du Québec.
- Les universités suivantes offrent un cheminement en Comptabilité dans le cadre du BAC en Administration : HEC Montréal, Bishop's, Sherbrooke, Laval, McGill.
- À l'Université de Sherbrooke, le régime coopératif est offert à temps plein et le régime régulier est offert à temps partiel.
- L'Université du Québec à Montréal (UQAM) offre un baccalauréat en Sciences comptables et une concentration en Expertise comptable (CA), en Performance financière (CGA) et en Comptabilité de management (CMA). Elle offre également deux certificats : Comptabilité générale; Sciences comptables.
- L'Université du Québec à Trois-Rivières (UQTR) offre une formule intensive du programme s'échelonnant sur deux ans ainsi qu'un programme coopértif offert sur trois ans.
- L'Université du Québec en Outaouais (UQO) offre un cheminement de formation pratique intégrée (stages rémunérés et non crédités). Elle offre aussi des certificats en Comptabilité générale, en Planification financière et en Sciences comptables.
- L'Université Laval offre également un certificat en Comptabilité.
- L'université du Québec à Rimouski (UQAR) offre un certificat en Sciences comptables et un certificat en Planification financière.

STATISTIQUES D'EMPLOI

	2001	2003	2005
Nb de personnes diplômées	781	795	910
% en emploi	92,9 %	90,0 %	89,2 %
% à temps plein	98,5 %	98,4 %	99,5 %
% lié à la formation	92,7 %	94,0 %	93,0 %

15813 ADMINISTRATION : DÉVELOPPEMENT INTERNATIONAL ET ACTION COMMUNAUTAIRE

BAC 6 TRIMESTRES — CUISEP 111/112-000

Compétences à acquérir

- Assurer la gestion administrative et financière des projets d'organisations humanitaires.
- Connaître les problèmes liés au sous-développement et les principaux acteurs en ce domaine.

Éléments du programme

- Fondements du management international
- Gestion de projets internationaux
- Gestion interculturelle des ressources humaines
- Le développement international : acteurs et processus
- Éthique des relations Nord-Sud
- Stage interculturel humanitaire

Admission

Laval : DEC ou l'équivalent et mathématiques NYA, NYB, NYC ou 103-77, 105-77, 203-77 ou 103-RE, 105-RE, 203-RE **OU** DEC dans la famille des techniques administratives et mathématiques (NYA ou 103-RE ou 103-77), (302 ou 105-RE ou NYC ou 105-77) ou avoir atteint les objectifs : 00UN, 00UP ou 022X, 022Y, 022Z. Après la réforme du collégial (approche par compétences) : mathématiques NYA ou 103-RE ou 103-77 ou l'un des objectifs suivants : 00UN, 01Y1, 022X; 302 ou 105-RE ou NYC ou 105-77 ou l'un des objectifs suivants : 00UQ, 01Y4, 022Z et les cours obligatoires de mathématiques et de statistique du programme révisé. *N.B. : Si la cote R est inférieure à 22, une scolarité d'appoint est exigée.*

ET

Lettre de motivation et curriculum vitae détaillé.

Endroit de formation (voir p. 414)

	Contingentement	Coop	Cote R
Laval	□	■	—

Professions reliées

C.N.P.

4163 Administrateur de projet de coopération
4163 Agent de développement international
4163 Agent de programme d'organisme international
4163 Chef de mission humanitaire

Endroits de travail

- Organisations non gouvernementales (ONG) œuvrant à l'international
- Organisations non gouvernementales étrangères
- Organisations internationales
- Gouvernements (ACDI)

Salaire

Le salaire hebdomadaire moyen est de 762 $ (janvier 2005).

Remarque

Il s'agit d'une mineure du baccalauréat en Administration des affaires.

SCIENCES DE L'ADMINISTRATION

STATISTIQUES D'EMPLOI

	2001	2003	2005
Nb de personnes diplômées	—	—	114
% en emploi	—	—	73,3 %
% à temps plein	—	—	93,2 %
% lié à la formation	—	—	58,5 %

15806 ADMINISTRATION : ENTREPRENEURSHIP / ENTREPRENEURIAT ET MANAGEMENT INNOVATEUR / ENTREPRENEURSHIP ET PME / GESTION DES ORGANISATIONS / ENTREPRENEURSHIP AND SMALL BUSINESS MANAGEMENT / MANAGEMENT

BAC 6 TRIMESTRES — CUISEP 111/112-000

Compétence à acquérir

Aborder le développement et la création d'entreprise.

Éléments du programme

- Comptabilité
- Entrepreneuriat et démarrage d'entreprises
- Gestion financière appliquée aux entreprises
- Gestion stratégique des entreprises
- Management des organisations
- Politiques de gestion des ressources humaines et de l'organisation du travail
- Recherche commerciale
- Stratégie marketing

Admission (voir p. 20 G)

Consulter la fiche du programme Administration (p. 120).

OU

TÉLUQ : DEC en Sciences humaines **OU** tout autre DEC général ou technique **ET** mathématiques 103, 105, 203 ou réussite du test de mathématiques ou du cours d'appoint **ET** maîtrise du français.

Endroits de formation (voir p. 414)

	Contingentement	Coop	Cote R*
HEC Montréal	□	□	25.500
McGill	■	□	—
TÉLUQ	□	□	—
UQAR	□	□	—
UQAT	□	□	—
UQO	□	■	—
UQTR	□	□	—

** Le nombre inscrit indique la **cote R** qui a été utilisée pour l'**admission de l'année précédente** par l'université concernée. Pour connaître la cote R exigée pour l'admission 2008, communiquer avec les établissements concernés.*

Professions reliées

C.N.P.

4163	Conseiller en démarrage d'entreprise
1122	Consultant en gestion des affaires
0014	Dirigeant d'entreprise
0711	Entrepreneur
—	Travailleur autonome

Endroit de travail

À son compte

Salaire

Le salaire hebdomadaire moyen est de 777 $ (janvier 2005).

Remarques

- L'Université Laval offre un certificat en Gestion des organisations.
- L'Université Bishop's offre une mineure en Entrepreneurship.

STATISTIQUES D'EMPLOI

	2001	2003	2005
Nb de personnes diplômées	—	—	93
% en emploi	—	—	80,9 %
% à temps plein	—	—	89,5 %
% lié à la formation	—	—	67,6 %

SCIENCES DE L'ADMINISTRATION

15800 ADMINISTRATION : ENTREPRENEURIAT ET GESTION DE PME

BAC 6 TRIMESTRES — CUISEP 111/112-000

Compétences à acquérir

- Comprendre le milieu de la PME.
- Conseiller les entreprises.
- Gérer une PME.
- Démarrer une entreprise.

Élément du programme

- Entreprenariat, PME et société
- Gestion de la croissance d'une PME
- Monde des affaires
- Stratégies spécifiques à l'entrepreneuriat et aux PME

Admission (voir p. 20 G)

Laval : DEC ou l'équivalent et mathématiques NYA, NYB, NYC ou 103-77, 105-77, 203-77 ou 103-RE, 105-RE, 203-RE **OU** DEC dans la famille des techniques administratives et mathématiques (NYA ou 103-RE ou 103-77), (302 ou 105-RE ou NYC ou 105-77) ou avoir atteint les objectifs : 00UN, 00UP ou 022X, 022Y, 022Z). Après la réforme du collégial (approche par compétences) : mathématiques NYA ou 103-RE ou 103-77 ou l'un des objectifs suivants : 00UN, 01Y1, 022X; 302 ou 105-RE ou NYC ou 105-77 ou l'un des objectifs suivants : 00UQ, 01Y4, 022Z et les cours obligatoires de mathématiques et de statistique du programme révisé. *N.B. : Si la cote R est inférieure à 22, une scolarité d'appoint est exigée.*

Endroit de formation (voir p. 414)

	Contingentement	Coop	Cote R
Laval	□	■	—

Professions reliées

4163	Conseiller en démarrage d'entreprise
0111	Directeur de comptes (services aux entreprises)
0014	Dirigeant d'entreprise
0651	Propriétaire d'entreprise de services
0621	Propriétaire de commerce de détail

Endroits de travail

Consulter la fiche du programme Administration (p. 120).

Salaire

Consulter la fiche du programme Administration (p. 120).

Remarque

Il s'agit d'une mineure du baccalauréat en Administration des affaires.

Statistiques d'emploi

Consulter la fiche du programme Administration (p. 120).

15804 ADMINISTRATION : FINANCE

BAC 6 TRIMESTRES — CUISEP 111/112-000

Compétences à acquérir

- Effectuer différentes tâches liées à la gestion des fonds de roulement de l'entreprise, au financement à long terme, au placement et à la gestion de portefeuilles d'actifs.
- Assurer la relation entre une institution et les sources de financement.
- Assumer la gestion des coûts des opérations d'une institution et assurer leur rentabilité.
- Analyser le rendement d'une entreprise et déterminer, s'il y a lieu, les causes des baisses de rendement.
- Conseiller des clients sur le placement de leurs épargnes.
- Effectuer des placements et négocier l'achat ou la vente de valeurs.
- Vérifier et étudier les états financiers d'une entreprise.
- Gérer le portefeuille de plusieurs clients.

Éléments du programme

- Comptabilité générale
- Finance
- Fiscalité
- Gestion de la liquidité
- Gestion financière internationale
- Marché des capitaux
- Marché monétaires
- Principes de gestion du portefeuille

Admission (voir p. 20 G)

DEC et mathématiques 103, 105 et 203 **OU** DEC en techniques administratives et mathématiques 103, 302, 337.

OU

Bishop's : DEC ou l'équivalent et mathématiques 103, 203.

Concordia : DEC ou l'équivalent et mathématiques 103 ou 201-NYA, 105 ou 201-NYC; économique 920, 921, plus une certaine culture informatique : tout cours de niveau 420. Une cote R de 25.0 en mathématiques est exigée.

HEC Montréal : DEC et mathématiques 103, 105, 203 **OU** DEC dans la famille des techniques administratives et mathématiques 103, 105 et les cours obligatoires de mathématiques du programme révisé.

Laval : DEC ou l'équivalent et mathématiques NYA, NYB, NYC ou 103-77, 105-77, 203-77 ou 103-RE, 105-RE, 203-RE **OU** DEC dans la famille des techniques administratives et mathématiques (NYA ou 103-RE ou 103-77), (302 ou 105-RE ou NYC ou 105-77) ou avoir atteint les objectifs : 00UN, 00UP ou 022X, 022Y, 022Z). Après la réforme du collégial (approche par compétences) : mathématiques NYA ou 103-RE ou 103-77 ou l'un des objectifs suivants : 00UN, 01Y1, 022X; 302 ou 105-RE ou NYC ou 105-77 ou l'un des objectifs suivants : 00UQ, 01Y4, 022Z et les cours obligatoires de mathématiques et de statistique du programme révisé. *N.B. : Si la cote R est inférieure à 22, une scolarité d'appoint est exigée.*

Sherbrooke : DEC et mathématiques 103, 105 et 203 **OU** DEC dans la famille des techniques administratives et mathématiques 103, 105 (ou 302), 307 (ou 337).

TÉLUQ : DEC en Sciences humaines **OU** tout autre DEC général ou technique ou l'équivalent et mathématiques 103, 105, 203 ou réussite du test de mathématiques ou du cours d'appoint **ET** maîtrise du français.

UQAC, UQAR : DEC ou l'équivalent et un cours de mathématiques de niveau collégial ou l'équivalent.

UQAM : DEC en Sciences de la nature, DEC en Sciences humaines, DEC en Sciences, lettres et arts ou DEC dans la famille des techniques administratives ou l'équivalent. *N.B. : Le candidat admissible dont on aura établi, à l'aide du dossier, qu'il n'a pas les connaissances requises en mathématiques et en informatique sera admis conditionnellement à la réussite de cours d'appoint dont il pourra être dispensé s'il réussit des tests d'évaluation des connaissances dans ces domaines.*

UQO : DEC en Sciences humaines, DEC dans la famille des techniques administratives ou l'équivalent **ET** avoir réussi un des cours ou des objectifs suivants en mathématiques : 00UN (ou 01Y1 ou 022X ou le cours 103), 00UQ (ou 01Y4 ou 022Z ou le cours 105 ou 122), le cours 302 (ou 01Y3 ou 022P ou 022W) ou le cours 257 ou 300 ou 307 ou 337. Dans le cas contraire, l'admission sera prononcée moyennant la réussite d'un test ou du cours d'appoint MAT0102.

UQTR : DEC ou l'équivalent **OU** DEC technique.

Endroits de formation (voir p. 414)

	Contingentement	Coop	Cote R*
Bishop's	■	■	—
Concordia	■	■	27.000
HEC Montréal	■	□	25.500
Laval	□	■	—
McGill	■	□	—
Sherbrooke	■	■	23.000
TÉLUQ	□	□	—
UQAC	□	□	—
UQAM	■	□	24.000
UQAR	□	□	—
UQAT	□	□	—
UQO	□	■	—
UQTR	□	□	—

** Le nombre inscrit indique la **cote R** qui a été utilisée pour l'**admission de l'année précédente** par l'université concernée. Pour connaître la cote R exigée pour l'admission 2008, communiquer avec les établissements concernés.*

SCIENCES DE L'ADMINISTRATION

15804 ADMINISTRATION : FINANCE (SUITE)

Professions reliées

C.N.P.

1114	Administrateur fiduciaire
1112	Analyste financier
1113	Cambiste
1112	Conseiller en financement
1112	Conseiller en placement (sociétés)
1112	Conseiller en valeurs mobilières
1114	Conseiller financier
0122	Directeur d'institution financière
1235	Évaluateur agréé
1235	Évaluateur commercial
1111	Fiscaliste
1112	Gestionnaire de portefeuille
1113	Négociateur en bourse
1114	Planificateur financier
1111	Vérificateur des impôts

Endroits de travail

- À son compte
- Compagnies d'assurances
- Gouvernements fédéral et provincial
- Institutions financières
- Maisons de courtage
- Sociétés de fiducie

Salaire

Le salaire hebdomadaire moyen est de 819 $ (janvier 2005).

Remarques

- Pour exercer et porter le titre de planificateur financier, il faut avoir réussi l'examen de l'Institut québécois de planification financière.
- Pour porter le titre d'évaluateur agréé, il faut être membre de l'Ordre des évaluateurs agréés du Québec.
- Pour porter le titre d'administrateur agréé, il faut être membre de l'Ordre des administrateurs agréés du Québec.
- Pour porter le titre de cambiste ou de conseiller en valeurs mobilières, il faut avoir réussi l'examen de l'Autorité des marchés financiers.
- La Télé-université (TÉLUQ) offre ce programme à distance, à temps plein et à temps partiel. Elle offre aussi des certificats dans le domaine.
- À l'Université de Sherbrooke, le régime coopératif est offert à temps complet et le régime régulier est offert à temps partiel.
- L'Université Laval offre une mineure et une majeure en Finance dans le cadre du baccalauréat en Administration des affaires.

STATISTIQUES D'EMPLOI

	2001	2003	2005
Nb de personnes diplômées	309	425	411
% en emploi	86,7 %	84,8 %	79,9 %
% à temps plein	97,0 %	96,8 %	99,0 %
% lié à la formation	83,5 %	77,3 %	76,2 %

15800 ADMINISTRATION : GESTION DE L'AÉRONAUTIQUE

BAC 6 TRIMESTRES — CUISEP : 111/112-000

Compétences à acquérir :

- Développer l'expertise requise pour intervenir avec une vision systémique et stratégique au niveau de la gestion d'une entreprise en aéronautique.
- Appliquer les connaissances acquises en gestion des ressources humaines.
- Se familiariser avec l'importance d'une vision stratégique de la gestion financière.
- Développer les habiletés requises d'un gestionnaire, tant auprès d'un aéroport local que régional ou qu'international.
- Se familiariser avec la réglementation nationale et internationale dans le domaine de l'aviation civile.
- S'initier à un modèle théorique de planification et d'organisationn des activités reliées à la gestion d'une flotte aérienne.

Éléments du programme

- Activité de vol
- Administration et gestion aéronautique
- Administration et gestion aéroportuaire
- Gestion d'entreprise en transport aérien
- Gestion des ressources humaines en aéronautique
- Gestion et logistique de la flotte aérienne
- Réglementation et associations aéronautiques
- Stratégie avancée de marketing aéronautique
- Système de gestion de la sécurité et gestion des risques

Admission (voir p. 20 G)

DEC en Techniques de pilotage d'aéronefs ou l'équivalent relié au champ d'études relatif à l'aéronautique **ET** posséder une bonne connaissance de l'anglais.

Endroit de formation (voir p. 414)

	Contingentement	Coop	Cote R
UQAC	☐	☐	—

Professions reliées

C.N.P.

0713 Directeur des opérations aériennes

0713 Directeur de compagnie aérienne

Endroits de travail

- À son compte
- Compagnies aériennes régionales ou internationales
- Entreprises de transport aérien ou aéroportuaire

Salaire

Nouveau programme. Donnée non disponible.

Remarque

Ce programme est unique au Québec et ouvre des portes sur des études de deuxième cycle.

Statistiques d'emploi

Nouveau programme. Données non disponibles.

15803 ADMINISTRATION : GESTION DE L'INFORMATION ET DES SYSTÈMES / GESTION-INFORMATION ET SYSTÈMES / SYSTÈMES D'INFORMATION / SYSTÈMES D'INFORMATION ORGANISATIONNELS / TECHNOLOGIES DE L'INFORMATION / TECHNOLOGIE ET SYSTÈMES D'INFORMATION / MANAGEMENT SCIENCE AND INFORMATION SYSTEMS

BAC 6 TRIMESTRES — CUISEP 111-820

Compétences à acquérir

- Élaborer et implanter un système d'information.
- Analyser les problèmes.
- Résoudre les problèmes liés au système d'information.
- Appliquer des connaissances technologiques au service de l'organisation.

Éléments du programme

- Commerce électronique
- Droit corporatif
- Gestion des données organisationnelles
- Implantation des technologies de l'information
- Outils informatiques du gestionnaire
- Solutions d'affaires intégrées
- Structure des systèmes fonctionnels

Admission (voir p. 20 G)

Consulter la fiche du programme Administration (p. 120).

OU

Bishop's : DEC ou l'équivalent **ET** mathématiques 103, 203.

Concordia : DEC ou l'équivalent et mathématiques 103 ou 203-NYA, 105 ou 201-NYC; économie 920 et 921 et une certaine culture informatique (tout cours de niveau 420). *N.B. : Une cote R de 25.0 en mathématiques est exigée.*

TÉLUQ : DEC en Sciences humaines **OU** tout autre DEC général ou technique ou l'équivalent et mathématiques 103, 105, 203 ou réussite du test de mathématiques ou du cours d'appoint **ET** maîtrise du français.

Endroits de formation (voir p. 414)

	Contingentement	Coop	Cote R*
Bishop's	■	■	—
Concordia	■	■	26.000
HEC Montréal	■	□	25.500
Laval	□	■	—
McGill	■	□	—
Sherbrooke	■	■	23.000
TÉLUQ	□	□	—
UQAM	■	□	24.000
UQO	□	■	—

** Le nombre inscrit indique la **cote R** qui a été utilisée pour l'**admission de l'année précédente** par l'université concernée. Pour connaître la cote R exigée pour l'admission 2008, communiquer avec les établissements concernés.*

Professions reliées

C.N.P.

- 2172 Administrateur de bases de données
- 1221 Agent d'administration
- 2171 Analyste des systèmes d'information
- 2171 Analyste en architecture de données
- 1122 Conseiller en management
- 0114 Directeur administratif
- 0213 Directeur de projet informatique
- 0611 Directeur du commerce électronique
- 0213 Gestionnaire en technologie de l'information

Endroits de travail

- Compagnies d'assurances
- Firmes d'experts-conseils
- Gouvernements fédéral et provincial
- Industries diverses
- Institutions financières
- Maisons de courtage
- Moyennes et grandes entreprises
- Secteurs industriels divers

Salaire

Le salaire hebdomadaire moyen est de 767 $ (janvier 2005).

Remarques

- À l'Université de Sherbrooke, le régime coopératif est offert à temps plein et le régime régulier est offert à temps partiel.
- À l'Université Laval, il s'agit d'une mineure et d'une majeure du baccalauréat en Administration des affaires.

STATISTIQUES D'EMPLOI

	2001	2003	2005
Nb de personnes diplômées	78	109	265
% en emploi	83,9 %	78,3 %	84,9 %
% à temps plein	100 %	98,1 %	97,7 %
% lié à la formation	83,0 %	77,4 %	57,9 %

SCIENCES DE L'ADMINISTRATION

15800 ADMINISTRATION : GESTION DES OPÉRATIONS ET DE LA PRODUCTION / GESTION DES OPÉRATIONS / GESTION DES OPÉRATIONS EN LOGISTIQUE ET EN TRANSPORT ROUTIER / LOGISTIQUE / OPÉRATIONS ET LOGISTIQUE / TRANSPORT MARITIME

BAC 6 TRIMESTRES — CUISEP 111/112-000

Compétence à acquérir

Analyser et apporter des solutions aux problèmes de gestion de production et des opérations.

Éléments du programme

- Gestion des approvisionnements
- Planification et contrôle de la production et des stocks
- Qualité totale
- Stratégie d'opération

Admission (voir p. 20 G)

Consulter la fiche du programme Administration (p. 120).

Endroits de formation (voir p. 414)

	Contingentement	Coop	Cote R*
Concordia	□	■	27.000
HEC Montréal	■	□	25.500
Laval	□	■	—
UQAM	■	□	24.000
UQAR	□	□	—
UQTR	□	□	—

** Le nombre inscrit indique la **cote R** qui a été utilisée pour l'**admission de l'année précédente** par l'université concernée. Pour connaître la cote R exigée pour l'admission 2008, communiquer avec les établissements concernés.*

Professions reliées

C.N.P.

6233	Acheteur
4163	Agent de développement industriel
0713	Armateur
1122	Consultant en logistique
0113	Directeur de l'approvisionnement
0713	Directeur de l'exploitation des transports routiers
5131	Directeur de la distribution
5131	Directeur de la production
0713	Directeur de parc de véhicules
0113	Directeur des achats de marchandises
0114	Gestionnaire d'inventaire
1215	Responsable de la gestion des stocks

Endroits de travail

- À son compte
- Centres de distribution
- Entreprises de transport
- Firmes de consultants
- Secteurs industriels divers

Salaire

Consulter la fiche du programme Administration (p. 120).

Remarques

- L'Université Laval offre une majeure et une mineure en Opérations et logistique.
- L'Université du Québec à Rimouski offre la majeure en Transport maritime. Ce programme est réservé aux diplômés de l'Institut maritime du Québec et aux détenteurs de brevets de capitaine au long cours ou de mécanicien de 1re classe émis par Transport Canada.

Statistiques d'emploi

Consulter la fiche du programme Administration (p. 120).

15815 ADMINISTRATION : GESTION DES RESSOURCES HUMAINES / HUMAN RESOURCES AND BUSINESS MANAGEMENT / LABOUR-MANAGEMENT RELATIONS

BAC 6 TRIMESTRES — CUISEP 111-400

Compétences à acquérir

- Assurer la gestion des programmes pour les employés.
- Assurer les activités de recrutement, de sélection et d'embauche du personnel.
- Évaluer et planifier les besoins du personnel, collaborer à la mise sur pied des services et coordonner les activités de formation.
- Évaluer le rendement du personnel.
- Élaborer les politiques de recrutement et vérifier les besoins en personnel.
- Établir les programmes de rémunération.

Éléments du programme

- Analyse économique
- Comportement organisationnel
- Comptabilité de gestion
- Fondements en dotation
- Gestion des opérations
- Lois du travail
- Statistiques en gestion

Admission (voir p. 20 G)

DEC en Sciences de la nature, en Sciences humaines ou l'équivalent **ET** mathématiques 103, 105, 203.

OU

DEC dans la famille des techniques administratives et mathématiques 103, 105 ou 302 et 307 ou 337.

OU

Bishop's : DEC ou l'équivalent et mathématiques 103, 203.

Concordia : DEC ou l'équivalent et mathématiques 103 ou 201-NYA, 105 ou 201-NYC; économie 920, 921, plus une certaine culture informatique : tous cours de niveau 420. Une cote R de 25.0 en mathématiques est exigée.

HEC Montréal : DEC ou l'équivalent et mathématiques 103, 105, 203 **OU** DEC dans la famille des techniques administratives et mathématiques 103, 105 et les cours obligatoires de mathématiques du programme révisé.

Laval : Consulter la fiche Administration (p. 120).

Sherbrooke : DEC ou l'équivalent et mathématiques 103, 105, 203 **OU** DEC dans la famille des techniques administratives et mathématiques 103 et 105 ou 302 et 307 ou 337.

TÉLUQ : DEC en Sciences humaines ou tout autre DEC général ou technique ou l'équivalent **ET** mathématiques 103, 105, 203 ou réussite du test de mathématiques ou du cours d'appoint **ET** maîtrise du français.

UQAC, UQAR : DEC ou l'équivalent et un cours de mathématiques de niveau collégial.

UQAM : DEC en Sciences de la nature, DEC en Sciences humaines, ou DEC dans la famille des techniques administratives ou l'équivalent. *N.B. : Le candidat admissible dont on aura établi, à l'aide du dossier, qu'il n'a pas les connaissances requises en mathématiques et en informatique sera admis conditionnellement à la réussite de cours d'appoint dont il pourra être dispensé s'il réussit des tests d'évaluation des connaissances dans ces domaines.*

UQO : DEC en Sciences humaines, DEC dans la famille des techniques administratives ou l'équivalent **ET** avoir réussi un des cours ou objectifs suivants en mathématiques : 00UN (ou 01Y1 ou 022X ou le cours 103), 00UQ (ou 01Y4 ou 022Z ou le cours 105 ou 122, ou le cours 302 (ou 01Y3 ou 022P ou 022W) ou le cours 257 ou 300 ou 307 ou 337). Dans le cas contraire, l'admission sera prononcée moyennant la réussite d'un test ou du cours d'appoint MAT0102.

UQTR : DEC ou l'équivalent **OU** DEC technique.

Endroits de formation (voir p. 414)

	Contingentement	Coop	Cote R*
Bishop's	■	■	—
Concordia	■	■	27.000
HEC Montréal	■	□	25.500
Laval	□	■	—
McGill	■	□	—
Sherbrooke	■	■	23.000
TÉLUQ	□	□	—
UQAC	□	□	—
UQAM	■	□	26.000
UQAR	□	□	—
UQAT	□	□	—
UQO	□	■	—
UQTR	□	□	—

** Le nombre inscrit indique la **cote R** qui a été utilisée pour l'**admission de l'année précédente** par l'université concernée. Pour connaître la cote R exigée pour l'admission 2008, communiquer avec les établissements concernés.*

15815 ADMINISTRATION : GESTION DES RESSOURCES HUMAINES / GESTION DES RESSOURCES HUMAINES / HUMAN RESOURCES AND BUSINESS MANAGEMENT / LABOUR-MANAGEMENT RELATIONS

(SUITE)

Professions reliées

C.N.P.

1223 Agent de dotation
1223 Agent des ressources humaines
1121 Analyste des emplois
4213 Chasseur de têtes
1121 Conseiller en relations industrielles
1121 Conseiller en ressources humaines
0112 Coordonnateur de la formation du personnel
0112 Directeur des ressources humaines
1223 Spécialiste en recrutement et en sélection

Endroits de travail

- À son compte
- Agences de placement
- Centres hospitaliers
- Commissions scolaires
- Firmes de consultants en ressources humaines
- Gouvernements fédéral et provincial
- Institutions financières
- Moyennes et grandes entreprises
- Municipalités

Salaire

Le salaire hebdomadaire moyen est de 780 $ (janvier 2005).

Remarques

- Consulter la fiche du programme Administration (p. 120).
- Pour porter le titre de conseiller en ressources humaines ou de conseiller en relations industrielles, il faut être membre de l'Ordre des conseillers en ressources humaines et en relations industrielles du Québec.
- L'option Ressources humaines est offerte dans la plupart des universités dans le cadre du BAC en Administration.
- La Télé-université (TÉLUQ) offre ce programme à distance, à temps plein et à temps partiel. Elle offre aussi un certificat.
- À l'Université de Sherbrooke, le régime coopératif est offert à temps plein et le régime régulier est offert à temps partiel.
- L'Université du Québec à Montréal (UQAM) offre également un baccalauréat spécialisé, d'une durée de trois ans, en Ressources humaines. Elle offre également un certificat en Ressources humaines.
- À l'Université Laval, il s'agit d'une mineure du baccalauréat en Administration des affaires. L'Université offre un cetificat en Leadership du changement.
- L'Université Bishop's offre également un cetificat en Human Resources.

STATISTIQUES D'EMPLOI

	2001	2003	2005
Nb de personnes diplômées	151	144	250
% en emploi	90,4 %	86,1 %	86,7 %
% à temps plein	96,5 %	98,9 %	97,8 %
% lié à la formation	76,8 %	84,9 %	83,6 %

15800 ADMINISTRATION : GESTION DES RISQUES ET ASSURANCE

BAC 6 TRIMESTRES — CUISEP 111/112-000

Compétences à acquérir

- Reconnaître les risques, choisir des moyens de contrôler et de financer ces risques.
- Élaborer, implanter et réviser un programme de gestion des risques.

Éléments du programme

- Assurance-vie et planification successorale
- Gestion de la liquidité
- Gestion des institutions de dépôts
- Gestion des risques et assurance
- Marché des capitaux
- Principe de gestion de portefeuille
- Produits dérivés

Admission (voir p. 20 G)

Laval : DEC ou l'équivalent et mathématiques NYA, NYB, NYC ou 103-77, 105-77, 203-77 ou 103-RE, 105-RE, 203-RE **OU** DEC dans la famille des techniques administratives et mathématiques (NYA ou 103-RE ou 103-77), (302 ou 105-RE ou NYC ou 105-77) ou avoir atteint les objectifs : 00UN, 00UP ou 022X, 022Y, 022Z. Après la réforme du collégial (approche par compétences) : mathématiques NYA ou 103-RE ou 103-77 ou l'un des objectifs suivants : 00UN, 01Y1, 022X; 302 ou 105-RE ou NYC ou 105-77 ou l'un des objectifs suivants : 00UQ, 01Y4, 022Z et les cours obligatoires de mathématiques et de statistique du programme révisé. *N.B. : Si la cote R est inférieure à 22, une scolarité d'appoint est exigée.*

Endroit de formation (voir p. 414)

	Contingentement	Coop	Cote R
Laval	□	■	—

Professions reliées

C.N.P.

1112	Analyste financier
4162	Analyste gestion des risques
1114	Conseiller en sécurité financière
1112	Conseiller en services financiers
6231	Courtier d'assurances
0122	Directeur d'institution financière
1233	Examinateur des réclamations d'assurances
1233	Expert en sinistres
1114	Planificateur financier
6231	Représentant en assurances de personnes
6411	Représentant en services financiers

Endroits de travail

- À son compte
- Compagnies d'assurances
- Firmes de courtage
- Gouvernements fédéral et provincial
- Institutions financières

Salaire

Consulter la fiche du programme Administration (p. 120).

Remarques

- Il s'agit d'une mineure du baccalauréat en Administration des affaires.
- Pour porter le titre de courtier d'assurance, il faut détenir un certificat de courtier en assurance de dommages émis par l'Autorité des marchés financiers et avoir été courtier pendant 2 ans. (www.lautorite.qc.ca)
- Pour porter le titre de planificateur financier, il faut avoir réussi l'examen de l'examen de l'Institut québécois de planification financière.

Statistiques d'emploi

Consulter la fiche du programme Administration (p. 120).

15800 ADMINISTRATION : GESTION DU TOURISME

BAC 6 TRIMESTRES CUISEP 111/112-000

Compétences à acquérir

- Analyser l'industrie touristique.
- Comprendre la dynamique du secteur des services touristiques.
- Créer, commercialiser et gérer les produits et les services touristiques.

Éléments du programme

- Système touristique : offre, demande et acteurs
- Développement et aménagement touristiques
- Applications en gestion du tourisme
- Marketing relationnel
- Introduction à la gestion de projets

Admission (voir p. 20 G)

Laval : DEC ou l'équivalent et mathématiques NYA, NYB, NYC ou 103-77, 105-77, 203-77 ou 103-RE, 105-RE, 203-RE **OU** DEC dans la famille des techniques administratives et mathématiques (NYA ou 103-RE ou 103-77), (302 ou 105-RE ou NYC ou 105-77) ou avoir atteint les objectifs : 00UN, 00UP ou 022X, 022Y, 022Z. Après la réforme du collégial (approche par compétences) : mathématiques NYA ou 103-RE ou 103-77 ou l'un des objectifs suivants : 00UN, 01Y1, 022X; 302 ou 105-RE ou NYC ou 105-77 ou l'un des objectifs suivants : 00UQ, 01Y4, 022Z et les cours obligatoires de mathématiques et de statistique du programme révisé. *N.B. : Si la cote R est inférieure à 22, une scolarité d'appoint est exigée.*

Endroit de formation (voir p. 414)

	Contingentement	Coop	Cote R
Laval	□	■	—

Professions reliées

C.N.P.	
5124	Agent d'information touristique
4163	Agent de développement touristique
4163	Agent de promotion touristique
6431	Conseiller en voyages en chef
4163	Consultant en tourisme
4163	Coordonnateur des services de tourisme
1226	Directeur d'activités spéciales
0621	Directeur d'agence de voyages
0014	Directeur d'association touristique
0511	Directeur d'établissement touristique
0713	Directeur des activités de croisière
0651	Directeur des jeux (casino)
0014	Directeur du développement touristique
0015	Directeur général d'un centre de loisirs de plein air
0632	Directeur général d'un établissement hôtelier
04131	Formateur en tourisme
0015	Gestionnaire d'entreprise touristique
1226	Organisateur de congrès et d'événements spéciaux

Endroits de travail

- Agences de voyages
- Associations touristiques
- Centres d'interprétation
- Centres de congrès
- Centres de plein air
- Centres de villégiature
- Compagnies aériennes
- Gouvernements fédéral et provincial
- Grossistes en voyage
- Hôtels
- Industrie touristique

Salaire

Consulter la fiche du programme Administration (p. 120).

Remarques

- Il s'agit d'une mineure du baccalauréat en Administration des affaires.
- Un certificat en Gestion du développement touristique est également offert.

Statistiques d'emploi

Consulter la fiche du programme Administration (p. 120).

15813 ADMINISTRATION : GESTION INTERNATIONALE / CARRIÈRE INTERNATIONALE / COMMERCE INTERNATIONAL / INTERNATIONAL BUSINESS

BAC 6 TRIMESTRES | CUISEP 111/112-000

Compétences à acquérir

- Être familier avec l'environnement international.
- Être en mesure de réussir des activités commerciales à l'étranger.

Éléments du programme

- Commerce international
- Économie internationale
- Environnement économique international
- Gestion internationale
- Introduction aux relations internationales

Admission (voir p. 20 G)

Consulter la fiche du programme Administration (p. 120).

OU

Bishop's : DEC ou l'équivalent **ET** mathématiques 103, 203.

Concordia : DEC ou l'équivalent et mathématiques 103 ou 203-NYA, 105 ou 201-NYC; économie 920 et 921; et une certaine culture informatique (tout cours de niveau 420). *N.B. : Une cote R de 25.0 en mathématiques est exigée en plus des préalables requis.*

Endroits de formation (voir p. 414)

	Contingentement	Coop	Cote R*
Bishop's	■	■	—
Concordia	■	□	26.000
HEC Montréal	■	□	25.500
Laval	□	■	—
McGill	■	□	—
TÉLUQ	□	□	—
UQAC	□	□	—
UQAM	■	□	24.000
UQO	□	■	—

** Le nombre inscrit indique la **cote R** qui a été utilisée pour l'**admission de l'année précédente** par l'université concernée. Pour connaître la cote R exigée pour l'admission 2008, communiquer avec les établissements concernés.*

Professions reliées

C.N.P.

4163	Agent de développement international
4163	Analyste des marchés
1122	Conseiller en importation et exportation
6411	Importateur-exportateur
4163	Spécialiste de la commercialisation internationale

Endroits de travail

- Gouvernements fédéral et provincial
- Moyennes et grandes entreprises
- Organisations internationales
- Organisations non gouvernementales œuvrant à l'internationale
- Secteurs industriels divers

Salaire

Le salaire hebdomadaire moyen est de 762 $ (janvier 2005).

Remarque

À l'Université Laval, Il s'agit d'une mineure et d'une majeure du baccalauréat en Administration des affaires.

SCIENCES DE L'ADMINISTRATION

STATISTIQUES D'EMPLOI

	2001	2003	2005
Nb de personnes diplômées	93	96	114
% en emploi	83,9 %	71,7 %	73,3 %
% à temps plein	97,9 %	94,7 %	93,2 %
% lié à la formation	54,3 %	55,6 %	58,5 %

15880 ADMINISTRATION : GESTION PUBLIQUE

BAC 6 TRIMESTRES — CUISEP : 116-000

Compétences à acquérir :

- Acquérir des connaissances dans les domaines de la gestion et de la science politique, afin de bien comprendre les principaux enjeux de la gestion publique.
- Développer certaines connaissances et compétences de gestionnaire : gestion des ressources humaines, gestion de projet, comptabilité, etc.
- Connaître le réseau public fédéral, provincial, municipal dans ses différentes sphères d'activités (ministères, établissements scolaires ou de santé, administrations municipales, etc.).

Éléments du programme

- Droit
- Science politique
- Économie
- Études urbaines
- Gestion des ressources humaines
- Gestion des organisations
- Comptabilité du secteur public
- Stage de travail / Activité de synthèse

Admission (voir p. 20 G)

DEC en Sciences de la nature, DEC en Sciences humaines, ou DEC dans la famille des techniques administratives ou l'équivalent **OU** avoir réussi dix cours universitaires **OU** avoir une expérience professionnelle jugée pertinente.

Endroit de formation (voir p. 414)

	Contingentement	Coop	Cote R*
UQAM	■	□	24.600

** Le nombre inscrit indique la **cote R** qui a été utilisée pour l'**admission de l'année précédente** par l'université concernée. Pour connaître la cote R exigée pour l'admission 2008, communiquer avec les établissements concernés.*

Professions reliées

C.N.P.	
0012	Administrateur d'organisme public
0411	Administrateur de programmes sociaux et de la santé
4163	Agent de développement économique
4168	Attaché politique
4168	Conseiller politique
0011	Conseiller municipal
0411	Coordonnateur de programmes publics
4165	Agent de recherche en santé publique
0313	Directeur d'école
0513	Directeur du service des loisirs
0012	Protecteur du citoyen
0012	Sous-ministre
0014	Directeur général de centre hospitalier
0014	Directeur général de l'enseignement

Endroits de travail

- Gouvernements provincial et fédéral
- Sociétés d'État
- Municipalités
- Établissements d'enseignement
- Établissements de santé
- Partis politiques

Salaire

Nouveau programme. Donnée non disponible

Remarque

Ce programme multidisciplinaire axé sur la gestion publique est unique au premier cycle au Québec.

Statistiques d'emploi

Nouveau programme. Données non disponibles.

15800 ADMINISTRATION : GESTION URBAINE ET IMMOBILIÈRE

BAC 6 TRIMESTRES — CUISEP 111/112-000

Compétences à acquérir

- Planifier, analyser et évaluer des décisions urbaines et immobilières.
- Acquérir une connaissance théorique et pratique des facteurs de localisation et des marchés urbains et immobiliers.
- Connaître le système de production immobilière et de gestion des actifs immobiliers.
- Maîtriser les méthodes et les techniques actuelles et avancées en évaluation immobilière.
- Analyser l'efficacité et l'équité des instruments de financement des municipalités et des communautés urbaines.
- Maîtriser les méthodes d'analyse du rendement et des investissements immobiliers.

Éléments du programme

- Analyse urbaine et immobilière
- Droit du patrimoine privé
- Droit immobilier
- Évaluation immobilière : principes et pratiques
- Gestion municipale et finances locales
- Investissement immobilier
- Production et gestion immobilières
- Séminaire en gestion urbaine et immobilière
- Théorie générale des biens

Admission (voir p. 20 G)

Consulter la fiche du programme Administration (p. 120).

Endroit de formation (voir p. 414)

	Contingentement	Coop	Cote R
Laval	□	■	—

Professions reliées

1235	Analyste en évaluation immobilière
1235	Évaluateur agréé
1235	Évaluateur commercial
6232	Gérant immobilier
0721	Gestionnaire immobilier
0121	Promoteur immobilier

Endroits de travail

- Firmes d'experts-conseils
- Firmes en évaluation et en gestion immobilière
- Gouvernements fédéral et provincial
- Institutions financières
- Ministère des Affaires municipales
- Municipalités
- Municipalités régionales de comté
- Organismes internationaux
- Promoteurs immobiliers
- Société d'habitation du Québec
- Société canadienne d'hypothèques et de logement
- Société immobilière du Québec

Salaire

Consulter la fiche du programme Administration (p. 120).

Remarques

- Il s'agit d'une mineure du baccalauréat en Administration des affaires.
- Pour porter le titre d'évaluateur agréé, il faut être membre de l'Ordre des évaluateurs agréés du Québec.

Statistiques d'emploi

Consulter la fiche du programme Administration (p. 120).

15800 ADMINISTRATION : MANAGEMENT

BAC 6 TRIMESTRES — CUISEP 111/112-000

Compétence à acquérir

Prendre des décisions et mettre en œuvre des stratégies d'action orientées vers la solution de problèmes à multiples dimensions (en comptabilité de gestion, en financement de l'entreprise, en gestion des ressources humaines et en marketing).

Éléments du programme

- Analyse de marchés
- Droit des affaires
- Gestion financière
- Management stratégique

Admission (voir p. 20 G)

Consulter la fiche du programme Administration (p. 120).

OU

Bishop's : DEC ou l'équivalent **ET** mathématiques 103, 203.

Concordia : DEC ou l'équivalent et mathématiques 103 ou 201-NYA, 105 ou 201-NYC; économie 920, 921, plus une certaine culture informatique : tous cours de niveau 420. *N.B. : Une cote R de 25.0 en mathématiques est exigée.*

Endroits de formation (voir p. 414)

	Contingentement	Coop	Cote R*
Bishop's	■	■	—
Concordia	■	□	26.000
HEC Montréal	■	□	25.500
Laval	□	■	—
McGill	■	□	—
Sherbrooke	■	■	23.000
UQO	□	■	—

** Le nombre inscrit indique la **cote R** qui a été utilisée pour l'**admission de l'année précédente** par l'université concernée. Pour connaître la cote R exigée pour l'admission 2008, communiquer avec les établissements concernés.*

Professions reliées

C.N.P.

0012	Administrateur agréé
1122	Analyste en gestion d'entreprises
4163	Conseiller en démarrage d'entreprise
1122	Conseiller en management
0112	Directeur des ressources humaines
1122	Spécialiste en analyse organisationnelle

Endroits de travail

- À son compte
- Compagnies d'assurances
- Firmes de courtage
- Gouvernements fédéral et provincial
- Institutions financières
- Secteurs industriels divers

Salaire

Consulter la fiche du programme Administration (p. 120).

Remarques

- À l'Université de Sherbrooke, le régime coopératif est offert à temps complet et le régime régulier est offert à temps partiel.
- À l'Université Laval, Il s'agit d'une mineure et d'une majeure du baccalauréat en Administration des affaires.

Statistiques d'emploi

Consulter la fiche du programme Administration (p. 120).

15809 ADMINISTRATION : MARKETING

BAC 6 TRIMESTRES | CUISEP 111-700

Compétences à acquérir

- Assurer la relation entre une entreprise et ses marchés.
- Déterminer les marchés à viser à court ou à long terme, avec quel produit, à quel prix, avec quel système de distribution, dans quelles conditions de vente et avec quelles actions de communication (publicité, promotion des ventes, relations publiques).
- Effectuer des études de marché.
- Élaborer des stratégies de marketing.
- Étudier les contraintes économiques générales et leur impact sur le marché.
- Superviser et coordonner le travail d'une équipe de vente.
- Superviser la conception et la réalisation des activités publicitaires.

Éléments du programme

- Administration des ventes
- Commerce au détail
- Comportement du consommateur
- Comptabilité générale
- Études de marché
- Gestion des opérations et de la technologie
- Marketing

Admission (voir p. 20 G)

DEC dans la famille des techniques administratives et mathématiques 103, 302 (ou 105), 337 (ou 203 ou 307)

OU

DEC ou l'équivalent et mathématiques 103, 105 et 203.

OU

Bishop's : DEC ou l'équivalent et mathématiques 103, 203.

Concordia : DEC ou l'équivalent et mathématiques 103 ou 203-NYA, 105 ou 201-NYC; économique 920, 921 plus une certaine culture informatique : tout cours de niveau 420. Une cote R de 25.0 en mathématiques est exigée.

HEC Montréal : DEC ou l'équivalent et mathématiques 103, 105 et 203 **OU** DEC dans la famille des techniques administratives et mathématiques 103, 105 et les cours obligatoires de mathématiques du programme révisé.

Laval : Consulter la fiche du programme Administration (p. 120).

Sherbrooke : DEC ou l'équivalent et mathématiques 103, 105, 203 **OU** DEC dans la famille des techniques administratives et mathématiques 103, 105 (ou 302) et 307 (ou 337).

TÉLUQ : DEC en Sciences humaines **OU** tout autre DEC général ou technique ou l'équivalent et mathématiques 103, 105, 203 ou réussite du test de mathématiques ou du cours d'appoint **ET** maîtrise du français.

UQAC, UQAR : DEC ou l'équivalent et un cours de mathématiques de niveau collégial.

UQAM : DEC en Sciences de la nature, DEC en Sciences humaines, DEC en Sciences, lettres et arts ou DEC dans la famille des techniques administratives ou l'équivalent. *N.B. : Le candidat admissible dont on aura établi, à l'aide du dossier, qu'il n'a pas les connaissances requises en mathématiques et en informatique sera admis conditionnellement à la réussite de cours d'appoint dont il pourra être dispensé s'il réussit des tests d'évaluation des connaissances dans ces domaines.*

UQO : DEC en Sciences humaines, DEC dans la famille des techniques administratives ou l'équivalent **ET** avoir réussi un des cours suivants en mathématiques : 00UN (ou 01Y1 ou 022X ou le cours 103), 00UQ (ou 01Y4 ou 022Z ou le cours 105 ou 122), le cours 302 (ou 01Y3 ou 022P ou 022W) ou le cours 257 ou 300 ou 307 ou 337. Dans le cas contraire, l'admission sera prononcée moyennant la réussite d'un test ou du cours d'appoint MAT0102.

UQTR : DEC ou l'équivalent **OU** DEC tehnique.

Endroits de formation (voir p. 414)

	Contingentement	Coop	Cote R*
Bishop's	■	■	—
Concordia	■	■	27.000
HEC Montréal	■	□	25.500
Laval	□	■	—
McGill	■	□	—
Sherbrooke	■	■	23.000
TÉLUQ	□	□	—
UQAC	□	□	—
UQAM	■	□	24.000
UQAR	□	□	—
UQAT	□	□	—
UQO	□	■	—
UQTR	□	□	—

** Le nombre inscrit indique la **cote R** qui a été utilisée pour l'**admission de l'année précédente** par l'université concernée. Pour connaître la cote R exigée pour l'admission 2008, communiquer avec les établissements concernés.*

15809 ADMINISTRATION : MARKETING (SUITE)

Professions reliées

C.N.P.

4163	Analyste de la mise en marché
4163	Chargé de veille stratégique
1122	Chef du service de promotion des ventes
1122	Conseiller en solutions d'affaires
4163	Consultant en marketing
0611	Directeur de campagne de financement
0611	Directeur de la publicité
0113	Directeur des achats de marchandises
0611	Directeur des ventes
0611	Directeur du marketing
6211	Superviseur de télémarketing
0015	Directeur général des ventes et de la publicité
4163	Expert-conseil en commercialisation

Endroits de travail

- Agences de marketing
- Agences de publicité
- Agences de relations publiques
- Agences de voyages
- Compagnies d'assurances
- Compagnies de transport
- Gouvernements fédéral et provincial
- Grandes entreprises
- Institutions financières

Salaire

Le salaire hebdomadaire moyen est de 722 $ (janvier 2005).

Remarques

- Ce programme est une option du baccalauréat en Administration.
- À l'Université de Sherbrooke, le régime coopératif est offert à temps complet et le régime régulier est offert à temps partiel.
- À l'Université Laval, Il s'agit d'une mineure et d'une majeure du baccalauréat en Administration des affaires.

STATISTIQUES D'EMPLOI

	2001	2003	2005
Nb de personnes diplômées	264	374	359
% en emploi	86,5 %	80,4 %	83,1 %
% à temps plein	97,8 %	94,9 %	95,5 %
% lié à la formation	82,4 %	73,1 %	68,0 %

SCIENCES DE L'ADMINISTRATION

15800 ADMINISTRATION : MÉTHODES QUANTITATIVES DE GESTION / MÉTHODES QUANTITATIVES

BAC 6 TRIMESTRES — CUISEP 111/112-000

Compétence à acquérir

Utiliser les méthodes quantitatives pour la solution analytique des problèmes des entreprises.

Éléments du programme

- Analyse de marchés
- Analyse de régression
- Bases de données de l'entreprise
- Économétrie
- Mathématiques linéaires
- Recherche opérationnelle
- Systèmes d'aide à la décision

Admission (voir p. 20 G)

HEC Montréal : DEC ou l'équivalent et mathématiques 103, 105, 203 **OU** DEC dans la famille des techniques administratives et mathématiques 103, 105 et les cours obligatoires de mathématiques du programme révisé.

TÉLUQ : DEC en Sciences humaines **OU** tout autre DEC général ou technique ou l'équivalent **ET** mathématiques 103, 105, 203 ou réussite du test de mathématiques ou du cours d'appoint **ET** maîtrise du français.

Endroits de formation (voir p. 414)

	Contingentement	Coop	Cote R*
HEC Montréal	■	□	25.500
TÉLUQ	□	□	—

** Le nombre inscrit indique la **cote R** qui a été utilisée pour l'**admission de l'année précédente** par l'université concernée. Pour connaître la cote R exigée pour l'admission 2008, communiquer avec les établissements concernés.*

Professions reliées

C.N.P.

4163 Analyste des marchés
4163 Analyste des opérations de gestion
2161 Interprète statistique des résultats de sondages

Endroits de travail

- Entreprises de sondages
- Gouvernements fédéral et provincial
- Institutions financières
- Moyennes et grandes entreprises
- Secteurs industriels divers

Salaire

Consulter la fiche du programme Administration (p. 120).

Statistiques d'emploi

Consulter la fiche du programme Administration (p. 120).

15800 ADMINISTRATION : OPTION INDIVIDUELLE / SUR MESURE / GÉNÉRALISTE

BAC 6 TRIMESTRES — CUISEP 111/112-000

Compétence à acquérir

Permettre à l'étudiant dont les objectifs de carrière ne peuvent être satisfaits par une option mixte ou une concentration de se tracer un programme de cours adapté à sa perspective de vie professionnelle.

Élément du programme

- L'étudiant établit un programme de cours comportant un minimum de 33 ou 36 crédits et le soumet à l'approbation d'un comité présidé par le directeur du programme.
- L'étudiant peut également choisir un certain nombre de cours dans une autre faculté.

Admission (voir p. 20 G)

HEC Montréal : DEC ou l'équivalent et mathématiques NYA, NYB, NYC ou 103-77, 105-77, 203-77 ou 103-RE ou 105-RE, 203-RE **OU** DEC dans la famille des techniques administratives et mathématiques (NYA ou 103-RE ou 103-77), (302 ou 105-RE ou NYC ou 105-77), (337 ou 307 ou 203-RE ou NYB ou 203-77).

Laval : DEC ou l'équivalent et mathématiques NYA, NYB, NYC ou 103-77, 105-77, 203-77 ou 103-RE, 105-RE, 203-RE **OU** DEC dans la famille des techniques administratives et mathématiques (NYA ou 103-RE ou 103-77), (302 ou 105-RE ou NYC ou 105-77) ou avoir atteint les objectifs : 00UN, 00UP ou 022X, 022Y, 022Z). Après la réforme du collégial (approche par compétences) : mathématiques NYA ou 103-RE ou 103-77 ou l'un des objectifs suivants : 00UN, 01Y1, 022X; 302 ou 105-RE ou NYC ou 105-77 ou l'un des objectifs suivants : 00UQ, 01Y4, 022Z et les cours obligatoires de mathématiques et de statistique du programme révisé. *N.B. : Si la cote R est inférieure à 22, une scolarité d'appoint est exigée.*

Endroits de formation (voir p. 414)

	Contingentement	Coop	Cote R*
HEC Montréal	■	□	25.500
Laval	□	■	—

** Le nombre inscrit indique la **cote R** qui a été utilisée pour l'**admission de l'année précédente** par l'université concernée. Pour connaître la cote R exigée pour l'admission 2008, communiquer avec les établissements concernés.*

Profession reliée

C.N.P.

0012 Administrateur agréé

Endroits de travail

Entreprises et industries diverses

Salaire

Consulter la fiche du programme Administration (p. 120).

Remarque

- Pour porter le titre d'administrateur agréé, il faut être membre de l'Ordre des administrateurs agréés du Québec.
- À l'Université Laval, il s'agit d'une mineure sur mesure ou d'une option généraliste.

Statistiques d'emploi

Consulter la fiche du programme Administration (p. 120).

15800 ADMINISTRATION : OPTION MIXTE

BAC 6 TRIMESTRES — CUISEP 111/112-000

Compétence à acquérir

Acquérir un minimum de spécialisation dans deux domaines de la gestion.

Quatre spécialisations sont offertes :

- Accounting; Business; Economics; Finance.

OU

Deux options parmi les suivantes :

HEC Montréal : Économie appliquée; Finance; Gestion des opérations et de la production; Gestion des ressources humaines; Gestion internationale; Management; Marketing; Méthodes quantitatives; Gestion du commerce de détail; Information comptable et gestion; Technologies de l'information.

McGill : Accounting; Entrepreneurship; Finance; Information Systems; International Business; Labour-Management Relations; Marketing; Operations Management; Organizational Behavior; Strategic Management **OU** une concentration plus une mineure de la faculté des arts (sciences humaines, arts et lettres).

Élément du programme

L'étudiant doit établir et soumettre un programme de cours comportant un minimum de 33 crédits dont un minimum de 3 cours dans 2 domaines de son choix.

Admission (voir p. 20 G)

Bishop's : DEC ou l'équivalent **ET** mathématiques 103, 203.

HEC Montréal : DEC ou l'équivalent et mathématiques 103, 105, 203 **OU** DEC dans la famille des techniques administratives et mathématiques 103, 105 et les cours de mathématiques du programme révisé.

McGill : Consulter l'établissement (études du dossier).

Endroits de formation (voir p. 414)

	Contingentement	Coop	Cote R
Bishop's	□	■	—
HEC Montréal	■	□	25.500
McGill	■	□	—

Profession reliée

C.N.P.

0012 Administrateur agréé

Endroits de travail

Consulter la fiche du programme Administration (p. 120) ainsi que les fiches des différentes options.

Salaire

Consulter la fiche du programme Administration (p. 120).

Remarques

- Pour porter le titre d'administrateur agréé, il faut être membre de l'Ordre des administrateurs agrées du Québec.
- À l'Université Laval, il y a possibilité d'opter pour un cheminement comprenant deux mineures.

Statistiques d'emploi

Consulter la fiche du programme Administration (p. 120).

15800 ADMINISTRATION : SERVICES FINANCIERS

BAC 6 TRIMESTRES — CUISEP 111/112-000

Compétence à acquérir

Effectuer différentes tâches liées à la planification des finances personnelles.

Éléments du programme

- Fiscalité
- Gestion du portefeuille
- Intégration en planification financière personnelle
- Marché des capitaux
- Mathématiques financières et gestion de la dette
- Produits financiers : assurances et rentes
- Retraite et planification successorale
- Utilisation des états financiers

Admission (voir p. 20 G)

DEC et mathématiques NYA, NYB, NYC ou 103-77, 105-77, 203-77 ou 103-RE ou 105-RE ou 203-RE.

OU

DEC dans la famille des techniques administratives et mathématiques (NYA ou 103-RE ou 103-77), (302 ou 105-RE ou NYC ou 105-77), (337 ou 307 ou 203-RE ou NYB ou 203-77).

OU

DEC en Technologie du génie industriel et mathématiques (NYA ou 103-RE ou 103-77), (302 ou 105-RE ou NYC ou 105-77), (NYB ou 203-RE ou 203-77). *N.B. : Si la cote R est inférieure à 22, une scolarité d'appoint est exigée.*

OU

Laval : DEC ou l'équivalent et mathématiques NYA, NYB, NYC ou 103-77, 105-77, 203-77 ou 103-RE, 105-RE, 203-RE **OU** DEC dans la famille des techniques administratives et mathématiques (NYA ou 103-RE ou 103-77), (302 ou 105-RE ou NYC ou 105-77) ou avoir atteint les objectifs : 00UN, 00UP ou 022X, 022Y, 022Z). Après la réforme du collégial (approche par compétences) : mathématiques NYA ou 103-RE ou 103-77 ou l'un des objectifs suivants : 00UN, 01Y1, 022X; 302 ou 105-RE ou NYC ou 105-77 ou l'un des objectifs suivants : 00UQ, 01Y4, 022Z et les cours obligatoires de mathématiques et de statistique du programme révisé. *N.B. : Si la cote R est inférieure à 22, une scolarité d'appoint est exigée.*

Endroit de formation (voir p. 414)

	Contingentement	Coop	Cote R
Laval	☐	■	—
UQAR	☐	☐	—

Professions reliées

C.N.P.	
0012	Administrateur agréé
1232	Agent-conseil de crédit
4162	Analyste en gestion des risques
1112	Analyste en placement
1112	Analyste financier
1234	Assureur-vie agréé
1112	Conseiller en placement
1112	Conseiller en services financiers
6231	Courtier d'assurances
1114	Conseiller en sécurité financière
0122	Directeur d'institution financière
1233	Examinateur des réclamations d'assurance
1112	Gestionnaire de portefeuille
1114	Inspecteur des institutions financières
1114	Planificateur financier
6231	Représentant en assurances de personnes

Endroits de travail

- À son compte
- Compagnies d'assurances
- Coopératives de services financiers
- Firmes de courtage
- Gouvernements fédéral et provincial
- Institutions financières

Salaire

Consulter la fiche du programme Administration (p. 120).

Remarques

- Pour porter le titre de planificateur financier, il faut réussir l'examen de l'Institut québécois de planification financière (www.iqpf.org).
- Pour obtenir le titre d'assureur-vie agréé, il faut réussir le cours « Les concepts en assurance de personnes » offert par la Chambre de la sécurité financière.
- Pour porter le titre de courtier d'assurance, il faut détenir un certificat de courtier en assurances de dommages émis par l'Autorité des marchés financier et avoir été courtier pendant 2 ans (www.autorité.qc.ca).
- À l'université Laval, il s'agit d'une majeure du baccalauréat en Administration des affaires. Un certifcat en Services financers est également offert.

Statistiques d'emploi

Consulter la fiche du programme Administration (p. 120).

ADMINISTRATION DES AFFAIRES : ÉCONOMIE / ÉCONOMIE APPLIQUÉE / ÉCONOMIE APPLIQUÉE À LA GESTION / ÉCONOMIE DE GESTION / ÉCONOMIE LOCALE ET GESTION DES RESSOURCES NATURELLES / ECONOMICS

BAC 6 TRIMESTRES CUISEP 111-600

Compétence à acquérir

Analyser l'environnement économique dans les secteurs public et privé.

Éléments du programme

- Économétrie
- Économie de l'entreprise
- Économie du travail
- Évaluation économique des projets d'investissement
- Management stratégique
- Micro et macroéconomie

Admission (voir p. 20 G)

DEC général et mathématiques 103, 105, 203 **OU** DEC dans la famille des techniques administratives et avoir réussi les cours de mathématiques 103, 302 et 337.

OU

Concordia : DEC ou l'équivalent et mathématiques 103 ou 201-NYA, 105 ou 201-NYC; économique 920, 921 plus une certaine culture informatique : tous cours de niveau 420. *N.B. : Une cote R de 25.0 en mathématiques est exigée.*

HEC Montréal : DEC général et mathématiques 103, 105, 203 **OU** DEC dans la famille des techniques administratives et avoir réussi les cours de mathématiques 103, 105 et les cours obligatoires de mathématique du programme révisé.

TÉLUQ : DEC en Sciences humaines **OU** tout autre DEC général ou technique ou l'équivalent **ET** mathématiques 103, 105, 203 ou réussite du test de mathématiques ou du cours d'appoint **ET** maîtrise du français.

Endroits de formation (voir p. 414)

	Contingentement	Coop	Cote R*
Concordia	■	□	22.000
HEC Montréal	■	□	25.500
McGill	■	□	—
TÉLUQ	□	□	—
UQAM	□	□	—

** Le nombre inscrit indique la **cote R** qui a été utilisée pour l'**admission de l'année précédente** par l'université concernée. Pour connaître la cote R exigée pour l'admission 2008, communiquer avec les établissements concernés.*

Professions reliées

C.N.P.

0012	Administrateur
4162	Analyste de l'environnement économique et industriel
4163	Analyste des marchés
1112	Conseiller en investissements
1122	Conseiller en management

Endroits de travail

- À son compte
- Firmes d'experts-conseils en management
- Gouvernements fédéral et provincial
- Moyennes et grandes entreprises
- Municipalités

Salaire

Le salaire hebdomadaire moyen est de 777 $ (janvier 2005).

Remarques

- L'Université du Québec à Montréal (UQAM) offre une concentration en Économie et gestion dans le cadre du programme Économique.
- L'Université Laval offre un certificat en Assurances et rentes collectives.

STATISTIQUES D'EMPLOI

	2001	2003	2005
Nb de personnes diplômées	76	88	93
% en emploi	79,2 %	82,8 %	80,9 %
% à temps plein	86,8 %	95,8 %	89,5 %
% lié à la formation	75,8 %	76,1 %	67,6 %

15806 ADMINISTRATION DES ARTS / ARTS ADMINISTRATION

BAC 6 TRIMESTRES — CUISEP 111/112-000

Compétences à acquérir

- Intégrer le monde des affaires et le monde culturel.
- Se familiariser avec l'administration des arts, en intégrant les éléments et les méthodes d'une approche.

Trois orientations sont offertes :
Musique; Beaux Arts; Théâtre.

Éléments du programme

- Administration des arts
- Management
- Comptabilité
- Ressources humaines
- Littérature dramatique et histoire du théâtre
- Production
- Histoire de l'art
- Arts visuels
- Littérature musicale
- Histoire de la musique

Admission (voir p. 20 G)

DEC ou l'équivalent et mathématiques 103, 203.

Endroit de formation (voir p. 414)

	Contingentement	Coop	Cote R
Bishop's	■	■	—

Professions reliées

C.N.P.

0511	Directeur de galerie d'art
0014	Directeur administratif d'association artistique
0511	Directeur de musée
0512	Directeur de salles de spectacles
0512	Directeur de théâtre
0511	Galériste

Endroits de travail

- Agences
- Compagnies théâtrales
- Événements culturels et festivals
- Galeries d'art
- Magazines culturels
- Orchestres symphoniques

Salaire

Consulter la fiche du programme Administration (p. 120).

Remarques

- L'intégration des arts et de l'administration des affaires permet à l'étudiant d'étudier dans des domaines variés et d'acquérir des compétences qui répondent aux exigences du marché du travail.
- L'Université offre également un certificat en Arts Management.

Statistiques d'emploi

Consulter la fiche du programme Administration (p. 120).

15800 GESTION DU TOURISME ET DE L'HÔTELLERIE

BAC 6 TRIMESTRES — CUISEP 123-000

Compétences à acquérir

- Gérer le phénomène touristique et les entreprises qui y sont liées.
- Contribuer au développement et à la planification touristiques (produits et services, clientèles, projets, événements).
- Diriger une unité hôtelière ou de restauration.
- Promouvoir les attraits touristiques d'une région.
- Acquérir les habiletés liées à la gestion dans le but d'offrir des produits de qualité, des services efficaces et du personnel productif.
- Faire preuve d'autonomie, de leadership, d'habileté de communication et d'esprit méthodique.

Éléments du programme

- Comptabilité de gestion
- Gestion de l'hébergement
- Gestion de la restauration
- Gestion des organisations
- Planification et contrôle des projets
- Prévision et prospective du tourisme
- Publicité
- Relations de travail
- Stage
- Statistiques
- Tourisme et société

Admission (voir p. 20 G)

DEC ou l'équivalent.

ET

Cours d'appoint en mathématiques, si aucune connaissance en mathématiques.

Endroit de formation (voir p. 414)

	Contingentement	Coop	Cote R*
UQAM	■	□	25.400

** Le nombre inscrit indique la **cote R** qui a été utilisée pour l'**admission de l'année précédente** par l'université concernée. Pour connaître la cote R exigée pour l'admission 2008, communiquer avec les établissements concernés.*

Professions reliées

C.N.P.	
4163	Agent de développement touristique
6453	Capitaine de banquet
1226	Coordonnateur de congrès et de réunions (hôtels et centres de congrès)
4163	Coordonnateur des services de tourisme
0621	Directeur d'agence de voyages
0511	Directeur d'établissement touristique
0621	Directeur d'une agence de guides
0631	Directeur de la restauration
0632	Directeur général d'un établissement hôtelier
0632	Exploitant de terrain de camping
0015	Gestionnaire d'entreprise touristique
1226	Organisateur de congrès et d'événements spéciaux

Endroits de travail

- Agences de voyages
- Associations touristiques
- Centres de congrès
- Chambres de commerce
- Gouvernements fédéral et provincial
- Hôtels
- Industrie touristique
- Municipalités
- Restaurants
- Traiteurs

Salaire

Consulter la fiche du programme Administration (p. 120).

Remarque

L'université Laval offre un certificat en Gestion du développement touristique.

Statistiques d'emploi

Consulter la fiche du programme Administration (p. 120).

SCIENCES DE L'ADMINISTRATION

15807 RECHERCHE OPÉRATIONNELLE

BAC 6 TRIMESTRES — CUISEP 111-850

Compétences à acquérir

- Comprendre et apporter une solution scientifique aux problèmes de gestion.
- Élaborer, à partir d'une analyse logique des problèmes de gestion, un modèle mathématique qui sera transposé sur ordinateur.
- Contrôler les opérations et les résultats afin d'établir le modèle adéquat.
- Proposer la ou les solutions au problème posé en précisant les avantages et les probabilités de réussite.
- Gérer, concevoir et exploiter des systèmes d'information.
- Analyser des phénomènes et des processus organisationnels.
- Maximiser l'efficience et l'efficacité des décisions par des techniques analytiques et numériques.
- Faire des études de rentabilité, des descriptions de tâches, des horaires de travail, assurer la gestion des opérations et l'allocation de ressources.

Éléments du programme

- Administration financière
- Analyse statistique
- Comptabilité de management
- Gestion des stocks
- Principes de management
- Programmation linéaire et en nombres entiers
- Systèmes d'information

Admission (voir p. 20 G)

DEC ou l'équivalent, DEC en Sciences humaines **OU** DEC en Techniques de l'informatique ou l'équivalent et mathématiques 103 (00UN), 105 (00UQ).

Endroit de formation (voir p. 414)

	Contingentement	Coop	Cote R
UQTR	□	□	—

Profession reliée

C.N.P.

2161 Spécialiste de la recherche opérationnelle

Endroits de travail

- Firmes d'experts-conseils
- Gouvernements fédéral et provincial
- Moyennes et grandes entreprises
- Secteurs industriels divers
- À son compte

Salaire

Le salaire hebdomadaire moyen est de 681 $ (janvier 2001).

SCIENCES DE L'ADMINISTRATION

STATISTIQUES D'EMPLOI

	2001	2003	2005
Nb de personnes diplômées	12	—	7
% en emploi	100 %	—	33,3 %
% à temps plein	100 %	—	100 %
% lié à la formation	80,0 %	—	100 %

15816 RELATIONS DE TRAVAIL / RELATIONS INDUSTRIELLES / RELATIONS INDUSTRIELLES ET RESSOURCES HUMAINES

BAC 6 TRIMESTRES — CUISEP 633-000

Compétences à acquérir

- Gérer des ressources humaines, diriger la sélection, la formation et l'évaluation du personnel et appliquer les différentes politiques s'y rapportant.
- Représenter son employeur dans les relations avec les employés.
- Analyser les conditions de travail et mettre en œuvre des mesures favorisant une certaine qualité de vie au travail.
- Représenter la partie patronale ou syndicale au cours de négociations collectives.
- Participer aux processus de conciliation et d'arbitrage.

Éléments du programme

- Convention et négociation collective
- Développement en ressources humaines
- Fondements en dotation
- Fondements en rémunération
- Gestion des ressources humaines
- Mouvement syndical et travail
- Principes de gestion
- Psychologie
- Psychologie et travail
- Relations industrielles
- Sociologie des organisations
- Statistiques

Admission (voir p. 20 G)

Laval : DEC et mathématiques 337 (objectif 022W) ou NYA et 307 (objectif 00UN) ou 103-RE, 203-RE et 105-RE (objetifs 022X, 022Y, 022Z) ou NYA, NYB et NYC (objectifs 00UN, 00UP, 00UQ) **OU** DEC en Sciences de la nature **OU** DEC en Sciences humaines et avoir réussi le cours Formation complémentaire en méthodes quantitatives 201-300 (ou Statistiques en sciences humaines 952-024) **OU** DEC en Histoire et civilisation ou tout autre DEC et avoir réussi les cours Méthodes quantitatives en sciences humaines 360-300 et Formation complémentaires en méthodes quantitatives 201-300 (ou Statistiques en sciences humaines 952-024). *N.B. : Si la cote R est inférieure à 22, une scolarité d'appoint est exigée.*

McGill : DEC et mathématiques 103, 105, 203.

Montréal : DEC en Sciences humaines (version ultérieure à 1991), DEC en Sciences de la nature **OU** DEC en Histoire et civilisation et avoir atteint l'objectif 022P (méthodes quantitatives) **OU** DEC ou l'équivalent **OU** avoir réussi 24 crédits de cours universitaires autres que des crédits obtenus dans le cadre de cours préparatoires aux études universitaires **ET** un cours préalable en statistique (lequel peut être suivi à l'université).

UQAM : DEC ou l'équivalent et cours d'appoint en mathématiques si aucune connaissance en mathématiques.

UQO : DEC ou l'équivalent, DEC en Sciences humaines, DEC dans la famille des techniques administratives.

Endroits de formation (voir p. 414)

	Contingentement	Coop	Cote R*
Laval	□	□	—
McGill	■	□	—
Montréal	■	□	23.522
UQAM	■	□	26.000
UQO	□	■	—

** Le nombre inscrit indique la **cote R** qui a été utilisée pour l'**admission de l'année précédente** par l'université concernée. Pour connaître la cote R exigée pour l'admission 2008, communiquer avec les établissements concernés.*

Professions reliées

C.N.P.	
1223	Agent de dotation
1223	Agent des ressources humaines
1121	Agent syndical
4213	Chasseur de têtes
1121	Conciliateur en relations du travail
1121	Conseiller en rémunération
1121	Conseiller en relations industrielles
1121	Conseiller en ressources humaines
2263	Conseiller en santé, sécurité au travail
1121	Conseiller syndical
0112	Directeur des ressources humaines
1121	Spécialiste en relations ouvrières

Endroits de travail

- À son compte
- Agences de placement
- Établissements d'enseignement
- Firmes d'experts-conseils
- Gouvernements fédéral et provincial
- Moyennes et grandes entreprises
- Secteurs industriels divers

Salaire

Le salaire hebdomadaire moyen est de 778 $ (janvier 2005).

15816 RELATIONS DE TRAVAIL / RELATIONS INDUSTRIELLES / RELATIONS INDUSTRIELLES ET RESSOURCES HUMAINES

(SUITE)

Remarques

- Pour porter le titre de conseiller en ressources humaines, de conseiller en relations industrielles ou de conciliateur en relations de travail, il faut être membre de l'Ordre des conseillers en ressources humaines et en relations industrielles agréés du Québec.
- L'Université Laval offre un certificat en Relations industrielles et en Gestion des ressources humaines ainsi qu'en Leadership du changement.
- L'Université McGill offre le Faculty Program.
- L'Université du Québec en Outaouais (UQO) offre les certificats suivants : Santé et sécurité au travail; Psychologie du travail et des organisations; Politiques publiques du travail; Relations industrielles et ressources humaine; Droit de l'entreprise et du travail.

SCIENCES DE L'ADMINISTRATION

STATISTIQUES D'EMPLOI	2001	2003	2005
Nb de personnes diplômées	267	329	348
% en emploi	80,5 %	83,3 %	83,9 %
% à temps plein	96,7 %	98,0 %	96,1 %
% lié à la formation	81,1 %	81,5 %	75,9 %

15880 SÉCURITÉ ET ÉTUDES POLICIÈRES / SÉCURITÉ PUBLIQUE

BAC 6 TRIMESTRES — CUISEP 121-000

Compétence à acquérir

Analyser et résoudre les problèmes en sécurité intérieure, spécialement les problèmes criminels.

Éléments du programme

- Analyse stratégique en criminologie
- Délinquance et facteurs criminogènes
- Droit constitutionnel
- Méthodologie en criminologie
- Organisation de l'enquête
- Résolution de problèmes en sécurité et études policières
- Stage

Admission (voir p. 20 G)

Montréal : DEC en Sciences humaines (version ultérieure à 1991), DEC en Sciences de la nature ou DEC ou l'équivalent **OU** DEC en Histoire et civilisation et avoir atteint l'objectif 022P en méthodes quantitatives **OU** avoir réussi 24 crédits de cours universitaires autres que des crédits obtenus dans le cadre de cours préparatoires aux études universitaires et avoir réussi un cours préalable en statistique.

UQTR : DEC en Techniques policières ou l'équivalent et posséder une année d'expérience pertinente en tant que policier à l'emploi d'une organisation policière.

Endroits de formation (voir p. 414)

	Contingentement	Coop	Cote R*
Montréal	■	□	25.930
UQTR	□	□	—

** Le nombre inscrit indique la **cote R** qui a été utilisée pour l'**admission de l'année précédente** par l'université concernée. Pour connaître la cote R exigée pour l'admission 2008, communiquer avec les établissements concernés.*

Professions reliées

C.N.P.

6261	Agent de la Gendarmerie Royale du Canada (GRC)
6261	Agent de la protection civile
6465	Agent de sécurité d'entreprise
6465	Conseiller en sécurité
6261	Enquêteur
0641	Lieutenant-détective
0641	Inspecteur-chef de police
0641	Directeur des services de polices

Endroits de travail

- Corps policiers municipaux
- Agences de sécurité
- Gendarmerie Royale du Canada (GRC)
- Gouvernements fédéral et provincial
- Services de sécurité des grandes entreprises
- Sûreté du Québec

Salaire

Donnée non disponible.

Remarque

À l'Université du Québec à Trois-Rivières (UQTR), ce programme est offert en partenariat avec plusieurs universités.

Statistiques d'emploi

Données non disponibles.

DOMAINE D'ÉTUDES

SCIENCES DE L'ÉDUCATION

Discipline

SCIENCES DE L'ÉDUCATION

15706 ADAPTATION SCOLAIRE ET SOCIALE / ENSEIGNEMENT EN ADAPTATION SCOLAIRE ET SOCIALE

BAC 8 TRIMESTRES — CUISEP 552-510

Compétences à acquérir

- Enseigner à des clientèles particulières (enfants souffrant de déficience légère et moyenne, intellectuelle ou physique ou de troubles d'apprentissage, mésadaptation socioaffective).
- Observer et analyser les diverses composantes des problèmes psychopédagogiques.
- Faire des interventions correctives individualisées ou de groupe afin de favoriser l'atteinte les objectifs des programmes réguliers d'enseignement.

Éléments du programme

- Didactique
- Difficultés d'ordre comportemental en milieu scolaire
- Éducation psychomotrice et adaptation scolaire
- Orthopédagogie de la lecture, de l'écriture et des mathématiques
- Psychologie du développement
- Relation d'aide dans l'enseignement
- Stages
- Stratégies d'enseignement et capacités intellectuelles

Admission (voir p. 20 G)

Montréal : DEC ou l'équivalent et entrevue.

Sherbrooke, UQTR : DEC en Sciences humaines ou tout autre DEC.

UQAC : DEC ou l'équivalent ou DEC en Éducation spécialisée ou d'une discipline connexe ou l'équivalent.

UQAM : DEC en Sciences humaines, DEC en Sciences de la nature, DEC intégré en Sciences, lettres et arts ou DEC dans la famille des techniques administratives **OU** tout autre DEC et avoir réussi un cours de mathématiques.

UQAR : DEC ou l'équivalent.

UQO : DEC ou l'équivalent, DEC en Sciences humaines, DEC en Techniques d'éducation spécialisée **OU** tout autre DEC. *N.B, : Les candidats doivent se soumettre, au besoin, à un questionnaire de sélection.*

Endroits de formation (voir p. 414)

	Contingentement	Coop	Cote R*
Montréal	□	□	23.500
Sherbrooke	■	□	22.000
UQAC	■	□	22.303
UQAM	■	□	23.000 à 24.800
UQAR	■	□	—
UQTR	■	□	20.390 à 23.900
UQO	■	□	23.000

** Le nombre inscrit indique la **cote R** qui a été utilisée pour l'**admission de l'année précédente** par l'université concernée. Pour connaître la cote R exigée pour l'admission 2008, communiquer avec les établissements concernés.*

Professions reliées

C.N.P.

4166	Conseiller pédagogique
4142	Enseignant en adaptation scolaire au primaire
4142	Orthopédagogue
4215	Professeur pour personnes déficientes intellectuelles
4215	Professeur pour personnes handicapées de la vue
4166	Spécialiste de l'adaptation scolaire
4166	Spécialiste de la mesure et de l'évaluation en éducation
4166	Spécialiste des techniques et des moyens d'enseignement

Endroits de travail

- À son compte
- Centres d'accueil
- Établissements d'enseignement
- Ministère de l'Éducation, du Loisir et du Sport

Salaire

Le salaire hebdomadaire moyen est de 706 $ (janvier 2005).

Remarques

- Pour enseigner au primaire et au secondaire, il faut être titulaire d'un permis ou d'un brevet d'enseignement permanent émis par le ministère de l'Éducation, du Loisir et du Sport.
- Des études de 2e cycle sont nécessaires pour exercer les professions suivantes : spécialiste de la mesure et de l'évaluation en éducation et spécialiste des techniques et des moyens d'enseignement.
- L'Université du Québec à Montréal (UQAM) offre deux profils : Intervention au secondaire; Intervention préscolaire-primaire.
- L'Université du Québec à Trois-Rivières (UQTR) offre un baccalauréat au niveau du primaire et un autre niveau du secondaire.
- L'Université du Québec à Rimouski offre deux profils : Préscolaire; Secondaire – éducation des adultes.

STATISTIQUES D'EMPLOI

	2001	2003	2005
Nb de personnes diplômées	576	460	481
% en emploi	92,7 %	95,1 %	92,6 %
% à temps plein	64,6 %	81,4 %	87,7 %
% lié à la formation	92,3 %	98,3 %	98,9 %

SCIENCES DE L'ÉDUCATION

15705 ART DRAMATIQUE / ENSEIGNEMENT DU THÉÂTRE

BAC 8 TRIMESTRES — CUISEP 552-000

Compétences à acquérir

- Enseigner le théâtre au préscolaire, au primaire et au secondaire.
- Développer les compétences techniques inhérentes au théâtre.
- Développer des habiletés pédagogiques.

Éléments du programme

- Didactique de l'art dramatique
- Dramaturgie
- Histoire de théâtre
- Jeu
- Méthodologie en art dramatique
- Psychologie du développement
- Scénographie
- Stages

Admission (voir p. 20 G)

DEC ou l'équivalent.
ET
Bishop's : Lettre de motivation et curriculum vitae.
UQAM : Audition.

Endroits de formation (voir p. 414)

	Contingentement	Coop	Cote R
Bishop's	■	□	—
UQAM	■	□	—

Professions reliées

C.N.P.
4142 Enseignant au préscolaire
4142 Enseignant au primaire
4141 Professeur au secondaire

Endroits de travail

Établissements d'enseignement (privés et publics)

Salaire

Le salaire hebdomadaire moyen est de 697 $ (janvier 2005).

Remarque

Pour enseigner au primaire et au secondaire, il faut être titulaire d'un permis ou d'un brevet d'enseignement permanent émis par le ministère de l'Éducation, du Loisir et du Sport. La réussite du programme permet d'obtenir ce permis.

STATISTIQUES D'EMPLOI

	2001	2003	2005
Nb de personnes diplômées	875	395	643
% en emploi	87,8 %	89,2 %	86,6 %
% à temps plein	56,4 %	67,1 %	73,7 %
% lié à la formation	82,7 %	83,0 %	91,6 %

15705 ÉDUCATION MUSICALE / ENSEIGNEMENT DE LA MUSIQUE / EDUCATION AND MUSIC

BAC 8 TRIMESTRES — CUISEP 552-130

Compétences à acquérir

- Enseigner la musique au primaire ou au secondaire.
- Enseigner la théorie musicale : solfège, histoire de la musique, rythmique, etc.
- Apprendre aux élèves à jouer d'un instrument de musique (flûte, trompette, guitare, etc.).
- Évaluer les apprentissages.

Éléments du programme

- Analyse et écriture
- Didactique au primaire et au secondaire
- Formation auditive
- Grands ensembles
- Histoire de la musique
- Instrument principal
- Psychologie de l'apprentissage
- Rythmique
- Système scolaire du Québec

Admission (voir p. 20 G)

Bishop's : DEC ou l'équivalent et audition, curriculum vitae et lettre de motivation.

Laval : DEC en Musique ou DEC en Musique professionnelle du Conservatoire de musique de Québec **OU** DEC ou l'équivalent et l'une des deux séries de cours suivantes : musique 101, 201, 301, 401; musique 111, 211, 311, 411; musique 121, 221, 321, 421 (ou 131, 231, 331, 431) **ou** musique 105, 205, 305, 405; musique 106, 206, 306, 406; musique 111, 211, 311, 411; musique 121, 221, 321, 421 (ou 131, 231, 331, 431) **ET** test d'admission (audition) **ET** test de français Laval-Montréal (TFLM). *N.B. : Les personnes n'ayant pas obtenu 75 % devront se soumettre à des mesures d'appoint. L'admission est conditionnelle à l'audition.*

McGill : DEC en Musique ou DEC en Musique professionnelle du Conservatoire de musique de Québec **OU** DEC ou l'équivalent et l'une des deux séries de cours suivant : musique 101, 201, 301, 401; musique 111, 211, 311, 411; musique 121, 221, 321, 421 **ou** musique 131, 231, 331, 431 **ET** tests d'admission (audition) **ET** faire la preuve de sa connaissance générale orale et écrite du français **ET** excellence du dossier scolaire.

Sherbrooke : Programme offert par l'Université Laval. Être inscrit à l'Université de Sherbrooke.

UQAM : DEC en Musique ou l'équivalent **OU** DEC dans une autre discipline et posséder des compétences musicales adéquates et tests d'entrée.

UQAR : DEC en Musique du Conservatoire de musique et d'art dramatique du Québec.

Endroits de formation (voir p. 414)

	Contingentement	Coop	Cote R
Bishop's	■	□	—
Laval	■	□	—
McGill	□	□	—
Sherbrooke	□	□	—
UQAM	■	□	—
UQAR	□	□	—

Profession reliée

C.N.P.

5133 Professeur de musique

Endroits de travail

- À son compte
- Écoles de musique
- Établissements d'enseignement

Salaire

Le salaire hebdomadaire moyen est de 697 $ (janvier 2005).

Remarques

- Pour enseigner au primaire et au secondaire, il faut être titulaire d'un permis ou d'un brevet d'enseignement permanent émis par le ministère de l'Éducation, du Loisir et du Sport.
- L'Université du Québec à Rimouski (UQAR) offre la concentration Enseignement de la musique dans le cadre du baccalauréat en Enseignement au secondaire.

STATISTIQUES D'EMPLOI

	2001	2003	2005
Nb de personnes diplômées	875	395	643
% en emploi	87,8 %	89,2 %	86,6 %
% à temps plein	56,4 %	67,1 %	73,1 %
% lié à la formation	82,7 %	83,3 %	91,6 %

15703/ 15704 ÉDUCATION PRÉSCOLAIRE ET ENSEIGNEMENT AU PRIMAIRE / ENSEIGNEMENT AU PRÉSCOLAIRE ET AU PRIMAIRE / KINDERGARDEN AND ELEMENTARY EDUCATION

BAC 8 TRIMESTRES — CUISEP 552-100

Compétences à acquérir

- Planifier et animer des jeux et des activités pédagogiques pour les enfants d'âge préscolaire en vue de les préparer à la formation au primaire.
- Comprendre et favoriser le développement physique, mental et social des enfants.
- Enseigner diverses matières à des enfants du primaire.
- Planifier, appliquer et évaluer les diverses activités d'enseignement.
- Organiser et diriger l'activité des enfants en garderie.

Éléments du programme

- Apprentissage de la lecture et de l'écriture
- Aspects sociaux de l'éducation
- Développement humain et apprentissage
- Didactique de la mathématique au primaire
- Didactique des sciences de la nature
- Didactique du français
- Éveil spirituel au préscolaire
- Expression artistique
- Fondements de l'éducation
- Organisation scolaire et profession enseignante
- Stages

Admission (voir p. 20 G)

DEC ou l'équivalent.
ET
Concordia : Entrevue/audition et lettre(s) de références.
Laval : Test de français Laval-Montréal (TFLM). Les personnes n'ayant pas obtenu 75 % devront se soumettre à des mesures d'appoint.
UQAC, UQAR, UQTR, UQAT : Réussite du test de français obligatoire et, au besoin, entrevue.
UQO : Les candidats doivent se soumettre, au besoin, à un questionnaire de sélection.
OU
McGill : DEC en Sciences humaines.
Montréal : Avoir réussi 24 crédits de cours universitaires autres que des crédits obtenus dans le cadre de cours préparatoires aux études universitaires et réussite du test de français obligatoire **ET** entrevue(s).

Endroits de formation (voir p. 414)

	Contingentement	Coop	Cote R*
Bishop's	■	□	—
Concordia	■	□	22.000
Laval	■	□	22.092
McGill	■	□	25.500
Montréal	■	□	25.600
Sherbrooke	■	□	23.500
UQAC	■	□	20.379
UQAM	■	□	26.800
UQAR	■	□	—
UQAT	■	□	—
UQTR	■	□	22.680
UQO	■	□	23.000

** Le nombre inscrit indique la **cote R** qui a été utilisée pour l'**admission de l'année précédente** par l'université concernée. Pour connaître la cote R exigée pour l'admission 2008, communiquer avec les établissements concernés.*

Professions reliées

C.N.P.
4166 Conseiller pédagogique
4142 Enseignant au préscolaire
4142 Enseignant au primaire
4166 Spécialiste de la mesure et de l'évaluation en éducation
4166 Spécialiste des techniques et des moyens d'enseignement

Endroits de travail

- Établissements d'enseignement
- Garderies

Salaire

Le salaire hebdomadaire moyen est de 707 $ (janvier 2005).

Remarques

- Pour enseigner au primaire, il faut détenir un permis ou un brevet d'enseignement permanent émis par le ministère de l'Éducation, du Loisir et du Sport.
- Des études de 2e cycle sont nécessaires pour exercer les professions suivantes : spécialiste de la mesure et de l'évaluation en éducation, spécialiste des techniques et des moyens d'enseignement.
- L'Université Laval offre un certificat en Sciences de l'éducation de la prime enfance.
- L'Université du Québec à Montréal offre un certificat en Éducation à la petite enfance.
- L'Université du Québec à Rimouski offre un certificat en Technologie de l'information et des communications en éducation, ainsi que divers programmes courts reliés.

STATISTIQUES D'EMPLOI

	2001	2003	2005
Nb de personnes diplômées	1 258	1 415	1 609
% en emploi	94,4 %	94,2 %	91,6 %
% à temps plein	63,4 %	77,8 %	70,9 %
% lié à la formation	94,3 %	97,4 %	94,9 %

SCIENCES DE L'ÉDUCATION

ENSEIGNEMENT AU SECONDAIRE

BAC 8 TRIMESTRES — CUISEP 552-200

Compétences à acquérir

- Planifier les activités d'enseignement et d'apprentissage selon des objectifs pédagogiques précis.
- Élaborer des stratégies d'enseignement.
- Choisir et utiliser diverses ressources didactiques.
- Enseigner une ou deux matières au secondaire.
- Maîtriser la langue d'enseignement.
- Favoriser l'acquisition des connaissances.
- Procéder à l'évaluation sommative et formative des apprentissages.

Éléments du programme

- Adolescents en difficulté d'adaptation et d'apprentissage
- Cours liés aux diverses options offertes par chacun des établissements
- École secondaire dans le système scolaire québécois
- Évaluation des apprentissages
- Fondements de l'éducation et de l'enseignement au secondaire
- Gestion des situations d'apprentissage
- Initiation à la démarche didactique
- Philosophie de l'éducation
- Stages

Admission (voir p. 20 G)

Preuve de la connaissance du français (test du ministère de l'Éducation ou autre).

ET

Bishop's : DEC ou l'équivalent et test d'admission, test d'anglais écrit et oral, curriculum vitae et lettre de motivation.

Laval : Cet établissement offre cinq profils de formation. **Enseignement des mathématiques, concentration Approfondissement des mathématiques** et **Enseignement des mathématiques, concentration Informatique :** DEC en Sciences de la nature **OU** autre DEC et mathématiques NYA, NYB, NYC ou 103-77, 105-77, 203-77 ou 103-RE, 105-RE, 203-RE. **Enseignement des mathématiques, concentration Relation entre les mathématiques et les sciences :** DEC en Sciences de la nature **OU** tout autre DEC et mathématiques NYA, NYB, NYC ou 103-77, 105-77, 203-77; physique NYA, NYB, NYC ou 101, 102, 103; chimie NYA, NYB ou 101, 201; biologie NYA ou 301. **Enseignement de l'univers social** (histoire et géographie), **Enseignement de l'univers social et du développement personnel** (histoire, éthique et culture religieuse), **Enseignement du français** (langue et littérature) : DEC ou l'équivalent. **Enseignement des sciences et de la technologie :** DEC en Sciences de la nature **OU** autre DEC et mathématiques NYA, NYB, NYC ou 103-77, 105-77, 203-77; physique NYA, NYB, NYC ou 101, 201, 301; chimie NYA, NYB ou 101, 201; biologie NYA ou 301.

McGill : DEC ou l'équivalent.

Montréal : Cet établissement offre cinq profils de formation. **Enseignement de l'éducation physique et santé, Enseignement de l'univers social** (histoire, géographie, éducation à la citoyenneté), **Enseignement du français :** DEC ou l'équivalent. *N.B. : Un test d'aptitudes motrices est exigé pour les candidats inscrits à l'enseignement de l'éducation physique et santé.* **Enseignement des mathématiques :** DEC en Sciences de la nature **OU** tout autre DEC et mathématiques 103, 105, 203. **Enseignement des sciences et des technologies :** DEC en Sciences de la nature et chimie 202; biologie 401 **OU** tout autre DEC et mathématiques 103, 105, 203; physique 101, 201, 301; chimie 101, 201, 202; biologie 301, 401. **Enseignement de l'éthique et de la culture religieuse** : DEC ou l'équivalent **ET** entrevue.

Sherbrooke : Cet établissement offre quatre cheminements. **Français langue d'enseignement, Univers social :** DEC ou l'équivalent. **Mathématiques :** DEC général ou DEC technique et mathématiques 103, 105, 203 ou l'équivalent. **Sciences et technologies :** Bloc physique : DEC et mathématiques 103, 105, 203; physique 101, 201, 301; chimie 101, 201; biologie 301 ou l'équivalent. Bloc biologie et chimie : mathématiques 103 et 203; physique 101, 201 et 301; chimie 101 et 201; biologie 301 ou l'équivalent.

UQAC : Cet établissement offre cinq profils de formation. **Français, Univers social, Univers social et développement personnel :** DEC en Lettres ou DEC en Sciences humaines ou l'équivalent pour le profil français uniquement. DEC en Sciences humaines pour les autres profils. **Mathématiques :** DEC en Sciences de la nature ou DEC en Sciences humaines **OU** tout autre DEC et mathématiques 103, 105, 203. **Science et technologie :** DEC en Sciences de la nature ou DEC en Sciences humaines **OU** tout autre DEC et mathématiques 103, physique 101; chimie 101, 201; biologie 301.

UQAM : Cet établissement offre cinq concentrations. **Formation éthique et culture religieuse, Français langue première, Sciences humaines et univers social :** DEC ou l'équivalent. **Mathématiques :** DEC en Sciences ou DEC en Sciences humaines et mathématiques 103,105, 203 **OU** DEC dans la famille des techniques physiques ou DEC en Techniques de design industriel et mathématiques 103, 105, 203. **Sciences et technologie :** DEC ou l'équivalent et mathématiques 103, 203; physique 101, 201, 301 (ou 102, 202, 302); chimie 101, 201; biologie 301 (ou 911) **OU** DEC technique et un cours de niveau collégial dans chacune des disciplines suivantes : mathématiques (calcul), physique, chimie et biologie.

15708 ENSEIGNEMENT AU SECONDAIRE (SUITE)

UQAR : Cet établissement offre six profils de formation. **Français, Univers social, Univers social et développement personnel :** DEC ou l'équivalent. **Mathématiques :** DEC ou l'équivalent et mathématiques 103, 105, 203 ou l'équivalent. **Sciences et technologie :** DEC en Sciences de la nature **OU** DEC technique et mathématiques 103, 105, 203; physique 101, 201, 301; chimie 101, 201; biologie 301. **Musique :** DEC en Musique du Conservatoire de musique et d'arts dramatique du Québec.

UQAT : Cet établissement offre trois cheminements. **Français, Univers social :** DEC général ou technique ou l'équivalent et, au besoin, entrevue. **Mathématiques :** DEC général ou technique dans un programme pertinent ou l'équivalent et mathématiques 103, 105, 203 **OU** DEC en Sciences de la nature ou l'équivalent.

UQO : Cet établissement offre trois cheminements. **Français** (langue d'enseignement), **Univers social** (histoire et géographie) : DEC ou l'équivalent. **Mathématiques :** DEC ou l'équivalent et les cours ou objectifs suivants en mathématiques : 00UN (ou 01Y1 ou 022X ou le cours 103) et 00UQ (ou 01Y4 ou 022Z ou le cours 105 ou 122) et 00UP (ou 01Y2 ou 022Y ou les cours 203 ou 01Y3 ou 022P ou 022W ou les cours 307 ou 337) **ET** questionnaire de sélection au besoin.

UQTR : Cet établissement offre quatre profils de formation. **Français, Univers social :** DEC ou l'équivalent. **Mathématiques :** DEC ou l'équivalent et mathématiques 103 (00UN), 105 (00UQ), 203 (00UP). **Sciences et technologie :** DEC ou l'équivalent et mathématiques 103 (00UN), 105 (00UQ), 203 (00UP); physique 101 (00UR), 201 (00US), 301-78 (00UT); chimie 101 (00UL), 201 (00UM); biologie 301 (00UK).

ET/OU

Entrevue.

Endroits de formation (voir p. 414)

	Contingentement	Coop	Cote R*
Bishop's	■	□	—
Laval	■	□	22.300 à 26.535
McGill	■	□	25.500 à 26.500
Montréal	■	□	23.000 à 27.000
Sherbrooke	■	□	21.000 à 23.600
UQAC	■	□	18.616 à 24.594**
UQAM	■	□	20.000 à 25.000**
UQAR	■	□	—
UQAT	■	□	—
UQTR	■	□	20.050 à 24.470
UQO	■	□	23.000

** Le nombre inscrit indique la **cote R** qui a été utilisée pour l'**admission de l'année précédente** par l'université concernée. Pour connaître la cote R exigée pour l'admission 2008, communiquer avec les établissements concernés.*

** Selon la discipline choisie, consulter le système REPÈRES pour plus d'information.

Professions reliées

C.N.P.

4166	Conseiller pédagogique
4141	Enseignant aux adultes
4141	Professeur au secondaire
4141	Professeur d'histoire
4141	Professeur de français
4141	Professeur de physique
4141	Professeur en enseignement moral et religieux
4166	Spécialiste de la mesure et de l'évaluation en éducation
4166	Spécialiste des techniques et moyens d'enseignement

Endroits de travail

- À son compte
- Centres d'aide aux études
- Établissements d'enseignement

Salaire

Le salaire hebdomadaire moyen est de 734 $ (janvier 2005).

Remarques

- Pour enseigner au secondaire, il faut détenir un permis ou un brevet d'enseignement permanent émis par le ministère de l'Éducation, du Loisir et du Sport.
- Ce programme bidisciplinaire permet d'acquérir une formation en enseignement pour certaines disciplines offertes au secondaire.
- L'Université du Québec à Trois-Rivières offre un double baccalauréat en Mathématiques et Enseignement des mathématiques au secondaire.

STATISTIQUES D'EMPLOI

	2001	2003	2005
Nb de personnes diplômées	981	956	887
% en emploi	90,2 %	91,2 %	91,0 %
% à temps plein	69,9 %	84,1 %	85,8 %
% lié à la formation	89,0 %	94,4 %	94,2 %

15705 ENSEIGNEMENT D'UNE LANGUE SECONDE / ENSEIGNEMENT DE L'ANGLAIS, LANGUE SECONDE / ENSEIGNEMENT DES LANGUES SECONDES / ENSEIGNEMENT DU FRANÇAIS, LANGUE SECONDE / TEACHING ENGLISH OR FRENCH AS A SECOND LANGUAGE

BAC 8 TRIMESTRES — CUISEP 552-210

Compétences à acquérir

- Enseigner une langue seconde (français ou anglais) à des élèves du primaire ou du secondaire, dans les classes d'immersion et les classes d'accueil.
- Préparer, animer et évaluer les diverses activités pédagogiques en fonction des objectifs du programme.
- Favoriser l'apprentissage d'une langue seconde à l'aide de diverses activités (travaux, exposés, examens, etc.).
- Préparer les élèves aux évaluations.

Éléments du programme

- Acquisition d'une langue seconde
- Allemand fondamental
- Analyse de textes
- Anglais fondamental
- Éducation des minorités au Québec
- Espagnol fondamental
- Évaluation des habiletés langagières
- Expression écrite
- Expression verbale
- Français fondamental
- Grammaire
- Initiation à l'étude du langage
- Interventions pédagogiques adaptées
- Italien fondamental
- Langage et communication orale
- Psychologie de l'apprentissage en milieu scolaire
- Stages
- Technologie et enseignement des langues

Admission (voir p. 20 G)

DEC ou l'équivalent et un cours d'anglais avancé 604-102-03 ou 604-103-03 de niveau collégial.

ET

UQAM : Tests de français et d'anglais obligatoires.

ET/OU

UQAC, UQAT, McGill : Entrevue, test d'admission ou test de classement.

OU

Bishop's : DEC ou l'équivalent, curriculum vitae et lettre de motivation.

Concordia : DEC ou l'équivalent et lettre explicative, entrevue, test de classement ou d'aptitudes linguistique en anglais et en français, deux lettres de références.

Laval : Enseignement de l'anglais, langue seconde : DEC et test de français Laval-Montréal (TFLM) **ET/OU** réussir un test d'anglais standardisé de niveau avancé. L'admission est conditionnelle au résultat du test d'anglais. **Enseignement du français, langue seconde :** DEC ou l'équivalent et test de français Laval-Montréal (TFLM).

Montréal : DEC ou l'équivalent **OU** avoir réussi 24 crédits de cours universitaires autres que des crédits obtenus dans le cadre de cours préparatoires aux études universitaires **ET** test de français et épreuve diagnostique en mathématiques; à la demande de la Faculté se présenter en entrevue(s).

Sherbrooke : DEC ou l'équivalent **OU** avoir atteint les objectifs suivants : compétences 0008 ou AS19 ou BG05 concernant la communication avancée sur différents sujets ou l'équivalent.

UQTR : DEC ou l'équivalent et test d'admission en anglais.

Endroits de formation (voir p. 414)

	Contingentement	Coop	Cote R*
Bishop's	■	□	—
Concordia	■	□	20.000
Laval	■	□	20.886**
McGill	■	□	24.000
Montréal	■	□	23.570**
Sherbrooke	■	□	22.100
UQAC	■	□	18.649
UQAM	■	□	24.000
UQAT	■	□	—
UQTR	■	□	20.100

** Le nombre inscrit indique la **cote R** qui a été utilisée pour l'**admission de l'année précédente** par l'université concernée. Pour connaître la cote R exigée pour l'admission 2008, communiquer avec les établissements concernés.*

***Pour enseignement du français langue seconde.*

Professions reliées

C.N.P.

4142 Enseignant au primaire
4141 Professeur au secondaire
4131 Professeur de langues secondes

Endroits de travail

- À son compte
- Écoles de langues
- Établissements d'enseignement

SCIENCES DE L'ÉDUCATION

15705 ENSEIGNEMENT D'UNE LANGUE SECONDE / ENSEIGNEMENT DE L'ANGLAIS, LANGUE SECONDE / ENSEIGNEMENT DES LANGUES SECONDES / ENSEIGNEMENT DU FRANÇAIS, LANGUE SECONDE / TEACHING ENGLISH OR FRENCH AS A SECOND LANGUAGE

(SUITE)

Salaire

Le salaire hebdomadaire moyen est de 697 $ (janvier 2005).

Remarques

- Pour enseigner au primaire et au secondaire, il faut détenir un permis ou un brevet d'enseignement permanent émis par le ministère de l'Éducation, du Loisir et du Sport.
- L'Université Laval offre un certificat en Aptitude à l'enseignement spécialisé d'une langue seconde.
- L'Université du Québec à Montréal (UQAM) offre un certificat en Enseignement de l'anglais langue seconde et un certificat en Enseignement du français langue seconde.

SCIENCES DE L'ÉDUCATION

STATISTIQUES D'EMPLOI

	2001	2003	2005
Nb de personnes diplômées	875	395	643
% en emploi	87,8 %	89,2 %	86,6 %
% à temps plein	56,4 %	67,1 %	73,1 %
% lié à la formation	82,7 %	83,0 %	91,6 %

17505 ENSEIGNEMENT DE LA DANSE

BAC 8 TRIMESTRES — CUISEP 552-000

Compétences à acquérir

- Enseigner la danse au primaire et au secondaire.
- Enseigner les diverses techniques.
- Préparer, donner et évaluer les activités pédagogiques.

Éléments du programme

- Didactique de la danse
- Entraînement avancé
- Histoire de la danse
- Psychologie du développement
- Techniques en danse
- Stages

Admission (voir p. 20 G)

DEC en Danse ou l'équivalent ou DEC dans une autre concentration, avoir suivi une formation soutenue et régulière en danse **ET** audition.

Endroit de formation (voir p. 414)

	Contingentement	Coop	Cote R
UQAM	■	□	—

Professions reliées

C.N.P.

4142 Enseignant au primaire

4141 Professeur au secondaire

5134 Professeur de danse

Endroits de travail

- À son compte
- Établissements d'enseignement (privés et publics)

Salaire

Le salaire hebdomadaire moyen est de 697 $ (janvier 2005).

Remarque

Pour enseigner au primaire et au secondaire, il faut être titulaire d'un permis ou d'un brevet d'enseignement permanent émis par le ministère de l'Éducation, du Loisir et du Sport. La réussite du programme permet d'obtenir ce permis.

STATISTIQUES D'EMPLOI

	2001	2003	2005
Nb de personnes diplômées	875	395	643
% en emploi	87,8 %	89,2 %	86,6 %
% à temps plein	56,4 %	67,1 %	73,1 %
% lié à la formation	82,7 %	83,0 %	91,6 %

15705 ENSEIGNEMENT DES ARTS / ENSEIGNEMENT DES ARTS PLASTIQUES / ENSEIGNEMENT DES ARTS VISUELS / ENSEIGNEMENT DES ARTS VISUELS ET MÉDIATIQUES / ART EDUCATION

BAC 8 TRIMESTRES — CUISEP 552-000

Compétences à acquérir

- Enseigner les arts plastiques au préscolaire, au primaire ou au secondaire.
- Enseigner les diverses techniques ou médiums (huile, aquarelle, sérigraphie, sculpture, etc.) utilisés pour réaliser les projets éducatifs.
- Préparer, donner et évaluer les activités pédagogiques visant le développement de la créativité.

Éléments du programme

- Dessin
- Didactique des arts
- Histoire de l'art
- Programmes et méthodologie en arts plastiques au primaire et au secondaire
- Psychologie de l'enfance et de l'adolescence
- Psychologie et pédagogie de la créativité
- Stages
- Théorie de la couleur

Admission (voir p. 20 G)

Bishop's : DEC ou l'équivalent **ET** portfolio, curriculum vitae et lettre de motivation.

Concordia : DEC ou l'équivalent et lettre explicative, soumission de travaux personnels.

Laval : DEC en Arts plastiques **OU** DEC et avoir un cours de 45 heures en dessin, deux cours de 45 heures en pictural, en sculptural et en histoire de l'art **OU** être titulaire du certificat en Arts plastiques **ET** test de français Laval-Montréal (TFLM). Les personnes n'ayant pas obtenu 75 % devront se soumettre à des mesures d'appoint.

UQAC : DEC en Arts plastiques (510.A0) ou l'équivalent, DEC en *Liberal Arts* (710.B0) d'un collège anglophone ou l'équivalent **OU** DEC ou l'équivalent et avoir complété les activités d'apprentissage visant les objectifs de formation suivants ou leur équivalent : 0161, 0162, 0165, 0168, 016B et 016D, une activité d'apprentissage relative à l'appréciation dans le domaine des arts visuels **OU** DEC en Arts et Lettres (500.A1), profil Arts plastiques ou profil Théâtre, ou l'équivalent, et avoir complété deux cours portant sur le langage visuel bidimensionnel et tridimentionnel **OU** DEC technique ou tout autre DEC ou l'équivalent **ET** présenter un dossier visuel de travaux personnels en arts plastiques et se soumettre à une entrevue.

UQAM : DEC ou l'équivalent et dossier visuel.

UQO : DEC ou l'équivalent, DEC en Arts plastiques ou l'équivalent. *N.B. : Les candidats doivent se soumettre, au besoin, à un questionnaire de sélection.*

UQTR : DEC en Arts plastiques **OU** DEC en Arts et lettres, profil Arts visuels ou Théâtre et avoir complété un cours portant sur le langage bidimensionnel et un cours portant sur le langage plastique tridimentionnel **OU** DEC technique ou tout autre DEC **ET** présenter un dossier visuel de travaux personnels en arts plastiques et se soumettre à une entrevue.

Endroits de formation (voir p. 414)

	Contingentement	Coop	Cote R*
Bishop's	■	□	—
Concordia	■	□	—
Laval	■	□	23.413
UQAC	■	□	22.471
UQAM	■	□	—
UQTR	■	□	20.330
UQO	■	□	23.000

** Le nombre inscrit indique la **cote R** qui a été utilisée pour l'**admission de l'année précédente** par l'université concernée. Pour connaître la cote R exigée pour l'admission 2008, communiquer avec les établissements concernés.*

Professions reliées

C.N.P.

4141 Professeur au secondaire
5136 Professeur d'arts plastiques
4142 Enseignant au préscolaire
4142 Enseignant au primaire

Endroits de travail

- À son compte
- Établissements d'enseignement
- Services des loisirs municipaux

Salaire

Le salaire hebdomadaire moyen est de 697 $ (janvier 2005).

Remarque

Pour enseigner au primaire et au secondaire, il faut détenir un permis ou un brevet d'enseignement permanent émis par le ministère de l'Éducation, du Loisir et du Sport.

STATISTIQUES D'EMPLOI

	2001	2003	2005
Nb de personnes diplômées	875	395	643
% en emploi	87,8 %	89,2 %	86,6 %
% à temps plein	56,4 %	67,1 %	73,1 %
% lié à la formation	82,7 %	83,0 %	91,6 %

15709 ENSEIGNEMENT EN FORMATION PROFESSIONNELLE / ENSEIGNEMENT PROFESSIONNEL / ENSEIGNEMENT PROFESSIONNEL ET TECHNIQUE / ENSEIGNEMENT TECHNOLOGIQUE ET PROFESSIONNEL

BAC 8 TRIMESTRES | CUISEP 552-200

Compétences à acquérir

- Préparer des plans de cours.
- Enseigner à l'aide d'exposés, de démonstrations, d'ateliers, de travaux de laboratoire, etc.
- Favoriser l'intégration des connaissances et le développement des habiletés professionnelles et techniques.
- Procéder à l'évaluation sommative et formative des apprentissages.
- Être à l'affût des progrès liés à la discipline enseignée.

Éléments du programme

- Didactique
- Intégration scolaire et modèles d'intervention
- Méthodes et techniques d'enseignement professionnel
- Psychologie de l'apprentissage d'un métier, d'une technique et d'une profession
- Psychologie sociale
- Stages

Admission (voir p. 20 G)

DEC en formation technique ou l'équivalent et preuve de qualification à l'exercice d'un métier, d'une technique, d'une profession (cartes de compétence, etc.).

OU

Posséder trois années d'exercice du métier (ou 4 500 heures selon l'établissement), de la technique, de la profession après l'obtention de la qualification à l'exercice.

OU

Diplôme universitaire dans une discipline liée à l'enseignement professionnel. *N. B.: Pour les enseignants, détenir une autorisation provisoire d'enseigner valide pour l'enseignement professionnel au secondaire.*

OU

Laval : DEC technique dans une discipline liée à l'enseignement professionnel ou technique **OU** posséder 3000 heures d'exercice du métier à l'admission **OU** détenir un diplôme universitaire lié à l'enseignement professionnel ou technique **OU** cumuler 800 heures d'enseignement à la leçon **ET** test de français Laval-Montréal (TFLM).

Sherbrooke : Au niveau collégial : être à l'emploi d'un collège associé à l'Université par l'entremise du réseau PERFORMA et fournir une attestation de disponibilité. Au niveau secondaire : être à l'emploi d'une institution d'enseignement de niveau secondaire en formation professionnelle.

UQAC : DEC et avoir vingt et un ans **OU** DEC technique dans un champs correspondant à la formation professionnelle **OU** détenir un diplôme universitaire dans un champs correspondant à la formation professionnelle **OU** avoir entrepris un programme de baccalauréat dans un champs correspondant à la formation professionnelle **ET** avoir réussi l'épreuve de français langue d'enseignement et littérature du MELS dans un collège ou une université.

UQAM : Être titulaire d'un diplôme d'études professionnelles (DEP); être âgé d'au moins 21 ans et posséder une expérience de 3000 heures dans l'exercice du métier à enseigner.

UQAR : Diplôme d'études professionnelles (DEP) et avoir 21 ans **OU** DEC dans un champ disciplinaire relié à la profession.

UQAT : DEP et avoir 21 ans **OU** DEC dans un champ correspondant à la formation professionnelle **OU** diplôme universitaire ou avoir entrepris un baccalauréat dans un champ correspondant à la fomation professionnelle. *N. B : Les candidats déjà en exercice, à l'emploi d'un centre de formation professionnelle, qui répondent aux conditions d'admission seront admis directement. Les autres auront à se présenter à une entrevue.*

Endroits de formation (voir p. 414)

	Contingentement	Coop	Cote R
Laval	☐	☐	—
Sherbrooke	☐	☐	—
UQAC	☐	☐	—
UQAM	☐	☐	—
UQAR	☐	☐	—
UQAT	☐	☐	—

Professions reliées

C.N.P.

4131	Coordonnateur de département dans un collège
4141	Enseignant aux adultes
4131	Formateur en entreprise
4131	Professeur d'enseignement professionnel au secondaire
4131	Professeur en formation technique au collège

Endroits de travail

Établissements d'enseignement

15709 ENSEIGNEMENT EN FORMATION PROFESSIONNELLE / ENSEIGNEMENT PROFESSIONNEL / ENSEIGNEMENT PROFESSIONNEL ET TECHNIQUE / ENSEIGNEMENT TECHNOLOGIQUE ET PROFESSIONNEL

(SUITE)

Salaire

Le salaire hebdomadaire moyen est de 1 033 $ (janvier 2005).

Remarques

- Pour enseigner au secondaire, il faut détenir un permis ou un brevet d'enseignement permanent émis par le ministère de l'Éducation, du Loisir et du Sport.
- L'Université Laval offre deux certificats : Enseignement professionnel et technique; Formation des adultes en milieu de travail.
- L'Université du Québec à Rimouski (UQAR) est la seule université à offrir le programme en formation à distance. Le programme est également offert à temps partiel.

SCIENCES DE L'ÉDUCATION

STATISTIQUES D'EMPLOI

	2001	2003	2005
Nb de personnes diplômées	88	80	74
% en emploi	82,4 %	88,1 %	90,4 %
% à temps plein	76,8 %	72,9 %	66,0 %
% lié à la formation	83,7 %	81,4 %	80,6 %

DOMAINE D'ÉTUDES

SCIENCES DE LA SANTÉ

Discipline

SCIENCES DE LA SANTÉ HUMAINE ET ANIMALE

PROGRAMMES D'ÉTUDES — PAGES

ACTIVITÉ PHYSIQUE / ÉDUCATION PHYSIQUE / ÉDUCATION PHYSIQUE ET SANTÉ / ENSEIGNEMENT EN ÉDUCATION PHYSIQUE ET À LA SANTÉ / INTERVENTION EN ACTIVITÉ PHYSIQUE / INTERVENTION SPORTIVE / PHYSICAL AND HEALTH EDUCATION / PHYSICAL EDUCATION

BAC 6-8 TRIMESTRES — CUISEP 581-000

Compétences à acquérir

- Planifier des activités sportives ou physiques adaptées aux capacités de la clientèle.
- Entraîner des athlètes et préparer des programmes d'entraînement.
- Enseigner au primaire, au secondaire ou au collégial le conditionnement physique ou diverses activités sportives.
- Travailler à la rééducation ou la réhabilitation auprès de clientèles particulières.
- Faciliter le développement des qualités organiques et musculaires, des habiletés motrices et sportives.
- Permettre l'acquisition ou le renforcement d'attitudes positives au regard de l'activité physique ainsi que l'acquisition d'habitudes liées au bien-être physique et mental.

Éléments du programme

- Alimentation et activité physique
- Anatomie fonctionnelle
- Condition physique et santé
- Croissance et valeur physique
- Didactique de l'activité physique
- Éducation à la santé
- Physiologie de l'exercice
- Programmation en éducation physique
- Psychologie de l'enfance et de l'adolescence
- Stages
- Systèmes d'entraînement

Admission (voir p. 20 G)

Laval : DEC ou l'équivalent **ET**, pour l'enseignement de l'éducation physique et à la santé, test de français Laval-Montréal (TFLM). *N.B. : Les personnes n'ayant pas obtenu 75 % devront se soumettre à des mesures d'appoint.*

McGill : DEC en Sciences ou l'équivalent.

Montréal : DEC ou l'équivalent **OU** avoir réussi 24 crédits de cours universitaires autres que des crédits obtenus dans le cadre de cours préparatoires aux études universitaires **ET** entrevue(s).

Sherbrooke : DEC ou l'équivalent et avoir réussi le test d'aptitude physique avec un résultat de 50 % et plus.

UQAC : DEC ou l'équivalent.

UQAM : DEC ou l'équivalent et test et entrevue.

UQTR : DEC ou l'équivalent et test d'habiletés motrices.

Endroits de formation (voir p. 414)

	Contingentement	Coop	Cote R*
Laval	■	□	22.526 à 26.455
McGill	■	□	25.000
Montréal	■	□	25.000
Sherbrooke	■	□	23.900
UQAC	■	□	19.000
UQAM	■	□	—
UQTR**	■	□	22.530

** Le nombre inscrit indique la **cote R** qui a été utilisée pour l'**admission de l'année précédente** par l'université concernée. Pour connaître la cote R exigée pour l'admission 2008, communiquer avec les établissements concernés.*

*** Contingenté en enseignement de l'éducation physique et à la santé seulement.*

Professions reliées

C.N.P.	
4167	Conseiller en conditionnement physique
5252	Dépisteur en sport professionnel
0513	Directeur d'équipe de sport professionnel
4167	Éducateur physique kinésiologique
4141	Éducateur physique pleinairiste
3142	Éducateur physique en réadaptation
4142	Enseignant au primaire
5252	Entraîneur d'athlètes
5252	Entraîneur d'équipe sportive
5252	Entraîneur d'équipes de sport amateur
5254	Instructeur de conditionnement physique
4141	Professeur au secondaire

Endroits de travail

- À son compte
- Bases de plein air
- Centres de conditionnement physique
- Clubs sportifs
- Établissements d'enseignement
- Municipalités

Salaire

Le salaire hebdomadaire moyen est de 636 $ (janvier 2005).

15380/15705 ACTIVITÉ PHYSIQUE / ÉDUCATION PHYSIQUE / ÉDUCATION PHYSIQUE ET SANTÉ / ENSEIGNEMENT EN ÉDUCATION PHYSIQUE ET À LA SANTÉ / INTERVENTION EN ACTIVITÉ PHYSIQUE / INTERVENTION SPORTIVE / PHYSICAL AND HEALTH EDUCATION / PHYSICAL EDUCATION

(SUITE)

Remarques

- Pour enseigner au primaire et au secondaire, il faut détenir un permis ou un brevet d'enseignement permanent émis par le ministère de l'Éducation, du Loisir et du Sport.
- L'Université du Québec à Montréal (UQAM) offre deux profils : Enseignement de l'éducation physique et à la santé; Kinésiologie.
- L'Université du Québec à Trois-Rivières (UQTR) offre un baccalauréat en Enseignement de l'éducation physique et à la santé ainsi qu'un baccalauréat ès Science avec majeure en Kinésiologie. Une mineure en Massokinésiothérapie est également offerte.
- L'Université Laval offre un baccalauréat en Enseignement de l'éducation physique et à la santé, ainsi qu'un baccalauréat en Intervention sportive.

SCIENCES DE LA SANTÉ

STATISTIQUES D'EMPLOI

	2001	2003	2005
Nb de personnes diplômées	221	243	295
% en emploi	70,5 %	57,2 %	62,8 %
% à temps plein	72,7 %	74,8 %	78,8 %
% lié à la formation	60,0 %	63,6 %	69,9 %

15123 AUDIOLOGIE / ORTHOPHONIE

BAC 6 TRIMESTRES — CUISEP 354-550

Compétences à acquérir

- Travailler à la prévention, à l'évaluation et à la correction des troubles d'élocution, de pronociation, de la voix et de l'ouïe.
- Étudier, examiner, évaluer et traiter les troubles de l'audition, de la voix, de la parole et du langage.
- Étudier, évaluer et corriger les défauts de l'ouïe à l'aide d'instruments électro-acoustiques.
- Stimuler le code oral.
- Évaluer et élaborer des plans d'intervention.
- Donner des traitements individuels ou de groupe.

Éléments du programme

- Perception de la parole
- Phonétique expérimentale
- Physiologie de l'audition
- Psycho-acoustique
- Psychologie de l'apprentissage
- Trouble de l'audition
- Trouble de la parole

Admission (voir p. 20 G)

DEC en Sciences de la nature et avoir atteint l'objectif 00XU en biologie **OU** DEC ou l'équivalent **OU** avoir réussi 24 crédits de cours universitaires autres que des crédits obtenus dans le cadre de cours préparatoires aux études universitaires **ET** mathématiques 103; physique 101, 201, 301; chimie 101, 201; biologie 301, 401 ou deux cours de biologie humaine.

Endroit de formation (voir p. 414)

	Contingentement	Coop	Cote R*
Montréal	■	□	31.840 et 32.535

** Le nombre inscrit indique la **cote R** qui a été utilisée pour l'**admission de l'année précédente** par l'université concernée. Pour connaître la cote R exigée pour l'admission 2008, communiquer avec les établissements concernés.*

Professions reliées

C.N.P.

3141 Audiologiste

3141 Orthophoniste

Endroits de travail

- À son compte
- Centres de réadaptation
- Centres hospitaliers
- Centres locaux de services communautaires (CLSC)
- Centres spécialisés de l'ouïe et de la parole
- Cliniques médicales
- Commission de la santé et de la sécurité au travail (CSST)
- Établissements d'enseignement

Salaire

Le salaire hebdomadaire moyen est de 725 $ (janvier 2005).

Remarque

Pour porter le titre d'orthophoniste ou d'audiologiste, il faut avoir une formation de 2e cycle et être membre de l'Ordre des orthophonistes et audiologistes du Québec.

STATISTIQUES D'EMPLOI

	2001	2003	2005
Nb de personnes diplômées	45	43	60
% en emploi	89,7 %	82,9 %	87,0 %
% à temps plein	57,1 %	62,1 %	85,0 %
% lié à la formation	100 %	94,4 %	97,1 %

SCIENCES DE LA SANTÉ

15199 BIOLOGIE MÉDICALE / SCIENCES BIOMÉDICALES

BAC 6 TRIMESTRES — CUISEP 353-610

Compétences à acquérir

- Acquérir une connaissance approfondie du corps humain et du fonctionnement de ses systèmes.
- Comprendre les systèmes normaux et pathologiques humains.
- Développer les aptitudes requises sur le plan de l'expérimentation et des techniques de laboratoire pour travailler dans des laboratoires médicaux et pharmaceutiques.

Éléments du programme

- Anatomie descriptive
- Biochimie
- Hématologie
- Hystologie
- Microbiologie
- Pharmacologie
- Physiologie humaine
- Stage en biologie médicale

Admission (voir p. 20 G)

Montréal : DEC en Sciences de la nature et chimie 202 ou 00XV; biologie 401 ou 00XV **OU** DEC ou l'équivalent ou avoir réussi 24 crédits de cours universitaires autres que des crédits obtenus dans le cadre de cours préparatoires aux études universitaires et mathématiques 103, 203 (00UN, 00UP); physique 101, 201, 301 (00UR, 00XV, 00UT); chimie 101, 201, 202 (00UL, 00UM, 00XV); biologie 301, 410(00UK, 00XU) ou deux cours de biologie humaine.

UQTR : DEC en Sciences de la nature ou l'équivalent et mathématiques 103 (00UN), 203 (00UP); physique 101 (00UR), 201 (00US), 301-78 (00UT); chimie 101 (00UL), 201 (00UM), 202; biologie 301 (00UK) **OU** DEC dans la famille des techniques biologiques (laboratoire médical, analyse biomédicales, santé animale) et mathématiques 103 (00UN) **OU** DEC en Soins infirmiers et mathématiques 103 (00UN); chimie 101 (00UL), 201 (00UM).

Endroits de formation (voir p. 414)

	Contingentement	Coop	Cote R*
Montréal	■	□	29.587
UQTR	□	□	—

** Le nombre inscrit indique la **cote R** qui a été utilisée pour l'**admission de l'année précédente** par l'université concernée. Pour connaître la cote R exigée pour l'admission 2008, communiquer avec les établissements concernés.*

Professions reliées

C.N.P.	
2112	Biochimiste clinique
2112	Biochimiste en parasitologie
2121	Biologiste médical
2121	Biologiste moléculaire
2121	Physiologiste

Endroits de travail

- Centres hospitaliers
- Établissements d'enseignement universitaire
- Gouvernements fédéral et provincial
- Industrie pharmaceutique
- Laboratoires de recherche

Salaire

Le salaire hebdomadaire moyen est de 811 $ (janvier 2005).

Remarques

- Des études de 2e cycle sont nécessaires pour exercer la profession suivante : biologiste moléculaire.
- L'Université de Montréal offre cinq options : Pharmacologie; Sciences neurologiques; Physiologie intégrée; Pathologie et biologie cellulaire; Sciences de la vision.

STATISTIQUES D'EMPLOI

	2001	2003	2005
Nb de personnes diplômées	99	162	120
% en emploi	52,6 %	60,9 %	38,9 %
% à temps plein	85,4 %	83,3 %	89,3 %
% lié à la formation	82,9 %	90,8 %	60,0 %

15122 CHIROPRATIQUE

DOCTORAT 1er CYCLE – 11 TRIMESTRES — CUISEP 354-310

Compétences à acquérir

- Établir un diagnostic précis de l'état du patient.
- Déterminer l'approche thérapeutique appropriée.
- Exécuter des traitements selon les procédures et les techniques reconnues (ajustements et techniques manuelles de corrections).
- Exécuter diverses formes de thérapies physiques (traction, courants galvaniques, etc.).

Éléments du programme

- Anatomie humaine
- Biochimie clinique
- Éthique et pratique professionnelle
- Internat
- Neurodiagnostic
- Neurophysiologie
- Pathologie osseuse
- Soins d'urgence
- Stage d'observation et d'intervention
- Techniques radiologiques

Admission (voir p. 20 G)

DEC ou l'équivalent et mathématiques 103 (00UN), 203 (00UP); physique 101 (00UR), 201 (00US), 301-78 (00UT); chimie 101 (00UL), 201 (00UM), 202 (00XV); biologie 301 (00UK), 401 (00XU) **ET** entrevue, lettre de référence.

Endroit de formation (voir p. 414)

	Contingentement	Coop	Cote R*
UQTR	■	□	28.650

** Le nombre inscrit indique la **cote R** qui a été utilisée pour l'**admission de l'année précédente** par l'université concernée. Pour connaître la cote R exigée pour l'admission 2008, communiquer avec les établissements concernés.*

Profession reliée

C.N.P.
3122 Chiropraticien

Endroits de travail

- À son compte
- Cliniques chiropratiques

Salaire

Le salaire hebdomadaire moyen est de 811 $ (janvier 2005).

Remarque

Pour exercer la profession et porter le titre de chiropraticien, il faut être membre de l'Ordre des chiropraticiens du Québec.

STATISTIQUES D'EMPLOI

	2001	2003	2005
Nb de personnes diplômées	40	42	120
% en emploi	96,0 %	87,1 %	38,9 %
% à temps plein	83,3 %	74,1 %	89,3 %
% lié à la formation	95,0 %	100 %	60,0 %

SCIENCES DE LA SANTÉ

15115 DIÉTÉTIQUE / NUTRITION

BAC 7 TRIMESTRES — CUISEP 312-300

Compétences à acquérir

- Évaluer le comportement alimentaire et l'état de nutrition de personnes ou de groupes.
- Analyser les principaux facteurs de l'état nutritionnel.
- Prévenir ou corriger l'état de nutrition.
- Informer et guider les personnes dans leur alimentation.
- Gérer des services d'alimentation.
- Élaborer des régimes alimentaires selon les principes de la nutrition et surveiller leur application.

Éléments du programme

- Études des aliments
- Gestion des coûts et du service des repas
- Microbiologie générale
- Nutrition humaine
- Pathologie de la malnutrition
- Préparation des aliments
- Système digestif

Admission (voir p. 20 G)

Laval : DEC en Sciences de la nature et chimie 202; biologie 401 **OU** DEC en Techniques de diététique et mathématiques NYA ou 103-77; chimie NYB ou 201 et deux cours de chimie parmi les suivants : NYA ou 101, 105 et 202 **OU** autre DEC et mathématiques NYA ou 103-77; physique NYA ou 101; chimie NYA, NYB ou 101, 201, 202; biologie 301, 401 (ou 911, 921).

McGill : DEC ou l'équivalent et mathématiques 201-NYA, 201-NYB; physique 203-NYA, 203-NYB, 203-NYC; chimie 202-NYA, 202-NYB; biologie 101-NYA et 00XU.

Montréal : DEC en Sciences de la nature et avoir atteint les objectifs 00XU en biologie et 00XV en chimie **OU** DEC en Techniques de diététique et avoir réussi les cours préalables de chimie 201 et 202; mathématiques 103 et 203; physique 101, 201 et 301 **OU** DEC ou l'équivalent **ET** avoir réussi 24 crédits de cours universitaires autres que des crédits obtenus dans le cadre de cours préparatoires aux études universitaires et mathématiques 103, 203; physique 101; 201, 301; chimie 101, 201, 202; biologie 301, 401 ou deux cours de biologie humaine **ET** entrevue.

Endroits de formation (voir p. 414)

	Contingentement	Coop	Cote R*
Laval	■	□	32.103
McGill	■	□	—
Montréal	■	□	30.676

** Le nombre inscrit indique la **cote R** qui a été utilisée pour l'**admission de l'année précédente** par l'université concernée. Pour connaître la cote R exigée pour l'admission 2008, communiquer avec les établissements concernés.*

Professions reliées

C.N.P.	
3132	Diététiste
3132	Diététiste clinicien
3132	Diététiste en nutrition communautaire
0311	Directeur du service de diététique
2112	Scientifique en produits alimentaires

Endroits de travail

- À son compte
- Centres d'accueil
- Centres de conditionnement physique
- Centres hospitaliers
- Centres locaux de services communautaires (CLSC)
- Cliniques médicales
- Forces armées canadiennes
- Gouvernements fédéral et provincial
- Industrie alimentaire
- Industrie pharmaceutique
- Télédiffuseurs

Salaire

Le salaire hebdomadaire moyen est de 729 $ (janvier 2005).

Remarque

Pour porter le titre de diététiste ou de nutritionniste, il faut être membre de l'Ordre des diététistes du Québec.

SCIENCES DE LA SANTÉ

STATISTIQUES D'EMPLOI

	2001	2003	2005
Nb de personnes diplômées	126	107	96
% en emploi	79,3 %	68,3 %	77,9 %
% à temps plein	67,7 %	73,2 %	73,6 %
% lié à la formation	90,9 %	95,1 %	94,9 %

15120 ERGOTHÉRAPIE / OCCUPATIONAL THERAPY

BAC 7 TRIMESTRES — CUISEP 354-350

Compétences à acquérir

- Améliorer l'indépendance fonctionnelle des personnes par diverses activités.
- Apprendre ou réapprendre à des personnes à utiliser au maximum leurs capacités physiques et mentales.
- Proposer à une personne des moyens pour retrouver son autonomie.
- Évaluer le fonctionnement de la personne (déficit, capacités potentielles, motivation).
- Participer à l'établissement d'un diagnostic et du pronostic.
- Identifier les moyens thérapeutiques appropriés et les appliquer.
- Effectuer les traitements.

Éléments du programme

- Activité, jeu et travail
- Anatomie de l'appareil locomoteur
- Corps et thérapeutique
- Ergothérapie et périnatalité
- Physiologie générale
- Psychopathologie
- Système nerveux

Admission (voir p. 20 G)

DEC en Sciences de la nature et chimie 202 (objectif 00XV); biologie 401 (objectif 00XU).

OU

DEC ou l'équivalent et mathématiques 103, 203; physique 101, 201, 301; chimie 101, 201, 202; biologie 301, 401.

OU

Laval : DEC ou l'équivalent et mathématiques NYA, NYB ou 103-77, 203-77; physique NYA, NYB, NYC ou 101, 201. 301; chimie NYA, NYB ou 101, 201; biologie NYA ou 301 et 401 **OU** DEC en Techniques de réadaptation physique ou DEC en Techniques d'orthèses et de prothèses **ET** mathématiques NYA ou 103-77; chimie NYA, NYB ou 101, 201. *N.B. : Les titulaires d'un baccalauréat international, option Sciences de la nature, sont dispensés du cours de physique NYC ou 301.*

Montréal : DEC en Sciences de la nature et avoir atteint les objectifs 00XU (biologie) et 00XV (chimie) **OU** DEC ou l'équivalent et mathématiques 103, 105, 203; physique 101, 201, 301; chimie 101, 202; biologie 301, 401 ou deux cours de biologie humaine **ET** entrevue, lettre de motivation (au besoin).

Sherbrooke : DEC en Sciences de la nature **OU** DEC en Techniques de réadaptation physique **OU** avoir acquis au moins 45 crédits universitaires dans un même programme et avoir obtenu une moyenne cumulative d'au moins 3,5.

Endroits de formation (voir p. 414)

	Contingentement	Coop	Cote R*
Laval	■	□	30.706
McGill	■	□	29.000
Montréal	■	□	30.300
Sherbrooke	■	□	—

** Le nombre inscrit indique la **cote R** qui a été utilisée pour l'**admission de l'année précédente** par l'université concernée. Pour connaître la cote R exigée pour l'admission 2008, communiquer avec les établissements concernés.*

Profession reliée

C.N.P.

3143 Ergothérapeute

Endroits de travail

- Centres d'hébergement et de soins de longue durée (CHSLD)
- Centres de services sociaux et de santé
- Centres de réadaptation
- Centres hospitaliers
- Centres locaux de services communautaires (CLSC)
- Établissements d'enseignement
- Firmes d'experts-conseil
- Grandes entreprises
- Organismes communautaires
- Secteurs industriels divers

Salaire

Le salaire hebdomadaire moyen est de 716 $ (janvier 2005).

Remarques

- Pour porter le titre d'ergothérapeute, il faut être membre de l'Ordre des ergothérapeutes du Québec.
- L'Université de Sherbrooke offre le baccalauréat-maîtrise intégré.

STATISTIQUES D'EMPLOI

	2001	2003	2005
Nb de personnes diplômées	166	179	183
% en emploi	85,0 %	82,9 %	89,5 %
% à temps plein	89,4 %	94,4 %	94,6 %
% lié à la formation	98,7 %	100 %	100 %

15380 INTERVENTION EN ACTIVITÉ PHYSIQUE / KINÉSIOLOGIE / KINÉSIOLOGIE ET MASSOKINÉSIOTHÉRAPIE

BAC 6 TRIMESTRES CUISEP 581-000

Compétences à acquérir

- Évaluer la capacité physique du client.
- Prescrire des programmes d'activités physiques adaptés à des fins préventives, de réadaptation ou de recherche de performance.
- Établir des programmes de réadaptation.
- Susciter un intérêt durable pour l'activité physique.
- Établir des choix d'activités en relation avec les besoins et capacités de populations particulières.
- Proposer des choix d'activité.
- Structurer et enchaîner logiquement les pratiques.
- Assurer le suivi d'un engagement face à l'activité physique.
- Assurer la survie des initiatives ou des entreprises d'activité physique, de conditionnement, de performance.

Éléments du programme

- Activité physique
- Anatomie fonctionnelle
- Biomécanique
- Croissance et développement du système moteur
- Nutrition
- Stages

Admission (voir p. 20 G)

Laval : DEC en Sciences de la nature et biologie 401 **OU** DEC en Techniques de réadaptation et mathématiques NYA ou 103-77; chimie NYA ou NYB, 101, 201, **OU** DEC et mathématiques NYA, NYB ou 103-77, 203-77; physique NYA, NYB, NYC ou 101, 201, 301; chimie NYA, NYB ou 101, 201; biologie NYA ou 301, 401. *N.B. : Les titulaires d'un baccalauréat international (B.I.), option Sciences de la nature sont dispensés du cours de physique NYC ou 301.*

Montréal : DEC ou l'équivalent **OU** avoir réussi 24 crédits de cours universitaires autres que des crédits obtenus dans le cadre de cours préparatoires aux études universitaires.

Sherbrooke : DEC ou l'équivalent et obtenir un résultat de 50 % et plus au test d'aptitude physique.

UQAM, McGill : DEC ou l'équivalent.

UQTR : DEC ou l'équivalent **OU** DEC en Sciences de la nature.

Endroits de formation (voir p. 414)

	Contingentement	Coop	Cote R*
Laval	■	□	24.744
McGill	■	□	24.500
Montréal	■	□	27.049
Sherbrooke	□	■	24.300
UQAM	■	□	—
UQTR	□	□	21.500

** Le nombre inscrit indique la **cote R** qui a été utilisée pour l'**admission de l'année précédente** par l'université concernée. Pour connaître la cote R exigée pour l'admission 2008, communiquer avec les établissements concernés.*

Professions reliées

C.N.P.

4167 Conseiller en conditionnement physique
5252 Entraîneur d'athlètes
5252 Entraîneur d'équipe sportive
4167 Kinésiologue

Endroits de travail

- À son compte
- Centres de conditionnement physique
- Centres hospitaliers
- Centres locaux de services communautaires (CLSC)
- Centres médico-sportifs
- Cliniques de physiothérapie
- Cliniques médicales
- Clubs sportifs
- Établissements d'enseignement universitaire
- Fédérations sportives
- Gouvernements fédéral et provincial
- Municipalités

Salaire

Le salaire hebdomadaire moyen est de 636 $ (janvier 2005).

Remarques

- Le régime coopératif est obligatoire à l'Université de Sherbrooke.
- L'Université du Québec à Trois-Rivières (UQTR) offre le baccalauréat ès Sciences avec majeure en Kinésiologie et mineure en Massokinésiothérapie.

SCIENCES DE LA SANTÉ

STATISTIQUES D'EMPLOI

	2001	2003	2005
Nb de personnes diplômées	221	243	295
% en emploi	70,5 %	57,2 %	62,8 %
% à temps plein	72,7 %	74,8 %	78,8 %
% lié à la formation	60,0 %	63,6 %	69,9 %

15106 MÉDECINE

DOCTORAT 1er CYCLE – 8-10-11 TRIMESTRES — CUISEP 353-310

Compétences à acquérir

- Maîtriser la démarche clinique.
- Faire des examens cliniques et des investigations de cas.
- Poser des diagnostics et proposer des traitements.
- Donner des soins de santé, des conseils et promouvoir les moyens favorisant la santé.

Éléments du programme

- Anatomie générale
- Appareil cardio-vasculaire
- Biochimie
- Médecine préventive
- Microbiologie, immunologie et infectiologie
- Pharmacologie
- Physiologie humaine
- Psychisme

Admission (voir p. 20 G)

DEC ou l'équivalent et mathématiques 103, 203; physique 101, 201, 301; chimie 101, 201, 202; biologie 301, 401.

OU

DEC en Sciences de la nature et chimie 202 (objectif 00XV); biologie 401 (objectif 00XU).

OU

McGill : DEC ou l'équivalent et mathématiques 00UN, 00UP; physique 00UR, 00US, 00UT; chimie 00UL, 00UM; biologie 00UK, 00XU.

Montréal : DEC en Sciences de la nature et avoir atteint les objectifs 00XU en biologie et 00XV en chimie **OU** DEC ou l'équivalent et biologie 301, 401; chimie 101, 201 et 202; mathématique 103, 201 et 301 **ET** examen médical et entrevue.

ET

Laval : DEC ou l'équivalent et mathématiques NYA, NYB ou 103-77, 203-77; physique NYA, NYB, NYC ou 101, 201, 301; chimie NYA, NYB ou 101, 201, 202; biologie NYA ou 301 et 401 **ET** appréciation par simulation et notice autobiographique. *N.B. : Les titulaires d'un baccalauréat international (B.I.), option Sciences de la nature, sont dispensés du cours de physique NYC ou 301.*

McGill : Entrevue et appréciation par simulation et notice autobiographique.

Sherbrooke : Test d'aptitudes.

Endroits de formation (voir p. 414)

	Contingentement	Coop	Cote R*
Laval	■	□	33.486
McGill	■	□	34.000
Montréal[1]	■	□	33.650
Sherbrooke[2]	■	□	33.700

** Le nombre inscrit indique la **cote R** qui a été utilisée pour l'**admission de l'année précédente** par l'université concernée. Pour connaître la cote R exigée pour l'admission 2008, communiquer avec les établissements concernés.*

1. Extension à l'UQTR.

2. Extension à l'UQAC.

Professions reliées

C.N.P.

3111 Allergologue
3111 Anatomo-pathologiste
3111 Anesthésiste réanimateur
2112 Biochimiste clinique
3111 Cardiologue
3111 Chirurgien
3111 Chirurgien cardio-vasculaire et thoracique
3111 Chirurgien orthopédiste
3111 Chirurgien plasticien
3111 Chirurgien thoracique
4165 Coroner
3111 Dermatologue
0311 Directeur de département de soins hospitaliers
0014 Directeur général de centre hospitalier
3111 Endocrinologue
3111 Expert médico-légal
3111 Gastro-entérologue
3111 Gériatre
3111 Hématologue
2121 Immunologue
3111 Interniste
3111 Médecin en médecine d'urgence
0411 Médecin hygiéniste
3111 Médecin légiste
3112 Médecin militaire
3111 Médecin spécialiste en biochimie médicale
3111 Médecin spécialiste en génétique médicale
3111 Médecin spécialiste en médecine nucléaire
3111 Médecin spécialiste en microbiologie médicale et infectiologie
3111 Médecin spécialiste en radio-oncologie
3111 Médecin spécialiste en radiologie diagnostique
3111 Médecin spécialiste en santé publique
3111 Microbiologiste médical
3111 Néphrologue
3111 Neurochirurgien
3111 Neurologue

Professions reliées (suite)

C.N.P.
3111 Obstétricien-gynécologue
3112 Omnipraticien
3111 Oncologue médical
3111 Ophtalmologiste
3111 Orthopédiste
3111 Oto-rhino-laryngologiste
3111 Pathologiste médical
3111 Pédiatre
3111 Physiatre
3111 Pneumologue
3111 Proctologue
3111 Psychiatre
3111 Rhumatologue
3111 Radio-oncologue
3111 Urologue

Endroits de travail

- À son compte
- Centres hospitaliers
- Centres locaux de services communautaires (CLSC)
- Cliniques médicales
- Forces armées canadiennes

Salaire

Le salaire hebdomadaire moyen est de 712 $ (janvier 2001).

Remarques

- Pour exercer les professions citées, il faut être membre du Collège des médecins du Québec.
- Pour devenir directeur général de centre hospitalier, des études en administration peuvent être exigées.
- Pour devenir homéopathe, il n'existe pas de formation reconnue mais une solide base en science de la santé est nécessaire.
- Des études de 2e cycle dans la spécialité appropriée sont nécessaires pour exercer la plupart des professions ci-dessus mentionnées.
- Le programme comprend une année préparatoire.
- Deux formations différentes peuvent conduire à la profession de coroner, soit Médecine ou Droit, selon le domaine d'activités.
- À l'Université de Montréal, c'est le Comité d'admission qui décide si le candidat qui a fait une demande d'admission en médecine est admis à l'année préparatoire ou en première année du programme.
- L'Université Laval offre deux certificats : Surveillance épidémiologique; Études sur la toxicomanie.

STATISTIQUES D'EMPLOI

	2001	2003	2005
Nb de personnes diplômées	468	—	—
% en emploi	90,1 %	—	—
% à temps plein	100 %	—	—
% lié à la formation	99,3 %	—	—

15110 MÉDECINE DENTAIRE / DENTAL MEDICINE

DOCTORAT 1er CYCLE – 10 TRIMESTRES — CUISEP 353-810

Compétences à acquérir

- Dépister et soigner toute déficience des dents, de la bouche, des maxillaires ou des tissus avoisinants chez l'être humain.
- Prescrire et administrer des soins préventifs.
- Examiner les dents, les gencives et les arcades dentaires.
- Prendre des radiographies au besoin.
- Établir un diagnostic et appliquer le traitement approprié.
- Restaurer la structure des dents atteintes.
- Effectuer une chirurgie.
- Procéder à l'extraction de dents.
- Remplacer les dents manquantes à l'aide de ponts ou de prothèses partielles ou complètes.

Éléments du programme

- Dentisterie opératoire pratique
- Matériaux dentaires
- Occlusion pratique
- Orthodontie
- Pathologie générale
- Prothèse partielle fixe pratique

Admission (voir p. 20 G)

DEC ou l'équivalent et mathématiques 103, 203; physique 101, 201, 301; chimie 101, 201, 202; biologie 301, 401.

OU

DEC en Sciences de la nature et chimie 202 (objectif 00XV); biologie 401 (objectif 00XU).

OU

Laval : DEC ou l'équivalent et mathématiques NYA, NYB ou 103-77, 203-77; physique NYA, NYB, NYC ou 101, 201, 301; chimie NYA, NYB, 101, 201, 202; biologie NYA ou 301, 401 **OU** DEC en Techniques d'hygiène dentaire et mathématiques NYA, NYB ou 103-77, 203-77; physique NYA, NYB, NYC ou 101, 201, 301; chimie NYA, NYB ou 101, 201, 202 **ET** test de perception visuelle et se présenter obligatoirement aux tests d'aptitudes de l'Association dentaire canadienne. *N.B. : Les titulaires d'un baccalauréat international (B.I.), option Sciences de la nature, sont dispensés du cours de physique NYC ou 301* et entrevue.

Montréal : DEC en Sciences de la nature et avoir atteint les objectifs 00XU en biologie et 00XV en chimie **OU** DEC ou l'équivalent **OU** avoir réussi 48 crédits de cours universitaires autres que des crédits obtenus dans le cadre de cours préparatoires aux études universitaires **ET** mathématiques 103, 203; physique 101, 201, 301; de chimie 101, 202, 202; de biologie 301, 401 ou deux cours de biologie humaine **ET** réussir le test de l'Association dentaire canadienne, soumettre une lettre de motivation, se présenter à une entrevue, subir un examen médical.

ET

McGill : Entrevue, autobiographie et se présenter obligatoirement aux tests d'aptitudes de l'Association dentaire canadienne.

Endroits de formation (voir p. 414)

	Contingentement	Coop	Cote R*
Laval	■	□	31.000
McGill	■	□	34.800
Montréal	■	□	32.151

** Le nombre inscrit indique la **cote R** qui a été utilisée pour l'**admission de l'année précédente** par l'université concernée. Pour connaître la cote R exigée pour l'admission 2008, communiquer avec les établissements concernés.*

Professions reliées

C.N.P.

3113	Chirurgien buccal et maxillo-facial
3113	Dentiste
3113	Dentiste en santé publique
3113	Endodontiste
3113	Orthodontiste
3113	Parodontiste
3113	Pédodontiste
3113	Prosthodontiste
3113	Spécialiste en médecine buccale

Endroits de travail

- À son compte
- Cabinets de dentistes
- Centres hospitaliers
- Établissements d'enseignement universitaire
- Forces armées canadiennes

Salaire

Le salaire hebdomadaire moyen est de 1 817 $ (janvier 2005).

Remarques

- Pour exercer la profession et porter le titre de dentiste, il faut être membre de l'Ordre des dentistes du Québec.
- Des études de 2e cycle sont nécessaires pour exercer les professions suivantes : chirurgien buccal et maxillo-facial, endodontiste, orthodontiste, parodontiste, pédodontiste, prosthodontiste, spécialiste en médecine buccale.
- Le programme comprend une année préparatoire.
- À l'Université de Montréal, une année préparatoire s'ajoute au programme de médecine dentaire.

STATISTIQUES D'EMPLOI	2001	2003	2005
Nb de personnes diplômées	137	150	67
% en emploi	90,4 %	88,0 %	85,0 %
% à temps plein	89,3 %	85,2%	85,3 %
% lié à la formation	98,5 %	100 %	100 %

SCIENCES DE LA SANTÉ

15180 MÉDECINE VÉTÉRINAIRE

DOCTORAT 1er CYCLE – 10 TRIMESTRES CUISEP 351-100

Compétences à acquérir

- Établir des diagnostics, prévenir et traiter les maladies des animaux.
- Établir des programmes de prévention des maladies des troupeaux.
- Prescrire les traitements et les médicaments appropriés.
- Conseiller les producteurs agricoles sur l'hygiène, l'alimentation, l'élevage et les soins des animaux.
- Voir à la salubrité et à l'innocuité des aliments d'origine animale.

Éléments du programme

- Anatomie vétérinaire
- Anesthésiologie
- Chirurgie générale
- Génétique médicale
- Nutrition animale
- Ophtalmologie vétérinaire
- Toxicologie clinique

Admission (voir p. 20 G)

DEC en Sciences de la nature et avoir atteint les objectifs 00XU en biologie et 00XV en chimie **OU** DEC en Techniques de santé animale et physique 101, 201, 301 **OU** DEC en Technologie des productions animales et physique 101, 201 et 301; chimie organique 202; biologie 401 ou un cours de biologie humaine **OU** DEC ou l'équivalent ou avoir réussi 48 crédits de cours universitaires autres que des crédits obtenus dans le cadre de cours préparatoires aux études universitaires **ET** mathématiques 103, 203; physique 101, 201, 301; chimie 101, 201, 202; biologie 301, 401 ou deux cours de biologie humaine.

ET

Se présenter à une entrevue.

Endroit de formation (voir p. 414)

	Contingentement	Coop	Cote R*
Montréal	■	□	32.370

** Le nombre inscrit indique la **cote R** qui a été utilisée pour l'**admission de l'année précédente** par l'université concernée. Pour connaître la cote R exigée pour l'admission 2008, communiquer avec les établissements concernés.*

Professions reliées

C.N.P.	
6463	Inspecteur en protection animale
2121	Pathologiste vétérinaire
3114	Vétérinaire

Endroits de travail

- À son compte
- Établissements d'enseignement
- Gouvernements fédéral et provincial
- Hôpitaux et cliniques vétérinaires
- Laboratoires de recherche
- Usines de transformation des viandes

Salaire

Le salaire hebdomadaire moyen est de 936 $ (janvier 2003).

Remarques

- Pour exercer la profession et porter le titre de médecin vétérinaire, il faut avoir réussi les examens de l'Ordre des médecins vétérinaires du Québec.
- Des études de 2e cycle sont nécessaires pour exercer la profession de pathologiste vétérinaire.

STATISTIQUES D'EMPLOI

	2001	2003	2005
Nb de personnes diplômées	62	70	—
% en emploi	90,5 %	85,1 %	—
% à temps plein	84,2 %	80,0 %	—
% lié à la formation	100 %	96,9 %	—

15111 OPTOMÉTRIE

DOCTORAT 1er CYCLE – 10 TRIMESTRES — CUISEP 354-530

Compétences à acquérir

- Observer les réflexes pupillaires.
- Vérifier l'alignement des yeux.
- Utiliser des instruments spéciaux pour examiner l'intérieur et l'extérieur de l'oeil.
- Évaluer l'acuité visuelle de près et de loin.
- Émettre un diagnostic, prescrire et exécuter le traitement approprié.

Éléments du programme

- Anatomie et biologie de l'oeil
- Anatomie humaine
- Déséquilibres oculo-moteurs
- Lentilles cornéennes
- Pathologie oculaire
- Pédo-optométrie
- Physiologie optique

Admission (voir p. 20 G)

DEC en Sciences de la nature et avoir réussi les objectifs 00XU en biologie et 00XV en chimie **OU** DEC ou l'équivalent **OU** avoir réussi 48 crédits de cours universitaires autres que des crédits obtenus dans le cadre de cours préparatoires aux études universitaires **ET** avoir atteint les objectifs 00UN, 00UP en mathématiques; 00UR, 00US, 00UT en physique; 00UL, 00UM, 00XV en chimie; 00UK, 00XV en biologie 301.

ET

Soumettre une lettre de motivation portant sur l'implication sociale ainsi que les coordonnées de deux répondants. Se présenter à une entrevue.

Endroit de formation (voir p. 414)

	Contingentement	Coop	Cote R*
Montréal	■	□	32.713

** Le nombre inscrit indique la **cote R** qui a été utilisée pour l'**admission de l'année précédente** par l'université concernée. Pour connaître la cote R exigée pour l'admission 2008, communiquer avec les établissements concernés.*

Profession reliée

C.N.P.

3121 Optométriste

Endroits de travail

- À son compte
- Centres locaux de services communautaires (CLSC)
- Cliniques d'optométrie
- Cliniques médicales
- Lunetteries

Salaire

Donnée non disponible.

Remarques

- Le programme comprend une année préparatoire. Tous les candidats doivent faire une demande d'admission à l'année préparatoire pour accéder au doctorat en optométrie.
- Pour exercer la profession et porter le titre d'optométriste, il faut être titulaire d'un permis d'exercice de l'Ordre des optométristes du Québec.

STATISTIQUES D'EMPLOI

	2001	2003	2005
Nb de personnes diplômées	39	40	—
% en emploi	100 %	95,0 %	—
% à temps plein	87,5 %	94,7 %	—
% lié à la formation	100 %	100 %	—

SCIENCES DE LA SANTÉ

15112 PHARMACIE

BAC 8 TRIMESTRES — CUISEP 353-400

Compétences à acquérir

- Promouvoir et assurer l'usage optimal des médicaments dans le but d'améliorer la qualité de vie des patients.
- Identifier le patient, vérifier l'authenticité de l'ordonnance et analyser le dossier du patient.
- Évaluer les interactions médicamenteuses, vérifier la concentration de substances médicamenteuses, la posologie et la forme pharmaceutique.
- Évaluer la durée du traitement, contrôler l'étiquetage de l'ordonnance et l'identité du médicament.
- Inscrire l'information au dossier et donner les renseignements sur l'usage des médicaments.
- Assurer la conservation des médicaments.

Éléments du programme

- Anatomie humaine
- Biologie clinique
- Biopharmacie
- Chimie médicinale
- Pathologie générale
- Pharmacologie
- Physique pharmaceutique

Admission (voir p. 20 G)

Laval : DEC ou l'équivalent et mathématiques NYA, NYB ou 103-77, 203-77; physique NYA, NYB, NYC ou 101, 201, 301; chimie NYA, NYB ou 101, 201, 202; biologie NYA ou 301, 401 **OU** DEC en Sciences de la nature et chimie 202 (objectif 00XV); biologie 401 (objectif 00XU). *N.B. : Les titulaires d'un baccalauréat international (B.I.), option Sciences de la nature, sont dispensés du cours de physique NYC ou 301.*

Montréal : DEC en Sciences de la nature et avoir atteint les objectifs 00XU en biologie et 00XV en chimie **OU** DEC ou l'équivalent **OU** avoir réussi 48 crédits de cours universitaires autres que des crédits obtenus dans le cadre de cours préparatoires aux études universitaires **ET** mathématiques 103, 203; physique 101, 201, 301; chimie 101, 201, 202; biologie 301, 401 ou deux cours de biologie humaine **ET** à la demande de la Faculté, remplir un questionnaire, fournir des références et se présenter à une entrevue.

Endroits de formation (voir p. 414)

	Contingentement	Coop	Cote R*
Laval	■	□	30.974
Montréal	■	□	33.444

** Le nombre inscrit indique la **cote R** qui a été utilisée pour l'**admission de l'année précédente** par l'université concernée. Pour connaître la cote R exigée pour l'admission 2008, communiquer avec les établissements concernés.*

Professions reliées

C.N.P.

3131	Pharmacien
3131	Pharmacien communautaire
3131	Pharmacien d'hôpital
3131	Pharmacien industriel
6221	Représentant pharmaceutique

Endroits de travail

- Centres hospitaliers
- Compagnies pharmaceutiques
- Établissements d'enseignement universitaire
- Laboratoires médicaux
- Pharmacies

Salaire

Le salaire hebdomadaire moyen est de 1 335 $ (janvier 2005).

Remarques

- Pour exercer la profession et porter le titre de pharmacien, il faut être membre de l'Ordre des pharmaciens du Québec.
- L'Université Laval offre un certificat en Études sur la toxicomanie.

SCIENCES DE LA SANTÉ

STATISTIQUES D'EMPLOI

	2001	2003	2005
Nb de personnes diplômées	219	214	228
% en emploi	83,8 %	91,2 %	88,8 %
% à temps plein	92,9 %	95,2 %	96,5 %
% lié à la formation	99,2 %	99,3 %	100 %

15112 PHARMACOLOGIE

BAC 8 TRIMESTRES — CUISEP 353-400

Compétences à acquérir

- Maîtriser les approches scientifiques propre à la pharmacologie.
- Résoudre des problèmes d'ordre multidisciplinaire.
- Formuler et vérifier des hypothèses.
- Faire des recherches sur les médicaments et autres produits pharmaceutiques (leur action, leur mécanisme d'action).

Éléments du programme

- Biochimie générale
- Biologie cellulaire et moléculaire
- Chimie analytique et organique
- Cytophysiologie
- Génétique
- Immunologie
- Pharmacoéconomie
- Pharmacoépidémiologie
- Pharmacologie

Admission (voir p. 20 G)

DEC ou l'équivalent et mathématiques 103, 203 ou 00UN, 00UP; physique 101, 201, 301 ou 00UR, 00US, 00UT; chimie 101, 201 ou 00UL, 00UM; biologie 301 ou 00UK.

OU

DEC dans la famille des techniques biologiques ou des techniques physiques et mathématiques 103, 203; un cours de physique; chimie 101, 201 et biologie 301 ou 921.

Endroit de formation (voir p. 414)

	Contingentement	Coop	Cote R*
Sherbrooke	■	□	26.200

** Le nombre inscrit indique la **cote R** qui a été utilisée pour l'**admission de l'année précédente** par l'université concernée. Pour connaître la cote R exigée pour l'admission 2008, communiquer avec les établissements concernés.*

Profession reliée

C.N.P.

2121 Pharmacologue

Endroits de travail

- Compagnies pharmaceutiques
- Établissements d'enseignement universitaire
- Laboratoires industriels
- Laboratoires universitaires

Salaire

Le salaire hebdomadaire moyen est de 1 335 $ (janvier 2005).

SCIENCES DE LA SANTÉ

STATISTIQUES D'EMPLOI

	2001	2003	2005
Nb de personnes diplômées	219	214	228
% en emploi	83,8 %	91,2 %	88,8 %
% à temps plein	92,9 %	95,2 %	96,5 %
% lié à la formation	99,2 %	99,3 %	100 %

15102 PHYSIOLOGIE / PHYSIOLOGY

BAC 6 TRIMESTRES CUISEP 353-616

Compétences à acquérir

- Acquérir et appliquer les connaissances relatives au corps humain et aux mammifères telles que les diverses fonctions corporelles et leurs interactions (fonctions endocriniennes, cardiovasculaires, respiratoires, nerveuses, gastro-intestinales, etc.).
- Connaître les disciplines biomédicales (biochimie, anatomie, microbiologie et pharmacologie).
- Participer aux projets de recherche en laboratoire.
- Analyser et interpréter des textes scientifiques et des rapports de recherche.

Éléments du programme

- Biologie
- Chimie
- Physique

Admission (voir p. 20 G)

DEC ou l'équivalent et mathématiques 103, 203; physique 101, 201, 301; chimie 101, 201 (202 recommandé); biologie 301 (401 recommandé).

Endroit de formation (voir p. 414)

	Contingentement	Coop	Cote R
McGill	☐	☐	—

Professions reliées

C.N.P.

2121 Généticien
2121 Immunologue
3111 Neurophysiologiste
3111 Pathologiste médical
2121 Pathologiste vétérinaire
2121 Pharmacologue
2121 Physiologiste
2121 Physiopathologiste
2121 Virologiste

Endroits de travail

- Centres hospitaliers
- Compagnies pharmaceutiques
- Établissements d'enseignement universitaire
- Gouvernements fédéral et provincial

Salaire

Le salaire hebdomadaire moyen est de 649 $ (janvier 2005).

Remarques

- Voir aussi la fiche du programme Microbiologie (p. 247).
- Des études de 2e cycle sont nécessaires pour travailler dans le domaine de la recherche.
- La spécialisation en pharmacologie (maîtrise) est nécessaire pour devenir pharmacologue.
- La maîtrise en physiologie est généralement exigée pour travailler en recherche.
- L'étudiant peut poursuivre des études dans certains champs de la médecine.

SCIENCES DE LA SANTÉ

STATISTIQUES D'EMPLOI

	2001	2003	2005
Nb de personnes diplômées	130	—	211
% en emploi	22,1 %	—	17,6 %
% à temps plein	76,5 %	—	90,5 %
% lié à la formation	46,2 %	—	26,3 %

15121 PHYSIOTHÉRAPIE / RÉADAPTATION PHYSIQUE / RÉADAPTATION OCCUPATIONNELLE / EXERCISE SCIENCE / PHYSICAL THERAPY

BAC 6-7 TRIMESTRES — CUISEP 354-350

Compétences à acquérir

- Faire l'évaluation du rendement fonctionnel physique d'un client.
- Poser un diagnostic clinique suite à l'évaluation.
- Faire le suivi des dossiers des patients.
- Concevoir, réviser et adapter un programme de traitement aux personnes ayant des problèmes musculo-squelettiques.
- Réaliser des traitements par l'utilisation d'exercices physiques, de thérapies manuelles et de divers autres agents physiques (chaud, froid, ultrasons, etc.).

Éléments du programme

- Anatomie humaine
- Biomécanique
- Électrothérapie
- Kinésithérapie
- Physiothérapie en neurologie
- Posture et locomotion
- Système locomoteur
- Traumatologie sportive

Admission (voir p. 20 G)

DEC ou l'équivalent et mathématiques 103, 203; physique 101, 201, 301; chimie 101, 201, 202; biologie 301, 401.

OU

DEC en Sciences de la nature et chimie 202 (objectif 00XV); biologie 401 (objectif 00XU).

OU

Concordia : DEC ou l'équivalent et mathématiques 103, 203; physique 101, 201, 301; chimie 101, 201; biologie 301.

Laval : DEC ou l'équivalent et mathématiques NYA, NYB ou 103-77 , 203-77; physique NYA, NYB, NYC ou 101, 201, 301; chimie NYA, NYB ou 101, 201, 202; biologie NYA ou 301, 401 **OU** DEC en Techniques de réadaptation et mathématiques NYA ou 103-77; chimie NYA, NYB ou 101, 201. *N.B. : Les titulaires d'un baccalauréat international (B.I.), option Sciences de la nature, sont dispensés du cours de physique NYC ou 301.*

Montréal : DEC en Sciences de la nature et avoir atteint les objectifs 00XU en biologie et 00XV en chimie **OU** DEC en Techniques de réadaptation physique et mathématique 103; chimie 101, 201 ou 202 **OU** DEC ou l'équivalent ou avoir réussi 24 crédits de cours universitaires autres que des crédits obtenus dans le cadre de cours préparatoires aux études universitaires et mathématiques 103, 105, 203; physique 101, 201, 301; chimie 101, 201 ou 202; biologie 301, 401 ou deux cours de biologie humaine **ET** entrevue.

Sherbrooke : DEC en Sciences de la nature **OU** DEC en Techniques de réadaptation physique **OU** avoir acquis 45 crédits universitaires dans un même programme et avoir obtenu une moyenne d'au moins 3,5.

Endroits de formation (voir p. 414)

	Contingentement	Coop	Cote R*
Concordia	■	□	22.000
Laval	■	□	30.492
McGill	■	□	31.000
Montréal	■	□	30.300 à 32.796
Sherbrooke	■	□	—

** Le nombre inscrit indique la **cote R** qui a été utilisée pour l'**admission de l'année précédente** par l'université concernée. Pour connaître la cote R exigée pour l'admission 2008, communiquer avec les établissements concernés.*

Professions reliées

C.N.P.

3142 Physiothérapeute

3142 Thérapeute sportif

Endroits de travail

- À son compte
- Centres de services sociaux et de santé
- Centres d'accueil
- Centres d'hébergement et de soins de longue durée (CHSLD)
- Centres de réadaptation
- Centres hospitaliers
- Cliniques médicales
- Clubs sportifs
- Établissements d'enseignement

Salaire

Le salaire hebdomadaire moyen est de 765 $ (janvier 2005).

Remarques

- Pour porter le titre de physiothérapeute, il faut être membre de l'Ordre professionnel de la physiothérapie du Québec.
- L'Université de Sherbrooke offre le baccalauréat-maîtrise intégré.

STATISTIQUES D'EMPLOI

	2001	2003	2005
Nb de personnes diplômées	162	146	185
% en emploi	83,5 %	79,2 %	83,1 %
% à temps plein	93,0 %	90,8 %	96,9 %
% lié à la formation	100 %	100 %	98,9 %

SCIENCES DE LA SANTÉ

15150 PODIATRIE

DOCTORAT 1er CYCLE – 10 TRIMESTRES | CUISEP 354-340

Compétences à acquérir

- Recourir à la prescription et à l'administration de médicaments.
- Fabriquer, transformer, modifier ou prescrire une orthèse podiatrique.
- Conseiller sur les soins à donner aux pieds, de même que sur les mesures préventives et les mesures d'hygiène à adopter.

Éléments du programme

- Anatomie (humaine, système nerveux central, podiatrique)
- Biochimie clinique
- Chirurgie
- Externat, clinique interne et externe
- Histologie
- Pharmacologie
- Physiologie
- Radiologie
- Soins d'urgence

Admission (voir p. 20 G)

DEC et mathématiques 103 (00UN), 203 (00UP); chimie 101 (00UL), 201 (00UM) et 202; physique 101 (00UR), 201 (00US), 301-78 (00UT); biologie 301 (00UK), 401 **ET** entrevue.

Endroits de formation (voir p. 414)

	Contingentement	Coop	Cote R*
UQTR	■	□	29.800

** Le nombre inscrit indique la **cote R** qui a été utilisée pour l'**admission de l'année précédente** par l'université concernée. Pour connaître la cote R exigée pour l'admission 2008, communiquer avec les établissements concernés.*

Profession reliée

C.N.P.
3123 Podiatre

Endroits de travail

- À son compte
- Centres hospitaliers
- Cliniques privées

Salaire

Donnée non disponible.

Remarque

Pour porter le titre de podiatre, il faut être membre de l'Ordre des podiatres du Québec.

Statistiques d'emploi

Données non disponibles.

15105 PRATIQUE SAGE-FEMME

BAC 8 TRIMESTRES — CUISEP 350-000

Compétences à acquérir

- Assurer la surveillance, les soins et les services de consultation nécessaires aux femmes pendant la grossesse, l'accouchement et le post-partum.
- Prescrire et effectuer tous les tests et les examens nécessaires durant le cycle de la maternité et en interpréter les résultats.
- Reconnaître et diagnostiquer toute condition anormale, suggérer un traitement approprié et, s'il y a lieu, faire les références nécessaires.
- Prescrire et administrer des médicaments autorisés et les autres produits ou accessoires thérapeutiques, pour la mère et le nouveau-né à l'intérieur du cycle de la maternité.
- Effectuer des accouchements.
- Surveiller l'état du nouveau-né, effectuer un examen physique complet et prendre les décisions et les initiatives nécessaires au besoin.
- Surveiller l'état de la mère pendant la période postnatale, soutenir l'allaitement et accompagner les parents dans cette expérience de vie.
- Informer et conseiller en matière de planification familiale.
- Communiquer de façon efficace et collaborer avec ses collègues et les intervenants de la santé et du milieu communautaire, en respectant les intérêts de la femme et de son bébé.

Éléments du programme

- Anatomie gynéco-obstétricale
- Droit, éthique et déontologie pour les sages-femmes
- Internat en pratique pour les sages-femme
- Maïeutique
- Pathologies obstétricales et néonatales
- Physiologie de la reproduction
- Physiologie humaine
- Sciences biomédicales pour sages-femmes
- Stages

Admission (voir p. 20 G)

DEC ou l'équivalent ou DEC technique ou l'équivalant **ET** biologie 101-NYB (00XU) ou 101-921 (022V); chimie 202-NYB (00UM), 202-NYC (00XV).

ET

Entrevue, questionnaire de sélection sous surveillance et fournir deux formules de recommandation ainsi qu'une lettre attestant une implication communautaire de 50 heures.

Endroit de formation (voir p. 414)

	Contingentement	Coop	Cote R*
UQTR	■	□	19.620

** Le nombre inscrit indique la **cote R** qui a été utilisée pour l'**admission de l'année précédente** par l'université concernée. Pour connaître la cote R exigée pour l'admission 2008, communiquer avec les établissements concernés.*

Profession reliée

C.N.P.
3232 Sage-femme

Endroits de travail

- À son compte
- Cabinets de sages-femmes
- Centres locaux de services communautaires (CLSC)
- Maisons de naissance

Salaire

Donnée non disponible.

Remarque

Pour porter le titre de sage-femme, il faut être membre de l'Ordre des sages-femmes du Québec.

Statistiques d'emploi

Données non disponibles.

15104 SCIENCES INFIRMIÈRES

BAC 6-10 TRIMESTRES — CUISEP 353-330

Compétences à acquérir

- Identifier les besoins en santé des personnes.
- Participer aux méthodes de diagnostic.
- Prodiguer et contrôler les soins infirmiers.
- Prodiguer des soins selon une ordonnance médicale.
- Favoriser la promotion de la santé, la prévention de la maladie, le recouvrement et la réadaptation.
- Encourager la prise en charge de la santé sur les plans individuel, familial et communautaire.
- Aider les personnes à utiliser les ressources de l'environnement en matière de promotion de la santé.

Éléments du programme

- Fondements en sciences biomédicales
- Gestion des environnements de soins
- Méthodes d'évaluation de la santé
- Méthodologie et pratique des soins infirmiers
- Principes de base en développement, famille, apprentissage et collaboration

Admission (voir p. 20 G)

Laval : Cheminement A : DEC en Sciences de la nature et chimie 202; biologie 401 ou 921 **OU** autre DEC et méthodes quantitatives en sciences humaines 360-300 (ou mathématiques NYA ou 103-77); physique NYA ou 101; chimie NYA, NYB ou 101, 201, 202; biologie 921 (ou NYA ou 301 ou 401). **Cheminement B :** DEC en Soins infirmiers ou l'équivalent et avoir son permis de pratique. **Cheminement C :** DEC en Soins infirmiers (180.A0).

McGill : DEC ou l'équivalent et mathématiques 103, 203; physique 101, 201, 301; chimie 101, 201, 202; biologie 301, 401 **OU** DEC en Soins infirmiers ou l'équivalent et détenir le droit de pratique de la profession (pour la formation continue ou le perfectionnement).

Montréal : DEC en Sciences de la nature et avoir atteint les objectifs 00XV en biologie et 00XV en chimie **OU** DEC ou l'équivalent ou avoir réussi 48 crédits de cours universitaires autres que des crédits obtenus dans le cadre de cours préparatoires aux études universitaires et mathématiques 103, 203; physique 101, 201, 301; chimie 101, 201, 202; biologie 301, 401 ou deux cours de biologie humaine **ET** entrevue, certificat médical **OU** DEC en Soins infirmiers ou l'équivalent, détenir le droit de pratique de la profession et possibilité d'entrevue et d'examen médical.

Sherbrooke : DEC ou l'équivalent et être inscrite ou inscrit au tableau de l'Ordre des infirmières et infirmiers du Québec.

UQAC : Formation intégrée : DEC en Soins infirmiers ou l'équivalent et détenir le droit de pratique de la profession. **Formation initiale :** DEC en Sciences de la nature, en Sciences humaines, ou tout autre DEC et répondre à la structure d'accueil **OU** être âgé d'au moins 21 ans et posséder des connaissances appropriées et une expérience de travail attestée ou reliée au domaine de la santé et répondre à la structure d'accueil (avoir atteint les objectifs et standards suivants : biologie 00XU ou 01YJ ou 022V ou le cours 1B10251 (UQAC) ou l'équivalent; mathématiques 01Y3 ou 022P ou 022W ou l'équivalent). **Cheminement perfectionnement :** DEC en Soins infirmiers émis avant février 2004 **OU** diplôme d'infirmier d'une école d'hôpital **ET** être autorisé à exercer la profession et en fournir la preuve.

UQAR : DEC en Soins infirmiers ou l'équivalent.

UQAT : DEC en Soins infirmiers ou l'équivalent **OU** détenir un diplôme d'infirmier d'une école d'hôpital **ET** détenir le droit de pratique de la profession (pour la formation continue ou le perfectionnement).

UQO : Cheminement de formation continue (8 trimestres) : DEC en Soins infirmiers ou un diplôme d'infirmier d'une école d'hôpital ou l'équivalent. **Cheminement de formation initiale** (10 trimestres) : DEC intégré en Sciences, lettres et arts **OU** DEC en Sciences de la nature **OU** DEC en Sciences humaines **OU** DEC du secteur professionnel dans un domaine connexe. **Cheminement de formation initiale (DEC-BAC)** (6 trimestres) : DEC en Soins infirmiers 180.A0.

UQTR : DEC en Sciences de la nature **OU** DEC en Sciences humaines ou DEC technique et mathématiques 360-300 ou 103 (00UN) ou 307 ou 337; chimie 101 (00UL); biologie 401 (00XU) ou 921 **OU** DEC en Soins infirmiers ou l'équivalent et détenir le droit de pratique de la profession (pour la formation continue ou le perfectionnement).

Endroits de formation (voir p. 414)

	Contingentement	Coop	Cote R*
Laval**	■	□	24.000
McGill	■	□	24.000 ou 26.000
Montréal	□	□	24,000
Sherbrooke	■	□	22.400
UQAC	□	□	20.077
UQAR	■	□	—
UQAT	□	□	—
UQO**	■	□	22.000
UQTR**	■	□	20.460

** Le nombre inscrit indique la **cote R** qui a été utilisée pour l'**admission de l'année précédente** par l'université concernée. Pour connaître la cote R exigée pour l'admission 2008, communiquer avec les établissements concernés.*

*** Contingentement pour la formation initiale seulement.*

SCIENCES INFIRMIÈRES (SUITE)

Professions reliées

C.N.P.

0311	Directeur de département de soins hospitaliers
0311	Directeur des soins infirmiers
3152	Infirmier
3151	Infirmier chef
3233	Infirmier en chirurgie
3152	Infirmier en santé au travail
3152	Infirmier psychiatrique
3152	Infirmier scolaire

Endroits de travail

- Centres hospitaliers
- Centres locaux de services communautaires (CLSC)

Salaire

Le salaire hebdomadaire moyen est de 871 $ (janvier 2005).

Remarques

- Pour exercer la profession et porter le titre d'infirmier, il faut être membre de l'Ordre des infirmiers et infirmières du Québec.
- Des études de 2e cycle sont nécessaires pour exercer la profession de directeur des soins infirmiers.
- L'Université du Québec en Outaouais (UQO) offre un certificat en Soins infirmiers.
- L'Université du Québec à Rimouski (UQAR) offre le baccalauréat de perfectionnement; le cheminement intégré DEC-BAC; un certificat en Toxicomanie; un certificat en Santé mentale; divers programmes courts reliés.

STATISTIQUES D'EMPLOI

	2001	2003	2005
Nb de personnes diplômées	660	514	628
% en emploi	92,7 %	89,4 %	88,5 %
% à temps plein	85,2 %	88,8 %	88,3 %
% lié à la formation	94,8 %	95,6 %	93,8 %

DOMAINE D'ÉTUDES

SCIENCES HUMAINES

Discipline

SCIENCES HUMAINES ET SCIENCES SOCIALES

15400 AFRICAN STUDIES

BAC 6 TRIMESTRES — CUISEP 615/627-000

Compétence à acquérir

Connaître la langue, l'histoire et la culture africaine.

Éléments du programme

- Histoire
- Organisation sociale

Admission (voir p. 20 G)

DEC ou l'équivalent.

Endroit de formation (voir p. 414)

	Contingentement	Coop	Cote R
McGill	☐	☐	—

Profession reliée

C.N.P.
5125 Traducteur

Endroits de travail

- Gouvernements fédéral et provincial
- Organismes internationaux

Salaire

Donnée non disponible.

Statistiques d'emploi

Données non disponibles.

SCIENCES HUMAINES

15472 AGROÉCONOMIE

BAC 8 TRIMESTRES + 2 SESSIONS DE STAGES CU[illegible]

Compétences à acquérir

- Contribuer au développement de l'économie agroalimentaire et du milieu rural.
- Trouver des solutions aux problèmes vécus dans ces domaines d'activités.
- Conseiller des exploitants agricoles dans le domaine de la gestion et du financement.
- Analyser des politiques et des marchés agroalimentaires.
- Assurer la gestion d'entreprises agroalimentaires.
- Participer au développement international.

Éléments du programme

- Financement agricole
- Gestion agricole
- Macroéconomique
- Méthodes statistiques
- Sciences des plantes et du sol
- Politiques agricoles

Admission (voir p. 20 G)

DEC en Sciences de la nature ou DEC en Sciences, lettres et arts **OU** DEC et mathématiques NYA, NYB ou 103-77, 203-77; chimie NYA ou 101; biologie NYA ou 301. *N.B.: Pour connaître les passerelles entre un DEC technique et ce programme, contacter la Faculté des sciences de l'agriculture et de l'administration.*

Endroit de formation (voir p. 414)

	Contingentement	Coop
Laval	☐	☐

Professions reliées

C.N.P.	
4162	Agroéconomiste
4163	Analyste des marchés
1232	Conseiller en financement agricole
6411	Courtier en denrées alimentaires
0412	Directeur des ventes à l'exportation
4162	Économiste en développement international

Endroits de travail

- Coopératives agricoles
- Entreprises d'exportation
- Gouvernements fédéral et provincial
- Régie de l'assurance agricole du Québec

Salaire

Donnée non disponible.

Statistiques d'emploi

Données non disponibles.

…T DU TERRITOIRE ET DÉVELOPPEMENT DURABLE / ÉTUDES …TALES ET GÉOGRAPHIE / GÉOGRAPHIE / GÉOGRAPHIE …ALE / GÉOGRAPHIE ET AMÉNAGEMENT / GÉOMATIQUE …VIRONNEMENT / ENVIRONMENTAL GEOGRAPHY

CUISEP 626-000

…ironnement

…es diverses régions de la …abitants (la répartition des …).

…r, rassembler, mesurer et analyser des données …les représenter sur des cartes (caractéristiques politiques, culturelles, socio-économiques, etc.).

Éléments du programme

- Analyse de cartes et de photographies aériennes
- Design cartographique
- Écologie générale
- Études de la population
- Géographie internationale
- Géographie humaine et physique
- Géographie sociale
- Géomorphologie
- Intervention territoriale
- Systèmes d'information géographique
- Télédétection avancée

Admission (voir p. 20 G)

DEC ou l'équivalent.

OU

Concordia : DEC ou l'équivalent et mathématiques 103 ou 201-NYA, 105 et 203 ou 201-NYB; physique 101 ou 203-NYA, 201 ou 203-NYB, 301 ou 203-NYC; chimie 101 ou 202-NYA, 201 ou 202-NYB; biologie 301 ou 101-NYA.

Laval : DEC en Sciences de la nature ou DEC en Sciences humaines **OU** tout autre DEC et méthodes quantitatives en sciences humaines 360-300.

McGill : DEC en Sciences de la nature ou DEC en Sciences humaines.

Montréal : DEC ou l'équivalent **OU** avoir réussi 24 crédits de cours universitaires autres que des crédits obtenus dans le cadre de cours préparatoires aux études universitaires.

Sherbrooke : DEC en Sciences de la nature ou l'équivalent ou DEC en Technologie de la géomatique, spécialisations Cartographie ou Géodésie **OU** DEC ou l'équivalent et mathématiques 103, 105, 203; physique 101, 201, 301.

UQTR : DEC en Sciences humaines **OU** toute autre DEC ou l'équivalent.

Endroits de formation (voir p. 414)

	Contingentement	Coop	Cote R
Bishop's	□	□	—
Concordia	□	□	—
Laval	□	□	—
McGill	□	□	—
Montréal	□	□	—
Sherbrooke	■	■	—
UQAC	□	□	—
UQAM	□	□	—
UQAR	□	□	—
UQTR	□	□	—

Professions reliées

C.N.P.	
2154	Cartographe-hydrographe
2154	Cartographe-urbaniste
4169	Géographe (géographie humaine)
2154	Géomaticien
4169	Spécialiste en information géographique

Endroits de travail

- Bureaux d'ingénieurs-conseils
- Établissements d'enseignement
- Firmes d'urbanismes
- Gouvernements fédéral et provincial
- Organismes internationaux

Salaire

Le salaire hebdomadaire moyen est de 637 $ (janvier 2005).

Remarques

- Différentes options sont offertes selon les établissements : Biologie; Économique; Environnement atmosphérique; Sociologie, etc.
- Des études de 2e ou 3e cycle peuvent être exigées pour travailler dans le domaine de la recherche scientifique.
- L'Université de Sherbrooke offre le baccalauréat en Géomatique appliquée à l'environnement.
- L'Université du Québec à Montréal offre également une mineure en Géographie internationale, une mineure en Géographie physique, un DESS et un certificat en Système d'information géographique.
- L'Université Laval offre un diplôme et un certificat en Géographie.
- L'Université du Québec à Rimouski offre deux cheminements : Aménagements du territoire et développement durable; Gestion des milieux naturels et anthropisés.

STATISTIQUES D'EMPLOI

	2001	2003	2005
Nb de personnes diplômées	270	244	210
% en emploi	54,3 %	56,4 %	42,5 %
% à temps plein	86,0 %	89,7 %	96,5 %
% lié à la formation	36,0 %	43,7 %	49,1 %

15478 ANIMATION ET RECHERCHE CULTURELLES

BAC 6 TRIMESTRES — CUISEP 571-000

Compétences à acquérir

- Analyser et comprendre les phénomènes d'action culturelle dans les sociétés modernes.
- Étudier les rapports entre l'animation culturelle, les réalités, les phénomènes culturels actuels (milieu des arts, organismes culturels, industries culturelles, loisirs, etc.).
- Connaître les diverses approches théoriques de la réalité sociale.
- Connaître et appliquer les techniques d'animation et de créativité, les techniques d'enquête et de recherche et les outils culturels visant le développement du potentiel créateur des groupes.

Éléments du programme

- Analyse critique de la société
- Analyse culturelle des mouvements sociaux
- Animation culturelle et créativité
- Éléments de gestion et d'organisation culturelles
- Méthodes d'enquête
- Stages
- Techniques d'animation et d'intervention
- Théories et pratiques culturelles

Admission (voir p. 20 G)

DEC ou l'équivalent.

Endroit de formation (voir p. 414)

	Contingentement	Coop	Cote R
UQAM	□	□	—

Professions reliées

C.N.P.

4164	Agent de développement culturel
4212	Animateur de vie étudiante
1226	Coordonnateur de programmes de loisirs culturels et socioculturels
4212	Génagogue
5254	Moniteur d'activités culturelles

Endroits de travail

- À son compte
- Centres d'accueil
- Centres locaux de services communautaires (CLSC)
- Entreprises culturelles
- Établissements d'enseignement
- Gouvernements fédéral et provincial
- Municipalités

Salaire

Le salaire hebdomadaire moyen est de 650 $ (janvier 2005).

SCIENCES HUMAINES

STATISTIQUES D'EMPLOI

	2001	2003	2005
Nb de personnes diplômées	217	242	337
% en emploi	78,9 %	74,8 %	65,6 %
% à temps plein	82,9 %	79,8 %	84,1 %
% lié à la formation	72,4 %	65,3 %	65,1 %

15498 ANIMATION SPIRITUELLE ET ENGAGEMENT COMMUNAUTAIRE / ÉTUDES BIBLIQUES / THÉOLOGIE / RELIGIOUS STUDIES / THEOLOGICAL STUDIES / THEOLOGY

BAC 6 TRIMESTRES | CUISEP 618-000

Compétences à acquérir

- Organiser, surveiller, mettre en œuvre des programmes d'enseignement religieux, des activités de cheminement et d'approfondissement de la foi.
- Préparer, diriger les offices du culte.
- Animer des groupes de pastorale ou d'enseignement religieux et moral.
- Comprendre les structures et les fonctions des symboles religieux et des phénomènes humains liés au sacré.
- Comprendre la quête de sens exprimée dans divers secteurs de l'activité humaine.
- Connaître l'histoire, les croyances, les valeurs et les significations liées aux traditions religieuses.

Éléments du programme

- Dimension religieuse de l'être humain
- Éthique
- Études de textes bibliques
- Fondements de l'agir moral
- Histoire
- Intervention dans les groupes
- Religion et société
- Valeurs et croyances

Admission (voir p. 20 G)

Concordia, Laval, McGill, Sherbrooke : DEC ou l'équivalent.

OU

Montréal : DEC ou l'équivalent **OU** avoir réussi 12 crédits de cours universitaires autres que des crédits obtenus dans le cadre de cours préparatoires aux études universitaires.

Endroits de formation (voir p. 414)

	Contingentement	Coop	Cote R
Concordia	☐	☐	—
Laval	☐	☐	—
McGill	☐	☐	—
Montréal	☐	☐	—
Sherbrooke	☐	☐	—

Professions reliées

C.N.P.	
4217	Animateur de pastorale
4217	Animateur de vie spirituelle et d'engagement communautaire
4154	Aumônier
4154	Ministre du culte
4217	Organisateur de l'instruction religieuse
4141	Professeur en enseignement moral et religieux
4121	Théologien

Endroits de travail

- Centres de relation d'aide
- Centres hospitaliers
- Écoles primaires
- Médias
- Organismes diocésains
- Prisons

Salaire

Le salaire hebdomadaire moyen est de 707 $ (janvier 2005).

Remarques

- Pour enseigner au secondaire, il faut être titulaire d'un permis ou d'un brevet d'enseignement permanent émis par le ministère de l'Éducation, du Loisir et du Sport.
- Une majeure ou une mineure en Enseignement doit être intégrée au baccalauréat en Théologie pour être professeur.
- Une formation supplémentaire dispensée par les Grands Séminaires de Montréal et de Québec est requise pour être prêtre au sein des églises catholiques.
- L'Université Laval offre un certificat et un diplôme en Théologie, un certificat en Études juives, un certificat en Études bibliques ainsi qu'un certificat en Études pastorales.
- L'Université du Québec à Chicoutimi (UQAC) offre une mineure.
- L'Université Concordia offre une mineure en Theological Studies.

STATISTIQUES D'EMPLOI

	2001	2003	2005
Nb de personnes diplômées	144	133	108
% en emploi	52,4 %	41,3 %	43,5 %
% à temps plein	60,4 %	81,6 %	73,3 %
% lié à la formation	71,9 %	67,7 %	72,7 %

SCIENCES HUMAINES

15430/ 15432/ 15466	ANTHROPOLOGIE / ANTHROPOLOGIE ET ETHNOLOGIE / ARCHÉOLOGIE / ETHNOLOGIE / ANTROPOLOGY AND SOCIOLOGY
	BAC 6 TRIMESTRES — CUISEP 622-000

Compétences à acquérir

- Acquérir des connaissances et des compétences liées aux phénomènes socioculturels (politique, religion, économie), aux phénomènes biologiques (évolution, langage, etc.) ou à l'étude des civilisations et des sociétés disparues ou actuelles.
- Développer des habiletés et des intérêts pour la recherche.
- Démontrer une ouverture au regard des autres disciplines en sciences sociales.
- Connaître et utiliser les diverses technologies de l'information liées à l'anthropologie.

Éléments du programme

- Anglais
- Biologie
- Évolution, culture et hérédité
- Géographie
- Histoire
- Informatique et sciences humaines
- Méthodes d'analyse en anthropologie
- Techniques d'enquête en anthropologie

Admission (voir p. 20 G)

Concordia, McGill : DEC ou l'équivalent **OU** DEC en Sciences humaines.

Laval : DEC ou l'équivalent.

Montréal : DEC ou l'équivalent **OU** avoir réussi 24 crédits de niveau universitaire autre que des crédits obtenus dans le cadre de cours préparatoires aux études universitaires.

Endroits de formation (voir p. 414)

	Contingentement	Coop	Cote R
Concordia	☐	☐	—
Laval	☐	☐	—
McGill	☐	☐	—
Montréal	☐	☐	—

Professions reliées

C.N.P.

4169	Anthropologue
4169	Archéologue
4169	Ethnolinguiste
4169	Ethnologue

Endroits de travail

- Établissements d'enseignement universitaire
- Gouvernements fédéral et provincial
- Musées

Salaire

Le salaire hebddomadaire moyen est de 506 $ (janvier 2005).

Remarques

- Chacune des universités offrent une ou plusieurs spécialités.
- L'Université Laval offre un baccalauréat en Anthropologie, un baccalauréat intégré en Anthropologie et Ethnologie ainsi qu'un baccalauréat en Archéologie. Elle offre également un diplôme de 1er cycle en Ethnologie du Québec ainsi que des certificats en Anthropologie, en Études autochtones, en Ethnologie du Québec et Études archéologiques.

SCIENCES HUMAINES

STATISTIQUES D'EMPLOI

	2001	2003	2005
Nb de personnes diplômées	189	194	204
% en emploi	42,0 %	37,0 %	34,7 %
% à temps plein	82,0 %	84,0 %	74,4 %
% lié à la formation	26,8 %	23,8 %	9,4 %

15410 COMMUNICATION / COMMUNICATION ET JOURNALISME / COMMUNICATION PUBLIQUE / SCIENCES DE LA COMMUNICATION / BROADCAST JOURNALISM / COMMUNICATION AND JOURNALISM / COMMUNICATION STUDIES

BAC 6 TRIMESTRES — CUISEP 511-000

Compétences à acquérir

- Participer à l'analyse des besoins en communication d'une organisation.
- Élaborer des stratégies et des techniques d'analyse et de rédaction.
- Analyser l'impact psychosocial des technologies de communication sur les plans organisationnel et social.
- Connaître et utiliser les nouvelles technologies de l'information.
- Approfondir ses connaissances dans un domaine particulier, de même que sa culture générale.

Éléments du programme

- Communications organisationnelles
- Connaissances des médias
- Création publicitaire
- Dossiers d'actualité
- Histoire des communications
- Initiation à la presse audiovisuelle
- Méthodes des médias
- Multimédia interactif
- Plans de communication
- Productions cinématographiques
- Productions télévisuelles
- Rédaction journalistique
- Stages
- Techniques de relations publiques

Admission (voir p. 20 G)

Concordia : DEC ou l'équivalent et entrevues/auditions, lettre explicative, soumission de travaux personnels, deux lettres de références et/ou test de classement ou d'aptitude linguistique en anglais.

Laval : DEC en Sciences humaines ou DEC en Sciences de la nature **OU** DEC ou l'équivalent et mathématiques 360-300 ou 337 (ou NYA et 307) ou (103 et 307).

Montréal : DEC ou l'équivalent **OU** avoir réussi 24 crédits de cours universitaires autres que des crédits obtenus dans le cadre de cours préparatoires aux études universitaires.

TÉLUQ : DEC ou l'équivalent et test de français.

UQAM : DEC ou l'équivalent, test de français, excellence du dossier et entrevue.

UQO : DEC en Sciences humaines ou DEC ou l'équivalent ou DEC technique ou l'équivalent.

Endroits de formation (voir p. 414)

	Contingentement	Coop	Cote R*
Concordia	■	□	—
Laval	■	□	24.502
Montréal	■	□	26.256
Sherbrooke	□	□	—
TÉLUQ	□	□	—
UQAM	■	□	27.000 ou 31.500**
UQO	□	□	—

** Le nombre inscrit indique la **cote R** qui a été utilisée pour l'**admission de l'année précédente** par l'université concernée. Pour connaître la cote R exigée pour l'admission 2008, communiquer avec les établissements concernés.*

** Selon les différentes options, consulter le Système REPÈRES pour plus d'information.

Professions reliées

C.N.P.	
5124	Agent d'information
5123	Analyste de contenu multimédia
5231	Animateur (radio, télévision)
5124	Attaché de presse
5122	Chef de pupitre
5123	Chef du service des nouvelles
5123	Chroniqueur
5123	Chroniqueur touristique
5231	Commentateur sportif
5121	Concepteur scénariste en multimédia
5124	Conseiller en communication électronique
5123	Critique littéraire
5123	Cyberjournaliste
0611	Directeur de la publicité
5121	Écrivain
5123	Éditorialiste
5124	Imprésario
5123	Journaliste (presse écrite)
5123	Journaliste (presse parlée)
5123	Journaliste sportif
5231	Lecteur de nouvelles
5124	Officier des affaires publiques
5131	Producteur (cinéma, radio, télévision, théâtre)
5124	Publicitaire
5131	Réalisateur (cinéma, radio, télévision)
5123	Recherchiste (radio, télévision)
5122	Rédacteur en chef de l'information
5121	Rédacteur publicitaire
5121	Scénariste-dialoguiste
5124	Spécialiste des relations publiques

15410 COMMUNICATION / COMMUNICATION ET JOURNALISME / COMMUNICATION PUBLIQUE / SCIENCES DE LA COMMUNICATION / BROADCAST JOURNALISM / COMMUNICATION AND JOURNALISM / COMMUNICATION STUDIES

(SUITE)

Endroits de travail

- À son compte
- Firmes-conseils
- Gouvernements fédéral et provincial
- Grandes entreprises
- Industrie du multimédia
- Maisons d'éditions (journaux, revues, livres)
- Maisons de publicité
- Télédiffuseurs

Salaire

Le salaire hebdomadaire moyen est de 663 $ (janvier 2005).

Remarques

- La Télé-université (TÉLUQ) offre ce programme à distance, à temps plein et à temps partiel. Elle offre aussi deux certificats dans ce domaine.
- L'Université du Québec à Montréal (UQAM) offre une majeure en Communication qui peut être combinée à l'une des mineures suivantes : Administration; Langues; Études interethniques; Géographie internationale; Histoire de l'art; Sciences du language; Science, technologie et société; Sociologie.
- L'Université Laval offre un certificat en Communication publique ainsi qu'un certificat en Journalisme.
- L'Université du Québec en Outaouais (UQO) offre un certificat en Communication publique ainsi qu'une majeure et une mineure en Communication.
- L'Université de Sherbrooke offre le baccalauréat-maîtrise en Communication-marketing.
- L'Université Bishop's offre une mineure en Communication and Cultural Studies.

SCIENCES HUMAINES

STATISTIQUES D'EMPLOI

Nb de personnes diplômées	2001	2003	2005
	486	626	666
% en emploi	79,0 %	75,6 %	70,0 %
% à temps plein	90,7 %	91,2 %	88,8 %
% lié à la formation	78,2 %	73,2 %	69,7 %

15410 COMMUNICATION (CINÉMA)

BAC 6 TRIMESTRES — CUISEP 511-000

Compétences à acquérir

- Devenir specialiste dans le champ de la réalisation, de la direction de la photographie et de la postproduction au cinéma.
- Acquérir une culture cinématographique qui permette à l'étudiant de développer sa créativité, son goût, son sens critique et son jugement.

Éléments du programme

- Conception sonore
- Conception visuelle
- Histoire et esthétiques du cinéma
- Musique et cinéma
- Direction de la photographie
- Réalisation
- Montage
- Scénarisation
- Production (fiction/documentaire)
- Postproduction

Admission (voir p. 20 G)

DEC ou l'équivalent **OU** avoir obtenu un minimum de 30 crédits universitaires **ET** soumettre une production médiatique numérique et entrevue.

Endroits de formation (voir p. 414)

	Contingentement	Coop	Cote R
UQAM	■	□	—

Professions reliées

C.N.P.

5131	Réalisateur
5121	Scénariste-dialoguiste
5226	Monteur
5131	Recherchiste
5131	Coordinateur
5131	Régisseur
5131	Directeur artistique
5226	Directeur technique
5131	Directeur de la photographie

Endroit de travail

Studios de cinéma

Salaire

Donnée non disponible.

Remarque

L'Université du Québec à Montréal (UQAM) est la seule université en Amérique du Nord à offrir un baccalauréat en cinéma en français. Près de la moitié des cours de ce programme sont axés sur la pratique. Trois axes de formation sont offerts : Réalisation ; Direction de la photographie ; Postproduction visuelle et sonore.

Statistiques d'emploi

Données non disponibles.

15410 COMMUNICATION (MÉDIAS INTERACTIFS)

BAC 6 TRIMESTRES — CUISEP 511-000

Compétence à acquérir

Intervenir dans le domaine des communications médiatiques.

Éléments du programme

- Création sonore interactive
- Architecture de l'information et des réseaux
- Technologie des médias
- Audio-vidéographie
- Processus de production et médias interactifs
- Conception visuelle

Admission (voir p. 20 G)

DEC ou l'équivalent **OU** avoir obtenu au minimum 30 crédits universitaires **ET** soumettre une production médiatique numérique et entrevue.

Endroits de formation (voir p. 414)

	Contingentement	Coop	Cote R
UQAM	■	□	—

Professions reliées

C.N.P.

5121 Spécialiste en interactivité
5241 Animateur 2D-3D
5241 Concepteur-idéateur de jeux électroniques
5241 Concepteur-idéateur de produits multimédias
2162 Intégrateur multimédia et Web
5121 Concepteur-scénariste en multimédia
2175 Webmestre

Endroit de travail

Industrie du multimédia

Salaire

Le salaire hebdomadaire moyen est de 663 $ (janvier 2005).

Remarque

Différentes options sont offertes selon les établissements : Journalisme; Publicité; Relations publiques; etc.

SCIENCES HUMAINES

STATISTIQUES D'EMPLOI

	2001	2003	2005
Nb de personnes diplômées	486	626	666
% en emploi	79,0 %	75,6 %	70,0 %
% à temps plein	90,7 %	91,2 %	88,8 %
% lié à la formation	78,2 %	73,2 %	69,7 %

15478 COMMUNICATION (RELATIONS HUMAINES) / COMMUNICATION JEUNESSE

BAC 6 TRIMESTRES — CUISEP 511-000

Compétences à acquérir

- Remplir des fonctions variées et changeantes.
- Animer des groupes.
- Intervenir auprès des individus, des groupes et des organisations.
- Appliquer les théories du développement organisationnel, la problématique des communications et des relations humaines, l'écologie humaine et sociale, la théorie des systèmes.
- Appliquer une méthodologie de recherche (sondage, enquête, méthodes d'entrevues et recherche-action).

Éléments du programme

- Animation de groupe
- Communication
- Démarches d'intervention
- Développement social de l'adulte
- Intervention internationale (coopération)
- Psychosociologie des relations humaines
- Relation d'aide (techniques)
- Théories de la communication
- Stages

Admission (voir p. 20 G)

DEC ou l'équivalent.

OU

UQAT : DEC général en : Arts plastiques, Histoire et civilisation, Langues et cultures, Littérature et arts, Musique, Sciences de la nature, Sciences humaines, Arts et lettres **OU** DEC en Technique de travail social, Techniques d'écucation à l'enfance, Technique d'éducation spécialisée **OU** DEC dans la famille des techniques humaines ou dans un domaine connexe.

Endroits de formation (voir p. 414)

	Contingentement	Coop	Cote R*
UQAM	■	□	24.500
UQAR	□	□	—
UQAT	□	□	—

** Le nombre inscrit indique la **cote R** qui a été utilisée pour l'**admission de l'année précédente** par l'université concernée. Pour connaître la cote R exigée pour l'admission 2008, communiquer avec les établissements concernés.*

Professions reliées

C.N.P.	
4212	Agent d'aide socio-économique
4213	Conseiller en emploi
—	Conseiller en gestion du changement
1121	Conseiller en relations de travail
4212	Coordonnateur de maisons de jeunes
4212	Intervenant communautaire
4151	Psychosociologue

Endroits de travail

- À son compte
- Agences de publicité
- Bureaux de services-conseils en gestion de personnel
- Organismes d'actions communautaires ou sociales
- Services de recherche

Salaire

Le salaire hebdomadaire moyen est de 650 $ (janvier 2005).

Remarques

- Différentes options sont offertes selon les établissements : Journalisme; Publicité; Relations publiques; etc.
- La formation pratique de l'Université du Québec à Rimouski (UQAR) est axée sur l'intervention des personnes en milieu organisé. Le programme comprend un stage par année.
- L'Université du Québec en Outaouais (UQO) offre une majeure et une mineure en Communication ainsi qu'un certificat en Communication publique.
- L'Université du Québec en Abitibi-Témiscamingue (UQAT) offre un baccalauréat de 90 crédits composé d'une majeure et d'une mineure au choix : Création en multimédias interactifs; Gestion; Production artistique; Pratiques rédactionnelles; Personnalisée.

STATISTIQUES D'EMPLOI

	2001	2003	2005
Nb de personnes diplômées	217	242	337
% en emploi	78,9 %	74,8 %	65,6 %
% à temps plein	82,9 %	79,8 %	84,1 %
% lié à la formation	72,4 %	65,3 %	65,1 %

15494 COMMUNICATION (RELATIONS HUMAINES) / COMMUNICATION SOCIALE / RELATIONS HUMAINES / SCIENCES SOCIALES ET HUMANITÉS / HUMAN RELATIONS / HUMANISTIC STUDIES / HUMANITIES / SCIENCE AND HUMAN AFFAIRS

BAC 6 TRIMESTRES — CUISEP 571-000

Compétences à acquérir

- Documenter un diagnostic social.
- Établir un projet d'intervention auprès de groupes, d'organisations et de communautés.
- Intervenir auprès d'acteurs sociaux.
- Acquérir et développer des compétences langagières.
- Démontrer des capacités d'analyse, de synthèse et d'esprit critique, de même que la maîtrise des outils de travail dans le domaine des sciences sociales.

Éléments du programme

- Animation dans les groupes
- Communication et développement international
- Comportements individuels en groupe
- Intervention communautaire
- Mesures de l'interaction sociale
- Méthode de recherche
- Sociologie des médias
- Stage

Admission (voir p. 20 G)

DEC ou l'équivalent.

ET

Concordia : Lettre explicative.

Endroits de formation (voir p. 414)

	Contingentement	Coop	Cote R*
Bishop's	☐	☐	—
Concordia	■	☐	—
McGill	☐	☐	—
UQAR	☐	☐	—
UQTR	■	☐	20.310

** Le nombre inscrit indique la **cote R** qui a été utilisée pour l'**admission de l'année précédente** par l'université concernée. Pour connaître la cote R exigée pour l'admission 2008, communiquer avec les établissements concernés.*

Professions reliées

C.N.P.

5124	Agent d'information
4212	Animateur de vie étudiante
5124	Conseiller en communication
4212	Génagogue
4212	Intervenant communautaire
4151	Psychosociologue

Endroits de travail

- Centres hospitaliers
- Établissements d'enseignement
- Firmes en communications
- Municipalités
- Organismes communautaires

Salaire

Le salaire hebdomadaire moyen est de 679 $ (janvier 2001).

Remarque

L'Université du Québec à Rimouski (UQAR) offre une formation pratique axée sur l'intervention des personnes en milieu organisé. Le programme comprend un stage par année.

SCIENCES HUMAINES

STATISTIQUES D'EMPLOI

	2001	2003	2005
Nb de personnes diplômées	36	—	—
% en emploi	38,9 %	—	—
% à temps plein	100 %	—	—
% lié à la formation	14,3 %	—	—

15410 COMMUNICATION (RELATIONS PUBLIQUES)

BAC 6 TRIMESTRES — CUISEP 514-000

Compétences à acquérir

- Assumer les tâches de relations publiques dans les organisations.
- Identifier les enjeux sociaux auxquels les organisations sont confrontées.
- Influencer les décisions concernant les politiques et les stratégies organisationnelles
- Définir les responsabilités sociales des organisations envers leurs parties prenantes
- Élaborer les politiques et les programmes correspondants
- Concevoir et gérer les communications internes et externes selon les multiples composantes de l'environnement organisationnel.

Éléments du programme

- Écriture en relations publiques
- Relations de presse
- Communication organisationnelle
- Méthodes de recherche en communication
- Marketing

Admission (voir p. 20 G)

DEC ou l'équivalent **OU** avoir obtenu au minimum 30 crédits universitaires.

Endroit de formation (voir p. 414)

	Contingentement	Coop	Cote R
UQAM	■	□	—

Professions reliées

C.N.P.

- 5124 Agent d'artistes
- 5124 Agent d'information
- 5124 Attaché de presse
- 5124 Spécialiste en relations publiques

Endroits de travail

- Agences de communication
- Multinationales
- Gouvernements fédéral et provincial
- Organismes sans but lucratif
- Organismes internationaux
- Firmes d'experts en communication
- À son compte

Salaire

Le salaire hebdomadaire moyen est de 663 $ (janvier 2005).

STATISTIQUES D'EMPLOI

	2001	2003	2005
Nb de personnes diplômées	486	626	666
% en emploi	79,0 %	75,6 %	70,0 %
% à temps plein	90,7 %	91,2 %	88,8 %
% lié à la formation	78,2 %	73,2 %	69,7 %

SCIENCES HUMAINES

15410 COMMUNICATION (STRATÉGIES DE PRODUCTIONS CULTURELLES ET MÉDIATIQUES)

BAC 6 TRIMESTRES — CUISEP 514-000

Compétences à acquérir

- Œuvrer à la conception, au développement et à la gestion de projets dans les domaines de la production médiatique et culturelle.
- Identifier les différentes étapes du processus de la production médiatique et culturelle et en mesurer les déterminants majeurs.
- Collaborer à la mise en place, le développement, la gestion et l'évaluation de ces projets tout en élaborant une réflexion critique sur leur pratique.

Éléments du programme

- Analyse des productions médias
- Industries de la culture et des communications
- Organisation économique des médias
- Pratiques médiatiques
- Stratégies de mise en marché
- Gestion des organisations culturelles
- Stage de production I et II

Admission (voir p. 20 G)

DEC ou l'équivalent **OU** avoir obtenu au minimum 30 crédits universitaires.

Endroit de formation (voir p. 414)

	Contingentement	Coop	Cote R
UQAM	■	□	—

Professions reliées

C.N.P.

5124	Agent d'artistes
5124	Agent d'information
5226	Chargé de programmation à la radio ou à la télévision
5241	Concepteur-idéateur de jeux électroniques
5241	Concepteur-idéateur de produits multimédias
5131	Directeur de production (cinéma, télévision)
0512	Directeur de production multimédia
5131	Producteur (cinéma, radio, télévision, théâtre)
5123	Recherchiste (radio, télévision)

Endroits de travail

- Télédiffuseurs
- Industrie du cinéma
- Radiodiffuseurs
- Industrie du multimédia
- Industrie du spectacle
- Ministère de la culture

Salaire

Le salaire hebdomadaire moyen est de 663 $ (janvier 2005).

SCIENCES HUMAINES

STATISTIQUES D'EMPLOI

	2001	2003	2005
Nb de personnes diplômées	486	626	666
% en emploi	79,0 %	75,6 %	70,0 %
% à temps plein	90,7 %	91,2 %	88,8 %
% lié à la formation	78,2 %	73,2 %	69,7 %

15410 COMMUNICATION (TÉLÉVISION)

BAC 6 TRIMESTRES — CUISEP 511-000

Compétence à acquérir

Intervenir dans le domaine des communications médiatiques.

Éléments du programme

- Conception sonore
- Conception visuelle
- Enjeux sociaux de la télévision
- Technologie des médias
- Montage
- Production d'une série télévisuelle
- Stage en télévision

Admission (voir p. 20 G)

DEC ou l'équivalent **OU** avoir obtenu au minimum 30 crédits universitaires **ET** soumettre une production médiatique numérique et entrevue.

Endroit de formation (voir p. 414)

	Contingentement	Coop	Cote R
UQAM	■	□	—

Professions reliées

C.N.P.	
5231	Animateur (radio, télévision)
5226	Chargé de programmation à la radio ou à la télévision
5123	Chroniqueur
5231	Commentateur sportif
5131	Directeur de production (cinéma, télévision)
5123	Journaliste
5123	Journaliste sportif
5131	Producteur (cinéma, radio, télévision, spectacle)
5131	Réalisateur à la télévision
5131	Réalisateur d'émissions radiophoniques
5123	Recherchiste (radio, télévision)

Endroits de travail

- Télédiffuseurs
- Radiodiffuseurs

Salaire

Le salaire hebdomadaire moyen est de 663 $ (janvier 2005).

STATISTIQUES D'EMPLOI

	2001	2003	2005
Nb de personnes diplômées	486	626	666
% en emploi	79,0 %	75,6 %	70,0 %
% à temps plein	90,7 %	91,2 %	88,8 %
% lié à la formation	78,2 %	73,2 %	69,7 %

SCIENCES HUMAINES

15499 COMMUNICATION ET POLITIQUE / COMMUNICATION, POLITIQUE ET SOCIÉTÉ

BAC 6 TRIMESTRES — CUISEP 500/600-000

Compétences à acquérir

- Faire la planification et établir des stratégies de communication sur le plan politique.
- Organiser des campagnes électorales.
- Implanter des réformes dans les services publics.
- Formuler des politiques au regard des télécommunications.
- Comprendre comment se bâtit l'opinion publique et connaître l'impact des différents médias sur les décisions politiques.
- Travailler au sein des communications publiques, dans les médias de masse ou le journalisme.

Éléments du programme

- Communication écrite, audiovisuelle, informatisée et médias de masse
- Communication, sens et discours
- Méthodes d'analyse du discours politique
- Méthodes de recherche en politique
- Politiques gouvernementales et sociales
- Principes d'analyse et théories politiques
- Relations internationales
- Théories de la communication

Admission (voir p. 20 G)

DEC ou l'équivalent.

OU

Montréal : Avoir réussi 24 crédits de niveau universitaire autres que des crédits obtenus dans le cadre de cours préparatoires aux études universitaires.

Endroits de formation (voir p. 414)

	Contingentement	Coop	Cote R*
Montréal	■	□	24,412
UQAM	■	□	27.000

** Le nombre inscrit indique la **cote R** qui a été utilisée pour l'**admission de l'année précédente** par l'université concernée. Pour connaître la cote R exigée pour l'admission 2008, communiquer avec les établissements concernés.*

Professions reliées

C.N.P.

4168 Attaché politique
1221 Chef de cabinet
5123 Journaliste politique
4169 Lobbyiste
4168 Organisateur de campagne électorale

Endroits de travail

- Compagnies multinationales
- Éditeurs (journaux, revues)
- Gouvernements fédéral et provincial
- Partis politiques

Salaire

Donnée non disponible.

Statistiques d'emploi

Données non disponibles.

15439 CRIMINOLOGIE

BAC 6 TRIMESTRES — CUISEP 623-000

Compétences à acquérir

- Intervenir auprès des individus dans les milieux correctionnels ou de réadaptation.
- Aider le criminel et le délinquant à se resocialiser.
- Assumer diverses tâches administratives telles que le classement des prévenus, la sélection et la direction du personnel spécialisé.
- Travailler en prévention, en recherche ou en élaboration de programmes et de politiques.

Éléments du programme

- Délinquance et facteurs criminogènes
- Justice criminelle
- Pénologie
- Prévention criminelle
- Psychocriminologie
- Sociocriminologie
- Stages
- Victimologie

Admission (voir p. 20 G)

DEC en Sciences humaines (version ultérieure à 1991) **OU** DEC en Sciences de la nature **OU** DEC en Histoire et civilisation et avoir atteint l'objectif 022P en méthodes quantitatives.

OU

DEC ou l'équivalent **OU** avoir réussi 24 crédits de cours universitaires autres que des crédits obtenus dans le cadre de cours préparatoires aux études universitaires. **ET** avoir réussi un cours préalable en statistique (lequel peut être suivi à l'université).

Endroit de formation (voir p. 414)

	Contingentement	Coop	Cote R*
Montréal	■	□	28.200

** Le nombre inscrit indique la **cote R** qui a été utilisée pour l'**admission de l'année précédente** par l'université concernée. Pour connaître la cote R exigée pour l'admission 2008, communiquer avec les établissements concernés.*

Professions reliées

C.N.P.

4155 Agent au classement des détenus dans les pénitenciers
4155 Agent de libération conditionnelle
4155 Agent de probation
4169 Criminologue

Endroits de travail

- Bureaux de la protection de la jeunesse
- Bureaux de probation
- Centres jeunesse
- Centres de détention
- Maisons de transition
  Services correctionnels
- Services de libération conditionnelle
- Services de police
- Sûreté du Québec

Salaire

Le salaire hebdomadaire moyen est de 670 $ (janvier 2005).

Remarque

L'Université Bishop's offre une mineure en Criminology.

STATISTIQUES D'EMPLOI

	2001	2003	2005
Nb de personnes diplômées	81	102	104
% en emploi	71,2 %	78,8 %	67,1 %
% à temps plein	90,5 %	95,2 %	93,9 %
% lié à la formation	92,1 %	90,0 %	84,8 %

SCIENCES HUMAINES

15499 DÉMOGRAPHIE ET ANTHROPOLOGIE

BAC 6 TRIMESTRES — CUISEP 620/630-000

Compétence à acquérir

Ce programme est bidisciplinaire.

Éléments du programme

- Collecte en démographie et anthropologie
- Analyse longitudinale
- Analyse transversale
- Éléments de démographie
- Atelier de démographie anthropologie
- Initiation à la démarche anthropologique

Admission (voir p. 20 G)

DEC ou l'équivalent **OU** avoir réussi 24 crédits de cours universitaires autres que des crédits obtenus dans le cadre de cours préparatoires aux études universitaires.

Endroit de formation (voir p. 414)

	Contingentement	Coop	Cote R
Montréal	☐	☐	—

Professions reliées

C.N.P.

4169 Anthropologue
2161 Démographe

Endroits de travail

- Gouvernements fédéral et provincial
- Municipalités
- Organismes de recherche du réseau de la santé
- Organismes gouvernementaux et internationaux

Salaire

Le salaire hebdomadaire moyen est de 626 $ (janvier 2001).

SCIENCES HUMAINES

STATISTIQUES D'EMPLOI

	2001	2003	2005
Nb de personnes diplômées	25	—	—
% en emploi	53,3 %	—	—
% à temps plein	87,5 %	—	—
% lié à la formation	57,1 %	—	—

15499 DÉMOGRAPHIE ET GÉOGRAPHIE

BAC 6 TRIMESTRES — CUISEP 620/630-000

Compétence à acquérir

Ce programme est bidisciplinaire.

Éléments du programme

- Analyse démographique avancée
- Analyse longitudinale
- Calcul différentiel et intégral
- Éléments de démographie
- Géographie et environnement
- Géographie politique, géographie de la santé et de l'environnement, géographie sociale et des populations
- Sociologie
- Sociologie et population
- Statistique pour économistes
- Systèmes d'information géographique

Admission (voir p. 20 G)

DEC ou l'équivalent

OU avoir réussi 24 crédits de cours universitaires autres que des crédits obtenus dans le cadre de cours préparatoires aux études universitaires.

Endroit de formation (voir p. 414)

	Contingentement	Coop	Cote R
Montréal	☐	☐	—

Professions reliées

C.N.P.

2161 Démographe

4169 Géographe (géographie humaine)

Endroits de travail

- Firmes d'urbanisme
- Firmes de sondage
- Gouvernements fédéral et provincial
- Municipalités
- Organismes internationaux

Salaire

Le salaire hebdomadaire moyen est de 626 $ (janvier 2001).

STATISTIQUES D'EMPLOI

	2001	2003	2005
Nb de personnes diplomées	25	—	—
% en emploi	53,3 %	—	—
% à temps plein	87,5 %	—	—
% lié à la formation	57,1 %	—	—

SCIENCES HUMAINES

15499 DÉMOGRAPHIE ET STATISTIQUES

BAC 6 TRIMESTRES — CUISEP 620/630-000

Compétences à acquérir

Ce programme est bidisciplinaire.

Éléments du programme

- Analyse longitudinale
- Analyse transversale
- Concepts et méthodes statistiques
- Laboratoire de démographie statistique
- Pratique de la démographie

Admission (voir p. 20 G)

DEC en Sciences de la nature **OU** DEC ou l'équivalent et mathématiques 103, 105, 203 **OU** avoir réussi 24 crédits de cours universitaires et mathématiques 103, 105 et 203 ou l'équivalent.

Endroit de formation (voir p. 414)

	Contingentement	Coop	Cote R
Montréal	☐	☐	—

Professions reliées

C.N.P.

2161 Démographe
2161 Statisticien

Endroits de travail

- Gouvernements fédéral et provincial
- Municipalités
- Organismes internationaux

Salaire

Donnée non disponible.

Statistiques d'emploi

Données non disponibles.

SCIENCES HUMAINES

15479 DÉVELOPPEMENT DE CARRIÈRE

BAC 6 TRIMESTRES — CUISEP 554-000

Compétences à acquérir

- Aider les personnes à faire des choix éclairés en matière d'études et de professions en tenant compte de leurs aptitudes, de leurs intérêts et de leurs valeurs.
- Donner des renseignements sur les programmes de formation, les établissements d'enseignement et le marché du travail.
- Recevoir les personnes en entrevue.
- Donner des conférences.
- Aider les personnes ou les groupes à intégrer le marché du travail par diverses activités telles que la rédaction de curriculum vitæ, l'établissement d'un réseau de contact, la simulation d'entrevues d'embauche, etc.

N.B. : Consulter également les fiches des programmes Information et orientation professionnelles (p. 224) et Sciences de l'orientation (p. 233).

Éléments du programme

- Développement vocationnel
- Main-d'œuvre et marché du travail
- Psychologie du développement
- Psychologie sociale de la carrière
- Psychométrie et évaluation par les tests
- Sociologie du travail
- Théories et techniques de l'entrevue

Admission (voir p. 20 G)

DEC ou l'équivalent.

ET

Méthodes quantitatives ou l'équivalent.

Endroit de formation (voir p. 414)

	Contingentement	Coop	Cote R*
UQAM	■	□	20.000

** Le nombre inscrit indique la **cote R** qui a été utilisée pour l'**admission de l'année précédente** par l'université concernée. Pour connaître la cote R exigée pour l'admission 2008, communiquer avec les établissements concernés.*

Professions reliées

C.N.P.

1223	Agent de dotation
1123	Agent de ressources humaines
1121	Analyste des emplois
4143	Aide pédagogique individuel
4143	Conseiller d'orientation
4213	Conseiller en emploi
4143	Conseiller en gestion de carrière
4143	Conseiller en information scolaire et professionnelle
4213	Conseiller en main-d'œuvre
4153	Conseiller en réadaptation

Endroits de travail

- À son compte
- Agences de placement
- Bureaux de probation
- Carrefours jeunesse emploi (CJE)
- Centres locaux d'emploi (CLE)
- Commission de la santé et de la sécurité du travail(CSST)
- Établissements d'enseignement
- Grandes entreprises (services des ressources humaines)
- Société de l'assurance automobile du Québec (SAAQ)

Salaire

Le salaire hebdomadaire moyen est de 622 $ (janvier 2005).

Remarque

Ce programme constitue la première étape d'une formation comme conseiller d'orientation que l'on retrouve au niveau de la maîtrise en éducation. La maîtrise, offerte à l'Université du Québec à Montréal (UQAM) en continuité du programme de baccalauréat, permet un accès automatique à l'Ordre professionnel des conseillers et conseillères d'orientation et des psychoéducateurs et psychoéducatrices du Québec.

STATISTIQUES D'EMPLOI

	2001	2003	2005
Nb de personnes diplômées	248	176	129
% en emploi	68,3 %	53,6 %	58,2 %
% à temps plein	91,3 %	91,4 %	88,7 %
% lié à la formation	78,4 %	77,0 %	78,7 %

SCIENCES HUMAINES

15438 DÉVELOPPEMENT SOCIAL ET ANALYSE DES PROBLÈMES / SOCIOLOGIE / SOCIOLOGY

BAC 6 TRIMESTRES — CUISEP 635-000

Compétences à acquérir

- Analyser et expliquer le développement et la structure des sociétés, de leurs institutions et des relations individus-institutions.
- Fournir des analyses qui serviront à l'implantation d'interventions sociales.

Éléments du programme

- Économie et société
- Ethnicité et société
- Méthodologie de recherche
- Psychosociologie
- Sciences et société
- Sociologie des organisations
- Sociologie des sciences et technologies
- Stratification et mobilité

Admission (voir p. 20 G)

Bishop's, Concordia : DEC ou l'équivalent.

Montréal : DEC ou l'équivalent **OU** avoir réussi 24 crédits de cours universitaires autres que des crédits obtenus dans le cadre de cours préparatoires aux études universitaires.

UQAM, McGill : DEC en Sciences humaines ou DEC ou l'équivalent.

UQAR, Laval : DEC ou l'équivalent.

UQO : DEC en Sciences humaines ou DEC général ou technique ou l'équivalent.

Endroits de formation (voir p. 414)

	Contingentement	Coop	Cote R
Bishop's	☐	☐	—
Concordia	☐	☐	—
Laval	☐	☐	—
McGill	☐	☐	—
Montréal	☐	☐	—
UQAM	☐	☐	—
UQAR	☐	☐	—
UQO	☐	☐	—

Professions reliées

C.N.P.	
—	Agent de recherche
4163	Agent de développement
5124	Agent d'information
4169	Anthropologue
4169	Ethnologue
1228	Inspecteur de l'immigration
4121	Professeur de sociologie
4169	Sociologue

Endroits de travail

- Établissements d'enseignement collégial
- Gouvernements fédéral et provincial
- Organismes internationaux
- Syndicats

Salaire

Le salaire hebdomadaire moyen est de 558 $ (janvier 2005).

Remarques

- Pour enseigner au secondaire, il faut être titulaire d'un permis ou d'un brevet d'enseignement permanent émis par le ministère de l'Éducation, du Loisir et du Sport.
- Pour être agent de l'immigration, il faut suivre une formation spécialisée offerte par le gouvernement du Canada.
- Des études de 2e ou 3e cycle peuvent être exigées pour travailler dans le domaine de la recherche scientifique.
- L'Université du Québec à Montréal (UQAM) offre également une majeure et une mineure en Sociologie.
- L'Université Laval offre un certificat en Sociologie et un certificat en Études sur le Québec contemporain.
- L'Université du Québec en Outaouais (UQO) offre une majeure et une mineure en Sociologie.
- L'Université du Québec à Chicoutimi (UQAC) offre une majeure en Sociologie et en Anthropologie.
- À l'Université du Québec à Rimouski (UQAR), ce programme sert de porte d'entrée vers la maîtrise en Développement régional.

STATISTIQUES D'EMPLOI

	2001	2003	2005
Nb de personnes diplômées	297	254	267
% en emploi	61,9 %	48,4 %	40,1 %
% à temps plein	91,1 %	74,4 %	84,1 %
% lié à la formation	35,3 %	32,1 %	35,8 %

15434 ÉCONOMIE / ÉCONOMIE MATHÉMATIQUE / ÉCONOMIQUE / SCIENCES ÉCONOMIQUES / ECONOMICS

BAC 6 TRIMESTRES — CUISEP 625-000

Compétences à acquérir

- Analyser une situation donnée (contrôle des prix, tarification des services publics, chômage, inflation, pollution, etc.), en dégager des renseignements pertinents et suggérer des politiques à suivre.
- Faire des recherches, des lectures et des enquêtes.
- Compiler et interpréter les données économiques et les statistiques recueillies et prévoir l'évolution des situations en cause.
- Rédiger des rapports incluant des suggestions et des constatations.

Éléments du programme

- Calcul différentiel et intégral
- Commerce international
- Comptabilité
- Économétrie
- Éléments de gestion
- Éléments de macroéconomique
- Éléments de microéconomique
- Finance
- Poliques publiques
- Statistiques et probabilités

Admission (voir p. 20 G)

Bishop's, Concordia, McGill : DEC ou l'équivalent.

Laval : DEC ou l'équivalent et mathématiques 103-RE, 105-RE, 203-RE objectifs : 022X, 022Y, 022Z ou NYA, NYB, NYC (objectifs : 00UN, 00UP, 00UQ) ou 103-77, 105-77, 203-77 **OU** DEC dans la famille des techniques administratives et mathématiques (avant la réforme) (NYA ou 103-RE ou 103-77) (objectifs : 00UN, 00UP, 00UQ ou 022X, 022Y, 022Z), (302 ou 105-RE ou NYC ou 105-77), (337 ou 203-RE ou NYB ou 203-77) **ou** mathématiques (après la réforme) (NYA ou 103-RE ou 103-77 ou l'un des objectifs : 00UN, 01Y1, 022X), (302 ou 105-RE ou NYC ou 105-77 ou l'un des objectifs : 00UQ, 01Y4, 022Z) et les cours obligatoires de mathématiques et de statistique du programme révisé.

Montréal : DEC en Sciences de la nature **OU** DEC ou l'équivalent et mathématiques 103, 105, 203 ou 103 et (307 ou 337 ou 360-300) **OU** avoir réussi 24 crédits de cours universitaires autres que des crédits obtenus dans le cadre de cours préparatoires aux études universitaires et les cours préalables de mathématiques 103, 105, 203 (ou 103 et 307 ou 337 ou 360-300).

Sherbrooke : DEC ou l'équivalent et mathématiques NYA et un autre cours de mathématiques **OU** avoir atteint les objectifs 00UN, 022X ou 01Y1 et un autre objectif lié aux mathématiques ou aux méthodes quantitatives.

UQAM : DEC en Sciences de la nature, DEC en Sciences humaines, DEC en Sciences, DEC en Lettres et arts, DEC dans la famille des technique administratives ou l'équivalent **ET** mathématiques 103 ou l'équivalent ou le cours MAT0349 à l'UQAM.

Endroits de formation (voir p. 414)

	Contingentement	Coop	Cote R*
Bishop's	□	□	—
Concordia	■	■	28.000
Laval	□	□	—
McGill	□	□	—
Montréal	□	□	—
Sherbrooke	□	■	22.900
UQAM	□	□	—

** Le nombre inscrit indique la **cote R** qui a été utilisée pour l'**admission de l'année précédente** par l'université concernée. Pour connaître la cote R exigée pour l'admission 2008, communiquer avec les établissements concernés.*

Professions reliées

C.N.P.	
5124	Agent d'information
4163	Agent de développement économique
4168	Agent du service extérieur diplomatique
4163	Analyste des marchés
1112	Analyste financier
1112	Conseiller en importation et exportation
4162	Économiste
4162	Économiste des transports
4162	Économiste du travail
4162	Économiste en commerce international
4162	Économiste en développement international
4162	Économiste en organisation des ressources
4162	Économiste financier
4162	Économiste industriel
4131	Professeur d'économique

Endroits de travail

- Établissements d'enseignement collégial et universitaire
- Gouvernements fédéral et provincial
- Institutions financières
- Municipalités
- Organismes internationaux
- Secteurs industriels divers

Salaire

Le salaire hebdomadaire moyen est de 756 $ (janvier 2005).

SCIENCES HUMAINES

15434 ÉCONOMIE / ÉCONOMIE MATHÉMATIQUE / ÉCONOMIQUE / SCIENCES ÉCONOMIQUES / ECONOMICS

(SUITE)

Remarques

- Pour enseigner au secondaire, il faut détenir un permis d'enseignement délivré par le ministère de l'Éducation, du Loisir et du Sport.
- Pour être analyste financier, il faut avoir réussi l'examen de la Commission canadienne des valeurs mobilières et y être inscrit ou avoir suivi les cours de l'Institution des analystes financiers agréés.
- L'Université Bishop's, l'Université de Montréal et l'Université Laval offrent le programme bidisciplinaire Économie et Mathématique (Mathematical Economics).
- L'Université de Sherbrooke offre un cheminement accéléré. Le baccalauréat en Économie relève de la Faculté d'administration.
- L'Université du Québec à Montréal (UQAM) offre un baccalauréat en Économique avec les concentrations suivantes : Économie appliquée, Économie et finance, Économie et gestion; Économie internationale; Économie et politiques publiques.
- L'Université Laval offre un baccalauréat en Économique, un baccalauréat en Économie mathématique, ainsi qu'un certificat en Économique.

SCIENCES HUMAINES

STATISTIQUES D'EMPLOI

	2001	2003	2005
Nb de personnes diplômées	300	292	258
% en emploi	68,7 %	68,8 %	54,1 %
% à temps plein	94,6 %	93,5 %	83,6 %
% lié à la formation	61,3 %	54,5 %	55,7 %

15499 ÉCONOMIE ET POLITIQUE / POLITICAL ECONOMY

BAC 6 TRIMESTRES — CUISEP 625-000

Compétences à acquérir

- Ce programme est bidisciplinaire.
- Consulter les fiches des programmes Économique (p. 218) et Science politique (p. 222).

Éléments du programme

- Économie de l'environnement
- Économie du travail
- Économie industrielle
- Économie publique
- Économie urbaine et régionale
- Problèmes économiques

Admission (voir p. 20 G)

DEC ou l'équivalent.

OU

Montréal : DEC ou l'équivalent **OU** avoir réussi 24 crédits de cours universitaires autres que des crédits obtenus dans le cadre de cours préparatoires aux études universitaires.

Endroits de formation (voir p. 414)

	Contingentement	Coop	Cote R*
Bishop's	☐	☐	—
Laval	☐	☐	—
McGill	☐	☐	—
Montréal	☐	☐	22.000
UQAM	☐	☐	—

** Le nombre inscrit indique la **cote R** qui a été utilisée pour l'**admission de l'année précédente** par l'université concernée. Pour connaître la cote R exigée pour l'admission 2008, communiquer avec les établissements concernés.*

Professions reliées

C.N.P.

4163	Agent de développement économique
4163	Agent de développement international
4168	Agent du service extérieur diplomatique
4162	Économiste
4162	Économiste en commerce international
4162	Économiste en développement international

Endroits de travail

- Gouvernements fédéral et provincial
- Médias d'information

Salaire

Consulter les fiches des programmes Économique (p. 218) et Science politique (p. 222).

Remarque

L'Université du Québec à Montréal (UQAM) offre une concentration en Ééconomie et politiques publiques dans le cadre du baccalauréat en Économique.

Statistiques d'emploi

Consulter les fiches des programmes Économique (p. 218) et Science politique (p. 222).

15499 ÉTUDES EST-ASIATIQUES

BAC 6 TRIMESTRES — CUISEP 620/630-000

Compétences à acquérir

- Comprendre la culture est-asiatique.
- Analyser l'impact des constances culturelles dans le contexte québécois.
- Maîtriser les langues de la Chine, du Japon, de la Corée et du Vietnam.
- Être en mesure d'analyser les problématiques ayant trait aux relations internationales.

Trois spécialisations sont offertes :
Anthropologie; Géographie; Histoire.

Éléments du programme

- Analyse de texte
- Économie
- Histoire
- Littérature

Admission (voir p. 20 G)

McGill : DEC ou l'équivalent.
Montréal : DEC ou l'équivalent **OU** avoir réussi 24 crédits de cours universitaires autres que des crédits obtenus dans le cadre de cours préparatoires aux études universitaires.

Endroits de formation (voir p. 414)

	Contingentement	Coop	Cote R
McGill	☐	☐	—
Montréal	☐	☐	—

Professions reliées

C.N.P.

4168 Diplomate
5125 Interprète
4168 Spécialiste en relations internationales
5125 Traducteur

Endroits de travail

- Gouvernements fédéral et provincial
- Organismes internationaux

Salaire

Donnée non disponible.

Statistiques d'emploi

Données non disponibles.

SCIENCES HUMAINES

15437 ÉTUDES POLITIQUES APPLIQUÉES / SCIENCE POLITIQUE / POLITICAL SCIENCE

BAC 6 TRIMESTRES — CUISEP 632-000

Compétences à acquérir

- Identifier et expliquer des phénomènes politiques.
- Étudier des attitudes, des comportements et des idéologies.
- Étudier la théorie, l'origine, l'évolution, l'interdépendance et le fonctionnement des institutions et des systèmes politiques.
- Faire l'analyse des renseignements recueillis, en faire la synthèse et l'interprétation.
- Faire part de ses constatations et conclusions aux partis politiques, aux organismes, aux médias, aux gouvernements fédéral et provincial, etc.
- Rédiger des livres et des articles de journaux.

Éléments du programme

- Administration publique et politiques publiques
- Analyse des systèmes internationaux
- Forces politiques
- Géographie politique
- Introduction à l'histoire des idées politiques
- Politique et sociétés dans le monde
- Principes de relations internationales

Admission (voir p. 20 G)

DEC ou l'équivalent.

OU

Montréal : DEC ou l'équivalent **OU** avoir réussi 24 crédits de cours universitaires autres que des crédits obtenus dans le cadre de cours préparatoires aux études universitaires.

Sherbrooke : DEC ou l'équivalent et mathémathiques 103, 105, 203 **OU** avoir atteint les objectifs et standards 00UN, 00UP, 00UQ pour le cheminement en administration.

Endroits de formation (voir p. 414)

	Contingentement	Coop	Cote R*
Bishop's	☐	☐	—
Concordia	☐	☐	—
Laval	☐	☐	—
McGill	☐	☐	—
Montréal	☐	☐	22.000
Sherbrooke	☐	☐	21.500
UQAM	☐	☐	—
UQO	☐	☐	—

** Le nombre inscrit indique la **cote R** qui a été utilisée pour l'**admission de l'année précédente** par l'université concernée. Pour connaître la cote R exigée pour l'admission 2008, communiquer avec les établissements concernés.*

Professions reliées

C.N.P.	
4168	Agent du service extérieur diplomatique
4168	Attaché politique
4168	Conseiller politique
5123	Chroniqueur politique
4168	Diplomate
0011	Député
4169	Lobbyiste
4169	Politicologue

Endroits de travail

- Établissements d'enseignement collégial
- Gouvernements fédéral et provincial
- Groupes de pression
- Maisons de sondage
- Médias d'information
- Organismes communautaires
- Organismes internationaux
- Partis politiques

Salaire

Le salaire hebdomadaire moyen est de 670 $ (janvier 2005).

Remarques

- Différentes options sont offertes selon les établissements : Administration publique; Analyse et théories politiques; Relations internationales; Sociologie politique; etc.
- L'Université Concordia et l'Université du Québec à Chicoutimi (UQAC) offrent une majeure en Science politique.
- L'Université de Sherbrooke offre cinq cheminements : Administration; Communication; Droit; Politiques publiques, Relations internationales.
- L'Université du Québec à Montréal (UQAM) offre également une majeure et une mineure en Science politique.
- L'Université Laval offre un certificat et un diplôme en Science politique.
- L'Université du Québec en Outaouais (UQO) offre une mineure et une majeure en Science politique.

STATISTIQUES D'EMPLOI

	2001	2003	2005
Nb de personnes diplômées	536	500	606
% en emploi	51,5 %	46,6 %	48,9 %
% à temps plein	90,1 %	91,9 %	85,9 %
% lié à la formation	36,1 %	40,8 %	36,6 %

15435/ 15499 HISTOIRE / HISTOIRE, CULTURE ET SOCIÉTÉ / INTERVENTIONS CULTURELLES / HISTORY

BAC 6 TRIMESTRES — CUISEP 63

Compétences à acquérir

- Faire des recherches sur des périodes ou des aspects de l'activité humaine passée.
- Rédiger des comptes rendus ou des rapports.
- Apprécier l'authenticité et la valeur des renseignements recueillis et présenter le résultat de ses recherches par écrit ou sous d'autres formes.
- Développer ses capacités d'analyse, de synthèse et de transmission des connaissances.
- Acquérir une vision critique des problématiques, des interprétations et des conditions de validation des connaissances historiques.

Éléments du programme

- Analyse critique des sources
- Analyse de textes
- Antiquité
- Culture et société au Moyen Âge
- Initiation à la connaissance historique
- Initiation à la méthode historique
- Interventions culturelles
- Introduction à l'archivistique
- Monde non-occidental
- Période contemporaine
- Période moderne
- Recherche en histoire du Québec et du Canada
- Relations internationales

Admission (voir p. 20 G)

DEC ou l'équivalent.

OU

McGill : DEC en Sciences humaines.

Montréal : DEC ou l'équivalent **OU** avoir réussi 24 crédits de cours universitaires autres que des crédits obtenus dans le cadre de cours préparatoires aux études universitaires.

Endroits de formation (voir p. 414)

	Contingentement	Coop	Cote R*
Bishop's	☐	☐	—
Concordia	☐	☐	—
Laval	☐	☐	—
McGill	☐	☐	—
Montréal	☐	☐	—
Sherbrooke	☐	☐	—
UQAC	☐	☐	—
UQAM	☐	☐	24.000
UQAR	☐	☐	—
UQO	☐	☐	—
UQTR	☐	☐	—

** Le nombre inscrit indique la **cote R** qui a été utilisée pour l'**admission de l'année précédente** par l'université concernée. Pour connaître la cote R exigée pour l'admission 2008, communiquer avec les établissements concernés.*

Professions reliées

C.N.P.	
5124	Agent d'information
—	Agent de recherche
5113	Archiviste
2161	Démographe
5212	Guide dans les musées
4169	Historien
4141	Professeur d'histoire

Endroits de travail

- Établissements d'enseignement
- Gouvernements fédéral et provincial
- Médias (journaux, télévision)

Salaire

Le salaire hebdomadaire moyen est de 615 $ (janvier 2005).

Remarques

- Différentes options sont offertes selon les établissements : Géographie; Histoire; Sociologie; etc.
- Pour enseigner au secondaire, il faut être titulaire d'un permis ou d'un brevet d'enseignement permanent émis par le ministère de l'Éducation, du Loisir et du Sport.
- L'Université du Québec à Montréal (UQAM) offre une majeure et une mineure en Histoire. Le baccalauréat en Histoire, culture et société est contingenté.
- L'Université Laval offre un certificat en Histoire et un certificat en Archivistique.
- L'Université du Québec à Trois-Rivières (UQTR) offre un certificat en Histoire.
- L'Université du Québec en Outaouais (UQO) offre une mineure et une majeure en Histoire.
- L'Université du Québec à Rimouski (UQAR) offre un baccalauréat à deux volets : une majeure en Histoire et une mineure en Interventions culturelles.

STATISTIQUES D'EMPLOI

	2001	2003	2005
Nb de personnes diplômées	458	409	394
% en emploi	44,2 %	43,2 %	36,7 %
% à temps plein	80,7 %	80,6 %	80,7 %
% lié à la formation	27,4 %	29,6 %	21,1 %

SCIENCES HUMAINES

15479 INFORMATION ET ORIENTATION PROFESSIONNELLES

BAC 6 TRIMESTRES — CUISEP 554-000

Compétences à acquérir

- Donner de l'information sur les programmes de formation, les établissements d'enseignement, les professions et le marché du travail.
- Aider la personne à faire un choix éclairé qui correspond à ses aptitudes, ses intérêts et ses valeurs.
- Recevoir les personnes en entrevue individuelle.
- Donner des conférences.
- Aider des personnes ou des groupes à intégrer le marché du travail par diverses activités telles que la rédaction de curriculum vitæ, l'établissement d'un réseau de contacts, la simulation d'entrevues d'embauche, etc.

N.B. : Consulter également les fiches des programmes Développement de carrière (p. 216) et Sciences de l'orientation (p. 233).

Éléments du programme

- Counseling d'orientation
- Organisations et milieux professionnels
- Psychologie du développement
- Psychométrie
- Stratégies d'intervention pédagogique
- Système scolaire et marché du travail
- Théories du développement de carrière

Admission (voir p. 20 G)

DEC en Sciences humaines ou l'équivalent.

OU

DEC et avoir réussi le cours méthodes quantitatives en Sciences humaines (360-300-91) ou l'équivalent.

OU

Avoir une combinaison de scolarité et d'expérience pertinente jugée équivalente au DEC.

Endroit de formation (voir p. 414)

	Contingentement	Coop	Cote R
Sherbrooke	■	■	—

Professions reliées

C.N.P.	
4155	Agent au classement des détenus dans les pénitenciers
1223	Agent de dotation
4155	Agent de probation
1223	Agent des ressources humaines
4143	Aide pédagogique individuel
1121	Analyste des emplois
4143	Conseiller d'orientation
4213	Conseiller en emploi
4143	Conseiller en gestion de carrière
4143	Conseiller en information scolaire et professionnelle
4213	Conseiller en main-d'œuvre
4153	Conseiller en réadaptation

Endroits de travail

- À son compte
- Agences de placement
- Carrefours jeunesse emploi (CJE)
- Centres hospitaliers
- Centres locaux d'emploi (CLE)
- Établissements d'enseignement
- Gouvernements fédéral et provincial
- Industries diverses
- Institutions financières
- Moyennes et grandes entreprises
- Municipalités
- Secteurs industriels divers

Salaire

Le salaire hebdomadaire moyen est de 622 $ (janvier 2005).

Remarques

- Pour porter le titre de conseiller d'orientation, il faut avoir une formation de 2e cycle et être membre de l'Ordre des conseillers et conseillères d'orientation et des psychoéducateurs et psychoéducatrices du Québec.
- L'Université Laval offre une mineure en Information scolaire et professionnelle.

STATISTIQUES D'EMPLOI

	2001	2003	2005
Nb de personnes diplômées	248	176	129
% en emploi	68,3 %	53,6 %	58,2 %
% à temps plein	91,3 %	91,4 %	88,7 %
% lié à la formation	78,4 %	77,0 %	78,7 %

SCIENCES HUMAINES

15400 JEWISH STUDIES / JUDAIC STUDIES

BAC 6 TRIMESTRES | CUISEP 615/627-000

Compétence à acquérir

Connaître la langue, l'histoire et la culture juives.

Éléments du programme

- Foi et pratique religieuse
- Histoire du peuple juif
- Judaisme classique, médiéval ou moderne
- Nouveau Testament
- Pensée et organisation sociale juives
- Textes bibliques hébraïques

Admission (voir p. 20 G)

DEC ou l'équivalent.

Endroits de formation (voir p. 414)

	Contingentement	Coop	Cote R
Concordia	☐	☐	—
McGill	☐	☐	—

Professions reliées

C.N.P.

4121 Professeur en études juives

5125 Traducteur

Endroits de travail

- Gouvernements fédéral et provincial
- Organismes internationaux

Salaire

Donnée non disponible.

Statistiques d'emploi

Données non disponibles.

15480 LOISIRS / LOISIR, CULTURE ET TOURISME /RÉCRÉOLOGIE / LEISURE SCIENCE / THERAPEUTIC RECREATION

BAC 6 TRIMESTRES — CUISEP 583-000

Compétences à acquérir

- Diriger un service de loisirs.
- Planifier et organiser les services et les activités de loisirs.
- Animer les activités.
- Appliquer les processus de l'aménagement des espaces et des équipements de loisirs et en comprendre les problématiques.
- Gérer efficacement les organisations en tenant compte des conditions culturelles, sociologiques et économiques de la clientèle ainsi que des ressources humaines, matérielles et financières de l'organisation.
- Acquérir la capacité de travailler seul ou en équipe.

Éléments du programme

- Gestion des organisations de loisirs
- Loisirs et fonctionnement de groupe
- Mise en marché, publicité et promotion en loisirs
- Opérations financières
- Planification et aménagement des espaces et des équipements
- Utilisation thérapeutique du loisir

Admission (voir p. 20 G)

Concordia : Leisure Science : DEC ou l'équivalent et lettre explicative. **Therapeutic recreation :** DEC ou l'équivalent et biologie 301, 401, 911, 921 ou 101-NYA.

UQTR : DEC ou l'équivalent et posséder des connaissances suffisantes en mathématiques.

Endroits de formation (voir p. 414)

	Contingentement	Coop	Cote R
Concordia	■	□	—
UQTR	□	□	—

Professions reliées

C.N.P.	
4212	Animateur de vie étudiante
4167	Conseiller en loisirs
4167	Coordonnateur des loisirs municipaux
0513	Directeur d'établissement de loisirs
4167	Directeur de camp de vacances
0513	Directeur de programmes de loisirs
0513	Directeur du service des loisirs
3144	Ludothérapeute
4167	Récréologue

Endroits de travail

- À son compte
- Camps de vacances
- Gouvernements fédéral et provincial
- Municipalités
- Organismes communautaires

Salaire

Le salaire hebdomadaire moyen est de 667 $ (janvier 2005).

Remarque

L'Université du Québec à Trois-Rivières (UQTR) offre le baccalauréat en Loisir, culture et tourisme en cheminement régulier ou enrichi pour les étudiants ayant maintenu une moyenne d'au moins 2,8 durant la première année et désireux d'entreprendre des études de 2e cycle.

STATISTIQUES D'EMPLOI

	2001	2003	2005
Nb de personnes diplômées	91	108	116
% en emploi	85,5 %	74,4 %	70,4 %
% à temps plein	86,4 %	84,4 %	92,0 %
% lié à la formation	80,4 %	74,1 %	73,9 %

SCIENCES HUMAINES

15420 NEUROSCIENCE / PSYCHOLOGIE / PSYCHOLOGY

BAC 6 TRIMESTRES — CUISEP 576-000

Compétences à acquérir

- Comprendre le comportement et les manifestations de l'être humain.
- Appliquer les principes et les méthodes de la psychologie.
- Pratiquer la consultation et l'entrevue.
- Utiliser et interpréter des tests psychométriques standardisés d'intelligence, d'aptitudes et de personnalité afin de faire des évaluations psychologiques.
- Diagnostiquer, traiter et chercher les moyens de prévenir les troubles de la personnalité et les problèmes d'adaptation de la personne à son milieu.

Éléments du programme

- Mesure en psychologie
- Méthodes d'enquête et de recherche
- Méthodes quantitatives
- Neuropsychologie
- Psychologie sociale
- Psychopathologie
- Techniques d'observation
- Théories de la personnalité
- Théories psychanalytiques

Admission (voir p. 20 G)

Bishop's : DEC ou l'équivalent et mathématiques 103, 203; physique 101, 201; chimie 101, 201; biologie 301 ou mathématiques 337 ou (103, 307); biologie 301 ou 401 ou 911 ou 921; psychologie 101 ou 102 **OU** DEC en Sciences humaines et mathématiques 300; biologie 921.

Concordia : BA : DEC ou l'équivalent et mathématiques 337 ou 103, 307 ou 201-NYA; biologie 301, 401, 911, 921 ou 101-NYA; psychologie 101 ou 102. **BSc :** DEC ou l'équivalent et mathématiques 103 ou 201-NYA, 203 ou 201-NYB; physique 101 ou 203-NYA, 201 ou 203-NYB, 301 ou 203-NYC; chimie 101 ou 202-NYA, 201 ou 202-NYB; biologie 301 ou 101-NYA.

Laval : DEC en Sciences humaines et mathématiques 201-300 (ou 952-024 ou 201-301-RE ou 103-RE, 105-RE, 203-RE); biologie 921 ou 301 ou 401 ou 911 **OU** DEC en Sciences de la nature et psychologie 101 ou 102; biologie 921 ou 401 ou 911 **OU** DEC en Histoire et civilisation ou autre et méthodes quantitatives 360-300; mathématiques 201-300 (ou 952-024 ou 201-300-RE) ou mathématiques 337 (ou 103 et 307) ou mathématiques 103-RE, 203-RE, 105-RE; psychologie 102 ou 101; biologie 921 ou NYA ou 301 ou 401 ou 911. *N.B. : Les titulaires d'un DEC en Techniques policières ou d'un DEC en Soins infirmiers sont dispensés du cours de psychologie 101 ou 102.*

McGill : DEC ou l'équivalent et mathématiques 103, 203; physique 101, 201, 301; chimie 101, 201; biologie 301.

Montréal : DEC en Sciences humaines (version ultérieure à 1991) et avoir atteint les objectifs 022W en statistiques avancées et 022V en biologie **OU** DEC en Sciences de la nature **OU** DEC en Histoire et civilisation et avoir atteint les objectifs 022P en méthodes quantitatives, 022W en statistiques avancées et 022V en biologie **OU** DEC ou l'équivalent **OU** avoir réussi 24 crédits de cours universitaires autres que des crédits obtenus dans le cadre de cours préparatoires aux études universitaires et mathématiques 337 ou (360-300 et 201-300) ou (103 et 307); un cours de biologie; psychologie 102.

Sherbrooke : DEC ou l'équivalent et mathématiques 337 ou (103, 307); biologie 301 ou 401 ou 911 ou 921; psychologie 101 ou 102 **OU** DEC en Sciences humaines et mathématiques 300 ou 022W; biologie 921 ou 022V **OU** DEC en Sciences de la nature **OU** mathématiques 103, 203; physique 101, 201, 301-78; chimie 101, 201; biologie 301 **OU** faire la preuve d'une combinaison de scolarité et d'une expérience pertinente jugée équivalente.

UQAC : DEC en Sciences de la nature ou l'équivalent **OU** DEC en Sciences, lettres et arts ou l'équivalent **OU** DEC en Sciences humaines et mathématiques 337 ou 307 ou 300 ou objectifs 022P ou 022W; biologie 301 ou 401 ou 911 ou 921 ou objectifs 022V **OU** DEC ou l'équivalent et biologie 301 ou 401 ou 911 ou 921 ou objectifs 00UK ou 00XU ou 01Y5 ou 01YJ ou 022V; mathématiques 103 337 ou 307 ou 300 ou objectifs 01Y3 ou 022P ou 022W **OU** être titulaire d'un baccalauréat international.

UQAM : DEC en Sciences humaines et mathématiques 201-300, 360-300; biologie 301 ou 401 ou 911 ou 921 ou leur équivalent **OU** DEC ou l'équivalent et mathématiques 201-300; 360-300; biologie 301 ou 401 ou 911 ou 921 **OU** DEC en Sciences de la nature.

UQO : DEC ou l'équivalent **ET** les cours ou objectifs suivants : mathématiques 01Y3 ou 022P ou les cours 337 ou 307 ou 300 ou 024; biologie 00UK ou 00XU ou 01Y5 ou 022V ou les cours 301 ou 401 ou 911 ou 921.

UQTR : DEC ou l'équivalent et mathématiques 337 ou (103, 307); biologie 301 (00UK) ou 401 ou 911 ou 921; psychologie 101 ou 102 **OU** DEC en Sciences humaines et mathématiques 300; biologie 921 **OU** DEC en Sciences de la nature.

SCIENCES HUMAINES

15420 NEUROSCIENCE / PSYCHOLOGIE / PSYCHOLOGY (SUITE)

Endroits de formation (voir p. 414)

	Contingentement	Coop	Cote R*
Bishop's	■	□	—
Concordia	■	□	22.000
Laval	■	□	24.503
McGill	□	□	—
Montréal	■	□	24.000
Sherbrooke	■	□	28.000
UQAC	□	□	—
UQAM	■	□	26.000
UQO	■	□	26.000
UQTR	□	□	25.000

** Le nombre inscrit indique la **cote R** qui a été utilisée pour l'**admission de l'année précédente** par l'université concernée. Pour connaître la cote R exigée pour l'admission 2008, communiquer avec les établissements concernés.*

Professions reliées

C.N.P.

4155 Agent au classement des détenus dans les pénitenciers
4155 Agent de probation
4151 Expert psycho-légal
4151 Neuropsychologue
4151 Psychanalyste
4151 Psychocogniticien
4151 Psychologue
4151 Psychologue-clinicien
4151 Psychologue du travail et des organisations
4151 Psychologue scolaire
4151 Psychosociologue
4151 Psychothérapeute

Endroits de travail

- À son compte
- Bureaux de probation
- Centres de réadaptation
- Centres de rééducation
- Centres hospitaliers
- Organismes communautaires
- Secteurs industriels divers
- Services correctionnels

Salaire

Le salaire hebdomadaire moyen est de 647 $ (janvier 2005).

Remarques

- Plusieurs champs d'études sont offerts selon les établissements : Neurosciences; Psychologie clinique; Psychologie-conseil; Psychologie expérimentale; Psychologie industrielle; Psychologie scolaire; Ressources humaines.
- Pour porter le titre de psychologue, il faut être membre de l'Ordre des psychologues du Québec.
- Des études de 2e cycle sont nécessaires pour être membre d'un Ordre professionnel.
- La Télé-université (TÉLUQ) offre un diplôme de premier cycle.
- La Télé-université (TÉLUQ) et l'Université McGill offrent l'option Psychologie dans le cadre du BAC en Administration.
- L'Université du Québec à Montréal (UQAM) offre un cheminement continu baccalauréat-doctorat.
- L'Université du Québec à Trois-Rivières (UQTR) offre un certificat en Psychologie et un certificat en Gérontologie
- L'Université du Québec en Outaouais (UQO) offre le doctorat en Psychologie (en collaboration avec l'Université du Québec à Montréal (UQAM). Elle offre également un certificat en Animation.
- L'Université Laval offre un certificat en Psychologie.
- L'Université Bishop's offre un certificat en Human Psychology.

STATISTIQUES D'EMPLOI

	2001	2003	2005
Nb de personnes diplômées	992	1 001	1 020
% en emploi	34,0 %	32,7 %	38,9 %
% à temps plein	80,1 %	81,1 %	77,3 %
% lié à la formation	45,1 %	44,7 %	46,4 %

SCIENCES HUMAINES

15495 PHILOSOPHIE / PHILOSOPHY

BAC 6 TRIMESTRES — CUISEP 561-000

Compétences à acquérir

- Étudier la pensée de l'Homme manifestée soit dans ses connaissances, soit dans ses actions.
- Connaître et appliquer les notions de logique, d'éthique, de métaphysique, etc.
- Réfléchir sur les données de l'existence (perceptions, liberté, responsabilité, etc.).
- Réfléchir sur les sciences (psychologie, sociologie, physique, etc.).
- Réfléchir sur des questions sociales (éducation, éthique, politique).
- Analyser et synthétiser des textes philosophiques, des thématiques ou des problématiques philosophiques.
- Réfléchir sur les diverses réalisations humaines (arts, littérature, technologie, etc.).
- Argumenter, critiquer et interpréter la pensée d'un auteur.
- Communiquer ses réflexions sous forme de conférences, publications, entrevues, cours, etc.

Éléments du programme

- Aristote
- Éthique
- Kant
- L'impact de l'esprit technologique
- La pensée utopique
- Les présocratiques
- Logique symbolique
- Philosophie de la connaissance
- Philosophie du droit, de la culture
- Philosophie politique
- Platon

Admission (voir p. 20 G)

DEC ou l'équivalent.

OU

Montréal : DEC ou l'équivalent **OU** avoir réussi 24 crédits de cours universitaires autres que des crédits obtenus dans le cadre de cours préparatoires aux études universitaires.

Endroits de formation (voir p. 414)

	Contingentement	Coop	Cote R
Bishop's	☐	☐	—
Concordia	☐	☐	—
Laval	☐	☐	—
McGill	☐	☐	—
Montréal	☐	☐	—
Sherbrooke	☐	☐	—
UQAM	☐	☐	—
UQTR	☐	☐	—

Professions reliées

C.N.P.

4169 Philosophe

4121 Professeur de philosophie

Endroits de travail

- À son compte
- Établissements d'enseignement

Salaire

Le salaire hebdomadaire moyen est de 610 $ (janvier 2005).

Remarques

- L'Université du Québec à Montréal (UQAM) offre également une majeure et une mineure en Philosophie.
- L'Université Laval offre un diplôme et un certificat en Philosophie ainsi qu'un certificat en Philosophie pour les enfants.

SCIENCES HUMAINES

STATISTIQUES D'EMPLOI

	2001	2003	2005
Nb de personnes diplômées	146	163	142
% en emploi	34,8 %	34,6 %	14,3 %
% à temps plein	75,0 %	73,0 %	78,6 %
% lié à la formation	12,5 %	22,2 %	27,3 %

15480 PLEIN AIR ET TOURISME D'AVENTURE

BAC 6 TRIMESTRES — CUISEP 583-000

Compétences à acquérir

- Gérer et administrer des équipements et des infrastructures de plein air et de tourisme d'aventure.
- Planifier, organiser et réaliser diverses activités de plein air (aquatiques, estivales, hivernales, traditionnelles, etc.).
- Interagir avec la clientèle, lui servir de guide et d'interprète en milieu naturel ou d'éducateur en activités de plein air.
- Informer et éduquer la clientèle en matière de géographie et de vie en milieu naturel.
- Appliquer les mesures d'urgence et de sauvetage.

Éléments du programme

- Activités de plein air
- Conditionnement physique
- Géographie du tourisme
- Gestion et administration d'équipements et d'infrastructures
- Interprétation de la nature
- Principes de management

Admission (voir p. 20 G)

DEC ou l'équivalent.

Endroit de formation (voir p. 414)

	Contingentement	Coop	Cote R*
UQAC	■	□	23.489

** Le nombre inscrit indique la **cote R** qui a été utilisée pour l'**admission de l'année précédente** par l'université concernée. Pour connaître la cote R exigée pour l'admission 2008, communiquer avec les établissements concernés.*

Professions reliées

C.N.P.

0513	Directeur d'établissement de loisirs
4167	Directeur de camp de vacances
0513	Directeur de centre aquatique
4167	Récréologue

Endroits de travail

- À son compte
- Bases de plein air
- Entreprises spécialisées dans le tourisme d'aventure (rafting, escalade, etc.)
- Municipalités

Salaire

Le salaire hebdomadaire moyen est de 667 $ (janvier 2005).

SCIENCES HUMAINES

STATISTIQUES D'EMPLOI

	2001	2003	2005
Nb de personnes diplômées	91	108	116
% en emploi	85,5 %	74,4 %	70,4 %
% à temps plein	86,4 %	84,4 %	92,0 %
% lié à la formation	80,4 %	74,1 %	73,9 %

15473 PSYCHOÉDUCATION

BAC 6 TRIMESTRES — CUISEP 575-000

Compétences à acquérir

- Travailler à la réadaptation des personnes en difficulté d'adaptation et à la prévention de l'inadaptation sociale.
- Aider la personne inadaptée dans toutes les circonstances de sa vie.
- Aider au développement optimal des possibilités physiques, intellectuelles, morales et sociales de la personne.
- Corriger l'orientation des comportements.
- Concevoir, coordonner, réaliser et évaluer des interventions et des stratégies de rééducation.

Éléments du programme

- Développement cognitif
- Développement socioaffectif
- Instruments de mesure et d'évaluation
- Justice des mineurs
- Milieu familial, adaptation sociale
- Observation et évaluation
- Prévention en milieu scolaire
- Processus d'apprentissage

Admission (voir p. 20 G)

Montréal : DEC en Sciences humaines (version ultérieure à 1991), DEC en Sciences de la nature **OU** DEC en Histoire et civilisation et avoir atteint l'objectif 022P en méthodes quantitatives **OU** DEC ou l'équivalent **OU** avoir réussi 24 crédits de cours universitaires autres que des crédits obtenus dans le cadre de cours préparatoires aux études universitaires **ET** avoir réussi un cours préalable en statistique (lequel peut être suivi à l'université).

Sherbrooke : DEC ou l'équivalent.

UQAT : DEC ou l'équivalent, questionnaires et, au besoin, entrevue.

UQO : DEC ou l'équivalent, DEC en Sciences humaines, DEC en Technique d'éducation spécialisée, DEC en Travail social ou d'une discipline connexe ou l'équivalent **ET** test d'admission et entrevue au besoin.

UQTR : DEC en Sciences humaines, DEC en Techniques d'éducation spécialisée, DEC dans la famille des techniques humaines ou leur équivalent et mathématiques 360-300 ou l'équivalent **OU** DEC technique ou l'équivalent et mathématiques 360-300 ou l'équivalent **ET** entrevues et/ou tests d'admission.

Endroits de formation (voir p. 414)

	Contingentement	Coop	Cote R*
Montréal	■	□	26.700
Sherbrooke	■	□	25.500
UQAT	□	□	—
UQO	■	□	23.000
UQTR	■	□	23.660 à 23.670

** Le nombre inscrit indique la **cote R** qui a été utilisée pour **l'admission de l'année précédente** par l'université concernée. Pour connaître la cote R exigée pour l'admission 2008, communiquer avec les établissements concernés.*

Professions reliées

C.N.P.

- 4153 Conseiller en réadaptation
- 4166 Conseiller pédagogique
- 4215 Professeur pour personnes déficientes intellectuelles
- 4215 Professeur pour personnes handicapées de la vue
- 4151 Psychoéducateur

Endroits de travail

- À son compte
- Centres de réadaptation
- Centres de services sociaux
- Centres de la petite enfance (CPE)
- Centres hospitaliers
- Centres jeunesse
- Commission de la santé et de la sécurité du travail (CSST)
- Établissements d'enseignement
- Société de l'assurance-automobile du Québec (SAAQ)

Salaire

Le salaire hebdomadaire moyen est de 694 $ (janvier 2005).

Remarques

- Pour enseigner au secondaire, il faut être titulaire d'un permis ou d'un brevet d'enseignement permanent émis par le ministère de l'Éducation, du Loisir et du Sport.
- Pour porter le titre, il faut être membre de l'Ordre des conseillers et conseillères d'orientation et des psychoéducateurs et psychoéducatrices du Québec.

SCIENCES HUMAINES

STATISTIQUES D'EMPLOI

	2001	2003	2005
Nb de personnes diplômées	281	241	288
% en emploi	80,3 %	79,4 %	83,2 %
% à temps plein	77,2 %	76,9 %	78,0 %
% lié à la formation	87,9 %	93,6 %	92,4 %

15498 RELIGIONS / SCIENCES DES RELIGIONS / SCIENCES DES RELIGIONS APPLIQUÉES / SCIENCES RELIGIEUSES / RELIGIOUS STUDIES

BAC 6 TRIMESTRES — CUISEP 618-000

Compétences à acquérir

- Avoir une vision générale et synthétique du phénomène religieux.
- Appliquer un ensemble de théories provenant de différents secteurs des sciences humaines (anthropologie, phénoménologie, sociologie, littérature, etc.).
- Comprendre les structures et les fonctions des symboles religieux et des phénomènes humains liés au sacré dans ces diverses manifestations (culture, histoire, sociologie).
- Comprendre la quête de sens exprimée dans divers secteurs de l'activité humaine.

Éléments du programme

- Éthique
- Femmes et religions
- Histoire des religions
- Religions du monde (hindouisme, judaïsme, etc.)

Admission (voir p. 20 G)

DEC ou l'équivalent

OU

Montréal : DEC ou l'équivalent **OU** avoir réussi 12 crédits de cours universitaires autres que des crédits obtenus dans le cadre de cours préparatoires aux études universitaires.

Endroits de formation (voir p. 414)

	Contingentement	Coop	Cote R
Bishop's	☐	☐	—
Concordia	☐	☐	—
Laval	☐	☐	—
McGill	☐	☐	—
Montréal	☐	☐	—
UQAM	☐	☐	—

Professions reliées

C.N.P.

4217 Animateur de pastorale
4217 Animateur de vie spirituelle et d'engagement communautaire
4141 Professeur en enseignement moral et religieux

Endroits de travail

- Centres hospitaliers
- Écoles primaires
- Médias
- Organismes diocésains

Salaire

Le salaire hebdomadaire moyen est de 707 $ (janvier 2005).

Remarques

- Pour enseigner au secondaire, il faut être titulaire d'un permis ou d'un brevet d'enseignement permanent émis par le ministère de l'Éducation, du Loisir et du Sport.
- Ce diplôme offre un nombre important de mineures augmentant ainsi le nombre de possibilités de professions et d'endroits de travail. Il est recommandé de consulter les calendriers des institutions pour plus de précision.
- L'Université du Québec à Montréal (UQAM) offre également une mineure en Sciences des religions.
- L'Université Laval offre des certificats en Sciences des religions et en Études pastorales.

STATISTIQUES D'EMPLOI

	2001	2003	2005
Nb de personnes diplômées	144	133	108
% en emploi	52,5 %	41,3 %	43,5 %
% à temps plein	60,4 %	81,6 %	73,3 %
% lié à la formation	71,9 %	67,7 %	72,7 %

15479 SCIENCES DE L'ORIENTATION

BAC 6 TRIMESTRES — CUISEP 573-000

Compétences à acquérir

- Faire de la consultation individuelle ou de groupe pour assister les personnes dans tous les aspects de la relation dynamique individu-travail (aspects personnels et professionnels) : choix professionnel, intégration au marché du travail, adaptation, réorientation, préparation à la retraite, etc.
- Utiliser et interpréter des tests psychométriques d'intérêts, d'aptitudes ou de personnalité.
- Recueillir les renseignements pertinents au projet de l'individu, en saisir la signification et en évaluer l'influence.
- Donner des renseignements pertinents au regard de la formation professionnelle, du marché du travail, des ressources du milieu, etc.
- Réaliser des programmes d'intervention qui correspondent aux besoins de la clientèle (individus, groupes, organisations, etc.).

N.B. : Consulter également les fiches des programmes Développement de carrière (p. 216) et Information et orientation professionnelles (p. 224).

Éléments du programme

- Animation et groupes de tâches
- Choix professionnel et développement de carrière
- Développement des habiletés relationnelles
- Étude des métiers et professions
- Sociologie de l'orientation
- Théories de la personnalité
- Utilisation des tests psychométriques

Admission (voir p. 20 G)

DEC en Sciences humaines et mathématiques 201-300 (ou 952-024 ou 201-301-RE) et biologie 921.

OU

DEC en Histoire et civilisation

OU

Tout autre DEC et méthodes quantitatives 360-300; mathématiques 201-300 (ou 952-024 ou 201-301-RE) **ou** mathématiques 337 ou NYA ou 103, 307; biologie 921 ou NYA ou 301 ou 401 ou 911; psychologie 102 ou 101.

N.B. Le titulaire d'un des DEC techniques suivants est dispensé du cours psychologie 101 ou 102 : Éducation à l'enfance; Éducation spécialisée; Intervention en délinquance; Soins infirmiers; Travail social.

Endroit de formation (voir p. 414)

	Contingentement	Coop	Cote R
Laval	□	□	—

Professions reliées

C.N.P.	
1223	Agent de dotation
1223	Agent des ressources humaines
4143	Aide pédagogique individuel
1121	Analyste des emplois
4143	Conseiller d'orientation
4213	Conseiller en emploi
4213	Conseiller en gestion de carrière
4153	Conseiller en réadaptation
4153	Médiateur familial

Endroits de travail

- À son compte
- Agences de placement
- Établissements d'enseignement
- Gouvernements fédéral et provincial
- Moyennes et grandes entreprises

Salaire

Le salaire hebdomadaire moyen est de 622 $ (janvier 2005).

Remarques

- Pour enseigner au secondaire, il faut être titulaire d'un permis ou d'un brevet d'enseignement permanent émis par le ministère de l'Éducation, du Loisir et du Sport.
- Pour porter le titre de conseiller d'orientation, il faut avoir une formation de 2e cycle et être membre de l'Ordre des conseillers et conseillères d'orientation et des psychoéducateurs et psychoéducatrices du Québec.
- L'Université Laval offre un certificat en Information professionnelle.

SCIENCES HUMAINES

STATISTIQUES D'EMPLOI

	2001	2003	2005
Nb de personnes diplômées	248	176	129
% en emploi	68,3 %	53,6 %	58,2 %
% à temps plein	91,3 %	91,4 %	88,7 %
% lié à la formation	78,4 %	77,0 %	78,7 %

15474 SCIENCES DE LA CONSOMMATION

BAC 6 TRIMESTRES

CUISEP 625-000

Compétences à acquérir

- Utiliser les méthodes et les techniques de gestion, d'éducation et de communication appliquées aux divers domaines de la consommation.
- Interpréter les phénomènes psychologiques, socio-économiques et politiques qui affectent le comportement des consommateurs.
- Aider les consommateurs dans la gestion de leurs ressources financières.
- Conseiller les organismes publics et privés quant aux façons d'établir de bonnes relations avec les consommateurs.

Éléments du programme

- Comportement du consommateur
- Consommation et politiques gouvernementales
- Famille, consommation et culture
- Gestion des ressources
- Législation et consommation
- Macroéconomique

Admission (voir p. 20 G)

DEC en Sciences humaines **OU** DEC en Histoire et civilisation et avoir réussi le cours méthodes quantitatives en sciences humaines 360-300 **OU** DEC en Sciences de la nature et avoir réussi le cours initiation pratique à la méthodologie des sciences humaines 300-300 **OU** tout autre DEC et avoir réussi les cours initiation pratique à la méthodologie des sciences humaines 300-300 et méthodes quantitatives en sciences humaines 360-300.

Endroit de formation (voir p. 414)

	Contingentement	Coop	Cote R
Laval	☐	☐	—

Professions reliées

C.N.P.

6233	Acheteur
4164	Conseiller en consommation
6221	Conseiller en consommation d'énergie
6411	Courtier en denrées alimentaires
0114	Directeur du service à la clientèle
6221	Expert-conseil en commercialisation
4164	Intervenant budgétaire

Endroits de travail

- Associations de consommateurs
- Gouvernements fédéral et provincial
- Organismes communautaires

Salaire

Le salaire hebdomadaire moyen est de 576 $ (janvier 2005).

Remarque

L'Université Laval offre un certificat en Sciences de la consommation.

SCIENCES HUMAINES

STATISTIQUES D'EMPLOI

	2001	2003	2005
Nb de personnes diplômées	53	40	30
% en emploi	78,9 %	84,8 %	79,2 %
% à temps plein	83,3 %	100 %	84,2 %
% lié à la formation	56,0 %	75,0 %	62,5 %

15499 SCIENCES HISTORIQUES ET ÉTUDES PATRIMONIALES

BAC 6 TRIMESTRES — CUISEP 631-000

Compétence à acquérir

Programme multidisciplinaire : archéologie, archivistique, histoire, histoire de l'art et muséologie.

Éléments du programme

- Analyse critique des sources
- Concepts et méthodes archivistiques
- Lecture critique
- Méthodes et théories de l'archéologie
- Patrimoine et rapports au passé
- Recherche de l'information
- Rédaction de documents

Admission (voir p. 20 G)

DEC ou l'équivalent.

Endroit de formation (voir p. 414)

	Contingentement	Coop	Cote R
Laval	☐	☐	—

Professions reliées

C.N.P.

5113 Archiviste

4169 Historien

Endroits de travail

- Établissements d'enseignement
- Gouvernements fédéral et provincial
- Médias (journaux, télévision)

Salaire

Donnée non disponible.

Statistiques d'emploi

Données non disponibles.

15430 SCIENCES SOCIALES / SOCIAL SCIENCES

BAC 6 TRIMESTRES — CUISEP 635-000

Compétences à acquérir

- Comprendre les divers phénomènes sociaux dans leurs différents aspects et influences.
- Contribuer à l'étude de solutions pouvant être apportées aux différents problèmes sociaux.
- Intervenir auprès de communautés ou de groupes tels que des organisations publiques, parapubliques, privées, etc. dans le but d'apporter des solutions aux problèmes vécus.
- Intégrer les assises méthodologiques, analytiques et humaines nécessaires à l'intervention.

Éléments du programme

- Changement social
- Démographie
- Droit
- Économie du travail
- Groupes de pression
- Sociologie et politique
- Système social

Admission (voir p. 20 G)

DEC ou l'équivalent.

Endroits de formation (voir p. 414)

	Contingentement	Coop	Cote R
Bishop's	☐	☐	—
UQO	☐	☐	—

Professions reliées

C.N.P.

1228	Agent d'assurance-emploi
4164	Agent de développement communautaire
4164	Agent de recherche et de planification socio-économique
4164	Conseiller en développement régional
1228	Inspecteur de l'immigration

Endroits de travail

- Centres de main-d'œuvre
- Centres culturels
- Commissariats industriels
- Coopératives
- Gouvernements fédéral et provincial
- Médias d'information
- Syndicats

Salaire

Le salaire hebdomadaire moyen est de 720 $ (janvier 2003).

Remarques

- Pour être agent de l'immigration, il faut suivre une formation spécialisée offerte par le gouvernement du Canada.
- La Télé-université (TÉLUQ) offre un diplôme de premier cycle.
- L'Université du Québec en Outaouais (UQO) offre des majeures en Sciences politique, en Sociologie, en Communication et en Histoire.
- L'Université Laval offre un certificat en Études sur le vieillissement.

STATISTIQUES D'EMPLOI

	2001	2003	2005
Nb de personnes diplômées	66	25	—
% en emploi	51,2 %	85,0 %	—
% à temps plein	66,7 %	88,2 %	—
% lié à la formation	50,0 %	86,7 %	—

15477 SERVICE SOCIAL / TRAVAIL SOCIAL / APPLIED HUMAN SCIENCES / HUMAN RELATIONS / SOCIAL WORK

BAC 6 TRIMESTRES — CUISEP 634-000

Compétences à acquérir

- Intervenir auprès de personnes ou de groupes dans le but de solutionner des difficultés, prévenir des problèmes ou faciliter l'adaptation des personnes ou des groupes à leur environnement.
- Intervenir auprès de personnes, couples, familles ou groupes afin de les aider à atteindre un mieux-être.
- Travailler à l'amélioration du bien-être individuel et collectif.
- Améliorer la qualité de vie des enfants et des adolescents aux prises avec des difficultés familiales.
- Aider les personnes en perte d'autonomie, psychiatrisées ou malades à se réadapter.

Éléments du programme

- Analyse des problèmes sociaux
- Droits des personnes
- Éthique
- Études des communautés
- Habiletés en évaluation et en intervention
- Législation et sécurité sociales
- Organisation communautaire
- Politiques sociales
- Situations d'intervention
- Stages

Admission (voir p. 20 G)

DEC ou l'équivalent

ET

Concordia : Lettre explicative.

McGill : Fournir une lettre de recommandation.
OU

Laval : DEC en Sciences humaines **OU** DEC en Sciences de la nature et psychologie 101 ou 102 **OU** tout autre DEC et mathématiques 337 ou NYA ou 103 et 307 ou méthodes quantitatives 360-300, psychologie 101 ou 102. *N.B. : Le titulaire de l'un des DEC techniques suivants est dispensé du cours Psychologie 101 ou 102 : Éducation à l'enfance, Éducation spécialisée, Intervention en délinquance, Soins infirmiers et Travail social.*

Montréal : DEC en Sciences humaines ou l'équivalent, DEC en Sciences de la nature **OU** DEC en Histoire et civilisation et avoir atteint l'objectif 022P **OU** DEC ou l'équivalent et avoir atteint un objectif en statistiques **OU** avoir réussi 24 crédits de cours universitaires autres que des crédits obtenus dans le cadre de cours préparatoires aux études universitaires.

UQO : DEC en Sciences humaines, DEC en Techniques de travail social, DEC en Techniques d'éducation spécialisée ou d'une discipline connexe ou l'équivalent **ET** questionnaire et entrevue au besoin.

Endroits de formation (voir p. 414)

	Contingentement	Coop	Cote R*
Concordia	■	□	—
Laval	■	□	27.092
McGill	■	□	24.000
Montréal	■	□	28.000
Sherbrooke	■	□	26.100
UQAC	■	□	25.500
UQAM	■	□	28.030
UQAT	□	□	—
UQO	■	□	25.000

** Le nombre inscrit indique la **cote R** qui a été utilisée pour l'**admission de l'année précédente** par l'université concernée. Pour connaître la cote R exigée pour l'admission 2008, communiquer avec les établissements concernés.*

Professions reliées

C.N.P.	
4155	Agent au classement des détenus dans les pénitenciers
1228	Agent d'assurance-emploi
4212	Agent d'attribution de la sécurité de revenu
1228	Agent de l'immigration
4155	Agent de libération conditionnelle
4155	Agent de probation
4153	Conseiller en toxicomanie
4212	Travailleur de rue
4152	Travailleur social
4212	Travailleur social en service collectif

Endroits de travail

- À son compte
- Bureaux de probation
- Centres d'accueil
- Centres de détention
- Centres de services sociaux
- Centres hospitaliers
- Centres locaux de services communautaires (CLSC)
- Gouvernements fédéral et provincial
- Organismes communautaires
- Services correctionnels

Salaire

Le salaire hebdomadaire moyen est de 731 $ (janvier 2005).

SERVICE SOCIAL / TRAVAIL SOCIAL / APPLIED HUMAN SCIENCES / HUMAN RELATIONS / SOCIAL WORK

(SUITE)

Remarques

- Pour porter le titre de travailleur social, il faut être membre de l'Ordre professionnel des travailleurs sociaux du Québec (Le programme offert par Concordia n'y donne pas accès.)
- Pour être agent de l'immigration, il faut suivre une formation spécialisée offerte par le gouvernement du Canada.
- L'Université du Québec en Outaouais (UQO) offre un certificat en Travail social.
- L'Université Laval offre un certificat en Service social.
- L'Université du Québec à Montréal (UQAM) offre deux concentrations : Intervention auprès des individus, des groupes et des familles; Intervention auprès des communautés.

SCIENCES HUMAINES

STATISTIQUES D'EMPLOI

	2001	2003	2005
Nb de personnes diplômées	574	562	603
% en emploi	86,8 %	82,6 %	86,3 %
% à temps plein	86,5 %	88,5 %	88,6 %
% lié à la formation	90,0 %	93,6 %	91,2 %

15471 SEXOLOGIE

BAC 6 TRIMESTRES — CUISEP 577-000

Compétences à acquérir

- Informer, faire de la prévention et de l'éducation sur tous les aspects de la sexualité.
- Recevoir des personnes ou des couples en consultation.
- Donner des conseils sur l'éducation sexuelle.
- Évaluer, diagnostiquer et traiter des problèmes affectifs et relationnels, des dysfonctions sexuelles, des déviances, des problèmes d'orientation et d'identité sexuelles.

Éléments du programme

- Histoire de la pensée sexologique
- Langage non verbal et messages érotiques
- Religion et sexualité
- Réponse sexuelle humaine
- Sexologie et condition féminine
- Sexualité et contrôle social
- Variations de la fonction et de l'orientation sexuelle

Admission (voir p. 20 G)

DEC ou l'équivalent.

Endroit de formation (voir p. 414)

	Contingentement	Coop	Cote R*
UQAM	■	□	24.500

** Le nombre inscrit indique la **cote R** qui a été utilisée pour l'**admission de l'année précédente** par l'université concernée. Pour connaître la cote R exigée pour l'admission 2008, communiquer avec les établissements concernés.*

Profession reliée

C.N.P.
4153 Sexologue

Endroits de travail

- À son compte
- Clinique de planification des naissances
- Établissements d'enseignement
- Médias d'information
- Organismes communautaires

Salaire

Le salaire hebdomadaire moyen est de 621 $ (janvier 2005).

Remarque

Le diplôme de maîtrise est exigé pour faire de la consultation clinique ou thérapeutique ainsi que pour travailler en recherche.

SCIENCES HUMAINES

STATISTIQUES D'EMPLOI

	2001	2003	2005
Nb de personnes diplômées	103	83	85
% en emploi	70,6 %	73,8 %	61,4 %
% à temps plein	68,8 %	80,0 %	80,0 %
% lié à la formation	39,4 %	66,7 %	57,1 %

DOMAINE D'ÉTUDES

SCIENCES PURES

Discipline

BIOLOGIE, MICROBIOLOGIE, BIOCHIMIE

PROGRAMMES D'ÉTUDES — PAGES

15214 BIOCHIMIE / BIOCHIMIE ET BIOTECHNOLOGIE / BIOCHEMISTRY

BAC 6 TRIMESTRES — CUISEP 411-000

Compétences à acquérir

- Appliquer les différentes techniques de laboratoire.
- Utiliser l'appareillage courant en recherche de pointe.
- Mettre au point des pesticides, des hormones végétales et animales, des insecticides, des antibiotiques et divers produits pharmaceutiques.
- Étudier les réactions biochimiques et la nature des constituants chimiques des êtres vivants et des substances qu'ils produisent.
- Faire des recherches sur la culture de tissus humains en laboratoire.
- Faire des recherches sur les mécanismes biologiques comme le sommeil, la division cellulaire et l'hérédité.
- Produire des rapports de travaux, d'expertises ou d'analyses.
- Déterminer la composition et la qualité de biens produits, de matériaux, de procédés et d'appareils en vue d'assurer le contrôle de la qualité ou d'établir un diagnostic.

Éléments du programme

- Biochimie
- Biologie cellulaire
- Chimie organique
- Enzymologie
- Éthique scientifique
- Immunologie
- Microbiologie
- Normes environnementales
- Stage

Admission (voir p. 20 G)

Bishop's : DEC ou l'équivalent et mathématiques 103, 203; physique 101, 201; chimie 101, 201; biologie 301.

Concordia : DEC ou l'équivalent et mathématiques 103 ou 201-NYA, 203 ou 201-NYB; physique 101 ou 203-NYA, 201 ou 203-NYB, 301 ou 203-NYC; chimie 101 ou 202-NYA, 201 ou 202-NYB; biologie 301 ou 101-NYA.

Laval : DEC en Sciences de la nature **OU** DEC ou l'équivalent et mathématiques NYA, NYB ou 103-77, 203-77; physique NYA, NYB ou 101, 201; chimie NYA, NYB ou 101, 201; biologie NYA ou 301. *N.B. : Pour connaître les passerelles entre en DEC technique et ce programme, contacter la Faculté des sciences et de génie.*

McGill : DEC ou l'équivalent et mathématiques 103, 203; physique 101, 201, 301; chimie 101, 201; biologie 301

Montréal : DEC en Sciences de la nature et avoir atteint les objectif 00XU en biologie et 00XV en chimie **OU** DEC en Techniques de laboratoire, spécialisation Biotechnologie **OU** DEC ou l'équivalent ou avoir réussi 24 crédits de niveau universitaires autres que des crédits obtenus dans le cadre de cours préparatoires aux études universitaires et mathématiques 103, 203; physique 101, 201, 301; chimie 101, 201, 202; biologie 301, 401 ou deux cours de biologie humaine.

Sherbrooke : DEC ou l'équivalent et mathématiques 103, 203 ou avoir atteint les objectifs 00UN, 00UP; physique 101, 201, 301 ou avoir atteint les objectifs 00UR, 00US, 00UT; chimie 101, 201 ou avoir atteint les objectifs 00UL, 00UM; biologie 301 ou avoir atteint l'objectif 00UK **OU** DEC dans la famille des techniques biologiques ou DEC dans la famille des techniques physiques ou l'équivalent et les cours suivants ou leur équivalent : mathématiques 103, 203; un cours de physique; chimie 101, 201; biologie 301 ou 921.

UQAM : DEC en Sciences de la nature **OU** DEC ou l'équivalent et mathématiques 103, 203; physique 101, 201, 301; chimie 101, 201; biologie 301 **OU** DEC technique ou l'équivalent dans certaines spécialisations et avoir réussi certains cours de niveau collégial.

UQTR : DEC en Sciences de la nature, DEC en Sciences, lettres et arts **OU** DEC ou l'équivalent et mathématiques 103 (00UN), 203 (00UP); physique 101 (00UR), 201 (00US), 301 (00UT); chimie 101 (00UL), 201 (00UM); biologie 301 (00UK) **OU** DEC en Techniques de laboratoire, spécialisation Biotechnologie ou l'équivalent et mathématiques 103 (00UN).

Endroits de formation (voir p. 414)

	Contingentement	Coop	Cote R*
Bishop's	□	□	—
Concordia	□	■	28.000
Laval	□	□	—
McGill	□	□	—
Montréal	■	□	25.024
Sherbrooke	■	■	—
UQAM	□	□	—
UQTR	□	□	—

** Le nombre inscrit indique la **cote R** qui a été utilisée pour l'**admission de l'année précédente** par l'université concernée. Pour connaître la cote R exigée pour l'admission 2008, communiquer avec les établissements concernés.*

SCIENCES PURES

15214 BIOCHIMIE / BIOCHIMIE ET BIOTECHNOLOGIE / BIOCHEMISTRY (SUITE)

Professions reliées

C.N.P.	
2112	Biochimiste
2112	Biochimiste clinique
2121	Biologiste moléculaire
—	Contrôleur de la qualité
2121	Généticien
2121	Immunologue
—	Représentant
2112	Scientifique en produits alimentaires
2121	Virologiste

Endroits de travail

- Centres hospitaliers universitaires
- Établissements d'enseignement universitaire
- Gouvernements fédéral et provincial
- Industrie alimentaire
- Industrie de produits chimiques
- Industrie pharmaceutique
- Laboratoires médicaux
- Municipalités (services des eaux)

Salaire

Le salaire hebdomadaire moyen est de 685 $ (janvier 2005).

Remarques

- Pour exercer la profession et porter le titre de biochimiste, il faut être membre de l'Ordre des chimistes du Québec.
- Pour exercer et porter le titre de biochimiste clinique, il faut être titulaire d'un certificat de spécialiste émis par l'Ordre des chimistes du Québec.
- Des études de 2e cycle sont nécessaires pour exercer les professions suivantes : biologiste moléculaire, généticien et virologiste.
- Des études de 3e cycle sont nécessaires pour exercer la profession de biochimiste clinique.

SCIENCES PURES

STATISTIQUES D'EMPLOI

	2001	2003	2005
Nb de personnes diplômées	305	302	303
% en emploi	40,1 %	35,0 %	24,6 %
% à temps plein	96,6 %	94,8 %	90,2 %
% lié à la formation	81,4 %	74,0 %	60,9 %

15200 BIOLOGIE / BIOLOGIE EN APPRENTISSAGE PAR PROBLÈMES / BIOTECHNOLOGIE / ÉCOLOGIE / SCIENCES BIOLOGIQUES / SCIENCES BIOLOGIQUES ET ÉCOLOGIQUES

BAC 6 TRIMESTRES — CUISEP 313-000/110

Compétences à acquérir

- Étudier des phénomènes de la vie végétale ou animale (structures, fonctions, réactions et comportements) et procéder à l'analyse des données recueillies.
- Étudier les relations entre les êtres vivants et leur milieu.
- Travailler à la protection de l'environnement ainsi qu'à l'utilisation et à la conservation des ressources naturelles.
- Travailler à l'aménagement des lieux et de la faune.

Éléments du programme

- Biotechnologie
- Écologie générale et végétale
- Génétique
- Gestion de la faune
- Méthodes quantitatives
- Mycologie
- Phycologie
- Physiologie animale et végétale
- Structure et fonctions des végétaux
- Toxicologie environnementale

Admission (voir p. 20 G)

Bishop's : DEC ou l'équivalent et mathématiques NYA, NYB; physique NYA, NYB; chimie NYA, NYB; biologie NYA ou 101 BCF (fortement recommandé).

Concordia : DEC ou l'équivalent et mathématiques 103 ou 201-NYA, 203 ou 202-NYB; physique 101 ou 203-NYA, 201 ou 203-NYB, 301 ou 203-NYC; chimie 101 ou 202-NYA, 201 ou 202-NYB; biologie 301 ou 101-NYA.

Laval : DEC en Sciences de la nature **OU** DEC ou l'équivalent et mathématiques NYA, NYB ou 103-77, 203-77; physique NYA, NYB ou 101, 201; chimie NYA, NYB ou 101, 201; biologie NYA ou 301. *N.B. : Pour connaître les passerelles entre un DEC technique et ce programme, contacter la Faculté des sciences et de génie.*

McGill : DEC ou l'équivalent et mathématiques 103, 203; physique 101, 201, 301; chimie 101, 201; biologie 301.

Montréal : DEC en Sciences de la nature et avoir atteint les objectifs 00XU en biologie et 00XV en chimie **OU** DEC ou l'équivalent ou avoir réussi 24 crédits de cours universitaires autres que des crédits obtenus dans le cadre de cours préparatoires aux études universitaires et un cours de mathématiques, deux cours de chimie dont un cours de chimie organique et deux cours de biologie.

Sherbrooke : Pour la concentration Biologie moléculaire : DEC ou l'équivalent et mathématiques 103, 203 ou 00UN, 00UP; physique 101, 201, 301-78 ou 00UR, 00US, 00UT; chimie 101, 201, 00UL, 00UM; biologie 301 ou 00UK **OU** DEC dans la famille des techniques biologiques ou l'équivalent et mathématiques 103, 203; chimie 101, 201 ou leur équivalent **OU** avoir atteint les objectifs : 00UN, 00UP, 00UQ, 00UL, 00UM. **Pour la concentration en Bio-informatique :** DEC ou l'équivalent et mathématiques 103, 105, 203 ou 00UN, 00UP, 00UQ; physique 101, 201, 301-78 ou 00UR, 00US, 00UT; chimie 101, 201 ou 00UL, 00UM; biologie 301 ou 00UK **OU** DEC dans la famille des techniques biologiques ou l'équivalent et mathématiques 103, 105, 203 ou 00UN, 00UP ou 00UQ et chimie 101, 201, 00UL et 00UM.

UQAC : DEC en Sciences de la nature ou en Sciences, lettres et arts **OU** DEC dans la famille des techniques biologiques ou l'équivalent et deux cours de chimie **OU** DEC ou l'équivalent **ET** biologie 301 ou objectif 00UK ou 01Y5; chimie 202 ou objectif 00UL ou 01Y6 et 00UM ou 01YH; physique 101 ou objectif 00UR ou 01Y7.

UQAM : DEC en Sciences de la nature **OU** DEC ou l'équivalent et mathématiques 103, 203; physique 101, 201, 301-78; chimie 101, 201; biologie 301 **OU** DEC dans la famille des techniques biologiques ou physiques ou l'équivalent et un cours en mathématiques, chimie et biologie.

UQAR : DEC en Sciences de la nature **OU** DEC ou l'équivalent et mathématiques 103, 105, 203; physique 101, 201, 301; chimie 101, 201; biologie 301 ou mathématiques 103, 203; physique 101, 201, 301; chimie 101, 201; biologie 301 **OU** DEC technique et un cours de mathématiques, un cours de chimie et un cours de biologie **OU** DEC technique et un cours de chimie et deux cours de biologie.

UQTR : DEC en Sciences de la nature ou DEC en Sciences, lettres et arts **OU** DEC ou l'équivalent et mathématiques 103, 203 (00UN, 00UP); physique 101, 201, 301 (00UR, 00US, 00UT); chimie 101, 201 (00UL, 00UM); biologie 301 (00UK) **OU** DEC technique ou l'équivalent; un cours de chimie; deux cours de biologie.

15200 BIOLOGIE / BIOLOGIE EN APPRENTISSAGE PAR PROBLÈMES / BIOTECHNOLOGIE / ÉCOLOGIE / SCIENCES BIOLOGIQUES / SCIENCES BIOLOGIQUES ET ÉCOLOGIQUES

(SUITE)

Endroits de formation (voir p. 414)

	Contingentement	Coop	Cote R*
Bishop's	□	□	—
Concordia	□	□	20.000
Laval	□	□	—
McGill	□	□	—
Montréal	■	□	24.530
Sherbrooke	■	■	—
UQAC	□	□	—
UQAM	□	□	—
UQAR	□	□	—
UQTR	□	□	—

** Le nombre inscrit indique la **cote R** qui a été utilisée pour l'**admission de l'année précédente** par l'université concernée. Pour connaître la cote R exigée pour l'admission 2008, communiquer avec les établissements concernés.*

Professions reliées

C.N.P.	
2121	Bactériologiste
2121	Bactériologiste en produits alimentaires
2121	Bactériologiste des sols
2121	Biologiste
2121	Biologiste de l'environnement
2121	Biologiste de la vie aquatique
2121	Biologiste en parasitologie
2121	Biologiste moléculaire
2121	Botaniste
2121	Écologiste
2121	Entomologiste
2121	Entomologiste agricole
2111	Exobiologiste
2121	Généticien
2121	Herpétologiste
2121	Ichtyologiste
2224	Interprète de l'environnement
2123	Malherbologiste
2121	Microbiologiste
2121	Mycologue
2113	Océanographe
2121	Ornithologue
2121	Phytobiologiste
2121	Phytopathologiste
2121	Virologiste
2121	Zoologiste

Endroits de travail

- Centres d'interprétation de la nature
- Centres de recherche
- Établissements d'enseignement universitaire
- Firmes d'experts-conseils
- Gouvernements fédéral et provincial
- Industrie pharmaceutique
- Jardins botaniques
- Laboratoires

Salaire

Le salaire hebdomadaire moyen est de 629 $ (janvier 2005).

Remarques

- Des études de 2e cycle sont nécessaires pour exercer les professions suivantes : bactériologiste, bactériologiste des sols, biologiste de la vie aquatique, biologiste en parasitologie, biologiste moléculaire, entomologiste, exobiologiste, généticien, herpétologiste, ichtyologiste, malherbologiste, océanographe, ornithologue, phytopathologiste, virologiste.
- L'Université de Sherbrooke offre deux concentrations dans le programme de biotechnologie : Bioinformatique; Biologie moléculaire. Le programme est offert au régime régulier à temps complet ou partiel ou au régime coopératif à temps complet.
- L'Université du Québec à Montréal (UQAM) offre un programme unique en Apprentissage par problèmes avec les concentrations suivantes : Biologie moléculaire et biotechnologie; Écologie; Toxicologie; Santé environnementale.
- L'Université Laval ofre un certificat en Biotechnologie.
- L'Université Bishop's offre deux concentrations : Biodiversity, Ecology and Evolution; Molecular Biology and Physiology.
- L'Université du Québec à Rimouski (UQAR) offre cinq cheminements : Biologie générale; Faune et habitats; Écologie; Physiologie et biochimie environnementales; Sciences marines.

STATISTIQUES D'EMPLOI

	2001	2003	2005
Nb de personnes diplômées	651	726	593
% en emploi	39,7 %	36,7 %	31,9 %
% à temps plein	90,3 %	88,1 %	83,5 %
% lié à la formation	68,4 %	72,4 %	70,8 %

15215 BIOPHYSIQUE

BAC 6 TRIMESTRES — CUISEP 451-000

Compétences à acquérir

- Étudier les aspects physiques et les processus biologiques.
- Observer et analyser le comportement des cellules et des organismes.
- Concevoir des techniques d'analyse.
- Comprendre et expliquer la structure et le fonctionnement des cellules.

Éléments du programme

- Biochimie
- Bio-ingénierie cellulaire
- Biologie cellulaire
- Biophysique
- Chimie analytique
- Électrométrie
- Mathématiques appliquées
- Optique
- Physique statistique

Admission (voir p. 20 G)

DEC en Sciences de la nature.

OU

DEC technique ou l'équivalent et mathématiques 103 (00UN), 203 (00UP); physique 101 (00UR), 201 (00US), 301 (00UT); chimie 101 (00UL), 201 (00UM); biologie 301 (00UK).

OU

UQAR: DEC ou l'équivalent et mathématiques 103 (00UN), 105 (00UR), 203 (00UP); physique 101 (00UR), 201 (00US), 301-78 (00UT); chimie 101 (00UL), 201 (00UM); biologie 301 (00UK).

UQTR: DEC ou l'équivalent et mathématiques 201-NYA (00UN), 201-NYC (00UQ), 201-NYB (00UP); chimie 202-NYA (00UL), 202-NYB (00UM); biologie 101-NYA (00UK) physique 203-NYA (00UR), 203-NYB (00US), 203-NYC (00UT) **OU** DEC technique et mathématiques 201-NYA (00UN), 201-NYB (00UP); physique 203-NYA (00UR), 203-NYB (00US), 203-NYC (00UT).

Endroits de formation (voir p. 414)

	Contingentement	Coop	Cote R
UQAR	☐	☐	—
UQTR	☐	☐	—

Profession reliée

C.N.P.

2111 Biophysicien

Endroits de travail

- Bio-industrie
- Centres de recherche
- Centres hospitaliers
- Établissements d'enseignement universitaire
- Gouvernements fédéral et provincial
- Industrie pharmaceutique
- Laboratoires

Salaire

Donnée non disponible.

Remarque

Des études de 2e ou 3e cycle peuvent être exigées pour travailler dans certains milieux, particulièrement dans le domaine de la recherche scientifique.

STATISTIQUES D'EMPLOI

	2001	2003	2005
Nb de personnes diplômées	—	—	6
% en emploi	—	—	25,0 %
% à temps plein	—	—	100 %
% lié à la formation	—	—	100 %

SCIENCES PURES

15211 IMMUNOLOGIE / MICROBIOLOGIE / CELL AND MOLECULAR BIOLOGY / MICROBIOLOGY AND IMMUNOLOGY

BAC 6 TRIMESTRES — CUISEP 313-400

Compétences à acquérir

- Faire des recherches sur les micro-organismes (virus, bactéries, etc.), étudier leurs formes, leurs structures, leurs moyens de reproduction, etc.
- Mettre au point des vaccins ou des médicaments.
- Procéder à divers examens de substances ou d'êtres vivants exposés à des contaminations.
- Chercher les causes d'épidémies ou d'empoisonnements alimentaires et les moyens de les contrer.
- Travailler à la prévention et au traitement des maladies.

Éléments du programme

- Écologie microbienne
- Génétique
- Microbiologie et bioéthique
- Microbiologie générale
- Physiologie microbienne
- Virologie

Admission (voir p. 20 G)

Concordia : DEC ou l'équivalent et mathématiques 103 ou 201-NYA, 203 ou 201-NYB; physique 101 ou 203-NYA, 201 ou 203-NYB, 301 ou 203-NYC; chimie 101 ou 202-NYA, 201 ou 202-NYB; biologie 301 ou 101-NYA.

Laval : DEC en Sciences de la nature **OU** tout autre DEC et mathématiques NYA, NYB ou 103-77, 203-77; physique NYA, NYB ou 101, 201; chimie NYA, NYB ou 101, 201; biologie NYA ou 301. *N.B. : Pour connaître les passerelles entre un DEC technique et ce programme, contacter la Faculté des sciences et de génie.*

McGill : DEC en Sciences de la nature **OU** DEC ou l'équivalent et mathématiques 103, 203; physique 101, 201 ou 202, 301; chimie 101, 201; biologie 301 ou 401.

Montréal : DEC en Sciences de la nature et avoir atteint les objectifs 00XU en biologie et 00XV en chimie **OU** DEC ou l'équivalent **OU** avoir réussi 24 crédits de cours universitaires autres que des crédits obtenus dans le cadre de cours préparatoires aux études universitaires **ET** un cours de mathématiques; deux cours de chimie dont un de chimie organique; deux cours de biologie.

Sherbrooke : DEC ou l'équivalent et mathématiques 103, 203; physique 101, 201, 301; chimie 101, 201; biologie 301 **OU** DEC dans la famille des techniques biologiques ou l'équivalent et mathématiques 103, 203; chimie 101, 201 ou leur équivalent.

Endroits de formation (voir p. 414)

	Contingentement	Coop	Cote R*
Concordia	☐	☐	20.000
Laval	☐	☐	—
McGill	■	☐	29.000
Montréal	■	☐	—
Sherbrooke	■	■	—

** Le nombre inscrit indique la **cote R** qui a été utilisée pour l'**admission de l'année précédente** par l'université concernée. Pour connaître la cote R exigée pour l'admission 2008, communiquer avec les établissements concernés.*

Professions reliées

C.N.P.	
2121	Bactériologiste
2121	Bactériologiste de produits alimentaires
2121	Bactériologiste des sols
2121	Biologiste en parasitologie
2121	Immunologue
2121	Microbiologiste
2121	Microbiologiste industriel
3111	Microbiologiste médical
2121	Physiologiste
2121	Phytopathologiste
2121	Toxicologiste
2121	Virologiste

Endroits de travail

- Centres hospitaliers
- Établissements d'enseignement universitaire
- Centres de recherche
- Firmes spécialisées dans la décontamination
- Gouvernements fédéral et provincial
- Industrie pharmaceutique
- Municipalités

Salaire

Le salaire hebdomadaire moyen est de 623 $ (janvier 2005).

Remarques

- Des études de 2e cycle sont nécessaires pour exercer les professions suivantes : bactériologiste, bactériologiste des sols, biologiste en parasitologie, généticien, microbiologiste médical, phytopathologiste, virologiste.
- L'Université de Montréal offre le programme Sciences biologiques, concentration Microbiologie et immunologie.

STATISTIQUES D'EMPLOI

	2001	2003	2005
Nb de personnes diplômées	192	199	174
% en emploi	37,4 %	30,6 %	20,4 %
% à temps plein	93,9 %	93,3 %	91,3 %
% lié à la formation	67,4 %	64,3 %	52,4 %

SCIENCES PURES

15202 SCIENCE DE L'ANATOMIE / ANATOMY AND CELL BIOLOGY / ANATOMICAL SCIENCE

BAC 6 TRIMESTRES — CUISEP 353-611

Compétences à acquérir

- Étudier le développement et l'évolution de l'anatomie.
- Effectuer des recherches au niveau des sciences biomédicales et médicales.

Éléments du programme

- Biologie cellulaire
- Embryologie
- Histologie
- Neuroanatomie

Admission (voir p. 20 G)

DEC ou l'équivalent et mathématiques 103, 203; physique 101, 201, 301; chimie 101, 201; biologie 301.

N.B. : La biologie 401 et la chimie 202 sont recommandés.

Endroit de formation (voir p. 414)

	Contingentement	Coop	Cote R
McGill	☐	☐	—

Profession reliée

C.N.P.

2121 Anatomiste

Endroits de travail

- Centres de recherche
- Établissements d'enseignement universitaire
- Gouvernements fédéral et provincial
- Laboratoires médicaux

Salaire

Donnée non disponible.

Remarque

Un diplôme de maîtrise ou de doctorat peut être nécessaire pour certains emplois.

Statistiques d'emploi

Données non disponibles.

MATHÉMATIQUES, STATISTIQUES, ACTUARIAT

15234 ACTUARIAT

BAC 6 TRIMESTRES | CUISEP 151-000

Compétences à acquérir

- Déterminer le taux des primes d'assurance, les contributions et les prestations aux régimes publics.
- Déterminer les passifs d'une compagnie d'assurances et évaluer leur concordance avec les actifs.
- Déterminer la valeur des régimes de retraite et le montant des cotisations nécessaires à leur application.
- Analyser des statistiques et préparer des dossiers sur les taux de mortalité, de maladie, d'accident, d'invalidité, de mise à la retraite, de feux, de vol et de responsabilité civile.
- Utiliser les tables de probabilités servant à calculer le taux des primes et le niveau de financement requis pour les régimes d'avantages sociaux.
- Conseiller les employeurs en ce qui concerne les avantages sociaux offerts à leurs employés.

Éléments du programme

- Actuariat et législation
- Algèbre linéaire
- Économie
- Mathématiques actuarielles
- Mathématiques financières
- Méthodes numériques
- Probabilités
- Théorie du risque

Admission (voir p. 20 G)

Concordia : BA : DEC ou l'équivalent et mathématiques 103 ou 201-NYA, 203 ou 201-NYB, 105 ou 201-NYC. **BSc** : DEC ou l'équivalent et mathématiques 103 ou 201-NYA, 203 ou 201-NYB, 105 ou 201-NYC; physique 101 ou 203-NYA, 201 ou 203-NYB, 301 ou 203-NYC; chimie 101 ou 202-NYA, 201 ou 202-NYB; biologie 301 ou 101-NYA.

Laval : DEC ou l'équivalent et mathématiques NYA, NYB, NYC ou 103-77, 105-77, 203-77; physique NYA ou 101 et un cours parmi les suivants : mathématiques 303 (ou 307 ou 337); physique NYB ou 201 et NYC ou 301 **OU** DEC en sciences de la nature. *N.B. : Pour connaître les passerelles entre un DEC technique et ce programme, contacter la Faculté des sciences et de génie.*

UQAM : DEC ou l'équivalent et mathématiques 103, 105, 203.

Endroits de formation (voir p. 414)

	Contingentement	Coop	Cote R*
Concordia	■	■	27.000
Laval	□	□	—
UQAM	□	□	—

** Le nombre inscrit indique la **cote R** qui a été utilisée pour l'**admission de l'année précédente** par l'université concernée. Pour connaître la cote R exigée pour l'admission 2008, communiquer avec les établissements concernés.*

Professions reliées

C.N.P.

2161	Actuaire
0012	Administrateur
2161	Mathématicien en finance
2161	Statisticien

Endroits de travail

- Bureaux d'actuaires
- Compagnies d'assurances
- Établissements d'enseignement universitaire
- Gouvernements fédéral et provincial
- Institutions financières

Salaire

Le salaire hebdomadaire moyen est de 1 011 $ (janvier 2005).

Remarques

- Certaines universités offrent le programme Actuariat dans le cadre du programme Mathématiques.
- La certification « Fellow » de l'Institut canadien des actuaires est généralement exigée par les employeurs, de même que la réussite des examens de Fellowship de la Society of Actuaries ou de la Casualty Actuarial Society.
- L'Université de Montréal offre le programme Mathématiques, orientation Actuariat.
- L'Université du Québec à Montréal (UQAM) offre un bacclauréat spécialisé en Actuariat, d'une durée de trois ans.

STATISTIQUES D'EMPLOI

	2001	2003	2005
Nb de personnes diplômées	80	70	62
% en emploi	96,1 %	90,7 %	90,9 %
% à temps plein	100 %	95,9 %	100 %
% lié à la formation	93,9 %	85,1 %	97,5 %

MATHÉMATIQUES / MATHÉMATIQUES APPLIQUÉES

BAC 6 TRIMESTRES — CUISEP 155-000

Compétences à acquérir

- Ordonner et analyser des modèles mathématiques provenant des sciences humaines ou expérimentales.
- Étudier les nombres, la logique, la géométrie et le calcul.
- Créer des modèles mathématiques.
- Appliquer les principes et les techniques mathématiques en vue de résoudre des problèmes.
- Faire des calculs et des analyses numériques.

Éléments du programme

- Algèbre linéaire
- Analyse complexe
- Équations différentielles
- Géométrie différentielle et mécanique analytique
- Méthodes de manipulation symbolique
- Probabilités
- Statistiques

Admission (voir p. 20 G)

Bishop's : DEC ou l'équivalent et mathématiques NYA, NYB; physique NYA, NYB; chimie NYA, NYB, Biologie NYA ou 101BFC (fortement recommandé).

Concordia : BA : DEC ou l'équivalent et mathématiques 103 ou 201-NYA, 203 ou 201-NYB, 105 ou 201-NYC. **BSc** : DEC ou l'équivalent et avoir réussi les cours mathématiques 103 ou 201-NYA, 203 ou 201-NYB,105 ou 201-NYC; physique 101 ou 203-NYA, 201 ou 203-NYB, 301 ou 203-NYC; chimie 101 ou 202-NYA, 201 ou 202-NYB; biologie 301 ou 101-NYA.

Laval : DEC en Sciences de la nature **OU** DEC et mathématiques NYA, NYB, NYC ou 103-77, 105-77, 203-77. La réussite des cours physique NYA (ou 101) et mathématiques 303 est cependant recommandée. *N.B. : Pour connaître les passerelles entre un DEC technique et ce programme, contacter la Faculté des sciences et de génie.*

McGill : DEC ou l'équivalent et mathématiques NYA, NYB, NYC (00UN, 00UP, 00UQ); physique NYA, NYB, NYC (00UR, 00US, 00UT); chimie NYA, NYB (00UL, 00UM); biologie NYA (00UK) **OU** DEC et mathématiques NYA, NYB, NYC (00UN, 00UP, 00UQ).

Montréal : DEC en Sciences de la nature **OU** DEC ou l'équivalent **OU** avoir réussi 24 crédits de cours universitaires autres que des crédits obtenus dans le cadre de cours préparatoires aux études universitaires et mathématiques 103, 105, 203 ou leur équivalent.

Sherbrooke : DEC ou l'équivalent et mathématiques 103, 105, 203 ou avoir atteint des objectifs 00UN, 00UP, 00UQ **OU** DEC technique ou l'équivalent et mathématiques 103, 105, 203 ou l'équivalent.

UQAM, UQTR : DEC ou l'équivalent et mathématiques 103 (00UN ou 01Y1 ou 022X), 105 (00UQ ou 01Y4 ou 022Z), 203 (00UP ou 01Y2 ou 022Y).

Endroits de formation (voir p. 414)

	Contingentement	Coop	Cote R*
Bishop's	☐	☐	—
Concordia	☐	■	28.000
Laval	☐	☐	—
McGill	☐	☐	—
Montréal	☐	■	—
Sherbrooke	☐	■	—
UQAM	☐	☐	—
UQTR	☐	☐	—

** Le nombre inscrit indique la **cote R** qui a été utilisée pour l'**admission de l'année précédente** par l'université concernée. Pour connaître la cote R exigée pour l'admission 2008, communiquer avec les établissements concernés.*

Professions reliées

C.N.P.

2161 Démographe

2161 Mathématicien de mathématiques appliquées

2161 Mathématicien de recherche

Endroits de travail

- Centres de recherche
- Établissements d'enseignement
- Gouvernements fédéral et provincial

Salaire

Le salaire hebdomadaire moyen est de 890 $ (janvier 2005).

Remarques

- Différentes options sont offertes selon les établissements : Actuariat; Mathématiques appliquées; Météorologie; Recherche opérationnelle; Statistiques; etc.
- L'Université du Québec à Trois-Rivières (UQTR) offre le double baccalauréat Mathématiques et Enseignement secondaire : profil Mathématiques, d'une durée de cinq ans ainsi que le double baccalauréat en Mathématiques et Informatique d'une durée de 4 ans.
- L'Université de Montréal offre six orientations : Actuariat COOP; Mathématiques pures; Mathématiques appliquéees; Sciences mathématiques; Statistiques; Statistiques COOP.

STATISTIQUES D'EMPLOI

	2001	2003	2005
Nb de personnes diplômées	132	150	200
% en emploi	68,0 %	51,4 %	60,8 %
% à temps plein	92,6 %	87,7 %	96,1 %
% lié à la formation	73,0 %	66,0 %	86,3 %

15232 STATISTIQUES / STATISTICS

BAC 6 TRIMESTRES — CUISEP 155-000

Compétences à acquérir

- Faire le choix de la méthode statistique appropriée à l'étude d'un phénomène particulier.
- Recueillir, analyser et interpréter des données numériques.
- Évaluer les conséquences des résultats des analyses et de l'interprétation des données.

Éléments du programme

- Algèbre linéaire
- Analyse
- Analyse de données
- Échantillonnage
- Probabilités
- Processus aléatoires
- Statistique mathématique

Admission (voir p. 20 G)

Concordia : BA : DEC ou l'équivalent et mathématiques 103 ou 201-NYA, 203 ou 201-NYB, 105 ou 201-NYC. **BSc :** DEC ou l'équivalent et mathématiques 103 ou 201-NYA, 203 ou 201-NYB, 105 ou 201-NYC; physique 101 ou 203-NYA, 201 ou 203-NYB, 301 ou 203-NYC; chimie 101 ou 202-NYA, 201 ou 202-NYB; biologie 301 ou 101-NYA.

Laval : DEC en Sciences de la nature **OU** DEC et mathématiques NYA, NYB, NYC ou 103-77, 105-77, 203-77. *N.B. : Pour connaître les passerelles entre un DEC technique et ce programme, contacter la Faculté des sciences et de génie.*

McGill : DEC ou l'équivalent et mathématiques NYA, NYB, NYC (00UN, 00UP, 00UQ); physique NYA, NYB, NYC (00UR, 00US, 00UT); chimie NYA, NYB (00UL, 00UM); biologie NYA (00UK) **OU** DEC et mathématiques NYA, NYB, NYC (00UN, 00UP, 00UQ).

Montréal : DEC en Sciences de la nature **OU** DEC ou l'équivalent **OU** avoir réussi 24 crédits de cours universitaires autres que des crédits obtenus dans le cadre de cours préparatoires aux études universitaires **ET** mathématiques 103, 105, 203.

UQAM : DEC ou l'équivalent et mathématiques 103, 105, 203.

Endroits de formation (voir p. 414)

	Contingentement	Coop	Cote R*
Concordia	□	■	28.000
Laval	□	□	—
McGill	□	□	—
Montréal	□	□	—
UQAM	□	□	—

** Le nombre inscrit indique la **cote R** qui a été utilisée pour l'**admission de l'année précédente** par l'université concernée. Pour connaître la cote R exigée pour l'admission 2008, communiquer avec les établissements concernés.*

Professions reliées

C.N.P.

2161 Mathématicien de mathématiques appliquées
2161 Statisticien
2161 Statisticien de la statistique appliquée
2161 Statisticien-mathématicien

Endroits de travail

- Compagnies d'assurances
- Établissements d'enseignement universitaire
- Firmes de sondages
- Gouvernements fédéral et provincial
- Institutions financières
- Sociétés de fiducie

Salaire

Le salaire hebdomadaire moyen est de 753 $ (janvier 2005).

Remarques

- Des études de 2e ou 3e cycle sont exigées pour travailler dans le domaine de la recherche scientifique.
- Certaines universités, telle que l'Université du Québec à Montréal (UQAM), offrent le programme Statistiques dans le cadre du programme Mathématiques.
- L'Université Laval offre un certificat en Statistique.
- L'Université de Montréal offre le programme Mathématique, orientation Statistique.

STATISTIQUES D'EMPLOI

	2001	2003	2005
Nb de personnes diplômées	10	—	15
% en emploi	85,7 %	—	30,0 %
% à temps plein	100 %	—	100 %
% lié à la formation	83,3 %	—	66,7 %

SCIENCES PHYSIQUES

PROGRAMMES D'ÉTUDES	PAGES

15245 CHIMIE / CHIMIE ANALYTIQUE / CHIMIE DE L'ENVIRONNEMENT / CHIMIE DES MATÉRIAUX INDUSTRIELS / CHIMIE INDUSTRIELLE / CHIMIE PHARMACEUTIQUE / CHEMISTRY

BAC 6 TRIMESTRES — CUISEP 413/414-000

Compétences à acquérir

- Veiller à la qualité des aliments, des médicaments, des drogues, des matériaux et d'autres produits offerts sur le marché.
- Travailler à l'élimination des sources de pollution.
- Concevoir de nouveaux procédés industriels et de nouvelles techniques pour préparer, séparer, identifier et purifier des composés chimiques.

Éléments du programme

- Chimie analytique instrumentale
- Chimie organique, minérale, analytique
- Électrochimie
- Éthique scientifique
- Mathématiques appliquées
- Normes environnementales
- Stage
- Traitement des données chimiques

Admission (voir p. 20 G)

Bishop's : DEC ou l'équivalent et mathématiques 103 (ou 201-NYA, 201-NYB), 105 (ou 201-NYC); physique 101 (ou 203-NYA), 201 (ou 203-NYB), 301 (ou 203-NYC); chimie 101 (ou 202-NYA), 201 (ou 202-NYB); biologie 301 (ou 101-NYA).

Concordia : DEC ou l'équivalent et mathématiques 103, 203; physique 101, 201, 301; chimie 101, 201; biologie 301.

Laval : DEC ou l'équivalent et mathématiques NYA, NYB ou 103-77, 203-77; physique NYA, NYB, NYC ou 101, 201, 301; chimie NYA, NYB ou 101, 201; biologie NYA ou 301 **OU** DEC en Sciences de la nature. *N.B. : Pour connaître les passerelles entre un DEC technique et ce programme, contacter la Faculté des sciences et de génie.*

McGill : DEC ou l'équivalent et mathématiques NYA, NYB, NYC (00UN, 00UP, 00UQ); physique NYA, NYB, NYC (00UR, 00US, 00UT); chimie NYA, NYB (00UL, 00UM); biologie NYA (00UK).

Montréal : DEC en Sciences de la nature et avoir atteint l'objectif 00XV en chimie **OU** DEC en Techniques de laboratoire, spécialisation Chimie analytique **OU** DEC ou l'équivalent **OU** avoir réussi 24 crédits de niveau universitaire autre que des crédits obtenus dans le cadre de cours préparatoires aux études universitaires **ET** mathématiques 103, 105, 203; physique 101, 201, 301; chimie 101, 201, 202.

Sherbrooke : DEC ou l'équivalent et mathématiques 103, 203 ou 00UN, 00UP; physique 101, 201, 301-78 ou 00UR, 00US, 00UT; chimie 101, 201 ou 00UL, 00UM; biologie 301 ou 00UK **OU** DEC technique ou l'équivalent et mathématiques 103, 203 ou 00UL, 00UM; chimie 101, 201 ou 00UN, 00UP; deux cours de physique ou parmi 00UR, 00US, 00UT.

UQAC : DEC en Sciences de la nature ou en Sciences, lettres et art **OU** DEC ou l'équivalent et mathématiques 103, 203; physique 101, 201, 301; chimie 101, 201; biologie 301 ou DEC dans la famille techniques physiques ou l'équivalent et mathématiques 103, 203; chimie 101, 201.

UQAM : DEC ou l'équivalent et mathématiques 103, 203; physique 101, 201, 301; chimie 101, 201; biologie 301 **OU** DEC technique ou l'équivalent et mathématiques 103, 203; deux cours de physique; chimie 101, 201.

UQAR : DEC ou l'équivalent et mathématiques 103, 203; physique 101, 201, 301; chimie 101, 201; biologie 301 **OU** DEC et mathématiques 103, 203, 105; physique 101, 201, 301; chimie 101, 201; biologie 301 **OU** DEC dans la famille des techniques biologiques ou physiques ou l'équivalent et avoir réussi certains cours en mathématiques, en physique, en chimie et en biologie.

UQTR : DEC ou l'équivalent et mathématiques 103 (00UN), 203 (00UP); physique 101 (00UL), 201 (00US), 301-78 (00UT); chimie 101 (00UL), 201 (00UM); biologie 301 (00UK) **OU** DEC en Sciences de la nature ou l'équivalent **OU** DEC en Techniques de laboratoire, spécialisation Chimie analytique ou Biotechnologie ou DEC en Techniques de génie chimique **OU** DEC technique et mathématiques 103 (00UN), 203 (00UP); physique 101 (00UR), 201 (00US), 301-78 (00UT); chimie 101 (00UL), 201 (00UM).

Endroits de formation (voir p. 414)

	Contingentement	Coop	Cote R*
Bishop's	□	□	—
Concordia	□	■	28.000
Laval	□	□	—
McGill	□	□	—
Montréal	□	□	—
Sherbrooke	■	■	—
UQAC	□	□	—
UQAM	□	□	—
UQAR[1]	□	□	—
UQTR	□	□	—

** Le nombre inscrit indique la **cote R** qui a été utilisée pour l'**admission de l'année précédente** par l'université concernée. Pour connaître la cote R exigée pour l'admission 2008, communiquer avec les établissements concernés.*

1. Admissions suspendues

SCIENCES PURES

15245 CHIMIE / CHIMIE ANALYTIQUE / CHIMIE DE L'ENVIRONNEMENT / CHIMIE DES MATÉRIAUX INDUSTRIELS / CHIMIE INDUSTRIELLE / CHIMIE PHARMACEUTIQUE / CHEMISTRY

(SUITE)

Professions reliées

C.N.P.

2112 Chimiste
2112 Chimiste spécialiste du contrôle de la qualité
2211 Contrôleur de produits pharmaceutiques
2112 Scientifique en produits alimentaires

Endroits de travail

- Établissements d'enseignement universitaire
- Industrie de produits chimiques
- Industrie des pâtes et papier
- Industrie des produits alimentaires
- Industrie du pétrole
- Industrie du plastique
- Industrie pharmaceutique
- Gouvernements fédéral et provincial
- Laboratoires
- Municipalités (aqueduc)
- Usines d'épuration des eaux usées

Salaire

Le salaire hebdomadaire moyen est de 735 $ (janvier 2005).

Remarques

- Pour exercer la profession et porter le titre de chimiste, il faut être membre de l'Ordre des chimistes du Québec.
- L'Université de Sherbrooke offre les baccalauréats en Chimie et en Chimie pharmaceutique. Le programme est offert au régime régulier à temps complet ou partiel et au régime coopératif à temps complet.
- L'Université de Montréal offre le programme de Chimie avec cinq orientations : Chimie pharmaceutique et bioorganique; Chimie assistée par ordinateur; Chimie bioanalytique et environnementale; Chimie des matériaux et biomatériaux; Orientation générale.

SCIENCES PURES

STATISTIQUES D'EMPLOI

	2001	2003	2005
Nb de personnes diplômées	216	181	172
% en emploi	48,2 %	41,8 %	34,5 %
% à temps plein	98,7 %	96,1 %	90,2 %
% lié à la formation	89,7 %	75,5 %	83,8 %

15247 ENVIRONNEMENT MARIN / GÉOGRAPHIE PHYSIQUE / GESTION DU MILIEU NATUREL / ENVIRONMENTAL GEOGRAPHY / GEOGRAPHY

BAC 6 TRIMESTRES — CUISEP 434-000

Compétences à acquérir

- Observer, mesurer et analyser les caractéristiques des régions.
- Faire des représentations cartographiques des caractéristiques physiques recueillies.
- Faire l'évaluation de l'espace physique lié aux terres et forêts, aux richesses naturelles et à l'industrie de la construction.
- Faire des recherches et des travaux de cartographie et d'évaluation de l'espace en fonction des climats, des micro-climats, de la pollution, etc.
- Faire des recherches sur la faune et la flore au niveau des grandes unités écologiques et évaluer les relations entre le modèle et la végétation, les sols, etc.

Éléments du programme

- Biogéographie
- Climatologie
- Géomorphologie
- Hydrogéologie
- Paléontologie
- Physique et atmosphère
- Principes de cartographie intégrée
- Stages
- Télédétection

Admission (voir p. 20 G)

Bishop's, UQAR : DEC ou l'équivalent.

Concordia : DEC ou l'équivalent et mathématiques 103 (ou 201-NYA), 203 (ou 201-NYB); physique 101 (ou 203-NYA), 201 (ou 203-NYB), 301 (ou 203-NYC); chimie 101 (ou 202-NYA), 201 (ou 202-NYB); biologie 301 (ou 101-NYA).

McGill : DEC ou l'équivalent et mathématiques NYA, NYB, NYC (00UN, 00UP, 00UQ); physique NYA, NYB, NYC (00UR, 00US, 00UT); chimie NYA, NYB (00UL, 00UM); biologie NYA (00UK).

Endroits de formation (voir p. 414)

	Contingentement	Coop	Cote R
Bishop's	☐	☐	—
Concordia	☐	☐	—
McGill	☐	☐	—
UQAR	☐	☐	—

Professions reliées

C.N.P.
4169 Cartographe
4169 Géographe (géographie physique)

Endroit de travail

Gouvernements fédéral et provincial

Salaire

Le salaire hebdomadaire moyen est de 697 $ (janvier 2001).

Remarque

L'Université du Québec à Rimouski offre la maîtrise et le doctorat en Océangraphie.

STATISTIQUES D'EMPLOI

	2001	2003	2005
Nb de personnes diplômées	24	11	—
% en emploi	70,0 %	11,1 %	—
% à temps plein	92,9 %	100 %	—
% lié à la formation	76,9 %	0,0 %	—

SCIENCES PURES

15244 GÉOLOGIE / EARTH SCIENCES / PLANETARY SCIENCES

BAC 6 TRIMESTRES — CUISEP 433-000

Compétences à acquérir

- Faire l'évaluation d'un terrain géologique donné pour en établir l'âge, la structure et la genèse.
- Faire le lien entre les observations concernant la composition et la structure des roches et les processus qui ont formé les gîtes minéraux.
- Participer à la fabrication d'une carte géologique pour une région donnée.
- Prospecter et assurer la conservation des gisements métallifères et pétrolifères ainsi que des ressources hydriques.
- Étudier et tenter de prévoir les phénomènes naturels.
- Effectuer des études environnementales.
- Évaluer et corriger les effets de l'intervention de l'homme sur l'environnement.

Éléments du programme

- Activités de terrain
- Calculs
- Environnement
- Géochimie générale
- Gîtes minéraux
- Paléontologie
- Pétrographie sédimentaire
- Probabilités et statistiques

Admission (voir p. 20 G)

Laval : DEC en Sciences de la nature **OU** DEC ou l'équivalent et mathématiques NYA, NYB, NYC ou 103-77, 105-77, 203-77; physique NYA, NYB ou 101, 201; chimie NYA, NYB ou 101, 201. *N.B. : Pour connaître les passerelles entre un DEC technique et ce programme, contacter la Faculté des sciences et de génie.*

McGill : DEC ou l'équivalent et mathématiques NYA, NYB, NYC (00UN, 00UP, 00UQ); physique NYA, NYB, NYC (00UR, 00US, 00UT); chimie NYA, NYB (00UL, 00UM); biologie NYA (00UK).

UQAC : DEC en Sciences de la nature **OU** DEC ou l'équivalent et mathématiques 103, 105, 203 (objectifs 00UN ou 01Y1, 00UP ou 01Y2, 00UQ ou 01Y4); physique 101, 201, 301 (objectifs 00UR ou 01Y7, 00US ou 01YF, 00UT ou 01YG); chimie 101, 201 (objectifs 00UL ou 01Y6, 00UM ou 01YH); biologie 301 (objectifs 00UK ou 01Y5) **OU** DEC dans la famille des techniques physiques ou l'équivalent et mathématique 103, 105, 203 (objectifs 00UN ou 01Y1, 00UP ou 01Y2, 00UQ ou 01Y4); physique 101, 201 (objectifs 00UR ou 01Y7, 00US ou 01YF, 00UT ou 01YG); un cours de chimie; un cours de géologie ou physique 301 (objectifs 00UT ou 01YG).

UQAM : DEC ou l'équivalent et mathématiques 103, 203; physique 101, 201, 301; chimie 101, 201; biologie 301 **OU** DEC en Sciences de la nature **OU** DEC dans la famille des techniques physiques ou biologiques **OU** DEC technique et avoir réussi certains cours de niveau collégial en mathématique, en physique, en chimie et en biologie.

Endroits de formation (voir p. 414)

	Contingentement	Coop	Cote R
Laval	☐	☐	—
McGill	☐	☐	—
UQAC	☐	☐	—
UQAM	☐	☐	—

Professions reliées

C.N.P.	
2113	Écogéologue
2113	Géochimiste
2113	Géologue
2113	Géologue pétrolier
2113	Géophysicien
2113	Géophysicien-prospecteur
2144	Hydrogéologue
2113	Hydrographe
2113	Hydrologue
2113	Minéralogiste
2113	Paléontologue
2113	Sismologue

Endroits de travail

- À son compte
- Gouvernements fédéral et provincial
- Industrie minière
- Industrie pétrolière
- Municipalités

Salaire

Le salaire hebdomadaire moyen est de 771 $ (janvier 2005).

Remarques

- Des études de 2e cycle sont nécessaires pour exercer les professions suivantes : géophysicien, géophysicien-prospecteur et sismologue.
- Pour porter le titre de géologue, il faut être membre de l'Ordre des géologues du Québec.
- L'Université du Québec à Montréal (UQAM) offre une concentration en Géologie des ressources ou en Géologie de l'environnement ainsi qu'une majeure en Géologie, jumelable à une mineure en Géographie physique.

STATISTIQUES D'EMPLOI

	2001	2003	2005
Nb de personnes diplômées	57	45	52
% en emploi	46,7 %	42,4 %	40,6 %
% à temps plein	90,5 %	92,9 %	84,6 %
% lié à la formation	42,1 %	76,9 %	54,5 %

SCIENCES PURES

15243/ 15299 MÉTÉOROLOGIE / ATMOSPHERIC SCIENCE / ATMOSPHERIC SCIENCE AND PHYSICS

BAC 6 TRIMESTRES — CUISEP 441-300

Compétences à acquérir

- Observer, enregistrer et interpréter les données recueillies sur les conditions atmosphériques.
- Tenter d'établir les prévisions du temps.
- Étudier les données provenant des stations météorologiques (pression, température, humidité, vitesse des vents, précipitations, etc.).

Éléments du programme

- Climat et système
- Dynamique de l'atmosphère et des océans.
- Introduction à la physique atmosphérique

Admission (voir p. 20 G)

DEC ou l'équivalent et mathématiques, 103, 105, 203; physique 101, 201, 301; chimie 101, 201; biologie 301.

OU

DEC en Sciences de la nature.

OU

McGill : DEC ou l'équivalent et mathématiques NYA, NYB, NYC (00UN, 00UP, 00UQ); physique NYA, NYB, NYC (00UR, 00US, 00UT); chimie NYA, NYB (00UL, 00UM); biologie NYA (00UK).

Endroits de formation (voir p. 414)

	Contingentement	Coop	Cote R
McGill	☐	☐	—
UQAM	☐	☐	—

Professions reliées

C.N.P.

2114 Climatologiste

2114 Météorologiste

Endroits de travail

- Compagnies aériennes
- Forces armées canadiennes
- Gouvernements fédéral et provincial
- Télédiffuseurs

Salaire

Donnée non disponible.

Remarques

- Voir aussi la fiche du programme Physique (p. 259).
- Un stage de neuf mois au ministère de l'Environnement est exigé pour devenir météorologue professionnel.
- Après le baccalauréat, un stage de formation d'environ six mois au ministère de l'Environnement est exigé pour devenir météorologiste au sein du Service de l'environnement atmosphérique. Ce stage n'est pas requis ailleurs.
- L'Université du Québec à Montréal (UQAM) offre la concentration Météorologie dans le cadre du baccalauréat en Mathématiques.

SIENCES PURES

STATISTIQUES D'EMPLOI

	2001	2003	2005
Nb de personnes diplômées	—	—	8
% en emploi	—	—	33,3 %
% à temps plein	—	—	100 %
% lié à la formation	—	—	100 %

15240 PHYSIQUE / PHYSICS

BAC 6 TRIMESTRES — CUISEP 451-000

Compétences à acquérir

- Comprendre et formuler des lois scientifiques universelles qui régissent les phénomènes physiques.
- Étudier divers phénomènes et lois de la nature comme la force, l'énergie et la structure de la matière et leurs interventions à l'échelle micro et macroscopique.
- Analyser et vérifier des théories existantes.
- Travailler aux applications industrielles des théories de la physique en collaboration avec d'autres professionnels.
- Faire des expériences en laboratoire.
- Appliquer les connaissances des lois de la physique au contrôle et à l'analyse de nouveaux produits.

Éléments du programme

- Astrophysique
- Mécanique quantique
- Physique atomique et moléculaire
- Physique expérimentale
- Physique mathématique
- Physique nucléaire
- Sciences de l'espace
- Thermodynamique

Admission (voir p. 20 G)

DEC ou l'équivalent et mathématiques 103, 105, 203; physique 101, 201, 301; chimie 101, 201; biologie 301.

OU

Laval : DEC en Sciences de la nature **OU** DEC ou l'équivalent et mathématiques NYA, NYB, NYC ou 103-77, 105-77, 203-77; physique NYA, NYB, NYC ou 101, 201, 301; chimie NYA ou 101; biologie NYA ou 301. *N.B. : Pour connaître les passerelles entre un DEC technique et ce programme, contacter la Faculté des sciences et de génie.*

Montréal : DEC en Sciences de la nature **OU** DEC ou l'équivalent **OU** avoir réussi 24 crédits de cours universitaires autres que des crédits obtenus dans le cadre de cours préparatoires aux études universitaires **ET** mathématiques 103, 105 et 203, deux cours de physique, un cours de chimie et un cours de biologie.

Sherbrooke : DEC en Sciences de la nature **OU** DEC technique ou l'équivalent et mathématiques 103, 105, 203; physique 101, 201, 301.

UQTR : DEC ou l'équivalent et mathématiques 103, 105, 203 (00UN, 00UQ, 00UP); physique 101, 203, 301-78 (00UR, 00US, 00UT); chimie 101, 201 (00UR, 00US, 00UT); biologie 301(00UK) **OU** DEC en Sciences de la nature ou l'équivalent **OU** DEC en Sciences, lettres et arts **OU** DEC en Technologie physique ou l'équivalent **OU** DEC technique et mathématiques 103, 203 (00UN, 00UP); physique 101, 201, 301 (00UR, 00US, 00UT); chimie 101 (00UL).

Endroits de formation (voir p. 414)

	Contingentement	Coop	Cote R
Bishop's	□	□	—
Concordia	□	■	28.000
Laval	□	□	—
McGill	□	□	—
Montréal	□	□	—
Sherbrooke	□	■	—
UQTR	□	□	—

Professions reliées

C.N.P.	
2111	Astronome
2111	Astrophysicien
2111	Physicien
2111	Physicien médical
2111	Physicien nucléaire
4141	Professeur de physique
2111	Spécialiste en photonique

Endroits de travail

- Entreprises du domaine de l'optique et de la photonique
- Établissements d'enseignement
- Firmes d'ingénieurs
- Gouvernements fédéral et provincial
- Industrie de l'aéronautique
- Laboratoires

Salaire

Le salaire hebdomadaire moyen est de 650 $ (janvier 2005).

Remarques

- Pour enseigner au secondaire, il faut être titulaire d'un permis ou d'un brevet d'enseignement permanent émis par le ministère de l'Éducation, du Loisir et du Sport.
- Pour exercer la profession et porter le titre d'ingénieur, il faut être membre de l'Ordre des ingénieurs du Québec.
- Des études de 2e cycle sont nécessaires pour exercer les professions suivantes : ingénieur en aérospatiale, ingénieur en sciences nucléaires, océanographe, physicien nucléaire.
- Des études de 3e cycle sont nécessaires pour exercer la profession suivante : astronome.

STATISTIQUES D'EMPLOI

	2001	2003	2005
Nb de personnes diplômées	99	100	90
% en emploi	37,0 %	20,8 %	17,5 %
% à temps plein	96,3 %	86,7 %	81,8 %
% lié à la formation	84,6 %	38,5 %	33,3 %

DOMAINE D'ÉTUDES

ÉTUDES PLURISECTORIELLES

Discipline

ÉTUDES PLURISECTORIELLES

PROGRAMMES D'ÉTUDES — PAGES

15437 AFFAIRES PUBLIQUES ET RELATIONS INTERNATIONALES

BAC 6 TRIMESTRES — CUISEP 632-000

Compétences à acquérir

- Acquérir et intégrer des connaissances générales et scientifiques en affaires publiques et relations internationales sous l'angle du droit, de l'économique et de la science politique.
- Acquérir des connaissances du fonctionnement des principales institutions économiques, juridiques et politiques tant sur le plan national qu'international.
- Acquérir des méthodes et des outils de travail pour recueillir, analyser et traiter l'information.
- Développer ses capacités de synthèse, d'analyse et de critique.
- Acquérir un niveau avancé en anglais et une compétence minimale dans une autre langue étrangère.

Éléments du programme

- Méthode et fondements du droit
- Institutions internationales
- Droit constitutionnel
- Régimes politiques et sociétés dans le monde
- Principes de microéconomie
- Introduction aux relations internationales
- Droit international public général
- Introduction à l'administration publique
- Principes de macroéconomie
- Environnement économique international
- Projets d'intégration

Admission (voir p. 20 G)

DEC ou l'équivalent.

Endroit de formation (voir p. 414)

	Contingentement	Coop	Cote R
Laval	☐	☐	—

Professions reliées

C.N.P.

4168	Agent du service extérieur diplomatique canadien
4168	Attaché politique
4163	Agent de développement international
4163	Agent de développement économique
4162	Économiste en développement international
4162	Économiste en commerce international
0012	Administrateur d'organisme publique

Endroits de travail

- Gouvernements fédéral et provincial
- Grandes entreprises
- Partis politiques
- Firmes d'expert-conseil

Salaire

Nouveau programme. Donnée non disponible.

Remarques

- Concentrations possibles : Diplomatie, paix et sécurité; Gouvernance économique internationale; Politiques publiques et environnement; Affaires publiques et management. Le programme est aussi offert sans concentration.
- Profil international : Ce programme offre, dans le cadre de ce profil, un certain nombre de places aux étudiants désireux de poursuivre une ou deux sessions d'études dans une université située à l'extérieur du Québec.

Statistiques d'emploi

Nouveau programme. Données non disponibles.

18000 ARTS

BAC 6 TRIMESTRES

Compétences à acquérir

- Développer ses connaissances dans plusieurs disciplines et les utiliser de façon méthodique.
- Intervenir efficacement dans un milieu professionnel.
- Interagir avec divers spécialistes.

Éléments du programme

- Écriture de communication
- Histoire des communications
- Langues
- Méthodologie de la recherche sociale
- Psychologie du travail et des organisations
- Sciences, techniques et civilisations
- Sociétés
- Théories de l'organisation

Admission (voir p. 20 G)

DEC ou l'équivalent.

OU

Avoir, au moment de la demande d'admission, réussi des cours universitaires témoignant d'une préparation jugée satisfaisante par le comité d'admission.

ET

Maîtriser le français.

Endroits de formation (voir p. 414)

	Contingentement	Coop	Cote R
Bishop's	□	□	—
TÉLUQ	□	□	—

Professions reliées

Données non disponibles.

Endroits de travail

Données non disponibles.

Salaire

Donnée non disponible.

Remarques

- La structure du programme donne une latitude à la personne qui désire obtenir une formation de type multidisciplinaire ou plus spécialisée.
- Ce programme est offert à distance, à temps plein et à temps partiel.
- Un certificat est également offert.

Statistiques d'emploi

Données non disponibles.

18000 BIO-INFORMATIQUE

BAC 6 TRIMESTRES

Compétence à acquérir

Maîtriser et intégrer des connaissances de base en sciences biologiques, en informatique, en mathématiques et en statistiques.

N.B. : Plusieurs concentrations sont offertes selon l'université.

Éléments du programme

- Éthique
- Génétique
- Probabilités et statistiques
- Programmation
- Protéines
- Systèmes informatiques
- Stage

Admission (voir p. 20 G)

Montréal : DEC en Sciences de la nature et avoir atteint les objectifs 00XU en biologie et 00XV en chimie **OU** DEC ou l'équivalent et mathématiques 103, 203; physique 101, 201, 301; chimie 101, 201, 202; biologie 301, 401 ou deux cours de biologie humaine **OU** avoir réussi 24 crédits de niveau universitaire autres que des crédits obtenus dans le cadre de cours préparatoires aux études universitaires.

Laval : DEC en Sciences de la nature **OU** tout autre DEC et avoir réussi les cours de mathématiques NYA, NYB, NYC (ou 103-77, 203-77. 105-77); physique NYA, NYB (ou 101, 201); chimie NYA, NYB (ou 101 et 201); biologie NYA (ou 301).

N.B. Pour connaître les passerelles entre un DEC technique et ce programme, contacter la Faculté des sciences et de génie.

Endroits de formation (voir p. 414)

	Contingentement	Coop	Cote R*
Laval	□	□	—
Montréal	□	□	25.009

** Le nombre inscrit indique la **cote R** qui a été utilisée pour l'**admission de l'année précédente** par l'université concernée. Pour connaître la cote R exigée pour l'admission 2008, communiquer avec les établissements concernés.*

Profession reliée

C.N.P.

2112 Bio-informaticien

Endroits de travail

- Centres de recherche
- Établissements d'enseignement
- Industrie de la biotechnologie

Salaire

Donnée non disponible.

Statistiques d'emploi

Données non disponibles.

ÉTUDES PLURISECTORIELLES

18000 BUSINESS AND SCIENCE

BAC 6 TRIMESTRES

Compétences à acquérir

- Acquérir un minimum de spécialisation dans un domaine de la gestion et d'une discipline scientifique.
- Concevoir des nouveaux procédés industriels et de nouvelles techniques.
- Produire des rapports de travaux, d'expertises ou d'analyses.
- Travailler aux applications industrielles des théories et connaissances technologiques en collaboration avec d'autres professionnels.
- Participer à l'élaboration des objectifs, des politiques et de la stratégie globale de l'entreprise ainsi qu'à la gestion des ressources.
- Assurer la relation entre une organisation et les sources de financement.
- Management des organisations.

Éléments du programme

- Comptabilité
- Economie
- Finance
- Gestion internationale
- Gestion de l'information et des systèmes
- Marketing
- Ressources humaines
- Biochimie
- Biologie
- Biologie environnementale
- Chimie
- Informatique
- Physique
- Physiologie
- Psychologie
- Mathématiques appliquées
- Mathématiques pures
- Science de l'exercice et études du sport

Admission (voir p. 20 G)

DEC en Sciences de la nature OU DEC ou équivalent (voir remarque).

Endroit de formation (voir p. 414)

	Contingentement	Coop	Cote R
Bishop's	☐	☐	—

Professions reliées

C.N.P.

— Représentant pharmaceutique
— Administrateur d'entreprises de biotechnologie ou d'organisations scientifiques.
— Journaliste spécialisé
— Consultant

Endroits de travail

- Entreprises de biopharmaceutique et de biotechnologie
- Organismes municipaux, provinciaux et fédéraux
- Organisations scientifiques nationales et internationales
- Médias spécialisés

Salaire

Nouveau programme. Donnée non disponible.

Remarque

L'étudiant qui n'a pas compléter un DEC en Sciences de la nature (ou équivalent) peut être admis. Toutefois, des préalables seront ajoutés à son programme d'études.

Statistiques d'emploi

Nouveau programme. Données non disponibles.

18000 COMMUNICATION MARKETING

BAC 6 TRIMESTRES — CUISEP 111-700

Compétences à acquérir

- Acquérir et approfondir des connaissances relatives aux différents aspects de la communication marketing.
- Développer des habiletés et s'initier à la recherche dans le domaine de la communication marketing.
- Acquérir des connaissances relatives à l'environnement organisationnel des entreprises et du contexte dans lequel elles évoluent.
- Développer une réflexion éthique et critique face aux pratiques de la communication marketing.
- Élaborer des stratégies de communication marketing originales selon une approche intégrée et critique.
- Concevoir, réaliser et gérer les communications internes et externes d'une entreprise en tenant compte des caractéristiques de son environnement organisationnel.

Éléments du programme

- Communication orale et écrite
- Technologies de communication
- Plan de communication
- Marketing
- Publicité
- Communication financière
- Commerce électronique
- Gestion de la marque
- Éthique
- Stage

Admission (voir p. 20 G)

DEC ou l'équivalent et cours d'appoint en mathématiques si nécessaire.

Endroits de formation (voir p. 414)

	Contingentement	Coop	Cote R
UQAM	■	□	—

Professions reliées

C.N.P.

5124	Agent de communication marketing
4163	Consultant en marketing
0611	Directeur de la publicité
0611	Directeur des communications ventes et marketing
0611	Directeur du marketing
0015	Directeur général des ventes et de la publicité
4163	Expert-conseil en commercialisation

Endroits de travail

- À son compte
- Agences de publicité
- Entreprises publiques
- Firmes de communications
- Grandes entreprises
- Médias
- Organismes sans but lucratif
- PME
- Syndicats

Salaire

Nouveau programme. Donnée non disponible.

Remarques

- Ce programme donne également accès à des études de deuxième cycle en gestion ou en communication.
- L'université de Sherbrooke offre un baccalauréat-maîtrise en Communication marketing.

Statistiques d'emploi

Nouveau programme. Données non disponibles.

18000 ÉTUDES DES FEMMES / ÉTUDES FÉMINISTES / WESTERN SOCIETY AND CULTURE / WOMEN STUDIES

BAC 2 À 4 TRIMESTRES — CUISEP 635-000

Compétence à acquérir

Ce programme est conçu pour les étudiants qui désirent allier les études de la femme à des études en sociologie, en psychologie, en histoire, en science politique, en littérature ou en religion de même que pour ceux qui désirent se spécialiser dans les études de la femme. Il comporte la collecte et l'évaluation des nombreux documents qu'on redécouvre sur la femme et sur sa situation depuis les temps anciens.

Éléments du programme

Données non disponibles.

Admission (voir p. 20 G)

DEC ou l'équivalent.

Endroits de formation (voir p. 414)

	Contingentement	Coop	Cote R
Bishop's	□	□	—
Concordia	□	□	—
McGill	□	□	—
UQAM	□	□	—

Profession reliée

C.N.P.
4169 Sociologue

Endroits de travail

Gouvernements fédéral et provincial

Salaire

Donnée non disponible.

Remarque

L'Université Bishop's offre également une mineure.

Statistiques d'emploi

Données non disponibles.

15437 ÉTUDES INTERNATIONALES / ÉTUDES INTERNATIONALES ET LANGUES MODERNES / RELATIONS INTERNATIONALES ET DROIT INTERNATIONAL

BAC 6 TRIMESTRES

Compétences à acquérir

- Comprendre et analyser des phénomènes internationaux (régimes politiques, politiques étrangères, etc.).
- Décoder les structures de fonctionnement des autres sociétés.
- Maîtriser les concepts utilisés en droit, en histoire, en politique et en économique.

Éléments du programme

- Droit constitutionnel
- Droit international
- Commerce international
- Développement économique
- Finance internationale
- Mondialisation
- Relations économiques
- Stage
- Systèmes politique et juridique

Admission (voir p. 20 G)

DEC ou l'équivalent.

OU

Laval : DEC et faire la preuve d'avoir atteint, en anglais, des compétences de niveau intermédiaire II **OU** comme choix de première langue : **Anglais langue seconde :** faire la preuve d'avoir atteint en anglais, des compétences de niveau avancé I. **Espagnol :** faire la preuve d'avoir atteint, en espagnol, des compétences de niveau intermédiaire II **OU** comme choix de deuxième langue : **Allemand :** faire la preuve d'avoir atteint, en allemand, des compétences de niveau intermédiaire II. **Anglais langue seconde :** faire la preuve d'avoir atteint en anglais, des compétences de niveau avancé I. **Espagnol :** faire la preuve d'avoir atteint, en espagnol, des compétences de niveau intermédiaire II **ET** test d'équivalence **ET** lettre indiquant le choix de la première et de la deuxième langue.

Montréal : DEC ou l'équivalent **OU** avoir réussi 24 crédits de cours universitaires autres que des crédits obtenus dans le cadre de cours préparatoires aux études universitaires.

Endroits de formation (voir p. 414)

	Contingentement	Coop	Cote R*
Laval	□	□	—
McGill	□	□	—
Montréal	■	□	29.674
UQAM	■	□	29.500

** Le nombre inscrit indique la **cote R** qui a été utilisée pour l'**admission de l'année précédente** par l'université concernée. Pour connaître la cote R exigée pour l'admission 2008, communiquer avec les établissements concernés.*

Professions reliées

C.N.P.	
4163	Agent de développement international
4168	Attaché politique
4164	Conseiller en affaires internationales
4168	Diplomate
4169	Lobbyiste
4168	Spécialiste en relations internationales

Endroits de travail

- Gouvernements fédéral et provincial
- Grandes entreprises
- Organisations internationales (ONU, etc.)

Salaire

Donnée non disponible.

Remarques

- Ce programme donne accès aux études supérieures en Science politique.
- L'Université Bishop's offre une mineure en International Studies.

Statistiques d'emploi

Données non disponibles.

18000 HISTOIRE ET ÉTUDES CLASSIQUES

BAC 6 TRIMESTRES — CUISEP 251/561-000

Compétences à acquérir

- S'approprier des outils méthodologiques et acquérir une pensée critique.
- Comprendre les racines de notre civilisation.

Éléments du programme

- Méthodes de recherche en antiquité
- Histoire de la littérature latine
- Initiation à l'archéologie gréco-romaine
- Grèce antique
- Histoire du Moyen Âge
- Langue grecque et latine
- Stage en archéologie

Admission (voir p. 20 G)

DEC ou l'équivalent et test de français.

Endroit de formation (voir p. 414)

	Contingentement	Coop	Cote R
Montréal	☐	☐	—

Profession reliée

C.N.P.

— Agent de recherche

Endroits de travail

- Firmes d'archéologues
- Grandes entreprises
- Gouvernements
- Médias
- Musées
- Universités

Salaire

Donnée non disponible. Consulter les fiches des programmes Histoire (p. 223) et Études classiques (p. 56).

Statistiques d'emploi

Données non disponibles. Consulter les fiches des programmes Histoire (p. 223) et Études classiques (p. 56).

18000 LETTRES ET SCIENCES HUMAINES

BAC 6 TRIMESTRES — CUISEP 251-000

Compétences à acquérir

- S'intégrer à des situations en constante évolution.
- Être familier avec chacune des grandes époques de l'histoire sous l'angle d'une discipline particulière, mais en intégrant les éléments et les méthodes des autres approches disciplinaires.

Cinq orientations sont offertes :

- Études françaises; Histoire; Histoire de l'art; Littérature comparée; Philosophie.

Éléments du programme

- Avènement du monde contemporain
- Études de textes
- Europe à la Renaissance
- Invention de l'homme moderne
- Littérature et théories de la culture
- Monde Antique
- Moyen Âge
- Philosophie politique contemporaine
- Programme de lectures critiques
- Programme individuel de lecture
- Théories et méthodes critiques

Admission (voir p. 20 G)

DEC ou l'équivalent.

OU

Avoir réussi 24 crédits de cours universitaires autres que des crédits obtenus dans le cadre de cours préparatoires aux études universitaires.

ET

Excellence du dossier scolaire.

Endroit de formation (voir p. 414)

	Contingentement	Coop	Cote R*
Montréal	■	□	24.123

** Le nombre inscrit indique la **cote R** qui a été utilisée pour l'**admission de l'année précédente** par l'université concernée. Pour connaître la cote R exigée pour l'admission 2008, communiquer avec les établissements concernés.*

Professions reliées

Données non disponibles.

Endroits de travail

Données non disponibles.

Salaire

Donnée non disponible.

Remarque

Ce programme forme des diplômés très polyvalents capables de répondre aux exigences du marché du travail qui demande des individus aptes à s'intégrer à des situations en constante évolution. Le diplômé pourra poursuivre des études de maîtrise dans la discipline choisie lors de la troisième année.

Statistiques d'emploi

Données non disponibles.

18000 LINGUISTIQUE ET PSYCHOLOGIE

BAC 6 TRIMESTRES — CUISEP 253/576-000

Compétence à acquérir

Étudier et comprendre le fonctionnement du cerveau et la structuration du langage.

Éléments du programme

- Lexicologie, sémantique et morphologie
- Psychologie, physiologie
- Neuropsychologie humaine
- Processus cognitifs
- Phonologie du français
- Psychopathologie
- Processus d'apprentissage

Admission (voir p. 20 G)

DEC en Sciences humaines et avoir atteint les objectifs suivants : 022W (Statistiques avancées) et 022V (Biologie) **OU** DEC en Sciences de la nature **OU** DEC en Histoire et civilisation et avoir atteint les objectifs suivants : 022P (Méthodes quantitatives), 022W (Statistiques avancées) et 022V (Biologie) **OU** DEC ou l'équivalent et avoir réussi, avant l'entrée dans le programme, un cours de biologie;, mathématiques 337 ou (360-300 et 201-300) ou (103 et 307); psychologie 102.

Endroit de formation (voir p. 414)

	Contingentement	Coop	Cote R
Montréal	☐	☐	—

Profession reliée

C.N.P.
3141 Orthophoniste

Endroits de travail

- Centres hospitaliers
- Universités

Salaire

Nouveau programme. Consulter les fiches des programmes Linguistique (p. 61) et Psychologie (p. 227).

Remarque

Ce baccalauréat donne accès à la maîtrise en Orthophonie aux universités Laval et McGill.

Statistiques d'emploi

Données non disponibles. Consulter les fiches des programmes Linguistique (p. 61) et Psychologie (p. 227).

18000 LITTÉRATURE ET PHILOSOPHIE / LITTÉRATURE COMPARÉE ET PHILOSOPHIE

BAC 6 TRIMESTRES — CUISEP 251-000

Compétences à acquérir

- Comprendre les liens entre la philosophie et la littérature, de façon à développer une intelligence synthétique de la tradition philosophique et de l'histoire des littératures.
- Développer les capacités de lecture et de rédaction en lien avec les différents types de discours de la philosophie et de la littérature.
- Acquérir des méthodes d'analyse et de critique des discours littéraires et philosophiques.
- Acquérir une solide formation dans les humanités et s'initier aux principaux axes historiques de la constitution des discours littéraires et philosophiques, de l'Antiquité à aujourd'hui.

Éléments du programme

- Philosophie sociale et politique
- Littérature française
- Littérature québécoise
- Méthodes critiques
- Philosophie politique contemporaine
- Descartes et le rationalisme
- Mythologie gréco-romaine

Admission (voir p. 20 G)

DEC ou l'équivalent.

Endroits de formation (voir p. 414)

	Contingentement	Coop	Cote R
Laval	□	□	—
Montréal	□	□	—

Professions reliées

C.N.P.

4121	Professeur de philosophie
4121	Professeur de littérature
5123	Critique littéraire
5121	Rédacteur

Endroits de travail

- Établissements d'enseignement collégiaux
- Organismes culturels
- Maisons d'édition
- Médias

Salaire

Donnée non disponible.

Remarque

Ce programme est bidisciplinaire.

Statistiques d'emploi

Données non disponibles.

18000 MATHÉMATIQUES ET ÉCONOMIE

BAC 6 TRIMESTRES — CUISEP 150-000

Compétences à acquérir

- Ce programme est bidisciplinaire.
- Consulter les fiches des programmes Mathématiques (p. 251) et Économique (p. 218).

Éléments du programme

Consulter les fiches des programmes Mathématiques (p. 251) et Économique (p. 218).

Admission (voir p. 20 G)

Bishop's : DEC ou l'équivalent et mathématiques NYA, NYB; physique NYA, NYB; chimie NYA, NYB; biologie NYA ou 101 BFC (fortement recommandé).

Montréal : DEC en Sciences de la nature **OU** DEC ou l'équivalent **OU** avoir réussi 24 crédits de cours universitaires autres que des crédits obtenus dans le cadre de cours préparatoires aux études universitaires et mathématiques 103, 105, 203.

Endroits de formation (voir p. 414)

	Contingentement	Coop	Cote R
Bishop's	☐	☐	—
Montréal	☐	☐	—

Professions reliées

Consulter les fiches des programmes Mathématiques (p. 251) et Économique (p. 218).

Endroits de travail

Consulter les fiches des programmes Mathématiques (p. 251) et Économique (p. 218).

Salaire

Consulter les fiches des programmes Mathématiques (p. 251) et Économique (p. 218).

Statistiques d'emploi

Consulter les fiches des programmes Mathématiques (p. 251) et Économique (p. 218).

18000 MATHÉMATIQUES ET INFORMATIQUE / COMPUTER SCIENCE AND MATHEMATICS

BAC 6 TRIMESTRES — CUISEP 153-500

Compétences à acquérir

- Utiliser des méthodes et des techniques de la mathématique et de l'informatique pour apporter une solution à des problèmes relevant de divers domaines d'application de la mathématique tels que l'ingénierie, la physique, la chimie, la biologie et les sciences sociales.
- Analyser, évaluer, créer des algorithmes, des logiciels, des modèles ou des systèmes informatiques à vocation industrielle ou scientifique en s'appuyant sur l'outil mathématique.

Éléments du programme

- Algèbre linéaire
- Algorithme et programmation
- Circuits logiques
- Génie logiciel
- Intelligence artificielle
- Langages de programmation
- Structure interne des ordinateurs

Admission (voir p. 20 G)

Laval : DEC en Sciences de la nature **OU** DEC et mathématiques NYA, NYB, NYC ou 103-77, 105-77, 203-77; physique NYA, NYB, NYC ou 101, 201, 301; chimie NYA ou 101; biologie NYA ou 301. *N.B. : Pour connaître les passerelles entre un DEC technique et ce programme, contacter la Faculté des sciences et de génie.*

McGill : DEC en Sciences de la nature **OU** DEC ou l'équivalent et mathématiques NYA, NYC (00UN, 00UQ); physique NYA, NYB, NYC (00UR, 00US, 00UT); chimie NYA, NYB (00UL, 00UM); biologie NYA (00UK).

Montréal : DEC en Sciences de la nature **OU** DEC ou l'équivalent **OU** avoir réussi 24 crédits de cours universitaires autres que des crédits dans le cadre de cours préparatoires aux études universitaires **ET** mathématiques 103, 105, 203.

UQAM : DEC en Sciences de la nature **OU** DEC ou l'équivalent et avoir atteint les objectifs 00UN ou 01Y4 ou 022Z en mathématiques.

UQTR : DEC ou l'équivalent ou mathématiques 00UN ou 01Y1 ou 022X; 00UP ou 01Y2 ou 022Y; 00UQ ou 01Y4 ou 022Z.

Endroits de formation (voir p. 414)

	Contingentement	Coop	Cote R
Laval	□	□	—
McGill	□	□	—
Montréal	■	□	—
UQAM	□	□	—
UQTR	□	□	—

Professions reliées

C.N.P.

2171 Analyste en informatique

2161 Spécialiste de la recherche opérationnelle

Endroits de travail

Données non disponibles.

Salaire

Donnée non disponible.

Remarque

L'Université du Québec à Trois-Rivières (UQTR) offre un double baccalauréat en Mathématique-informatique d'une durée de quatre ans.

Statistiques d'emploi

Données non disponibles.

15299 MATHÉMATIQUES ET PHYSIQUE

BAC 6 TRIMESTRES — CUISEP 413/414-000

Compétences à acquérir

- Ce programme est bidisciplinaire.
- Consulter les fiches des programmes Mathématiques (p. 251) et Physique (p. 259).

Éléments du programme

Consulter les fiches des programmes Mathématiques (p. 251) et Physique (p. 259).

Admission (voir p. 20 G)

Montréal : DEC en Sciences de la nature **OU** DEC ou l'équivalent et avoir atteint les objectifs en mathématiques 00UN, 00UP, 00UQ; deux objectifs en physique; un objectif en biologie; un objectif en chimie **OU** avoir réussi 24 crédits de cours universitaires autres que des crédits obtenus dans le cadre de cours préparatoires aux études universitaires et mathématiques 103, 105, 203; deux cours de physique; un cours de biologie.

McGill : DEC en Sciences de la nature **OU** DEC ou l'équivalent et mathématiques NYA, NYB, NYC (00UN, 00UP, 00UQ); deux cours de physique; un cours de chimie; un cours de biologie.

Endroits de formation (voir p. 414)

	Contingentement	Coop	Cote R
McGill	□	□	—
Montréal	□	□	—

Professions reliées

Consulter les fiches des programmes Mathématiques (p. 251) et Physique (p. 259).

Endroits de travail

Consulter les fiches des programmes Mathématiques (p. 251) et Physique (p. 259).

Salaire

Consulter les fiches des programmes Mathématiques (p. 251) et Physique (p. 259).

Statistiques d'emploi

Consulter les fiches des programmes Mathématiques (p. 251) et Physique (p. 259).

18000 PHILOSOPHIE ET ÉTUDES CLASSIQUES

BAC 6 TRIMESTRES — CUISEP 251/561-000

Compétences à acquérir

- Analyser clairement les problèmes
- Raisonner de manière articulée
- Réfléchir de façon critique.

Éléments du programme

- Méthodes de recherche en Antiquité
- Histoire de la littérature latine
- Philosophie moderne
- Éthique et politique
- Philosophie grecque
- Langues anciennes

Admission (voir p. 20 G)

DEC ou l'équivalent et test de français.

Endroit de formation (voir p. 414)

	Contingentement	Coop	Cote R
Montréal	☐	☐	—

Profession reliée

C.N.P.
4169 Philosophe

Endroits de travail

- Firmes d'archéologues
- Grandes entreprises
- Gouvernements
- Musées

Salaire

Donnée non disponible. Consulter les fiches des programmes Philosophie (p. 229) et Études classiques (p. 56).

Statistiques d'emploi

Données non disponibles. Consulter les fiches des programmes Philosophie (p. 229) et Études classiques (p. 56).

ÉTUDES PLURISECTORIELLES

18000 PHYSIQUE ET INFORMATIQUE

BAC 6 TRIMESTRES

Compétences à acquérir

- Ce programme est bidisciplinaire.
- Consulter les fiches des programmes Physique (p. 259) et Informatique (p. 115).

Éléments du programme

Consulter les fiches des programmes Physique (p. 259) et Informatique (p. 115).

Admission (voir p. 20 G)

McGill : DEC ou l'équivalent **ET** mathématiques NYA, NYB, NYC (00UN, 00UP, 00UQ); physique NYA, NYB, NYC (00UR, 00US, 00UT); chimie NYA, NYB (00UL, 00UM); biologie NYA (00UK).

Montréal : DEC en Sciences de la nature **OU** DEC ou l'équivalent **OU** avoir réussi 24 crédits de cours universitaires autres que des crédits obtenus dans le cadre de cours préparatoires aux études universitaires **ET** mathématiques 103, 105; 203; deux cours de physique; un cours de chimie; un cours de biologie.

UQTR : DEC ou l'équivalent **ET** mathématiques 103, 105, 203 (objectifs : 00UN, 00UP, 00UQ); physique 101, 201, 301-78 (objectifs : 00UR, 00US, 00UT); chimie 101, 201 (objectifs : 00UL, 00UM); biologie 301 (objectifs : 00UK) **OU** DEC en Sciences de la nature **OU** DEC en Technologie physique **OU** DEC technique et mathématiques 103, 203 (objectifs : 00UN, 00UP); chimie 101 (objectifs : 00UK); physique 101, 201, 301-78 (objectifs : 00UR, 00US, 00UT).

Endroits de formation (voir p. 414)

	Contingentement	Coop	Cote R*
McGill	□	□	—
Montréal	■	□	25.000
UQTR	□	□	—

** Le nombre inscrit indique la **cote R** qui a été utilisée pour l'**admission de l'année précédente** par l'université concernée. Pour connaître la cote R exigée pour l'admission 2008, communiquer avec les établissements concernés.*

Professions reliées

Consulter les fiches des programmes Physique (p. 259) et Informatique (p. 115).

Endroits de travail

Consulter les fiches des programmes Physique (p. 259) et Informatique (p. 115).

Salaire

Consulter les fiches des programmes Physique (p. 259) et Informatique (p. 115).

Statistiques d'emploi

Consulter les fiches des programmes Physique (p. 259) et Informatique (p. 115).

18000 PSYCHOÉDUCATION ET PSYCHOLOGIE

BAC 6 TRIMESTRES — CUISEP 575-000

Compétences à acquérir

- Ce programme est bidisciplinaire.
- Consulter les fiches des programmes Psychoéducation (p. 231) et Psychologie (p. 227).

Éléments du programme

Consulter les fiches des programmes Psychoéducation (p. 231) et Psychologie (p. 227).

Admission (voir p. 20 G)

DEC en Sciences humaines (version ultérieure à 1991) et avoir atteint les objectifs 022W en statistiques avancées et 022V en biologie **OU** DEC en Histoire et civilisation et avoir atteint les objectifs 022P en méthodes quantitatives, 022W en statistiques avancées et 022V en biologie, psychologie 102 et mathématiques 337 ou (360-300 et 201-300) ou (103 et 307).

OU

DEC en Sciences de la nature **OU** DEC ou l'équivalent **OU** avoir réussi 24 crédits de cours universitaires autres que des crédits obtenus dans le cadre de cours préparatoires aux études universitaires.

ET

Mathématiques 337 ou (360-300 et 201-300) ou (103 et 307); un cours de biologie; psychologie 102.

Endroit de formation (voir p. 414)

	Contingentement	Coop	Cote R*
Montréal	■	□	28.000

** Le nombre inscrit indique la **cote R** qui a été utilisée pour l'**admission de l'année précédente** par l'université concernée. Pour connaître la cote R exigée pour l'admission 2008, communiquer avec les établissements concernés.*

Professions reliées

Consulter les fiches des programmes Psychoéducation (p. 217) et Psychologie (p. 213).

Endroits de travail

Consulter les fiches des programmes Psychoéducation (p. 231) et Psychologie (p. 227).

Salaire

Consulter les fiches des programmes Psychoéducation (p. 231) et Psychologie (p. 227).

Statistiques d'emploi

Consulter les fiches des programmes Psychoéducation (p. 231) et Psychologie (p. 227).

18000 PSYCHOLOGIE ET SOCIOLOGIE

BAC 6 TRIMESTRES

Compétences à acquérir

- Ce programme est bidisciplinaire.
- Consulter les fiches des programmes Psychologie (p. 227) et Sociologie (p. 217).

Éléments du programme

Consulter les fiches des programmes Psychologie (p. 227) et Sociologie (p. 217).

Admission (voir p. 20 G)

DEC ou l'équivalent.

OU

Avoir réussi 24 crédits de cours universitaires autres que des crédits obtenus dans le cadre de cours préparatoires aux études universitaires.

Endroit de formation (voir p. 414)

	Contingentement	Coop	Cote R
Montréal	■	□	—

Professions reliées

Consulter les fiches des programmes Psychologie (p. 227) et Sociologie (p. 217).

Endroits de travail

Consulter les fiches des programmes Psychologie (p. 227) et Sociologie (p. 217).

Salaire

Consulter les fiches des programmes Psychologie (p. 227) et Sociologie (p. 217).

Statistiques d'emploi

Consulter les fiches des programmes Psychologie (p. 227) et Sociologie (p. 217).

18000 SCIENCE POLITIQUE ET PHILOSOPHIE / PHILOSOPHIE ET SCIENCE POLITIQUE

BAC 6 TRIMESTRES

Compétences à acquérir

- Ce programme est bidisciplinaire.
- Consulter les fiches des programmes Science politique (p. 222) et Philosophie (p. 229).

Éléments du programme

Consulter les fiches des programmes Science politique (p. 222) et Philosophie (p. 229).

Admission (voir p. 20 G)

DEC ou l'équivalent.

OU

Avoir réussi 24 crédits de cours universitaires autres que des crédits obtenus dans le cadre de cours préparatoires aux études universitaires.

Endroits de formation (voir p. 414)

	Contingentement	Coop	Cote R*
Laval	☐	☐	—
Montréal	■	☐	22.000

** Le nombre inscrit indique la **cote R** qui a été utilisée pour l'**admission de l'année précédente** par l'université concernée. Pour connaître la cote R exigée pour l'admission 2008, communiquer avec les établissements concernés.*

Professions reliées

Consulter les fiches des programmes Science politique (p. 222) et Philosophie (p. 229).

Endroits de travail

Consulter les fiches des programmes Science politique (p. 222) et Philosophie (p. 229).

Salaire

Consulter les fiches des programmes Science politique (p. 222) et Philosophie (p. 229).

Statistiques d'emploi

Consulter les fiches des programmes Science politique (p. 222) et Philosophie (p. 229).

ÉTUDES PLURISECTORIELLES

18000 SCIENCE, TECHNOLOGIE ET SOCIÉTÉ / SCIENCE AND HUMAN AFFAIRS

BAC 6 TRIMESTRES — CUISEP 620/630-000

Compétences à acquérir

- Aborder les enjeux fondamentaux liés au développement moderne des sciences et des technologies.
- Comprendre les implications et les problèmes liés à l'implantation des nouvelles technologies, et ce, dans les cadres culturel, économique, politique et social.
- Acquérir une méthodologie de travail et développer un esprit de synthèse.

Éléments du programme

- Analyse économique du changement technologique
- Biologie et technologies
- Enjeux moraux de la science et de la technologie
- Prospective de la communication
- Sociologie de l'innovation technologique
- Sociologie de la science
- Valeur sociale de la science et de la technologie

Admission (voir p. 20 G)

DEC ou l'équivalent.

Endroit de formation (voir p. 414)

	Contingentement	Coop	Cote R
UQAM	☐	☐	—

Professions reliées

C.N.P.

—	Conseiller en développement scientifique et technique
—	Conseiller en implantation technologique
5123	Journaliste scientifique

Endroits de travail

- Gouvernements fédéral et provincial
- Grandes entreprises
- Municipalités
- Secteurs industriels divers

Salaire

Donnée non disponible.

Remarques

- Des études de 2e ou 3e cycle peuvent être exigées pour travailler dans le domaine de la recherche scientifique.
- Une majeure et une mineure en Science, technologie et société sont également offertes.

Statistiques d'emploi

Données non disponibles.

18000 SCIENCES

BAC 6 TRIMESTRES

Compétences à acquérir

- Développer des capacités d'analyse et de synthèse.
- Développer des connaissances dans diverses disciplines scientifiques (biologie, informatique, physique, environnement, etc.) et les utiliser de façon méthodique.
- Comprendre et résoudre des problèmes.

Éléments du programme

- Cours de différentes disciplines scientifiques
- Méthode de recherche scientifique
- Projet
- Rédaction scientifique et technique
- Sciences, techniques et civilisations
- Stage

Admission (voir p. 20 G)

DEC ou l'équivalent **OU** avoir, au moment de la demande d'admission, réussi des cours universitaires témoignant d'une préparation jugée suffisante par le comité d'admission.

ET

Mathématiques du collégial 103, 105, 203 **OU** suivre un cours d'appoint.

ET

Maîtriser le français.

Endroit de formation (voir p. 414)

	Contingentement	Coop	Cote R
TÉLUQ	☐	☐	—

Professions reliées

C.N.P.

5121 Rédacteur scientifique

— Représentant

Endroits de travail

- Centres de recherche (publics ou privés)
- Entreprises de haute technologie

Salaire

Donnée non disponible.

Remarques

- Ce programme est offert à distance, à temps plein et à temps partiel.
- Un certificat en Science et technologie est également offert.

Statistiques d'emploi

Données non disponibles.

ÉTUDES PLURISECTORIELLES

Dossier – Programmes DEC-BAC

Qu'est-ce qu'un DEC-BAC?

La formule DEC-BAC résulte d'une entente intervenue entre une université et un cégep. Selon cette entente, l'établissement universitaire s'engage à reconnaître à un élève des acquis du programme du collégial pour l'équivalent d'une année d'études universitaires. Cette formule permet à l'élève d'obtenir, généralement en quatre ou cinq années d'études, deux diplômes distincts, c'est-à-dire un diplôme d'études collégiales techniques et un diplôme baccalauréat.

Il existe présentement deux principaux types de programmes. Ceux-ci se différencient par la durée et le type de baccalauréat visé. La durée du DEC-BAC varie entre quatre ans (incluant une session d'été) pour un DEC-BAC intégré et cinq ans ou six ans pour un DEC-BAC harmonisé. Dans les deux cas, l'élève entre à l'université en deuxième année du programme de baccalauréat. Le « + » utilisé dans l'appellation du programme n'a pas de fonction de différenciation propre.

L'élève choisit la formule DEC-BAC dès la première année du cégep. Dans certains cas, le choix peut se faire à la troisième année lorsque le dossier scolaire le permet. L'élève peut également choisir de se retirer du programme au terme de la troisième année du collégial. Il obtiendra alors généralement son DEC ainsi que les équivalences universitaires qui, dans certains cas, peuvent se traduire par l'obtention d'un certificat de 1er cycle universitaire. Pour quelques programmes, l'obtention du DEC se fera lorsque l'élève aura complété ses stages au collégial.

NOTE IMPORTANTE : IL EST FORTEMENT CONSEILLER DE VÉRIFIER AUPRÈS DU SERVICE RÉGIONAL D'ADMISSION OU AUPRÈS DES RESPONSABLES D'ADMISSION DES CÉGEPS LES CONDITIONS RÉGISSANT CE TYPE DE FORMATION. LES DONNÉES PRÉSENTÉES AUJOURD'HUI SONT À JOUR EN DATE DU 30 AOÛT 2007 ET SONT APPELÉES À CHANGER RAPIDEMENT, CAR CE TYPE DE PROGRAMME EST EN CONSTANTE ÉVOLUTION.

Les avantages de ce type de programmes

Cette formule permet à l'élève :
- d'accéder automatiquement aux études universitaires;
- d'éviter la duplication des cours par une formation intégrée ou harmonisée et sur mesure;
- de terminer plus tôt ses études;
- d'épargner jusqu'à 2 500 $ en frais de scolarité et de matériel et, dans certains cas, jusqu'à deux années de loyer;
- d'intégrer le marché du travail plus tôt.

DEC — BAC

DEC — BAC

145.01 TECHNIQUES D'ÉCOLOGIE APPLIQUÉE / ÉCOLOGIE ou BIOLOGIE

C DEC-BAC 5 ANS — CUISEP 313-111 D

Compétences à acquérir E

F **Au collégial : Techniques d'écologie appliquée**
- Effectuer des inventaires biologiques et écologiques.
- Compiler les données, participer à l'analyse des résultats et consigner les résultats.
- Faire des prélèvements de sol et préparer des spécimens de plantes.
- Faire des travaux d'aménagement de la faune, de la flore, de cours d'eau et de sentiers écologiques.
- Donner des renseignements au public sur le fonctionnement des écosystèmes et la biologie des espèces.
- Participer à la gestion des ressources humaines et matérielles.

G **À l'université : Biologie OU biologie**
- Étudier des phénomènes de la vie végétale ou animale (structures, fonctions, réactions et comportements) et procéder à l'analyse des données recueillies.
- Étudier les relations entre les êtres vivants et leur milieu.
- Travailler à la protection de l'environnement ainsi qu'à l'utilisation et à la conservation des ressources naturelles.
- Travailler à l'aménagement des lieux et de la faune.

H Éléments du programme

Propres au DEC
- Anatomie et physiologie animales
- Anatomie, morphologie et physiologie végétales
- Cartographie écologique
- Chimie générale et organique
- Écologie générale et appliquée
- Stage technique
- Taxonomie et identification des végétaux
- Techniques limnologiques

Propres au DEC-BAC
- Biotechnologie
- Écologie générale et végétale
- Génétique
- Méthodes quantitatives
- Mycologie
- Phycologie
- Physiologie animale et végétale
- Structure et fonctions des végétaux
- Toxicologie environnementale

I Admission

Mathématiques 068-436; Physique 054-584; Chimie 051-584.

Laval : Avoir réussi les Mathématiques NYA. *N.B. : Ce DEC-BAC s'adresse aux étudiants ayant une cote R de 26 et plus.*

Endroits de formation (voir p. 414)

- Cégep de La Pocatière, Cégep de Sherbrooke **ET** Université du Québec à Rimouski (UQAR) pour biologie ou écologie.
- Cégep de La Pocatière, Cégep de Sherbrooke **ET** Université Laval pour biologie.

Professions reliées

C.N.P.

2121	Biologiste
2121	Botaniste
2121	Écologiste
2224	Interprète de l'environnement naturel et biologique
2221	Technicien de la faune et de la flore
2221	Technicien en environnement
2221	Technicien en zoologie
2121	Zoologiste
2221	Technicien en écologie appliquée

Endroits de travail

- Centres d'interprétation de la nature
- Centres de recherche
- Entreprises de dépollution
- Établissements d'enseignement universitaire
- Firmes d'experts-conseils
- Gouvernements fédéral et provincial
- Industrie pharmaceutique
- Jardins botaniques
- Jardins zoologiques
- Laboratoires

Salaire M

Le salaire hebdomadaire moyen est de 629 $ (janvier 2005).

Remarque

À l'Université, l'étudiant pourra être admis dans l'une ou l'autre des concentrations suivantes : Écologie;, Faune et habitats; Sciences marine **OU** choisir le cheminement général.

STATISTIQUES D'EMPLOI

	2001	2003	2005
Nb de personnes diplômées	651	726	593
% en emploi	39,7 %	36,7 %	31,9 %
% à temps plein	90,3 %	88,1 %	83,5 %
% lié à la formation	68,4 %	72,4 %	70,8 %

296 TECHNIQUES BIOLOGIQUES

Comment lire une fiche de programme DEC-BAC

A **Numéro d'identification** du programme qui correspond, **en général**, à celui accordé par l'établissement d'enseignement collégial. Pour l'admission, l'élève doit utiliser le code établi par le Service régional d'admission concerné (SRAM, SRACQ ou SRAS).

B **Titre du programme DEC-BAC au collégial.**

C Identification de la **filière de formation** (sanction) – **DEC-BAC** (**DEC** : diplôme d'études collégiales, **BAC** : baccalauréat) et **durée** du programme d'études (cette durée exclut le travail personnel de l'étudiant).

D **Code CUISEP.** Ce code est tiré de la Classification uniforme en information scolaire et professionnelle. Il sera fort utile dans la recherche d'information complémentaire à partir de documents ou pour accéder à certains fichiers du système informatisé REPÈRES.

E Identification des **compétences à acquérir** dans le cadre du programme. Cette rubrique décrit les habiletés et les aptitudes que le programme développera chez l'étudiant.

F **Titre du programme technique** qui permet l'entrée dans le programme **DEC-BAC**.

G **Titre du programme universitaire** associé.

H Liste **non exhaustive** des **principaux cours** offerts dans le programme. Les éléments désignés par les termes « **Propres au DEC** » renvoient à l'**enseignement collégial** alors que les termes « **Propres au DEC-BAC** » renvoient à l'**enseignement universitaire**.

I Liste des **préalables collégiaux** exigés par les **établissements universitaires** pour entreprendre le programme d'études.

J Liste des **établissements collégiaux et universitaires** offrant conjointement le programme de formation. Pour connaître les coordonnées des établissements, consulter l'**Index alphabétique des établissements d'enseignement collégial** à la page 336 ainsi que l'**Index alphabétique des établissements universitaires,** à la page 414.

K Liste sommaire de **professions reliées**, c'est-à-dire de professions qui peuvent être exercées après avoir complété le programme avec succès.

L Liste sommaire des types **d'employeurs éventuels** des personnes qui ont complété le programme avec succès.

M **Indication du salaire.** Le salaire est, dans la majorité des cas, présenté sur une **base hebdomadaire**. Il correspond à la moyenne des sommes reçues en guise de rémunération pour un emploi occupé à temps plein pendant une semaine. Les données fournies sont tirées de «*La Relance à l'université*» publiée par le ministère de l'Éducation.

N **Remarques**. On trouve sous cette rubrique des renseignements complémentaires relatifs au programme, à l'exercice de la profession – appartenance à un ordre professionnel, par exemple – ou aux établissements d'enseignement. Les critères d'admission à l'entrée de la profession sont également fournis.

O **Statistiques d'emploi.** Les années indiquées dans les tableaux (2001-2003-2005) correspondent aux années de la relance faite auprès des personnes diplômées (ex. : **2005 :** Promotion des élèves de l'**année scolaire 2003-2004**).

Le tableau indique donc pour ces années de relance :

- le **nombre de personnes diplômées;**

De ce nombre :

- *% en emploi* = le **pourcentage des personnes diplômées qui ont obtenu un emploi;**
- *% à temps plein* = le **pourcentage de celles qui ont obtenu un emploi et qui travaillent à temps plein;**
- *% lié à la formation* = le **pourcentage des personnes qui travaillent à temps plein et qui jugent que leur travail correspond à leur formation.**

Certaines statistiques d'emploi sont manquantes en raison de la non-disponibilité des données correspondantes.

Les statistiques proviennent des données recueillies par les responsables du MELS de *La Relance à l'université.*

http://www.mels.gouv.qc.ca/Relance/Relance.htm

P Nom de la **famille** de techniques.

Index des programmes DEC-BAC

Les programmes DEC-BAC sont énumérés selon l'ordre d'apparition dans le Guide.

Arts

Techniques biologiques

Techniques humaines

Techniques de l'administration

Techniques physiques

DEC–BAC

570.A0 GRAPHISME / DESIGN GRAPHIQUE

DEC+BAC 5 ANS — CUISEP 217-500

Compétences à acquérir

Au collégial : Graphisme

- Identifier les besoins du client.
- Faire la recherche documentaire préalable à l'élaboration d'un projet.
- Choisir et organiser les composantes visuelles selon les objectifs visés.
- Faire des croquis préliminaires et des esquisses.
- Réaliser des maquettes et des prêts-à-photographier.
- Superviser les étapes de la réalisation du produit final.

À l'université : Design graphique

- Créer des images, des illustrations, des maquettes en vue de traduire des idées ou des messages (affiches, enseignes, logos).
- Concevoir des images de kiosques, de la publicité ou des films animés.
- Développer un langage visuel, logique, raffiné, esthétique et original.

Éléments du programme

Propres au DEC

- Concept et prototype d'une production multimédia interactive
- Mise en pages informatisée
- Production des illustrations virtuelles
- Réalisation d'un projet d'édition
- Réalisation d'un projet en trois dimensions
- Traduction d'une idée en esquisse

Propres au DEC-BAC

- Analyse critique du design
- Couleur
- Créativité et images
- Design de produits
- Design graphique
- Dessin d'observation
- Idéation publicitaire
- Illustration
- Langage graphique
- Multimédia
- Processus de design

Admission

Excellence du dossier scolaire.

ET

Test d'admission

Endroits de formation (voir pages 336 et 414)

Cégep de Rivière-du-Loup, Cégep de Sainte-Foy, Cégep de Sherbrooke **ET** Université Laval.

Professions reliées

C.N.P.	
0213	Chargé de projet multimédia
5241	Concepteur d'animation 2D et 3D
2162	Concepteur d'applications multimédias
2162	Concepteur de jeux électroniques
5243	Concepteur-designer d'expositions
5241	Concepteur-idéateur de produits multimédias
5241	Concepteur graphiste
5241	Designer de jeux
5131	Directeur artistique
5241	Graphiste
5241	Infographiste
5241	Conseiller en communication visuelle
5241	Designer visuel en multimédia
5241	Illustrateur
5241	Dessinateur de publicité
5241	Web designer

Endroits de travail

- À son compte
- Agences de graphisme
- Agences de publicité
- Éditeurs de journaux et magazines
- Industrie du multimédia
- Maisons d'édition
- Gouvernements fédéral et provincial
- Imprimeries
- Firmes de communication

Salaire

Le salaire hebdomadaire moyen est de 475 $ (janvier 2005).

STATISTIQUES D'EMPLOI	2001	2003	2005
Nb de personnes diplômées	128	161	208
% en emploi	79,3 %	80,9 %	75,2 %
% à temps plein	89,0 %	98,2 %	80,7 %
% lié à la formation	89,2 %	78,7 %	65,9 %

582.A1 TECHNIQUES D'INTÉGRATION MULTIMÉDIA / CRÉATION EN MULTIMÉDIA INTERACTIF ou CRÉATION 3D

DEC/BAC INTÉGRÉ 5 ANS — CUISEP 510-000

Compétences à acquérir

Au collégial : Techniques d'intégration multimédia
Assembler et intégrer les éléments de contenus (texte, images, animation, vidéo, son) d'applications multimédias en ligne ou sur support et procéder au codage de l'interactivité.

À l'université : Création en multimédia interactif (majeure)
Exploiter les possibilités des nouvelles technologies des multimédias dans trois domaines d'application du multimédia interactif : la conception, la réalisation et la production.

À l'université : Création 3D (majeure)
La formation universitaire s'attarde plus spécifiquement au développement de la créativité, aux habiletés en dessin, à l'aquisition d'une culture artistique étendue et à une compréhension de la communication de groupe et de masse.

Éléments du programme

Propres au DEC

- Conception d'un projet
- Design et interactivité de la page-écran
- Langages de programmation
- Montage d'une présentation informatisée
- Programmation des produits multimédias
- Réalisation des produits multimédias en ligne et sur support
- Recherche, organisation et transmission de l'information
- Traitement des images fixes et en mouvement
- Traitement des textes pour la mise en pages-écran

Propres au DEC-BAC

- Modélisation et animation 3D
- Cinéma, télévision, arts visuels et multimédia
- Design sonore
- Design de jeux
- Graphisme et infographie
- Internet
- Méthodologie de la recherche en communication
- Modèles théoriques de la communication de groupe et de masse
- Outils de développement d'application en multimédia

Admission

Aucun préalable.

Endroits de formation (voir pages 336 et 414)

Cégep Édouard-Montpetit **ET** Université du Québec en Abitibi-Témiscamingue (UQAT) pour la majeure en Création 3D.
Cégep de Matane **ET** Université du Québec en Abitibi-Témiscamingue (UQAT) pour la majeure en Création multimédia.

Professions reliées

C.N.P.	
5241	Concepteur d'animation 2D et 3D
2174	Programmeur d'applications multimédias
5241	Concepteur-idéateur de produits multimédias
5241	Designer de jeux
5241	Intégrateur multimédia et web
5241	Designer d'interface multimédia
0213	Chargé de projet multimédia
5241	Concepteur-idéateur de produits multimédias

Endroits de travail

- À son compte
- Industrie du multimédia

Salaire

Le salaire hebdomadaire moyen est de 475 $ (janvier 2005).

STATISTIQUES D'EMPLOI

	2001	2003	2005
Nb de personnes diplômées	128	161	208
% en emploi	79,3 %	80,9 %	75,2 %
% à temps plein	89,0 %	98,2 %	80,7 %
% lié à la formation	89,2 %	78,7 %	65,9 %

D E C – B A C

582.A1 TECHNIQUES D'INTÉGRATION MULTIMÉDIA / DESIGN GRAPHIQUE

DEC+BAC 5 ANS — CUISEP 217-500

Compétences à acquérir

Au collégial : Techniques d'intégration multimédia
Assembler et intégrer les éléments de contenus (texte, images, animation, vidéo, son) d'applications multimédias en ligne ou sur support et procéder au codage de l'interactivité.

À l'université : Design graphique
- Créer des images, des illustrations, des maquettes en vue de traduire des idées ou des messages (affiches, enseignes, logos).
- Concevoir des images de kiosques, de la publicité ou des films animés.
- Développer un langage visuel, logique, raffiné, esthétique et original.

Éléments du programme

Propres au DEC
- Conception d'un projet
- Design et interactivité de la page-écran
- Langages de programmation
- Montage d'une présentation informatisée
- Programmation des produits multimédias
- Réalisation des produits multimédias en ligne et sur support
- Recherche, organisation et transmission de l'information
- Traitement des images fixes et en mouvement
- Traitement des textes pour la mise en pages-écran

Propres au DEC-BAC
- Analyse critique du design
- Couleur
- Créativité et images
- Design de produits
- Design graphique
- Dessin d'observation
- Idéation publicitaire
- Illustration
- Langage graphique
- Multimédia
- Processus de design

Admission

Excellence du dossier scolaire.
ET
Test d'admission.

Endroits de formation (voir pages 336 et 414)

Cégep de Sainte-Foy **ET** Université Laval.

Professions reliées

C.N.P.
5241 Concepteur d'animation 2D et 3D
2162 Concepteur d'applications multimédias
2162 Concepteur de jeux électroniques
5243 Concepteur-designer d'expositions
5241 Concepteur-idéateur de produits multimédias
5241 Concepteur graphiste
5241 Designer de jeux
5131 Directeur artistique
5241 Graphiste
5241 Conseiller en communication visuelle
5241 Intégrateur multimédia et web
5241 Designer d'interface multimédia
5241 Designer visuel en multimédia
5241 Illustrateur
5241 Dessinateur de publicité
5241 Web designer

Endroits de travail

- À son compte
- Agences de publicité
- Firmes de communication
- Gouvernements provincial et fédéral
- Industrie du multimédia
- Journaux et magazines
- Médias électroniques
- Maisons d'édition
- Organismes éducationnels (e-learning)

Salaire

Le salaire hebdomadaire moyen est de 475 $ (janvier 2005).

Remarque

Ce programme est offert avec la formule d'enseignement coopératif au Cégep de Sainte-Foy.

STATISTIQUES D'EMPLOI

	2001	2003	2005
Nb de personnes diplômées	128	161	208
% en emploi	79,3 %	80,9 %	75,2 %
% à temps plein	89,0 %	98,2 %	80,7 %
% lié à la formation	89,2 %	78,7 %	65,9 %

551.AB TECHNIQUES PROFESSIONNELLES DE MUSIQUE ET CHANSON-MUSIQUE POPULAIRE / MUSIQUE, MENTION INTERPRÉTATION (JAZZ ET MUSIQUE POPULAIRE)

DEC-DIPLÔME 4 ANS CUISEP 221-000

Compétences à acquérir

Au collégial : Techniques professionnelles de musique et chanson – Musique populaire

- Exercer des activités musicales professionnelles de type populaire, commercial et jazz.
- Jouer d'au moins deux instruments de musique.
- Réaliser des arrangements musicaux pour petits et grands ensembles.
- Interpréter des pièces de façon originale.

À l'université : Musique, mention Interprétation (Jazz et musique populaire)

- Interpréter, créer et arranger des œuvres musicales.
- Diriger des ensembles musicaux.
- Enseigner la musique ou le chant.
- Accompagner des musiciens ou des chanteurs.

Éléments du programme

Propres au DEC

- Appréciation des diverses caractéristiques d'œuvres musicales
- Communications professionnelles
- Interprétation de pièces musicales
- Maîtrise des particularités du langage de la musique populaire
- Nouvelles technologies musicales
- Repiquage d'une pièce de musique populaire
- Traduction d'un matériel musical
- Utilisation des éléments des langages de la musique

Propres au DEC-BAC

- Analyse et écriture
- Grands ensembles
- Formation auditive
- Harmonie
- Histoire de la musique
- Instrument principal
- Musicothérapie
- Rythmique

Admission

Avoir réussi les cours ou avoir atteint les objectifs de l'une des deux séries suivantes : Musique 101, 201, 301 et 401 (objectif : 01DH); Musique 111, 211, 311 et 411 (objectif : 01DK); Musique 121, 221, 321 et 421 (ou 131, 231, 331, 431) (objectif : 01DG);

OU

Musique 105, 205, 305 et 405 (objectif : 01DH); Musique 106, 206, 306 et 406 (objectif : 01DJ); Musique 111, 211, 311 et 411 (objectif : 01DK); Musique 121, 221, 321 et 421 (ou 131, 231, 331, 431) (objectif : 01DG).

ET

Examen d'admission obligatoire : audition intrumentale et tests de classement en formation auditive et en connaissance du clavier.

Endroits de formation (voir pages 336 et 414)

Cégep de Drummondville, Collège d'Alma **ET** Laval.

Professions reliées

C.N.P.	
5132	Arrangeur de musique
5132	Auteur-compositeur-interprète
5133	Chanteur de concert
5133	Chanteur populaire
5132	Chef d'orchestre
5133	Choriste
5132	Compositeur
5123	Critique d'art
5132	Directeur musical
5133	Instrumentiste
5133	Musicien
5133	Musicien populaire
5133	Musicologue
3144	Musicothérapeute
5132	Orchestrateur
4131	Professeur de chant
4121	Professeur de musique
—	Réalisateur de son en multimédia

Endroits de travail

- À son compte
- Agences de divertissement
- Clubs
- Conservatoires de musique
- Établissements d'enseignement
- Orchestres
- Télédiffuseurs
- Agences de production (cinéma, publicité, multimédia)
- Studios d'enregistrement

Salaire

Le salaire hebdomadaire moyen est de 559 $ (janvier 2005).

Remarques

- Différentes options sont offertes selon les établissements : Composition; Éducation musicale; Histoire de la musique; Interprétation; Jazz; etc.
- Pour enseigner au primaire et au secondaire, il faut détenir un permis ou un brevet d'enseignement permanent émis par le ministère de l'Éducation, du Loisir et du Sport.
- Pour obtenir l'accréditation de musicothérapeute (MTA) auprès de l'Association de musicothérapeute du Canada, le candidat doit faire la preuve qu'il possède une expérience de travail d'au moins 1 000 heures sous supervision d'un musicothérapeute accrédité.

STATISTIQUES D'EMPLOI

	2001	2003	2005
Nb de personnes diplômées	277	316	297
% en emploi	45,6 %	57,8 %	54,4 %
% à temps plein	53,7 %	52,6 %	44,9 %
% lié à la formation	59,1 %	64,3 %	59,1 %

152.A0 GESTION ET EXPLOITATION D'ENTREPRISE AGRICOLE / AGRONOMIE

DEC-BAC 6 ANS — CUISEP 311-100

Compétences à acquérir

Au collégial : Gestion et exploitation d'entreprise agricole

- Former des travailleurs qualifiés dans les différentes opérations de mise en culture, d'entretien et de calibrage de machinerie.
- Gérer et prendre en charge les équipes de travail, l'opérationnalisation des différentes règles d'élevage et de production des herbages.
- Développer des habiletés d'entrepreneur capable de gérer et de prendre les décisions relatives au développement de l'entreprise.

Deux spécialisations sont offertes :

Productions animales; Productions végétales.

À l'université : Agronomie

- Assurer une saine gestion et utilisation des ressources vouées à la production agricole et alimentaire.
- Résoudre des problèmes agricoles par l'application des sciences biologiques.
- Améliorer la productivité des sols, des plantes et des animaux.
- Assurer la vulgarisation des sciences agronomiques.
- Veiller à la production et à la conservation des ressources biologiques ou biophysiques agricoles.

Éléments du programme

Propres au DEC

- Application d'une méthode comptable
- Choix et entretien de tracteur
- Entretien de l'outillage et de la machinerie
- Informatique et ferme
- Intégration au milieu de travail
- Notions d'anatomie et de physiologie animales
- Pratiques agricoles, environnement, santé et sécurité
- Soins d'hygiène et de santé animale

Propres au DEC-BAC

- Anatomie et physiologie animales
- Comptabilité des entreprises
- Fertilisation des sols
- Genèse et classification des sols
- Génétique
- Nutrition animale
- Physiologie végétale
- Sciences du sol

Admission

Aucun préalable.

Laval : Avoir réussi les cours suivants : Chimie NYA et NYB; Mathématiques NYA et NYB; Physique NYA.

Endroits de formation (voir pages 336 et 414)

Cégep de Lévis-Lauzon, Cégep de Matane, Cégep de Saint-Jean-sur-Richelieu, Cégep de Sherbrooke, Cégep de Victoriaville, Cégep régional de Lanaudière (Joliette), Collège d'Alma, Collège Lionel-Groulx, ITA - Campus de La Pocatière et de Saint-Hyacinthe **ET** Université Laval.

Professions reliées

C.N.P.	
8251	Exploitant agricole
2121	Agronome
2123	Agronome-dépisteur
2123	Agronome des services de vulgarisation
2123	Agronome en agriculture biologique
2123	Agronome en production animale
2123	Agronome en production végétale
2115	Agronome pédologue
2121	Bactériologiste
2221	Contrôleur des produits laitiers
2121	Entomologiste
8251	Exploitant de ferme laitière
8251	Gérant d'entreprise agricole
2123	Malherbologiste
2121	Phytobiologiste
2221	Technologue agricole
8251	Producteur d'animaux à fourrure
8251	Producteur d'ovins
8251	Producteur de bovins
8251	Céréaliculteur
8251	Producteur de lapins
8251	Producteur de pommes de terre
8251	Producteur de porcins
8253	Responsable de la production agricole
2121	Zoologiste

Endroits de travail

- Bureaux d'experts-conseils en gestion agricole
- Coopératives agroalimentaires
- Syndicats de gestion agricole
- Entreprises agricoles
- Gouvernements fédéral et provincial
- Organismes internationaux
- Fermes familiales et spécialisées
- Entreprises d'alimentation animale

Salaire

Le salaire hebdomadaire moyen est de 696 $ (janvier 2005).

Remarques

- Pour exercer la profession et porter le titre d'agronome, il faut être membre de l'Ordre des agronomes du Québec.
- Des études de 2e cycle sont nécessaires pour exercer les professions suivantes : agronome pédologue, bactériologiste des sols, entomologiste, malherbologiste, phytopathologiste.

STATISTIQUES D'EMPLOI

	2001	2003	2005
Nb de personnes diplômées	177	168	181
% en emploi	75,9 %	67,7 %	69,3 %
% à temps plein	91,1 %	94,4 %	95,5 %
% lié à la formation	89,1 %	90,6 %	88,1 %

152.A0 GESTION ET EXPLOITATION D'ENTREPRISE AGRICOLE / ÉCONOMIE ou AGROÉCONOMIE

DEC-BAC 5 ANS — CUISEP 311-100

Compétences à acquérir

Au collégial : Gestion et exploitation d'entreprise agricole

- Former des travailleurs qualifiés dans les différentes opérations de mise en culture, d'entretien et de calibrage de machinerie.
- Gérer et prendre en charge les équipes de travail, l'opérationnalisation des différentes règles d'élevage et de production des herbages.
- Développer des habiletés d'entrepreneur capable de gérer et de prendre les décisions au développement de l'entreprise.

Deux spécialisations sont offerts :

- Productions animales; Productions végétales.

À l'université : Économie OU Agroéconomie

- Contribuer au développement de l'économie agroalimentaire et du milieu rural.
- Trouver des solutions aux problèmes vécus dans ces domaines d'activités.
- Conseiller des exploitants agricoles dans le domaine de la gestion et du financement.
- Analyser des politiques et des marchés agroalimentaires.
- Assurer la gestion d'entreprises agroalimentaires.
- Participer au développement international.

Éléments du programme

Propres au DEC

- Application d'une méthode comptable
- Choix et entretien de tracteur
- Entretien de l'outillage et de la machinerie
- Informatique et ferme
- Intégration au milieu de travail
- Notions d'anatomie et de physiologie animales
- Pratiques agricoles, environnement, santé et sécurité
- Soins d'hygiène et de santé animale

Propres au DEC-BAC

- Financement agricole
- Gestion agricole
- Macroéconomique
- Méthodes statistiques
- Politiques agricoles
- Sciences des plantes et du sol

Admission

Aucun préalable.

Laval : Avoir réussi les cours suivants : Mathématiques NYA et NYB; Chimie NYA; Physique NYA.

Endroits de formation (voir pages 336 et 414)

Cégep de Lévis-Lauzon, Cégep de Matane, Cégep de Saint-Jean-sur-Richelieu, Cégep de Sherbrooke, Cégep de Victoriaville, Cégep régional de Lanaudière (Joliette), Collège d'Alma, Collège Lionel-Groulx, ITA - Campus de La Pocatière et de Saint-Hyacinthe **ET** Université Laval.

Professions reliées

C.N.P.	
8251	Exploitant agricole
4162	Agroéconomiste
4163	Analyste des marchés
2123	Conseiller en financement agricole
2221	Technologue agricole
6411	Courtier en denrées alimentaires
0412	Directeur des ventes à l'exportation
4162	Économiste en développement international
8251	Exploitant de ferme laitière
8251	Gérant d'entreprise agricole ou de ferme
8251	Producteur d'animaux à fourrure
8251	Producteur d'ovins
8251	Producteur de bovins
8251	Céréaliculteur
8251	Producteur de lapins
8251	Producteur de pommes de terre
8251	Producteur de porcins
8253	Responsable de la production agricole

Endroits de travail

- Coopératives agroalimentaires
- Entreprises agricoles
- Gouvernements fédéral et provincial
- Régie de l'assurance agricole du Québec
- Syndicats des gestion agricole
- Fermes familiales et spécialisées

Salaire

Donnée non disponible.

Remarques

- Pour exercer la profession et porter le titre d'agronome, il faut être membre de l'Ordre des agronomes du Québec.
- L'Université Laval offre un certificat en Distribution et marchandisage alimentaires.

Statistiques d'emploi

Données non disponibles.

DEC–BAC

180.A0 ou B0

SOINS INFIRMIERS / SCIENCES INFIRMIÈRES

DEC+BAC 5 ANS — CUISEP 353-330

Compétences à acquérir

Au collégial : Soins infirmiers

- Évaluer l'état de santé d'une personne.
- Déterminer et assurer la réalisation du plan de soins et de traitements infirmiers.
- Prodiguer les soins et les traitements infirmiers et médicaux dans le but de maintenir la santé, de la rétablir et de prévenir la maladie.
- Fournir les soins palliatifs *(Loi sur les infirmières et les infirmiers, article 36).*

À l'université : Sciences infirmières (Formation intégrée)

- Identifier les besoins en santé des personnes.
- Participer aux méthodes de diagnostic.
- Prodiguer et contrôler les soins infirmiers.
- Prodiguer des soins selon une ordonnance médicale.
- Favoriser la promotion de la santé, la prévention de la maladie, le recouvrement et la réadaptation.
- Encourager la prise en charge de la santé sur les plans individuel, familial et communautaire.
- Aider les personnes à utiliser les ressources de l'environnement en matière de promotion de la santé.

Éléments du programme

Propres au DEC

- Le corps humain I, II et III
- Psychogénèse I et II : le développement humain
- Sociologie de la famille
- Sociologie de la santé
- Soins infirmiers 1 à 8

Propres au DEC-BAC

- Fondements en sciences biomédicales
- Gestion des environnements de soins
- Méthodes d'évaluation de la santé
- Méthodologie et pratique des soins infirmiers
- Principes de base en développement, famille, apprentissage et collaboration

Admission

Sciences physiques 056-436; Chimie 534 ou 584.

Laval, UQTR : Être titulaire du DEC en Soins infirmiers

Sherbrooke : DEC ou l'équivalent et être inscrit au tableau de l'Ordre des infirmières et infirmiers du Québec.

Endroits de formation (voir pages 336 et 414)

- Cégep Beauce-Appalaches, Cégep de Granby – Haute-Yamaska, Cégep de Saint-Hyacinthe, Cégep de Saint-Jean-sur-Richelieu, Cégep de Sherbrooke, Cégep Sorel-Tracy, Collège de Valleyfield, Collège Édouard-Montpetit **ET** Université de Sherbrooke.
- Cégep Beauce-Appalaches, Cégep de Lévis-Lauzon, Cégep de Sainte-Foy, Cégep de Thetford, Cégep Limoilou (Campus de Québec), Centre d'études collégiales de Lac-Mégantic, Collège François-Xavier-Garneau **ET** Université Laval.
- Cégep de Baie-Comeau, Cégep de la Gaspésie et des Îles, Cégep de La Pocatière, Cégep de Lévis-Lauzon, Cégep de Matane, Cégep de Rimouski, Cégep de Rivière-du-Loup **ET** Université du Québec à Rimouski (UQAR).
- Cégep de Chicoutimi, Cégep de Jonquière, Cégep de Saint-Félicien, Cégep de Sept-Îles, Centre d'études collégiales en Charlevoix, Collège d'Alma **ET** Université du Québec à Chicoutimi (UQAC).
- Cégep de Drummondville, Cégep de Trois-Rivières, Cégep de Victoriaville, Cégep régional de Lanaudière (Joliette), Collège de Shawinigan **ET** Université du Québec à Trois-Rivières (UQTR).
- Cégep de l'Abitibi-Témiscamingue **ET** Université du Québec en Abitibi-Témiscamingue (UQAT).
- Cégep du Vieux Montréal, Cégep François-Xavier-Garneau, Cégep Saint-Laurent, Collège Bois-de-Boulogne, Collège de Maisonneuve **ET** Université de Montréal.
- Cégep de l'Outaouais, Collège de St-Jérôme, Collège Montmorency **ET** Université du Québec en Outaouais (UQO).

Professions reliées

C.N.P.

3152	Infirmier
3152	Infirmier de clinique
3151	Infirmier en chef
3233	Infirmier en chirurgie
3152	Infirmier en santé au travail
3152	Infirmier privé
3152	Infirmier psychiatrique
3152	Infirmier scolaire

SOINS INFIRMIERS / SCIENCES INFIRMIÈRES (SUITE)

Endroits de travail

- Agences privées de soins à domicile
- Centres d'accueil
- Centres d'hébergement et de soins de longue durée (CHSLD)
- Centres locaux de services communautaires (CLSC)
- Cliniques médicales
- Compagnies d'assurances
- Compagnies pharmaceutiques
- Écoles
- Forces armées canadiennes
- Hôpitaux
- Organismes internationaux (ONU, UNESCO, Croix-Rouge, etc.)
- Pharmacies
- Services ambulanciers
- Usines
- Infosanté

Salaire

Le salaire hebdomadaire moyen est de 871 $ (janvier 2005).

Remarque

Pour exercer la profession et porter le titre d'infirmière ou d'infirmier, il faut être membre de l'Ordre des infirmières et infirmiers du Québec.

STATISTIQUES D'EMPLOI

	2001	2003	2005
Nb de personnes diplômées	660	514	628
% en emploi	92,7 %	89,4 %	88,5 %
% à temps plein	85,2 %	88,8 %	88,3 %
% lié à la formation	94,8 %	95,6 %	93,8 %

D E C – B A C

145.01 TECHNIQUES D'ÉCOLOGIE APPLIQUÉE / ÉCOLOGIE ou BIOLOGIE

DEC-BAC 5 ANS — CUISEP 313-111

Compétences à acquérir

Au collégial : Techniques d'écologie appliquée

- Effectuer des inventaires biologiques et écologiques.
- Compiler les données, participer à l'analyse des résultats et consigner les résultats.
- Faire des prélèvements de sol et préparer des spécimens de plantes.
- Faire des travaux d'aménagement de la faune, de la flore, de cours d'eau et de sentiers écologiques.
- Donner des renseignements au public sur le fonctionnement des écosystèmes et la biologie des espèces.
- Participer à la gestion des ressources humaines et matérielles.

À l'université : Écologie OU Biologie

- Étudier des phénomènes de la vie végétale ou animale (structures, fonctions, réactions et comportements) et procéder à l'analyse des données recueillies.
- Étudier les relations entre les êtres vivants et leur milieu.
- Travailler à la protection de l'environnement ainsi qu'à l'utilisation et à la conservation des ressources naturelles.
- Travailler à l'aménagement des lieux et de la faune.

Éléments du programme

Propres au DEC

- Anatomie et physiologie animales
- Anatomie, morphologie et physiologie végétales
- Cartographie écologique
- Chimie générale et organique
- Écologie générale et appliquée
- Stage technique
- Taxonomie et identification des végétaux
- Techniques limnologiques

Propres au DEC-BAC

- Biotechnologie
- Écologie générale et végétale
- Génétique
- Méthodes quantitatives
- Mycologie
- Phycologie
- Physiologie animale et végétale
- Structure et fonctions des végétaux
- Toxicologie environnementale

Admission

Mathématiques 068-436; Physique 054-584; Chimie 051-584.

Laval : Avoir réussi les Mathématiques NYA. *N.B. : Ce DEC-BAC s'adresse aux étudiants ayant une cote R de 26 et plus.*

Endroits de formation (voir pages 336 et 414)

- Cégep de La Pocatière, Cégep de Sherbrooke **ET** Université du Québec à Rimouski (UQAR) pour Biologie ou Écologie.
- Cégep de La Pocatière, Cégep de Sherbrooke **ET** Université Laval pour le programme Biologie.

Professions reliées

C.N.P.	
2121	Biologiste
2121	Botaniste
2121	Écologiste
2224	Interprète de l'environnement naturel et biologique
2221	Technicien de la faune et de la flore
2221	Technicien en environnement
2221	Technicien en zoologie
2121	Zoologiste
2221	Technicien en écologie appliquée

Endroits de travail

- Centres d'interprétation de la nature
- Centres de recherche
- Entreprises de dépollution
- Établissements d'enseignement universitaire
- Firmes d'experts-conseils
- Gouvernements fédéral et provincial
- Industrie pharmaceutique
- Jardins botaniques
- Jardins zoologiques
- Laboratoires

Salaire

Le salaire hebdomadaire moyen est de 629 $ (janvier 2005).

Remarque

À l'Université, l'étudiant pourra être admis dans l'une ou l'autre des concentrations suivantes : Écologie; Faune et habitats; Sciences marine OU choisir le cheminement général.

STATISTIQUES D'EMPLOI

	2001	2003	2005
Nb de personnes diplômées	651	726	593
% en emploi	39,7 %	36,7 %	31,9 %
% à temps plein	90,3 %	88,1 %	83,5 %
% lié à la formation	68,4 %	72,4 %	70,8 %

145.C0/02 TECHNIQUES DE BIOÉCOLOGIE ou TECHNIQUES D'INVENTAIRE ET DE RECHERCHE EN BIOLOGIE / BIOLOGIE

DEC-BAC 5 ANS — CUISEP 313-000

Compétences à acquérir

Au collégial : Techniques de bioécologie OU Technique d'inventaire et de recherche en biologie

- Assister divers professionnels de l'environnement, de la recherche en biologie animale ou végétale, de la microbiologie, de la biologie cellulaire et moléculaire, de l'agriculture et des sciences de la santé.
- Faire des inventaires écologiques et des échantillonnages.
- Faire des essais et des expériences de base en biologie de l'environnement.
- Procéder à des identifications d'organismes.
- Faire des analyses de données et de laboratoire.
- Rédiger des rapports.

À l'université : Biologie

- Étudier des phénomènes de la vie végétale ou animale (structures, fonctions, réactions et comportements) et procéder à l'analyse des données recueillies.
- Travailler à la protection de l'environnement ainsi qu'à l'utilisation et à la conservation des ressources naturelles.
- Travailler à l'aménagement des lieux et de la faune.
- Étudier les relations entre les êtres vivants et leur milieu.

Éléments du programme

Propre au DEC

- Anatomie, morphologie et physiologie végétales
- Anatomie et physiologie animales
- Microbiologie appliquée
- Chimie générale et organique
- Zoologie générale

Propre au DEC-BAC

- Biotechnologie
- Écologie générale et végétale
- Génétique
- Méthodes quantitatives
- Mycologie
- Physiologie animale et végétale
- Structure et fonctions des végétaux
- Toxicologie environnementale

Admission

Mathématiques 068-436; Chimie 051-584 ou 051-534 ou 051-564.

Laval : Mathématiques 068-438 ou NYA; Chimie 051-584; Physique 054-584.

Endroits de formation (voir pages 336 et 414)

Cégep de Sainte-Foy, Cégep de La Pocatière, Cégep de Sherbrooke **ET** Université Laval.

Professions reliées

C.N.P.

2121	Biologiste
2121	Botaniste
2121	Écologiste
2221	Technicien en biologie
2121	Zoologiste
2211	Contrôleur de produits pharmaceutiques
2211	Technologue en procédés de fabrication alimentaire
2224	Interprète de la nature
2221	Technologue en chimie-biologie

Endroits de travail

- Centres d'interprétation de la nature
- Centres de recherche
- Compagnies de produits cosmétiques
- Établissements d'enseignement universitaire
- Firmes d'experts-conseils
- Gouvernements fédéral et provincial
- Industrie de la transformation alimentaire
- Industrie pharmaceutique
- Jardins botaniques
- Laboratoires
- Usines de traitement des eaux

Salaire

Le salaire hebdomadaire moyen est de 629 $ (janvier 2005).

STATISTIQUES D'EMPLOI

	2001	2003	2005
Nb de personnes diplômées	651	726	593
% en emploi	39,7 %	36,7 %	31,9 %
% à temps plein	90,3 %	88,1 %	83,5 %
% lié à la formation	68,4 %	72,4 %	70,8 %

D E C – B A C

145.A0 TECHNIQUES DE SANTÉ ANIMALE / AGRONOMIE

DEC-BAC 5 ANS — CUISEP 361-100

Compétences à acquérir

Au collégial : Techniques de santé animale

- Seconder des vétérinaires ou des chercheurs en effectuant diverses tâches principalement dans les secteurs cliniques et de la recherche.
- Effectuer des épreuves sur des animaux, leur prodiguer des soins et mettre en place des systèmes propices à la réalisation des aspects techniques des services de santé animale.
- Participer à la gestion d'entreprises connexes au monde animal (animalerie, élevage).
- Superviser les activités d'un service d'élevage d'animaux, de pension, etc.

À l'université : Agronomie

- Assurer une saine gestion et utilisation des ressources vouées à la production agricole et alimentaire.
- Résoudre des problèmes agricoles par l'application des sciences biologiques.
- Améliorer la productivité des sols, des plantes et des animaux.
- Assurer la vulgarisation des sciences agronomiques.
- Veiller à la production et à la conservation des ressources biologiques ou biophysiques agricoles.

Éléments du programme

Propres au DEC

- Épreuves de biochimie clinique, d'hématologie, de parasitologie, de microbiologie, d'histologie et de nécropsie.
- Assistance en radiologie, en chirurgie, en anésthésie et en prophylaxie dentaire.
- Techniques de laboratoire de chimie et de biochimie.
- Soins nutritionnels.
- Gestion de la santé des animaux en recherche.
- Pratiques de reconnaissance et de modification du comportement animal.
- Service à la clientèle.
- Stage en milieu de recherche et clinique.

Propres au DEC-BAC

- Anatomie et physiologie animales
- Comptabilité des entreprises
- Fertilisation des sols
- Genèse et classification des sols
- Génétique
- Nutrition animale
- Physiologie végétale
- Sciences du sol

Admission

Sciences physiques 056-436 ou 056-416, 056-430 ou 056-486.

Laval : Avoir réussi les cours suivants : Mathématiques NYA et NYB; Physique NYA.

Endroits de formation (voir pages 336 et 414)

Collège Lionel-Groulx **ET** Université Laval.

Professions reliées

C.N.P.	
8251	Agriculteur
2121	Agronome
2123	Agronome-dépisteur
2123	Agronome des services de vulgarisation
2123	Agronome en agriculture biologique
2123	Agronome en production animale
2123	Agronome en production végétale
2115	Agronome pédologue
3213	Aide-vétérinaire
2121	Bactériologiste
2221	Contrôleur des produits laitiers
2121	Entomologiste
2123	Malherbologiste
2121	Phytobiologiste
3213	Technicien de laboratoire vétérinaire
3213	Technicien en santé animale
2121	Zoologiste

Endroits de travail

- Bureaux d'experts-conseils en gestion agricole
- Centres de recherche
- Coopératives agricoles
- Entreprises agricoles
- Gouvernements fédéral et provincial
- Hôpitaux et cliniques vétérinaires
- Jardins zoologiques
- Organismes internationaux
- Universités (enseignement, recherche)

Salaire

Le salaire hebdomadaire moyen est de 696 $ (janvier 2005).

Remarques

- Pour exercer la profession et porter le titre d'agronome, il faut être membre de l'Ordre des agronomes du Québec.
- Des études de 2e cycle sont nécessaires pour exercer les professions suivantes : agronome pédologue, bactériologiste des sols, entomologiste, malherbologiste, phytopathologiste.

STATISTIQUES D'EMPLOI

	2001	2003	2005
Nb de personnes diplômées	177	168	181
% en emploi	75,9 %	67,7 %	69,3 %
% à temps plein	91,1 %	94,4 %	95,5 %
% lié à la formation	89,1 %	90,6 %	88,1 %

147.0A/190.B0 TECHNIQUES DU MILIEU NATUREL ou TECHNOLOGIE FORESTIÈRE / SCIENCES FORESTIÈRES

DEC-BAC 5 ANS

CUISEP 315-100

Compétences à acquérir

Au collégial : Techniques du milieu naturel

- Gérer un projet d'intervention en milieu naturel.
- Inventorier les composantes abiotiques, végétales, fauniques d'un milieu naturel.
- Problématique relative à l'aménagement d'un territoire.

Au collégial : Technologie forestière

- Participer à la mise en valeur des ressources forestières en procédant à la planification et à la gestion des travaux de production et de récolte de la matière ligneuse dans un contexte de développement durable.
- Déterminer les caractéristiques biophysiques d'un territoire donné et participer à la planification et à la supervision des travaux d'infrastructures en forêt, des opérations de traitement sylvicole et de récolte des bois.
- Organiser et assurer le suivi des programmes de protection de l'environnement en milieu forestier.
- Voir à l'application des programmes de santé et sécurité au travail.

À l'université : Sciences forestières

- Gérer l'environnement forestier selon les principes du développement durable.
- Participer à la conception, la planification, l'exécution et l'évaluation de projets d'aménagement intégré des ressources forestières.
- Utiliser les technologies de pointe dans le domaine.

Éléments du programme

Propres au DEC

- Cartographie d'un territoire forestier
- Données informatisées à caractère forestier
- Élaboration des plans et des rapports d'aménagement
- Exécution de travaux relatifs aux infrastructures et à la récolte de la matière ligneuse
- Stages
- Travaux de prévention, direction et répression des insectes et des maladies des arbres
- Travaux précommerciaux et remise en production d'un territoire
- Travaux sylvicoles précédant la récolte
- Variables dendrométriques d'un peuplement forestier

Propres au DEC-BAC

- Foresterie internationale
- Gestion intégrée des forêts
- Plan d'intervention en forêt
- Protection des ressources
- Récolte et transport des bois
- Science et technologie du bois
- Sylviculture fondamentale

Admission

Technologie forestière : aucun préalable.
Techniques du milieu naturel : Mathématiques 068-426; Sciences physiques 056-436 ou 065-416 et 056-430 ou 056-486 et 056-430.

Endroits de formation (voir pages 336 et 414)

Cégep de Baie-Comeau, Cégep de la Gaspésie et des Îles, Cégep de Sainte-Foy **ET** Université de Moncton, Campus d'Edmunston.

Professions reliées

C.N.P.

2223	Contremaître forestier
2223	Estimateur en inventaire forestier
8422	Spécialiste de la conservation de la forêt
2122	Sylviculteur
2223	Technicien en sylviculture
2223	Technologue en exploitation forestière
2223	Technologue en sciences forestières

Endroits de travail

- Bureaux d'ingénieurs forestiers
- Entreprises forestières
- Hydro-Québec
- Industrie des pâtes et papiers
- Ministères des ressources naturelles et de la faune

Salaire

Donnée non disponible.

Remarque

Le programme est offert avec la formule d'enseignement coopératif.

Statistiques d'emploi

Données non disponibles.

DEC – BAC

153.B0 TECHNOLOGIE DE LA PRODUCTION HORTICOLE ET DE L'ENVIRONNEMENT / AGRONOMIE

DEC-BAC 5 ANS — CUISEP 311-100

Compétences à acquérir

Au collégial : Technologie de la production horticole et de l'environnement
- Pratiquer la culture biologique ou conventionnelle en champ ou en serre.
- Travailler à la préparation et à la conservation des sols.
- Gérer une entreprise agricole et son personnel.
- Assurer le développement de l'entreprise.
- Commercialiser les produits.
- Élaborer des programmes d'implantation, d'entretien et de récole des cultures.
- Connaître et appliquer les principes relatifs à la protection de l'environnement.

Quatre voies de spécialisation sont offertes : Cultures légumières, fruitières et industrielles; Cultures de plantes ornementale; Cultures horticoles, légumières, fruitières et ornementales en serre et en champ; Environnement.

À l'université : Agronomie
- Assurer une saine gestion et utilisation des ressources vouées à la production agricole et alimentaire.
- Résoudre des problèmes agricoles par l'application des sciences biologiques.
- Améliorer la productivité des sols, des plantes et des animaux.
- Assurer la vulgarisation des sciences agronomiques.
- Veiller à la production et à la conservation des ressources biologiques ou biophysiques agricoles.

Éléments du programme

Propres au DEC
- Utilisation d'un système micro-informatique
- Analyse des problèmes relatifs à la protection de l'environnement
- Représentation commerciale
- Machinerie en préparation et en conservation des sols
- Identification des végétaux
- Programme d'amendement et de fertilisation des sols

Propres au DEC-BAC
- Anatomie et physiologie animales
- Comptabilité des entreprises
- Fertilisation des sols
- Genèse et classification des sols
- Génétique
- Nutrition animale
- Physiologie végétale
- Sciences du sol

Admission

Aucun préalable.
Laval : Avoir réussi les cours suivants : Mathématiques NYA et NYB; Physique NYA.

Endroits de formation (voir pages 336 et 414)

- Cégep régional de Lanaudière (Joliette), ITA - Campus de Saint-Hyacinthe **ET** Université Laval pour la voie de spécialisation Culture de plantes ornementales.
- Collège Lionel-Groulx, ITA - Campus de La Pocatière **ET** Université Laval pour la voie de spécialisation Cultures horticole, légumière, fruitière et ornementale en serre et en champ.
- Collège Lionel-Groulx, ITA - Campus de La Pocatière **ET** Université Laval pour la voie de spécialisation Environnement.
- ITA - Campus de St-Hyacinthe **ET** Université Laval pour la voie de spécialisation : Cultures légumières, fruitières et industrielles.

Professions reliées

C.N.P.	
2121	Agronome
2123	Agronome-dépisteur
2123	Agronome en agriculture biologique
2123	Agronome en production animale
2123	Agronome en production végétale
2115	Agronome pédologue
2222	Inspecteur des produits végétaux
2123	Malherbologiste
2121	Phytobiologiste
2221	Technologiste-conseil en gestion agricole
2221	Technologue en environnement agricole
2225	Technologue en horticulture ornementale
2221	Technologue en production végétale

Endroits de travail

- Bureaux d'experts-conseils en gestion agricole
- Coopératives agricoles
- Entreprises agricoles
- Entreprises de services à la production horticole
- Fermes spécialisées
- Gouvernements fédéral et provincial
- Organismes internationaux
- Régie de l'assurance récolte

153.B0 TECHNOLOGIE DE LA PRODUCTION HORTICOLE ET DE L'ENVIRONNEMENT / AGRONOMIE

(SUITE)

Salaire

Le salaire hebdomadaire moyen est de 696 $ (janvier 2005).

Remarques

- Pour exercer la profession et porter le titre d'agronome, il faut être membre de l'Ordre des agronomes du Québec.
- Des études de 2e cycle sont nécessaires pour exercer la profession d'agronome pédologue.

STATISTIQUES D'EMPLOI

	2001	2003	2005
Nb de personnes diplômées	177	168	181
% en emploi	75,9 %	67,7 %	69,3 %
% à temps plein	91,1 %	94,4 %	95,5 %
% lié à la formation	89,1 %	90,6 %	88,1 %

DEC-BAC

153.B0 TECHNOLOGIE DE LA PRODUCTION HORTICOLE ET DE L'ENVIRONNEMENT / AGROÉCONOMIE

DEC-BAC 6 ANS — CUISEP 311-100

Compétences à acquérir

Au collégial : Technologie de la production horticole et de l'environnement

- Pratiquer la culture biologique ou conventionnelle en champ ou en serre.
- Travailler à la préparation et à la conservation des sols.
- Gérer une entreprise agricole et son personnel.
- Assurer le développement de l'entreprise.
- Commercialiser les produits.
- Élaborer des programmes d'implantation, d'entretien et de récole des cultures.
- Connaître et appliquer les principes relatifs à la protection de l'environnement.

Quatres voies de spécialisation sont offertes :
Cultures légumières, fruitières et industrielles, Cultures de plantes ornementale; Cultures horticoles, légumières, fruitières et ornementales en serre et en champ; Environnement.

À l'université : Agroéconomie

- Contribuer au développement de l'économie agroalimentaire et du milieu rural.
- Trouver des solutions aux problèmes vécus dans ces domaines d'activités.
- Conseiller des exploitants agricoles dans le domaine de la gestion et du financement.
- Analyser des politiques et des marchés agroalimentaires.
- Assurer la gestion d'entreprises agroalimentaires.
- Participer au développement international.

Éléments du programme

Propres au DEC

- Utilisation d'un système micro-informatique
- Analyse des problèmes relatifs à la protection de l'environnement
- Représentation commerciale
- Machinerie en préparation et en conservation des sols
- Identifier des végétaux
- Programme d'amendement et de fertilisation des sols

Propres au DEC-BAC

- Financement agricole
- Gestion agricole
- Macroéconomique
- Méthodes statistiques
- Politiques agricoles
- Sciences des plantes et du sol

Admission

Aucun préalable.
Laval : Avoir réussi les cours suivants : Mathématiques NYA et NYB.

Endroits de formation (voir pages 336 et 414)

- Cégep régional de Lanaudière (Joliette), ITA - Campus de Saint-Hyacinthe **ET** Université Laval pour la voie de spécialisation Culture de plantes ornementales.
- Collège Lionel-Groulx, ITA - Campus de La Pocatière **ET** Université Laval pour les voies de spécialisation Cultures horticole, légumière, fruitière et ornementale en serre et en champ; Environnement.
- ITA - Campus de Saint-Hyacinthe **ET** Université Laval pour la voie de spécialisation Cultures légumières, fruitières et industrielles.

Professions reliées

C.N.P.	
6411	Courtier en denrées alimentaires
0412	Directeur des ventes à l'exportation
4162	Économiste en développement international
8251	Exploitant agricole
8251	Gérant d'entreprise agricole
2222	Inspecteur des produits végétaux
8251	Producteur de fruits et légumes biologiques
2221	Technologiste-conseil en gestion agricole
2121	Technologue en horticulture légumière et fruitière
2225	Technologue en horticulture ornementale
2121	Technologue en production végétale

Endroits de travail

- Coopératives agricoles
- Entreprises agricoles
- Gouvernements fédéral et provincial
- Régie de l'assurance agricole du Québec
- Services de financement agricole
- Bureaux d'experts-conseils en gestion agricole
- Fermes familiales et spécialisées
- Organismes internationaux

Salaire

Donnée non disponible.

Remarques

- Pour exercer la profession et porter le titre d'agronome, il faut être membre de l'Ordre des agronomes du Québec.
- L'Université Laval offre un certificat en distribution et marchandisage alimentaires.

Statistiques d'emploi

Données non disponibles.

154.A0 TECHNOLOGIE DE LA TRANSFORMATION DES ALIMENTS / SCIENCES ET TECHNOLOGIE DES ALIMENTS

DEC-BAC 6 ANS — CUISEP 312-500

Compétences à acquérir

Au collégial : Technologie de la transformation des aliments

- Acquérir les connaissances liées aux techniques et aux procédés utilisés dans la fabrication des aliments.
- Assurer la qualité des produits par un contrôle rigoureux à chacune des étapes de la fabrication.
- Exécuter les différentes tâches reliées à la transformation des aliments (conception, fabrication, formulation et mise au point des produits alimentaires).

À l'université : Sciences et technologie des aliments

- Concevoir et mettre au point de nouveaux produits alimentaires.
- Créer des nouvelles techniques de fabrication et de transformation.
- Assurer une production efficace et respectueuse de l'environnement.
- Implanter et gérer des programmes de qualité.
- Préparer la mise en marché.

Éléments du programme

Propres au DEC

- Assurance du fonctionnement d'une unité de fabrication automatisée
- Contribution à la mise en place et au maintien d'un système d'assurance qualité
- Contrôle de la fabrication des produits carnés, laitiers, végétaux et de boulangerie
- Contrôle des micro-organismes dans le milieu alimentaire
- Interprétation des changements physicochimiques des constituants alimentaires
- Traitement de conservation de fruits et de légumes
- Transformation du lait, de la viande et des végétaux en produits et coproduits

Propres au DEC-BAC

- Chimie des aliments
- Méthodes d'analyse des aliments
- Microbiologie alimentaire industrielle
- Procédés industriels alimentaires

Admission

Aucun préalable.

Laval : Avoir réussi les cours de Mathématiques NYA et NYB.

Endroits de formation (voir pages 336 et 414)

Cégep régional de Lanaudière (Joliette), ITA - Campus de La Pocatière et de Saint-Hyacinthe **ET** Université Laval.

Professions reliées

C.N.P.

2123	Agronome
2123	Agronome des services de vulgarisation
2112	Chimiste en sciences des aliments
2112	Chimiste spécialiste du contrôle de la qualité
1473	Coordonnateur de la production
0911	Directeur de la production alimentaire
0412	Directeur des ventes à l'exportation
6221	Expert-conseil en commercialisation
2222	Inspecteur des produits alimentaires
2121	Microbiologiste industriel
2121	Scientifique en produits alimentaires
2211	Technologue des produits alimentaires
2211	Technologue en contrôle de la qualité des produits alimentaires
2221	Technologue en création de nouveaux produits alimentaires
2211	Technologue en procédés de fabrication alimentaire
2211	Technologue en transformation de produits alimentaires

Endroits de travail

- Brasseries et distilleries
- Établissements d'enseignement
- Gouvernements fédéral et provincial
- Industries des produits alimentaires
- Laboratoires de recherche
- Services d'inspection et laboratoires alimentaires

Salaire

Le salaire hebdomadaire moyen est de 741 $ (janvier 2005).

Remarque

Les professionnels en sciences alimentaires peuvent devenir membre de l'Ordre des agronomes du Québec, de l'Ordre des chimistes du Québec et de l'Ordre des ingénieurs du Québec.

STATISTIQUES D'EMPLOI

	2001	2003	2005
Nb de personnes diplômées	40	62	40
% en emploi	86,7 %	63,8 %	64,3 %
% à temps plein	100 %	96,7 %	100 %
% lié à la formation	88,5 %	89,7 %	94,4 %

DEC – BAC

DEC–BAC

153.A0 TECHNOLOGIE DES PRODUCTIONS ANIMALES / AGRONOMIE

DEC-BAC 5 ANS — CUISEP 311-700/800

Compétences à acquérir

Au collégial : Technologie des productions animales

- Maîtriser les techniques de régie, de soins de santé et d'hygiène à la ferme.
- Évaluer les conditions de développement des cultures.
- Gérer une équipe de travail.
- Développer une approche client pour les services conseils.

À l'université : Agronomie

- Assurer une saine gestion et utilisation des ressources vouées à la production agricole et alimentaire.
- Résoudre des problèmes agricoles par l'application des sciences biologiques.
- Améliorer la productivité des sols, des plantes et des animaux.
- Assurer la vulgarisation des sciences agronomiques.
- Veiller à la production et à la conservation des ressources biologiques ou biophysiques agricoles.

Éléments du programme

Propres au DEC

- Élaboration d'un programme d'amélioration génétique d'un troupeau
- Élaboration d'un programme d'alimentation en production animale
- Élaboration d'un programme de culture
- Qualités des aliments utilisés en production animale
- Situation technico-économique et financières d'une entreprise agricole
- Politiques des organismes agricoles et des mécanismes de commercialisation
- Application d'un programme de récolte et de conservation d'une culture destinée à l'alimentation animale
- Représentation commerciale

Propres au DEC-BAC

- Anatomie et physiologie animales
- Comptabilité des entreprises
- Fertilisation des sols
- Genèse et classification des sols
- Génétique
- Nutrition animale
- Physiologie végétale
- Sciences du sol

Admission

Aucun préalable.

Laval : Avoir réussi les cours suivants : Mathématiques NYA et NYB; Physique NYA.

Endroits de formation (voir pages 336 et 414)

ITA - Campus de La Pocatière et de Saint-Hyacinthe **ET** Université Laval.

Professions reliées

C.N.P.

2121 Agronome
2123 Agronome-dépisteur
2123 Agronome des services de vulgarisation
2123 Agronome en agriculture biologique
2123 Agronome en production animale
2123 Agronome en production végétale
2115 Agronome pédologue
2221 Conseiller technicien en élevage
8251 Exploitant agricole
8251 Gérant d'entreprise agricole
6221 Représentant technique
2121 Technologiste-conseil en gestion agricole
2221 Technologue agricole
2221 Technologue en production animale

Endroits de travail

- Bureaux d'experts-conseils en gestion agricole
- Coopératives agricoles
- Entreprises agricoles
- Entreprises d'alimentation animale
- Fermes spécialisées
- Gouvernements fédéral et provincial
- Organismes gouvernementaux
- Organismes internationaux

Salaire

Le salaire hebdomadaire moyen est de 696 $ (janvier 2005).

Remarques

- Pour exercer la profession et porter le titre d'agronome, il faut être membre de l'Ordre des agronomes du Québec.
- Des études de 2e cycle sont nécessaires pour exercer les professions suivantes : agronome pédologue, bactériologiste des sols, entomologiste, malherbologiste, phytopathologiste.

STATISTIQUES D'EMPLOI

	2001	2003	2005
Nb de personnes diplômées	177	168	181
% en emploi	75,9 %	67,7 %	69,3 %
% à temps plein	91,1 %	94,4 %	95,5 %
% lié à la formation	89,1 %	90,6 %	88,1 %

153.A0 TECHNOLOGIE DES PRODUCTIONS ANIMALES / AGROÉCONOMIE

DEC-BAC 6 ANS — CUISEP 311-100

Compétences à acquérir

Au collégial : Technologie des productions animales
- Maîtriser les techniques de régie, de soins de santé et d'hygiène à la ferme.
- Évaluer les conditions de développement des cultures.
- Gérer une équipe de travail.
- Développer une approche client pour les services conseils.

À l'université : Agroéconomie
- Contribuer au développement de l'économie agroalimentaire et du milieu rural.
- Trouver des solutions aux problèmes vécus dans ces domaines d'activités.
- Conseiller des exploitants agricoles dans le domaine de la gestion et du financement.
- Analyser des politiques et des marchés agroalimentaires.
- Assurer la gestion d'entreprises agroalimentaires.
- Participer au développement international.

Éléments du programme

Propres au DEC
- Élaboration d'un programme d'amélioration génétique d'un troupeau
- Élaboration d'un programme d'alimentation en production animale
- Élaboration d'un programme de culture
- Qualités des aliments utilisés en production animale
- Situation technico-économique et financière d'une entreprise agricole
- Politiques des organismes agricoles et des mécanismes de commercialisation
- Application d'un programme de récolte et de conservation d'une culture destinée à l'alimentation animale
- Représentation commerciale

Propres au DEC-BAC
- Financement agricole
- Gestion agricole
- Macroéconomique
- Méthodes statistiques
- Politiques agricoles
- Sciences des plantes et du sol

Admission

Aucun préalable.
Laval : Avoir réussi les cours suivants : Mathématiques NYA et NYB; Physique NYA.

Endroits de formation (voir pages 336 et 414)

ITA - Campus de La Pocatière et de Saint-Hyacinthe **ET** Université Laval.

Professions reliées

C.N.P.

4162	Agroéconomiste
4163	Analyste des marchés
2123	Conseiller en financement agricole
2221	Conseiller technicien en élevage
6411	Courtier en denrées alimentaires
0412	Directeur des ventes à l'exportation
4162	Économiste en développement international
8251	Exploitation agricole
8251	Gérant d'entreprise agricole
2221	Technologiste-conseil en gestion agricole
2221	Technologue agricole
2221	Technologue en production animale

Endroits de travail

- Bureaux d'experts-conseils en gestion agricole
- Coopératives agricoles
- Entreprises agricoles
- Fermes familiales et spécialisées
- Gouvernements fédéral et provincial
- Régie de l'assurance agricole du Québec
- Services de financement agricole

Salaire

Donnée non disponible.

Remarques

- Pour exercer la profession et porter le titre d'agronome, il faut être membre de l'Ordre des agronomes du Québec.
- L'Université Laval offre un certificat en Distribution et marchandisage alimentaires.

Statistiques d'emploi

Données non disponibles

DEC–BAC

393.A0 TECHNIQUES DE LA DOCUMENTATION / GESTION DE L'INFORMATION

DEC-BAC 5 ANS — CUISEP 111/112-000

Compétences à acquérir

Au collégial : Techniques de la documentation

- Exécuter les tâches usuelles dans les bibliothèques, les dépôts d'archives, les librairies et les centres de documentation.
- Effectuer la classification, les recherches et les descriptions bibliographiques.
- Fournir de l'information à la clientèle.
- Travailler à l'implantation de systèmes de gestion documentaire.
- Participer à la création d'instruments facilitant la consultation des documents.
- Collaborer à la conservation et à la diffusion des documents.

À l'université : Gestion de l'information

- Traiter, analyser et présenter l'information de façon efficace, dans les milieux de travail privés et publics, dans les domaines de la science de l'information, des systèmes d'information organisationnels, de l'organisation du travail et des communications.
- Posséder les habiletés d'analyse nécessaires à la gestion efficace des masses d'information offertes aux gestionnaires.
- Gérer de manière efficace les ressources informationnelles.

Éléments du programme

Propres au DEC

- Triage de la documentation
- Techniques relatives à la protection, au rangement et à la conservation de documents
- Systèmes de classification documentaire
- Classification décimale Dewey et la Library of Congress
- Système de gestion de documents administratifs et d'archives
- Organisation matérielle d'un centre ou d'un service de documentation
- Rédaction de notices catalographiques

Propres au DEC-BAC

- Éthique, politique sur l'informatique
- Science de l'information
- Mathématiques des affaires
- Programmation
- Comptabilité financière
- Communication commerciale
- Documents numériques
- Gestion d'un réseau local

Admission

Aucun préalable.

Endroits de formation (voir pages 336 et 414)

Cégep de Trois-Rivières, Cégep François-Xavier-Garneau, Cégep Lionel-Groulx **ET** Université de Moncton (Campus Shippagan).

Professions reliées

C.N.P.	
—	Analyste en système d'information
—	Conseiller en affaires électroniques
1452	Documentaliste
—	Gestionnaire de contenu Web
—	Recherchiste
—	Spécialiste de l'information électronique
—	Spécialiste de l'information stratégique
5211	Technicien en archivistique
5211	Technicien en documentation
1122	Technicien en gestion de documents

Endroits de travail

- Bibliothèques
- Centres d'archivage
- Centres de documentation
- Centres de gestion de documents administratifs
- Établissements d'enseignement
- Firmes de consultants
- Gouvernements fédéral et provincial
- Librairies
- Municipalités

Salaire

Donnée non disponible.

Statistiques d'emploi

Données non disponibles.

410.D0 GESTION DE COMMERCES / ADMINISTRATION : MARKETING

DEC+BAC INTÉGRÉ 4 ANS — CUISEP 111-700

Compétences à acquérir

Au collégial : Gestion de commerces
- Gérer le personnel de vente.
- Veiller à atteindre des objectifs de vente.
- Promouvoir et mettre en marché des produits ou des services.
- Acquérir des stocks.
- Assurer le service à la clientèle.
- Vendre des produits ou des services par voie de représentation.

À l'université : Administration : Marketing
- Assurer la relation entre une entreprise et ses marchés.
- Déterminer les marchés à viser à court ou à long terme, avec quel produit, à quel prix, avec quel système de distribution, dans quelles conditions de vente et avec quelles actions de communication (publicité, promotion des ventes, relations publiques).
- Effectuer des études de marché.
- Élaborer des stratégies de marketing.
- Étudier les contraintes économiques générales et l'impact sur le marché.
- Superviser et coordonner le travail d'une équipe de vente.
- Superviser la conception et la réalisation des activités publicitaires.

Éléments du programme

Propres au DEC
- Application d'un processus de gestion dans un contexte de commercialisation
- Assurance de la disponibilité de la marchandise dans un établissement commercial
- Établissement d'un plan de marketing et mise en place de mesures pour en assurer le suivi
- Formation du personnel de vente
- Mise en place et supervision du service à la clientèle
- Préparation et gestion d'un budget d'exploitation

Propres au DEC-BAC
- Administration des ventes
- Commerce au détail
- Comportement du consommateur
- Comptabilité générale
- Études de marché
- Gestion des opérations et de la technologie
- Marketing

Admission

Mathématiques 068-436 ou 068-526.

Endroits de formation (voir pages 336 et 414)

Cégep de Trois-Rivières, Collège Édouard-Montpetit **ET** Université du Québec à Trois-Rivières (UQTR).

Professions reliées

C.N.P.	
6233	Acheteur
6411	Agent commercial
1122	Chef de service de promotion des ventes
4163	Coordonnateur des services de tourisme
0611	Directeur de la publicité
0113	Directeur des achats de marchandises
0611	Directeur des ventes
0611	Directeur du marketing
0015	Directeur général des ventes et de la publicité
6221	Expert-conseil en communication
0621	Gérant de commerce de détail
4163	Technicien en marketing

Endroits de travail

- À son compte
- Agences de communication
- Agences de publicité
- Agences de voyages
- Compagnies d'assurances
- Compagnies de transport
- Gouvernements fédéral et provincial
- Grandes entreprises
- Institutions financières

Salaire

Le salaire hebdomadaire moyen est de 722 $ (janvier 2005).

STATISTIQUES D'EMPLOI

	2001	2003	2005
Nb de personnes diplômées	264	374	359
% en emploi	86,5 %	80,4 %	83,1 %
% à temps plein	97,8 %	94,9 %	95,5 %
% lié à la formation	82,4 %	73,1 %	68,0 %

D E C — B A C

410.B0 ou C0 ou D0

TECHNIQUES DE COMPTABLITILITÉ ET DE GESTION ou CONSEIL EN ASSURANCES ET EN SERVICES FINANCIERS ou GESTION DE COMMERCES / ADMINISTRATION DES AFFAIRES (TOUTES CONCENTRATIONS)

DEC+BAC 5 ANS — CUISEP 111/112-000

Compétences à acquérir

Au collégial : Techniques de comptabilité et de gestion

- Acquérir les connaissances nécessaires pour procéder à l'enregistrement de transactions financières et utiliser différents logiciels de gestion et de comptabilité.
- Interpréter les états financiers.
- Contribuer à des études de rentabilité de projets d'investissement et mettre en pratique ses connaissances en fiscalité.

Au collégial : Conseil en assurances et en services financiers

- Appliquer les connaissances relatives à la prévention et à la gestion du risque dans les secteurs de l'assurance : distribution de produits, paiement des réclamations et sélection des risques.
- Recruter et renseigner la clientèle sur les divers types de police.
- Faire des calculs de prime.
- Remplir la proposition d'assurance et les diverses formalités.
- Déterminer les tarifs et règlements régissant le travail lié à l'assurance.

Au collégial : Gestion de commerces

- Gérer le personnel de vente.
- Veiller à atteindre des objectifs de vente.
- Promouvoir et mettre en marché des produits ou des services.
- Acquérir des stocks.
- Assurer le service à la clientèle.
- Vendre des produits ou des services par voie de représentation.

À l'université : Administration des affaires (toutes concentrations)

- Participer à l'établissement, à la direction et à la gestion d'organismes publics ou privés.
- Déterminer ou refaire les structures de ces organismes.
- Coordonner leur mode de production ou de distribution et leurs politiques économiques et financières.
- Élaborer les objectifs et les buts de l'entreprise en tenant compte des facteurs financiers, environnementaux, humains, matériels et conjoncturels.
- Contrôler et évaluer les rendements de l'entreprise et déterminer les actions correctives qui s'imposent.

Concentrations offertes :
Affaires électroniques et systèmes d'information; Comptabilité; Développement international et action humanitaire; Entrepreneuriat et gestion des PME; Finance; Gestion des ressources humaines; Gestion des risques et assurance; Gestion du tourisme; Gestion internationale; Gestion urbaine et immobilière; Marketing; Opérations et logistique; Sytèmes d'information organisationnels; Mineure sur mesure; Management; Services financiers; Généraliste.

Éléments du programme

Propres au DEC

- Analyse et traitement des données du cycle comptable
- Utilisation des sources de droit s'appliquant aux contextes administratif et commercial
- Utilisation, à des fins de gestion, des méthodes statistiques
- Utilisation et adaptation des méthodes et des outils de gestion
- Contribution à la planification, au contrôle budgétaire et à la gestion du fonds de roulement
- Supervision du personnel de son service
- Exécution des activités liées au démarrage d'une entreprise
- Gestion des stocks et acquisition de biens et de services
- Participation à l'établissement du coût de revient d'un bien, d'un service ou d'une activité
- Implantation d'un système comptable informatisé et soutien aux opérations courantes
- Contribution au contrôle et à la vérification des opérations de l'entreprise

Propres au DEC-BAC

Calcul différentiel et intégral

Admission

Mathématiques 068-436 ou 068-526.

Laval : Avoir réussi les cours de Mathématiques 201-103-RE et 201-105-RE ou l'équivalent et avoir une cote R supérieure ou égale à 28*.

**Une cote R inférieure à 28 mais supérieure ou égale à 26, permet d'obtenir un bloc de cinq équivalences.*

410.B0 ou C0 ou D0 — TECHNIQUES DE COMPTABLITILITÉ ET DE GESTION ou CONSEIL EN ASSURANCES ET EN SERVICES FINANCIERS ou GESTION DE COMMERCES / ADMINISTRATION DES AFFAIRES (TOUTES CONCENTRATIONS)

(SUITE)

Endroits de formation (voir pages 336 et 414)

Cégep Beauce-Appalaches, Cégep de Baie-Comeau, Cégep de Drummondville, Cégep de la Gaspésie et des Îles, Cégep de La Pocatière, Cégep de Lévis-Lauzon, Cégep de Sainte-Foy, Cégep de Sept-Îles, Cégep de Sherbrooke, Cégep de Thetford, Cégep de Victoriaville, Cégep Limoilou – Campus Charlesbourg et Québec, Cégep régional de Lanaudière – Campus Joliette, Campus L'Assomption et Campus Terrebonne, Cégep Rivière-du-Loup, Cégep Saint-Jean-sur-Richelieu, Cégep du Vieux Montréal, Centre d'études collégiales en Charlevoix, Centre d'études collégiales des Îles, Centre d'études collégiales de Baie-des-Chaleurs, Centres d'études collégiales de Lac-Mégantic, Champlain Regional College – Campus St-Lawrence, Collège Ahuntsic, Collège François-Xavier-Garneau, Collège Gérald-Godin, Collège LaSalle, Collège Lionel-Groulx, Collège Montmorency, Collège Shawinigan **ET** Université Laval.

Professions reliées

C.N.P.
1222 Adjoint administratif
0012 Administrateur agréé
1232 Agent-conseil de crédit
1221 Agent d'administration
6231 Agent d'assurances
1228 Agent d'assurance-emploi
1223 Agent de dotation
1223 Agent des ressources humaines
1212 Agent de vente de services financiers
4164 Analyste des emplois
1122 Analyste des méthodes et procédures
1122 Analyste en procédés administratifs
1112 Analyste financier
1113 Cambiste
1111 Comptable de succursale de banque
1122 Conseiller en management
1122 Conseiller en organisation du travail
1121 Conseiller en relations industrielles
4153 Conseiller en retraite et pré-retraite
1114 Conseiller en services financiers
1112 Conseiller en valeurs mobilières
1122 Consultant en gestion
6231 Courtier d'assurances
1113 Courtier en valeurs mobilières
0114 Directeur administratif
0621 Directeur d'agence de voyages
0513 Directeur d'établissement de loisirs
0511 Directeur d'établissement touristique
0513 Directeur d'hippodrome
0013 Directeur d'institution financière
0911 Directeur d'usine de production de textiles
0713 Directeur de l'exploitation des transports routiers
0911 Directeur de production industrielle
0811 Directeur de production des matières premières
0112 Directeur des ressources humaines
1232 Directeur des services financiers
0611 Directeur des ventes
0113 Directeur des achats de marchandises
0611 Directeur du marketing
0312 Directeur des services aux étudiants
0014 Directeur général de centre hospitalier
1235 Évaluateur agréé
1235 Évaluateur commercial
1234 Examimateur des réclamations d'assurances
6221 Expert-conseil en commercialisation
1233 Expert en sinistres (assurances)
0632 Exploitant de terrain de camping
1111 Fiscaliste
0016 Gérant d'imprimerie
0643 Officier d'artillerie ou de blindés
0643 Officier d'infanterie
0643 Officier de logistique
1114 Planificateur financier
0312 Registraire de collège ou d'université
6231 Représentant de services d'assurances
1113 Représentant en fonds de placements
0412 Surintendant de parc
1111 Vérificateur des impôts

Endroits de travail

- À son compte
- Centres hospitaliers
- Compagnies d'assurances
- Firmes comptables
- Firmes de consultants
- Firmes de courtage
- Gouvernements fédéral et provincial
- Institutions financières
- Moyennes et grandes entreprises
- Secteurs industriels divers

Salaire

Le salaire hebdomadaire moyen est de 769 $ (janvier 2005).

STATISTIQUES D'EMPLOI

	2001	2003	2005
Nb de personnes diplômées	1 775	1 982	2 007
% en emploi	81,5 %	81,0 %	80,4 %
% à temps plein	97,5 %	97,1 %	96,1 %
% lié à la formation	87,0 %	86,8 %	83,7 %

D E C — B A C

410.24 TECHNIQUES DE COMPTABILITÉ ET DE GESTION ou GESTION DE COMMERCES / ADMINISTRATION : MARKETING

DEC+BAC 5 ANS À 5 1/2 ANS — CUISEP 111-700

Compétences à acquérir

Au collégial : Techniques de comptabilité et de gestion OU Gestion de commerces

Contribuer à des études de rentabilité de projets d'investissement et mettre en pratique ses connaissances en fiscalité.

À l'université : Administration : Marketing

- Assurer la relation entre une entreprise et ses marchés.
- Déterminer les marchés à viser à court ou à long terme, avec quel produit, à quel prix, avec quel système de distribution, dans quelles conditions de vente et avec quelles actions de communication (publicité, promotion des ventes, relations publiques).
- Effectuer des études de marché.
- Élaborer des stratégies de marketing.
- Étudier les contraintes économiques générales et l'impact sur le marché.
- Superviser et coordonner le travail d'une équipe de vente.
- Superviser la conception et la réalisation des activités publicitaires.

Éléments du programme

Propres au DEC

- Comptabilité
- Supervision et gestion des ressources humaines

Propres au DEC-BAC

- Administration des ventes
- Commerce au détail
- Comportement du consommateur
- Comptabilité générale
- Études de marché
- Gestion des opérations et de la technologie
- Marketing

Admission

Mathématiques 068-436.

Endroits de formation (voir pages 336 et 414)

Cégep de Rimouski **ET** Université du Québec à Rimouski (UQAR).

Professions reliées

C.N.P.	
6233	Acheteur
6411	Agent commercial
1122	Chef de service de promotion des ventes
1212	Comptable-adjoint
4163	Coordonnateur des services de tourisme
0611	Directeur de la publicité
0113	Directeur des achats de marchandises
0611	Directeur des ventes
0611	Directeur du marketing
0015	Directeur général des ventes et de la publicité
6221	Expert-conseil en communication
0621	Gérant de commerce de détail
4163	Technicien en marketing

Endroits de travail

- À son compte
- Agences de communication
- Agences de publicité
- Agences de voyages
- Compagnies d'assurances
- Compagnies de transport
- Gouvernements fédéral et provincial
- Grandes entreprises
- Institutions financières

Salaire

Le salaire hebdomadaire moyen est de 722 $ (janvier 2005).

Remarque

L'étudiant qui quitte le programme après trois ans est diplômé en techniques de gestion de commerce.

STATISTIQUES D'EMPLOI

	2001	2003	2005
Nb de personnes diplômées	264	374	359
% en emploi	86,5 %	80,4 %	83,1 %
% à temps plein	97,8 %	94,9 %	95,5 %
% lié à la formation	82,4 %	73,1 %	68,0 %

410.B0 TECHNIQUES DE COMPTABILITÉ ET DE GESTION / SCIENCES COMPTABLES

DEC-BAC INTÉGRÉ 4 ANS — CUISEP 111/112-000

Compétences à acquérir

Au collégial : Techniques de comptabilité et de gestion

- Acquérir les connaissances nécessaires pour procéder à l'enregistrement de transactions financières et utiliser différents logiciels de gestion.
- Interpréter les états financiers.
- Contribuer à des études de rentabilité de projets d'investissement et mettre en pratique ses connaissances en fiscalité.

À l'université : Sciences comptables

- Appliquer les connaissances acquises dans les domaines de la comptabilité, de la fiscalité et de la vérification.
- Participer à l'élaboration des objectifs, des politiques et de la stratégie globale de l'entreprise ainsi qu'à la gestion de ses ressources.
- Déterminer ou négocier les modes de financement.
- Procéder au contrôle des opérations comptables.
- Élaborer des budgets.
- Planifier, diriger et contrôler de façon stratégique les affaires financières.
- Conseiller l'administration sur les nouvelles mesures fiscales.
- Établir des états financiers.

Éléments du programme

Propres au DEC

- Comptabilité I et II
- Comptabilité financière spécialisée
- Finance
- Représentation commerciale
- Statistique

Propres au DEC-BAC

- Calcul différentiel et intégral
- Comptabilité analytique de gestion
- Économie globale
- Éléments de contrôle interne et de vérification
- Fiscalité I
- Gestion des approvisionnements et des stocks
- Gestion des opérations
- Relations économiques internationales

Admission

Mathématiques 068-436 ou 068-526.

ET

Excellence du dossier scolaire dans certains cégeps.

Endroits de formation (voir pages 336 et 414)

- Cégep de Rimouski, Centre d'études collégiales de Baie-des-Chaleurs, Centre d'études collégiales des Îles **ET** Université du Québec à Rimouski (UQAR).
- Cégep de Trois-Rivières, Cégep régional Lanaudière (Joliette), Collège Édouard-Montpetit, Collège Shawinigan **ET** Université du Québec à Trois-Rivières (UQTR).

Professions reliées

C.N.P.	
1222	Adjoint administratif
1212	Comptable adjoint
1111	Comptable agréé (CA)
1111	Comptable en management accrédité (CMA)
1111	Comptable général licencié (CGA)
1122	Conseiller en management
1111	Fiscaliste
1231	Teneur de livres

Endroits de travail

- Compagnies d'assurances
- Entreprises commerciales diverses
- Firmes comptables
- Gouvernements fédéral et provincial
- Institutions financières
- Municipalités
- Secteurs industriels divers

Salaire

Le salaire hebdomadaire moyen est de 733 $ (janvier 2005).

Remarques

- Pour exercer la profession et porter le titre de comptable agréé, il faut être membre de l'Ordre des comptables agréés du Québec.
- Pour porter le titre de comptable en management accrédité, il faut être membre de l'Ordre des comptables en management accrédités du Québec.
- Pour porter le titre de comptable général licencié, il faut être membre de l'Ordre des comptables généraux licenciés du Québec.
- L'étudiant qui quitte le programme après trois ans d'études au collégial est titulaire d'un DEC en Techniques de comptabilité et de gestion et d'un certificat en Comptabilité générale.

STATISTIQUES D'EMPLOI

	2001	2003	2005
Nb de personnes diplômées	781	795	910
% en emploi	92,9 %	90,0 %	89,2 %
% à temps plein	98,5 %	98,4 %	99,5 %
% lié à la formation	92,7 %	94,0 %	93,0 %

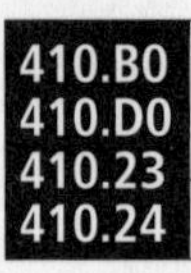

TECHNIQUES DE COMPTABILITÉ ET DE GESTION ou GESTION DE COMMERCES / SCIENCES COMPTABLES ou ADMINISTRATION DES AFFAIRES

DEC+BAC 5 ANS — CUISEP 111/112-000

Compétences à acquérir

Au collégial : Techniques de comptabilité et de gestion OU Gestion de commerces

- Acquérir les connaissances nécessaires pour procéder à l'enregistrement de transactions financières et utiliser différents logiciels de gestion.
- Interpréter les états financiers.
- Contribuer à des études de rentabilité de projets d'investissement et mettre en pratique ses connaissances en fiscalité.

À l'université : Sciences comptables OU Administration des affaires

- Appliquer les connaissances acquises dans les domaines de la comptabilité, de la fiscalité et de la vérification.
- Participer à l'élaboration des objectifs, des politiques et de la stratégie globale de l'entreprise ainsi qu'à la gestion de ses ressources.
- Déterminer ou négocier les modes de financement.
- Procéder au contrôle des opérations comptables.
- Élaborer des budgets.
- Planifier, diriger et contrôler de façon stratégique les affaires financières.
- Conseiller l'administration sur les nouvelles mesures fiscales.
- Établir des états financiers.

Éléments du programme

Propres au DEC

- Comptabilité I et II
- Comptabilité financière spécialisée
- Finance
- Projet de fin d'études en finance I et II
- Représentation commerciale
- Statistique

Propres au DEC-BAC

Calcul différentiel et intégral

Admission

Mathématiques 068-436.

OU

Cégep de Jonquière et Cégep de Saint-Félicien : Mathématiques 068-536.
Collège d'Alma : Mathématiques 068-526.

ET

Excellence du dossier scolaire (administration).

ET/OU

Réussir le cours de mathématiques 103 pour l'admission universitaire.

Endroits de formation (voir pages 336 et 414)

- Cégep de Baie-Comeau, Cégep de Chicoutimi, Cégep de Jonquière, Cégep de Saint-Félicien, Centre d'études collégiales en Charlevoix, Collège d'Alma, Collège LaSalle **ET** Université du Québec à Chicoutimi (UQAC) pour le DEC-BAC en Administration des affaires.
- Cégep de Chicoutimi, Cégep de Jonquière, Collège LaSalle, Collège d'Alma **ET** Université du Québec à Chicoutimi (UQAC) pour le DEC-BAC en Sciences comptables.
- Cégep de l'Abitibi-Témiscamingue **ET** Université du Québec en Abitibi-Témiscamingue (UQAT).
- Cégep de Lévis-Lauzon, Cégep de Matane, Cégep de Rimouski, Centre d'études collégiales de Baie-des-Chaleurs, Centre d'études collégiales des Îles **ET** Université du Québec à Rimouski (UQAR).

Professions reliées

C.N.P.	
6233	Acheteur
1222	Adjoint administratif
6411	Agent commercial
1212	Comptable adjoint
1111	Comptable agréé (CA)
1111	Comptable en management accrédité (CMA)
1111	Comptable général licencié (CGA)
1122	Conseiller en management
1111	Fiscaliste
1231	Teneur de livres
1111	Vérificateur des impôts

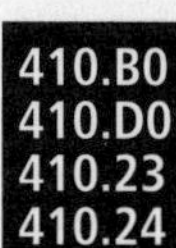
410.B0
410.D0
410.23
410.24

TECHNIQUES DE COMPTABILITÉ ET DE GESTION ou GESTION DE COMMERCES / SCIENCES COMPTABLES / ADMINISTRATION DES AFFAIRES (SUITE)

Endroits de travail

- À son compte
- Compagnies d'assurances
- Entreprises commerciales diverses
- Firmes comptables
- Gouvernements fédéral et provincial
- Institutions financières
- Municipalités
- Secteurs industriels divers

Salaire

Le salaire hebdomadaire moyen est de 733 $ (janvier 2005).

Remarques

- Pour exercer la profession et porter le titre de comptable agréé, il faut être membre de l'Ordre des comptables agréés du Québec.
- Pour porter le titre de comptable en management accrédité, il faut être membre de l'Ordre des comptables en management accrédités du Québec.
- Pour porter le titre de comptable général licencié, il faut être membre de l'Ordre des comptables généraux licenciés du Québec.
- L'étudiant qui quitte le programme après trois ans d'études au collégial est titulaire d'un DEC en Techniques administratives, spécialisation Finance ou en Techniques de comptabilité et de gestion ou en Gestion de commerces.

STATISTIQUES D'EMPLOI

	2001	2003	2005
Nb de personnes diplômées	781	795	910
% en emploi	92,9 %	90,0 %	89,2 %
% à temps plein	98,5 %	98,4 %	99,5 %
% lié à la formation	92,7 %	94,0 %	93,2 %

D E C – B A C

430.A0 430.B0

TECHNIQUES DE GESTION HÔTELIÈRE ou GESTION D'UN ÉTABLISSEMENT DE RESTAURATION / GESTION DU TOURISME ET DE L'HÔTELLERIE

DEC/BAC INTÉGRÉ 5 ANS — CUISEP 123-00

Compétences à acquérir

Au collégial : Techniques de gestion hôtelière OU Gestion d'un établissement de restauration

- Promouvoir les produits et les services d'un hôtel.
- Assurer des contrôles de qualité pour l'accueil et les installations.
- Gérer et contrôler les besoins de main-d'œuvre et de matières premières.
- Coordonner les activités hôtelières.
- Contrôler les ventes et les dépenses.

À l'université : Gestion du tourisme et de l'hôtellerie

- Gérer le phénomène touristique et les entreprises qui y sont liées.
- Contribuer au développement et à la planification touristique (produits et services, clientèles, projets, événements).
- Diriger une unité hôtelière ou de restauration.
- Promouvoir les attraits touristiques d'une région.
- Acquérir les habiletés liées à la gestion dans le but d'offrir des produits de qualité, des services efficaces et du personnel productif.
- Faire preuve d'autonomie, de leadership, d'habileté de communication et d'esprit méthodique.

Éléments du programme

Propres au DEC

- Commercialisation des produits et des services d'un hôtel
- Communication en langue seconde à des fins professionnelles
- Coordination des activités hôtelières
- Gestion et organisation hôtelières
- Notions de comptabilité en hôtellerie
- Promotion et organisation d'un congrès

Propres au DEC-BAC

- Comptabilité de gestion
- Gestion de l'hébergement
- Gestion de la restauration
- Gestion des organisations
- Planification et contrôle des projets
- Prévision et prospective du tourisme
- Publicité
- Relations de travail

Admission

Mathématiques 068-426.

Endroits de formation (voir pages 336 et 414)

Institut de tourisme et d'hôtellerie du Québec (ITHQ) **ET** Université du Québec à Montréal (UQAM).

Professions reliées

C.N.P.	
4163	Agent de développement touristique
0632	Aubergiste
6453	Capitaine de banquet
1226	Coordonnateur des congrès et des banquets
4163	Coordonnateur des services de tourisme
0621	Directeur d'agence de voyages
0631	Directeur de la restauration
0511	Directeur d'établissement touristique
0632	Directeur d'hôtel
0632	Directeur général d'établissement hôtelier
0631	Directeur-gérant de restaurant
0015	Gestionnaire d'entreprise touristique
2263	Inspecteur d'établissements hôteliers et touristiques
1226	Organisateur de congrès et événements spéciaux
6212	Technicien en gestion de services alimentaires

Endroits de travail

- Agences de voyages
- Associations touristiques
- Auberges
- Centres de congrès
- Centres de villégiature
- Chambres de commerce
- Gouvernements fédéral et provincial
- Hôtels
- Industrie touristique
- Municipalités
- Restaurants
- Services de traiteurs

Salaire

Donnée non disponible.

Statistiques d'emploi

Données non disponibles.

420.A0 TECHNIQUES DE L'INFORMATIQUE / CONCEPTION DE JEUX VIDÉO

DEC/BAC 5 ANS — CUISEP 455-353

Compétences à acquérir

Au collégial : Techniques de l'informatique

- Repérer, recueillir et analyser l'information sur les besoins des clients.
- Programmer des applications à l'aide de systèmes de gestion de bases de données.
- Rédiger des programmes à l'aide de divers langages de programmation et utiliser à bon escient les diverses structures de données.
- Rédiger des textes et communiquer avec les diverses personnes intervenant dans l'installation des systèmes informatiques.
- Intervenir aux divers stades d'implantation de systèmes automatisés de production et assurer l'interface avec les systèmes informatisés de gestion.

Deux voies de spécialisation sont offertes :
Gestion de réseau informatique; Informatique de gestion

À l'université : Conception de jeux vidéo

- Concevoir et développer des logiciels pour les jeux vidéo.
- Concevoir et développer des systèmes informatiques.
- Réaliser des programmes complexes.
- Assurer la mise en œuvre et l'implantation de logiciels dans le contexte des jeux vidéo.

Éléments du programme

Propre au DEC

- Base de données
- Développement d'applications
- Développement et mise en œuvre
- Programmation
- Systèmes d'exploitation

Propre au DEC-BAC

- Algèbre linéaire et calcul différentiel et intégral
- Développer un prototype de jeux vidéo
- Programmation orienté objet
- Algorithmes et structures de données
- Intelligence artificielle
- Infographie
- Gestion de projet

Admission

Mathématiques 018-536 ou 064-534 **ET** excellence du dossier scolaire dans certains cégeps.
UQAC : Avoir atteint les objectifs et les standards suivants en mathématiques 00UN ou 01Y1 ou 022X; et 00UP ou 01Y2 ou 0022Y; et 00UQ ou 01Y4 ou 0022Z ou réussir les cours équivalents à l'université.

Endroits de formation (voir pages 336 et 414)

Cégep de Chicoutimi, Cégep de jonquière, Cégep de Sept-Îles **ET** Université du Québec à Chicoutimi (UQAC).

Professions reliées

C.N.P.

2162 Analyste en informatique
2174 Gestionnaire de projet multimédia
2174 Programmeur
2174 Programmeur analyste
2174 Programmeur d'applications

Endroits de travail

- Industrie du jeux électronique
- Industrie du multimédia

Salaire

Le salaire hebdomadaire moyen est de 819 $ (janvier 2005).

STATISTIQUES D'EMPLOI

	2001	2003	2005
Nb de personnes diplômées	831	1 172	1 160
% en emploi	90,0 %	80,0 %	76,3 %
% à temps plein	99,6 %	97,1 %	96,1 %
% lié à la formation	93,8 %	86,4 %	80,4 %

DEC — BAC

420.AA /AB/AC TECHNIQUES DE L'INFORMATIQUE / INFORMATIQUE ou INFORMATIQUE ET GÉNIE LOGICIEL ou INFORMATIQUE ET RECHERCHE OPÉRATIONNELLE

DEC+BAC INTÉGRÉ 5 ANS — CUISEP 455-353

Compétences à acquérir

Au collégial : Techniques de l'informatique

- Repérer, recueillir et analyser l'information sur les besoins des clients.
- Programmer des applications à l'aide de systèmes de gestion de bases de données.
- Rédiger des programmes à l'aide de divers langages de programmation et utiliser à bon escient les diverses structures de données.
- Rédiger des textes et communiquer avec les diverses personnes intervenant dans l'installation des systèmes informatiques.
- Intervenir aux divers stades d'implantation de systèmes automatisés de production et assurer l'interface avec les systèmes informatisés de gestion.

Trois voies de spécialisations sont offertes :
Gestion de réseaux informatiques; Informatique de gestion; Informatique industrielle.

À l'université : Informatique OU Informatique et génie logiciel OU Informatique et recherche opérationnelle

- Concevoir et développer des systèmes informatiques.
- Concevoir des bases de données.
- Réaliser des programmes complexes.
- Assurer la mise en œuvre et l'implantation de systèmes.
- Assurer la maintenance de systèmes dans les organisations.
- Étudier un problème informatique précis en déterminant les besoins des usagers.

Éléments du programme

Propres au DEC

- Base de données
- Développement d'applications
- Développement et mise en œuvre
- Programmation
- Systèmes d'exploitation

Propres au DEC-BAC

- Calcul différentiel et intégral
- Développement d'applications
- Mathématiques pour informaticien
- Programmation orientée objet
- Structure des données et algorithmes
- Réseaux
- Infographie
- Systèmes d'exploitation
- Bases de données

Admission

Mathématiques 068-536 ou 064-536 ou 064-534 **ET** excellence du dossier scolaire dans certains cégeps.

Mathématiques NYA, NYB et NYC ou 103-77, 203-77 et 105-77 **ou** 103-RE et 105-RE **OU** les cours équivalents à l'université.

ET

UQAC : Mathématiques 103, 105, 203; objectifs : 00UN, 00UP, 00UQ ou 01Y1, 01Y2 et 01Y4 ou 022X, 022Y et 022Z.

Endroits de formation (voir pages 336 et 414)

- Cégep de Lévis-Lauzon **ET** Université de Sherbrooke.
- Cégep de Chicoutimi, Cégep de Jonquière, Cégep de Sept-Îles, Collège d'Alma **ET** Université du Québec à Chicoutimi (UQAC).
- Collège Montmorency, Collège de Maisonneuve **ET** Université du Québec à Montréal (UQAM).
- Cégep de Drummondville, Cégep de Sorel-Tracy, Cégep de Trois-Rivières, Collège Shawinigan **ET** Université du Québec à Trois-Rivières (UQTR).
- Cégep Beauce-Appalaches, Cégep de Drummondville, Cégep de l'Abitibi-Témiscamingue, Cégep de Granby – Haute-Yamaska, Cégep de la Gaspésie et des Îles, Cégep de La Pocatière, Cégep de Lévis-Lauzon, Cégep de Matane, Cégep de Rimouski, Cégep de Rivière-du-Loup, Cégep de Sainte-Foy, Cégep de Saint-Jean-sur-Richelieu, Cégep de Sept-Îles, Cégep de Sherbrooke, Cégep de Thetford, Cégep de Trois-Rivières, Cégep de Victoriaville, Cégep du Vieux Montréal, Cégep Limoilou (Campus de Québec), Cégep Lionel-Groulx, Cégep régional de Lanaudière (Joliette), Centre d'études collégiales de Baie-des-Chaleurs, Centre d'études collégiales de Lac-Mégantic, Collège Ahuntsic, Collège de Rosemont, Collège François-Xavier-Garneau, Collège LaSalle, Collège Maisonneuve, Collège Montmorency, Collège Shawinigan **ET** Université Laval.
- Collège de Maisonneuve **ET** Université de Montréal.

420.AA /AB/AC TECHNIQUES DE L'INFORMATIQUE / INFORMATIQUE ou INFORMATIQUE ET GÉNIE LOGICIEL ou INFORMATIQUE ET RECHERCHE OPÉRATIONNELLE

(SUITE)

Professions reliées

C.N.P.

2172	Administrateur de bases de données
2162	Administrateur de systèmes informatiques
2171	Analyste en informatique
2171	Analyste en informatique de gestion
2162	Ergonome des interfaces
2162	Gestionnaire de projet multimédia
2162	Idéateur
2174	Programmeur
2174	Programmeur-analyste
2174	Programmeur d'applications
2283	Technicien en essai de systèmes
2174	Technologue en informatique
2175	Webmestre

Endroits de travail

- À son compte
- Commerces de détail et de services informatiques
- Compagnies d'assurances
- Entreprises manufacturières
- Établissements d'enseignement
- Firmes de consultants en informatique
- Gouvernements fédéral et provincial
- Industrie de multimédia
- Institutions financières
- Municipalités
- Petites et moyennes entreprises

Salaire

Le salaire hebdomadaire moyen est de 819 $ (janvier 2005).

Remarques

- L'étudiant qui le désire peut intégrer en tout temps une cohorte régulière du DEC en Techniques de l'informatique 420.A0.
- Le Cégep de Chicoutimi offre deux possibilités, soit le DEC-BAC intégré en Informatique de gestion, soit le DEC-BAC intégré en Informatique.
- Le Cégep de La Pocatière, le Cégep de Rivière-du-Loup, le Cégep de Sainte-Foy et Cégep Limoilou (Campus de Québec) offrent le programme avec la formule d'enseignement coopératif en Alternance Travail-études (ATE).
- Au Cégep de Lionel-Groulx, le DEC-BAC ne vise que la voie de spécialisation Informatique de gestion (420.AA).
- Au Cégep de Trois-Rivières, l'étudiant obtient trois diplômes en cinq ans : un DEC en Techniques de l'informatique – Informatique de gestion; un certificat en Informatique (sur demande après la 4e année); un baccalauréat en Informatique.
- À l'Université de Sherbrooke, le DEC-BAC harmonisé en Informatique ou en Informatique de gestion, d'une durée de 5 ans et demi, est offert en régime coopératif.
- Le numéro d'identification du programme (code) varie selon les établissements d'enseignement : Cégep Beauce-Appalaches, Cégep de La Pocatière, Cégep de Matane, Cégep de Thetford – code 420.A0; Cégep de Chicoutimi, Cégep de Jonquière et Collège d'Alma – code 420.B0; Cégep de Sainte-Foy et Collège François-Xavier-Garneau – code 420.A5; Cégep Limoilou (Campus de Québec) – codes 420.A1 et 420.A2.

STATISTIQUES D'EMPLOI	2001	2003	2005
Nb de personnes diplômées	831	1 172	1 160
% en emploi	90,0 %	80,0 %	76,3 %
% à temps plein	99,6 %	97,1 %	96,1 %
% lié à la formation	93,8 %	86,4 %	80,4 %

DEC—BAC

420.A0/ 420.01 TECHNIQUES DE L'INFORMATIQUE / INFORMATIQUE DE GESTION

DEC+BAC INTÉGRÉ 5 ANS — CUISEP 455-353

Compétences à acquérir

Au collégial : Techniques de l'informatique

- Repérer, recueillir et analyser l'information sur les besoins des clients.
- Programmer des applications à l'aide de systèmes de gestion de bases de données.
- Rédiger des programmes à l'aide de divers langages de programmation et utiliser à bon escient les diverses structures de données.
- Rédiger des textes et communiquer avec les diverses personnes intervenant dans l'installation des systèmes informatiques.
- Intervenir aux divers stades d'implantation de systèmes automatisés de production et assurer l'interface avec les systèmes informatisés de gestion.

Trois voies de spécialisations sont offertes :

Gestion de réseaux informatiques; Informatique de gestion; Informatique industrielle.

À l'université : Informatique de gestion

- Élaborer et mettre en œuvre des solutions informatiques afin de répondre aux besoins de traitement de l'information des entreprises.
- Analyser et administrer des réseaux informatiques.
- Assurer l'implantation et la mise en œuvre de systèmes.
- Appliquer les techniques de l'informatique et les sciences administratives à la résolution de problèmes de gestion (facturation, contrôle des stocks, fichiers divers, archives, numération, etc.)
- Analyser les besoins d'information aux différents niveaux administratifs et construire des systèmes informatiques répondant à des besoins précis.

Éléments du programme

Propres au DEC

- Base de données
- Développement d'applications
- Développement et mise en œuvre
- Programmation

Propres au DEC-BAC

- Programmation
- Systèmes d'information
- Modélisation et bases de données
- Réseaux, programmation client-serveur
- Marketing, comptabilité, finance
- Développement de site Web
- Gestion de projets

Admission

Mathématiques 068-536 ou 064-536 ou 064-534 et excellence du dossier scolaire dans certains cégeps.

UQAC : Mathématiques 103, 105, et 203; objectifs : 00UN, 00UP, 00UQ ou 01Y1, 01Y2, 01Y4 ou 022X, 022Y et 022Z **OU** réussir les cours équivalents à l'université.

Endroits de formation (voir pages 336 et 414)

Cégep de Chicoutimi, Cégep de Sept-Îles **ET** Université du Québec à Chicoutimi (UQAC)

Professions reliées

C.N.P.

2272 Administrateur de bases de données
2171 Analyste en informatique
2171 Analyste en informatique de gestion
2174 Gestionnaire de réseaux informatiques
2174 Programmeur
2174 Programmeur-analyste
2174 Technologue en informatique

Endroits de travail

- À son compte
- Centres hospitaliers
- Commissions scolaires
- Compagnies d'assurances
- Entreprises de services informatiques
- Entreprises de services publics
- Établissements d'enseignement universitaires
- Firmes de service-conseil en gestion d'entreprise
- Firmes d'ingénieurs
- Gouvernements fédéral et provincial
- Institutions financières
- Municipalités
- Sociétés de fiducie
- Sociétés d'investissements

Salaire

Le salaire hebdomadaire moyen est de 819 $ (janvier 2005).

STATISTIQUES D'EMPLOI

	2001	2003	2005
Nb de personnes diplômées	831	1 172	1 160
% en emploi	90,0 %	80,0 %	76,3 %
% à temps plein	99,6 %	97,1 %	96,1 %
% lié à la formation	93,8 %	86,4 %	80,4 %

210.02 TECHNIQUES DE GÉNIE CHIMIQUE / GÉNIE CHIMIQUE

DEC-BAC INTÉGRÉ 6 ANS — CUISEP 413/414-000

Compétences à acquérir

Au collégial : Techniques de génie chimique

- Mettre au point des méthodes de fabrication.
- Déceler et corriger les problèmes mineurs dans le fonctionnement des appareils de mesure et de contrôle.
- Calibrer et maîtriser le déroulement de procédés et rédiger des rapports.
- Faire divers tests et analyses chimiques en vue d'assurer les normes de qualité, d'améliorer les procédés industriels et d'optimiser les rendements dans la transformation des produits.

À l'université : Génie chimique

Données non disponibles.

Éléments du programme

Propres au DEC

- Analyse organique
- Calcul différentiel et intégral
- Compléments de mathématique
- Contrôle et instrumentation des procédés
- Essais et mesures physico-chimiques
- Opérations fondamentales

Propres au DEC-BAC

- Cinétique chimique
- Épuration des eaux
- Ingénierie de la qualité
- Mécanique des fluides
- Procédés électrochimiques
- Transfert de chaleur

Admission

Mathématiques 068-536 ou 064-536 ou 064-534 ou 066-528 ou 066-538.
Physique 054-584 ou 054-534 ou 054-424 ou 054-434 ou 053-454 ou 053-534.
Chimie 051-584 ou 051-534 ou 051-564.
Laval : Avoir obtenu le DEC selon les termes de l'entente DEC-BAC.

Endroits de formation (voir pages 336 et 414)

Cégep de Lévis-Lauzon **ET** Université Laval.

Professions reliées

C.N.P.
2134 Ingénieur chimiste
2134 Ingénieur chimiste de la production
2134 Ingénieur chimiste en recherche
2134 Ingénieur chimiste spécialiste des études et projets
2131 Ingénieur civil en écologie générale
2131 Ingénieur de l'environnement
2145 Ingénieur du pétrole
2148 Ingénieur du textile
2144 Ingénieur en transformation des matériaux composites
2211 Technologue en génie chimique
2211 Technologue en génie pétrochimique
2211 Technologue en procédés de fabrication alimentaire

Endroits de travail

- Centres de recherche
- Compagnies d'appareillage industriel
- Compagnies minières
- Entreprises de recyclage
- Fimes de consultants
- Gouvernements fédéral et provincial
- Industrie alimentaire
- Industrie métallurgique
- Industrie pharmaceutique
- Papetières
- Raffineries
- Usines de produits chimiques

Salaire

Le salaire hebdomadaire moyen est de 919 $ (janvier 2005).

Remarque

Pour exercer la profession et porter le titre d'ingénieur, il faut être membre de l'Ordre des ingénieurs du Québec.

STATISTIQUES D'EMPLOI

	2001	2003	2005
Nb de personnes diplômées	120	161	129
% en emploi	80,8 %	77,3 %	75,0 %
% à temps plein	98,3 %	97,6 %	96,7 %
% lié à la formation	84,5 %	84,3 %	75,9 %

DEC — BAC

241.A0 TECHNIQUES DE GÉNIE MÉCANIQUE – *CONCEPTION* ou *FABRICATION* / GÉNIE MÉCANIQUE

DEC-BAC 6 ANS — CUISEP 455-400

Compétences à acquérir

Au collégial : Techniques de génie mécanique, spécialisation *Conception* ou *Fabrication*

- Produire et analyser les dessins de pièces mécaniques pour déterminer les modes de fabrication.
- Fabriquer des prototypes et faire la réparation d'appareils et d'instruments mécaniques.
- Planifier et préparer la séquence des opérations de fabrication et de la standardisation des méthodes de travail et évaluer le temps de fabrication.
- Programmer et implanter des automates programmables, des robots et des machines dédiées.
- Vérifier la qualité des produits manufacturés.
- Coordonner le personnel, le matériel et l'équipement.

À l'université : Génie mécanique

- Concevoir ou améliorer des systèmes mécaniques (moteur, transmission, turbines) utilisés dans la fabrication de machines et d'appareils de toutes sortes en production industrielle ou dans le domaine du bâtiment.
- Superviser la réalisation des plans.
- Choisir les matériaux et la méthode de fabrication.
- Diriger les travaux de fabrication et les essais de prototypes.
- Évaluer les installations et les procécés mécaniques de fabrication et s'assurer du respect des normes de sécurité.
- Recommander des méthodes d'entretien.

Éléments du programme

Propres au DEC

- Calcul différentiel et intégral
- Dessin de constructions mécaniques
- Électromécanique
- Méthodes d'usinage en série
- Outillage de production
- Sciences graphiques
- Stage industriel
- Techniques de machines-outils

Propres au DEC-BAC

- Dessin de machines
- Mathématiques du génie mécanique
- Probabilités et statistiques
- Production industrielle
- Thermodynamique technique

Admission

Mathématiques 526; Physique 534 et réussir les cours de mathématiques 201-NYC-05, 201-NYA-05 et 201-NYB-05 ainsi que le cours de Sécurité au travail 311-921-88.

Laval : Mathématiques NYA (ou DZA-04 et DZB-03), NYAB, NYC; Physique NYB.

Endroits de formation (voir pages 336 et 414)

Cégep Limoilou, Cégep de Lévis-Lauzon **ET** Université Laval.

Professions reliées

C.N.P.

2141	Ingénieur du contrôle de la qualité industrielle
2146	Ingénieur en aérospatial
2148	Ingénieur en construction navale
2132	Ingénieur mécanicien
2232	Technicien en génie mécanique
2232	Technologue en génie mécanique
2241	Technologue en robotique

Endroits de travail

- Centres de recherche industrielle
- Firmes d'ingénieurs-conseils
- Gouvernements fédéral et provincial
- Industrie aérospatiale
- Industrie des pâtes et papiers
- Industrie manufacturière
- Industrie minière

Salaire

Le salaire hebdomadaire moyen est de 886 $ (janvier 2005).

Remarque

Pour exercer la profession et porter le titre d'ingénieur, il faut être membre de l'Ordre des ingénieurs du Québec.

STATISTIQUES D'EMPLOI

	2001	2003	2005
Nb de personnes diplômées	521	595	731
% en emploi	88,8 %	83,1 %	78,3 %
% à temps plein	99,6 %	98,9 %	99,2 %
% lié à la formation	89,4 %	87,7 %	83,7 %

210.AA TECHNIQUES DE LABORATOIRE – *BIOTECHNOLOGIE* / BIOLOGIE ou GÉNIE BIOTECHNOLOGIQUE ou SCIENCES BIOLOGIQUES ou SCIENCES BIOLOGIQUES ET ÉCOLOGIQUES

DEC/BAC 5 ANS CUISEP 313-000

Compétences à acquérir

Au collégial : Techniques de laboratoire, spécialisation *Biotechnologie* OU Techniques de chimie-biologie (ancien programme)

- Appliquer les connaissances acquises en chimie-biologie à l'industrie alimentaire et pharmaceutique, à l'environnement, à la recherche médicale et scientifique ou aux secteurs biotechnologique et bio-industriel.
- Assister les professionnels dans l'analyse et le contrôle de la qualité des matières premières et des produits alimentaires et pharmaceutiques.
- Faire des expériences, mettre au point de nouvelles techniques et de nouveaux instruments.
- Faire des prélèvements.
- Cultiver et isoler divers types de micro-organismes
- Identifier, classifier et assurer la conservation des échantillons biologiques.
- Dispenser des soins aux animaux de laboratoire et les manipuler lors des expériences.

À l'université : Biologie OU Génie biotechnologique ou Sciences biologiques OU Sciences biologiques et écologiques

- Étudier des phénomènes de la vie végétale ou animale (structures, fonctions, réactions et comportements) et procéder à l'analyse des données recueillies.
- Travailler à la protection de l'environnement ainsi qu'à l'utilisation et à la conservation des ressources naturelles.
- Travailler à l'aménagement des lieux et de la faune.
- Étudier les relations entre les êtres vivants et leur milieu.

Éléments du programme

Propres au DEC

- Activités liées au génie génétique
- Analyses d'immunologie appliquée, de toxicologie et d'écotoxicologie, de biochimie appliquée et de microbiologie appliquée
- Culture des cellules animales et végétales
- Données d'anatomie et de physiologie
- Micro-organismes
- Techniques d'immunologie
- Techniques de biologie moléculaires
- Utilisation des animaux de laboratoire
- Utilisation des cellules dans les bioprocédés

Propres au DEC-BAC

- Biotechnologie
- Écologie générale et végétale
- Génétique
- Méthodes quantitatives
- Mycologie
- Phycologie
- Physiologie animale et végétale
- Structure et fonctions des végétaux
- Toxicologie environnementale

Admission

Mathématiques 068-526; Physique 054-584; Chimie 051-584.

Laval : Avoir obtenu le DEC selon les termes de l'entente DEC-BAC.

Endroits de formation (voir pages 336 et 414)

- Cégep de Lévis-Lauzon, Cégep de Saint-Hyacinthe, Collège Ahuntsic **ET** Université de Montréal pour Sciences biologiques.
- Cégep de Lévis-Lauzon, Collège Shawinigan **ET** Université de Sherbrooke pour Génie biotechnologique et Biologie.
- Cégep de Lévis-Lauzon **ET** Université du Québec à Rimouski (UQAR) pour Biologie.
- Cégep de Lévis-Lauzon* **ET** Université du Québec à Trois-Rivières (UQTR) pour Sciences biologiques et écologiques.
- Cégep de Lévis-Lauzon, Collège Shawinigan **ET** Université Laval pour Biologie.
- Collège Ahuntsic **ET** Université de Sherbrooke pour Biologie.

* *Entente en développement.*

Professions reliées

C.N.P.

2121	Biologiste
2121	Botaniste
2121	Écologiste
2121	Ichtyologiste
2224	Interprète de la nature
2221	Technologue en bactériologie
2221	Technicien en biologie
2221	Technologue en chimie-biologie
2211	Technologue en procédés de fabrication alimentaire
3211	Technologue en biochimie
2121	Zoologiste

DEC — BAC

210.AA TECHNIQUES DE LABORATOIRE – *BIOTECHNOLOGIE* / BIOLOGIE ou GÉNIE BIOTECHNOLOGIQUE ou SCIENCES BIOLOGIQUES ou SCIENCES BIOLOGIQUES ET ÉCOLOGIQUES (SUITE)

Endroits de travail

- Centres d'interprétation de la nature
- Centres de recherche
- Compagnies de produits cosmétiques
- Établissements d'enseignement universitaire
- Firmes d'experts-conseils
- Gouvernements fédéral et provincial
- Industrie de transformation alimentaire
- Industrie pharmaceutique
- Jardins botaniques
- Laboratoires
- Usines de traitement des eaux

Salaire

Le salaire hebdomadaire moyen est de 629 $ (janvier 2005).

Remarque

À l'Université Laval, les étudiants sont admis à partir de l'ancien DEC : 210.03 Techniques de chimie-biologie.

STATISTIQUES D'EMPLOI

	2001	2003	2005
Nb de personnes diplômées	651	726	593
% en emploi	39,7 %	36,7 %	31,9 %
% à temps plein	90,3 %	88,1 %	83,5 %
% lié à la formation	68,4 %	72,4 %	70,8 %

210.AA TECHNIQUES DE LABORATOIRE – *BIOTECHNOLOGIE* / AGRONOMIE

DEC-BAC 5 ANS — CUISEP 311-100

Compétences à acquérir

Au collégial : Techniques de laboratoire, spécialisation *Biotechnologie*

- Appliquer les connaissances acquises en chimie-biologie à l'industrie alimentaire et pharmaceutique, à l'environnement, à la recherche médicale et scientifique ou aux secteurs biotechnologique et bio-industriel.
- Assister les professionnels dans l'analyse et le contrôle de la qualité des matières premières et des produits alimentaires et pharmaceutiques.
- Faire des expériences, mettre au point de nouvelles techniques et de nouveaux instruments.
- Faire des prélèvements.
- Cultiver et isoler divers types de micro-organismes.
- Identifier, classifier et assurer la conservation des échantillons biologiques.
- Dispenser des soins aux animaux de laboratoire et les manipuler lors des expériences.

À l'université : Agronomie

- Assurer une saine gestion et utilisation des ressources vouées à la production agricole et alimentaire.
- Assurer la vulgarisation des sciences agronomiques.
- Résoudre des problèmes agricoles par l'application des sciences biologiques.
- Améliorer la productivité des sols, des plantes et des animaux.
- Veiller à la production et à la conservation des ressources biologiques ou biophysiques agricoles.

Éléments du programme

Propres au DEC

- Biochimie
- Biologie animale et végétale
- Chimie des solutions
- Compléments de mathématique
- Microbiologie
- Optique et structure de la matière

Propres au DEC-BAC

- Anatomie et physiologie animales
- Comptabilité des entreprises
- Fertilisation des sols
- Genèse et classification des sols
- Génétique
- Nutrition animale
- Physiologie végétale
- Sciences du sol

Admission

Mathématiques 068-526; Chimie 051-584 ou 051-534; Physique 054-584 ou 054-534.

Laval : Être titulaire du DEC en techniques de laboratoire, voie de spécialisation Biotechnologie.

Endroits de formation (voir pages 336 et 414)

Cégep de Lévis-Lauzon **ET** Université Laval.

Professions reliées

C.N.P.	
2121	Agronome
2123	Agronome-dépisteur
2123	Agronome des services de vulgarisation
2123	Agronome en agriculture biologique
2123	Agronome en production animale
2123	Agronome en production végétale
2115	Agronome pédologue
2121	Bactériologiste des sols
2121	Entomologiste
2123	Malherbologiste
2121	Phytobiologiste
2221	Technicien en biologie
2221	Technicien en environnement
2221	Technologue en bactériologie
3211	Technologue en biochimie
2221	Technologue en chimie-biologie
2121	Zoologiste

Endroits de travail

- Bureaux d'experts-conseils en gestion agricole
- Centres de recherche
- Coopératives agricoles
- Entreprises agricoles
- Gouvernements fédéral et provincial
- Laboratoires
- Organismes internationaux

Salaire

Le salaire hebdomadaire moyen est de 696 $ (janvier 2005).

Remarques

- Pour exercer la profession et porter le titre d'agronome, il faut être membre de l'Ordre des agronomes du Québec.
- Des études de 2e cycle sont nécessaires pour exercer les professions suivantes : agronome pédologue, bactériologiste des sols, entomologiste, malherbologiste, phytopathologiste.

STATISTIQUES D'EMPLOI

	2001	2003	2005
Nb de personnes diplômées	177	168	181
% en emploi	75,9 %	67,7 %	69,3 %
% à temps plein	91,1 %	94,4 %	95,5 %
% lié à la formation	89,1 %	90,6 %	88,1 %

DEC – BAC

210.AA TECHNIQUES DE LABORATOIRE – *BIOTECHNOLOGIE* / BIOCHIMIE ou BIOCHIMIE – BIOTECHNOLOGIE ou BIOTECHNOLOGIE

DEC-BAC HARMONISÉ 5 ANS — CUISEP 411-000

Compétences à acquérir

Au collégial : Techniques de laboratoire, spécialisation *Biotechnologie*

- Appliquer les connaissances acquises en chimie-biologie à l'industrie alimentaire et pharmaceutique, à l'environnement, à la recherche médicale et scientifique ou aux secteurs biotechnologique et bio-industriel.
- Assister les professionnels dans l'analyse et le contrôle de la qualité des matières premières et des produits alimentaires et pharmaceutiques.
- Faire des expériences, mettre au point de nouvelles techniques et de nouveaux instruments.
- Faire des prélèvements.
- Cultiver et isoler divers types de micro-organismes.
- Identifier, classifier et assurer la conservation des échantillons biologiques.
- Dispenser des soins aux animaux de laboratoire et les manipuler lors des expériences.

À l'université : Biochimie OU Biochimie et biotechnologie OU Biotechnologie

- Mettre au point des pesticides, des hormones végétales et animales, des insecticides, des antibiotiques et divers produits pharmaceutiques.
- Étudier les réactions biochimiques et la nature des constituants chimiques des êtres vivants et des substances qu'ils produisent.
- Faire des recherches sur les mécanismes biologiques comme le sommeil, la division cellulaire et l'hérédité.
- Produire des rapports de travaux, d'expertises ou d'analyses.
- Déterminer la composition et la qualité de biens produits, de matériaux, de procédés et d'appareils en vue d'assurer le contrôle de la qualité ou d'établir un diagnostic.

Éléments du programme

Propres au DEC

- Biochimie
- Biologie animale et végétale
- Chimie des solutions
- Compléments de mathématique
- Microbiologie
- Optique et structure de la matière

Propres au DEC-BAC

- Biochimie
- Biologie cellulaire
- Chimie organique
- Enzymologie
- Éthique scientifique
- Immunologie
- Microbiologie
- Normes environnementales

Admission

Mathématiques 068-526; Chimie 051-584 ou 051-534; Physique 054-584 ou 054-534.
Laval : Avoir réussi les Mathématiques NYA et NYB.

Endroits de formation (voir pages 336 et 414)

- Collège Ahuntsic **ET** Université de Montréal pour Biochimie.
- Cégep de Lévis-Lauzon, Cégep de Saint-Hyacinthe, Cégep de Sherbrooke, Collège Ahuntsic, Collège Shawinigan **ET** Université de Sherbrooke pour Biotechnologie.
- Cégep de Lévis-Lauzon **ET** Université du Québec à Rimouski pour Biologie.
- Cégep de Lévis-Lauzon, Cégep de Saint-Hyacinthe, Collège Ahuntsic, Collège Shawinigan **ET** Université du Québec à Trois-Rivières pour Biochimie et biotechnologie.
- Cégep de Lévis-Lauzon, Collège Ahuntsic **ET** Université Laval pour Biologie.

Professions reliées

C.N.P.

2112	Biochimiste
2211	Contrôleur de produits pharmaceutiques
2221	Technicien en environnement
2221	Technologue en chimie-biologie
2211	Technologue en procédés de fabrication alimentaire
3211	Technologue en biochimie

210.AA TECHNIQUES DE LABORATOIRE – *BIOTECHNOLOGIE* / BIOCHIMIE ou BIOCHIMIE – BIOTECHNOLOGIE ou BIOTECHNOLOGIE

(SUITE)

Endroits de travail

- Centres de recherche
- Compagnies de produits cosmétiques
- Entreprises de fabrication de produits chimiques
- Gouvernements fédéral et provincial
- Industrie de la transformation des produits alimentaires
- Industrie pharmaceutique
- Laboratoires médicaux

Salaire

Le salaire hebdomadaire moyen est de 685 $ (janvier 2005).

Remarques

- Pour exercer la profession et porter le titre de biochimiste, il faut être membre de l'Ordre des chimistes du Québec.
- À l'Université du Québec à Rimouski (UQAR), le programme comprend une majeure en Biologie et une mineure en Chimie.
- À l'Université Laval, les étudiants sont admis avec l'ancien DEC : 201.03 Techniques de chimie-biologie.

STATISTIQUES D'EMPLOI

	2001	2003	2005
Nb de personnes diplômées	305	302	303
% en emploi	40,1 %	35,0 %	24,6 %
% à temps plein	96,6 %	94,8 %	90,2 %
% lié à la formation	81,4 %	74,0 %	60,9 %

DEC — BAC

210.AA TECHNIQUES DE LABORATOIRE – *BIOTECHNOLOGIE* / BIOLOGIE MÉDICALE

DEC-BAC HARMONISÉ 5 ANS — CUISEP 353-610

Compétences à acquérir

Au collégial : Techniques de laboratoire, spécialisation *Biotechnologie*

- Appliquer les connaissances acquises en chimie-biologie à l'industrie alimentaire et pharmaceutique, à l'environnement, à la recherche médicale et scientifique ou aux secteurs biotechnologique et bio-industriel.
- Assister les professionnels dans l'analyse et le contrôle de la qualité des matières premières et des produits alimentaires et pharmaceutiques.
- Faire des expériences, mettre au point de nouvelles techniques et de nouveaux instruments.
- Faire des prélèvements.
- Cultiver et isoler divers types de micro-organismes.
- Identifier, classifier et assurer la conservation des échantillons biologiques.
- Dispenser des soins aux animaux de laboratoire et les manipuler lors des expériences.

À l'université : Biologie médicale

- Acquérir une connaissance approfondie du corps humain et du fonctionnement de ses systèmes.
- Comprendre les systèmes normaux et pathologiques humains.
- Développer les aptitudes requises sur le plan de l'expérimentation et des techniques de laboratoire pour travailler dans des laboratoires médicaux et pharmaceutiques.

Éléments du programme

Propres au DEC

- Biochimie
- Biologie animale et végétale
- Chimie des solutions
- Compléments de mathématique
- Microbiologie
- Optique et structure de la matière

Propres au DEC-BAC

- Anatomie descriptive
- Biologie cellulaire
- Biochimie
- Hématologie
- Histologie
- Microbiologie
- Pharmacologie
- Physiologie humaine
- Stage en biologie médicale

Admission

Mathématiques 068-526; Physique 054-584 ou 054-534; Chimie 051-584 ou 051-534.

Endroits de formation (voir pages 336 et 414)

Cégep de Lévis-Lauzon, Cégep de Saint-Jean-sur-Richelieu, Collège Ahuntsic **ET** Université du Québec à Trois-Rivières (UQTR).

Professions reliées

C.N.P.

2121 Biologiste médical
2221 Technicien en biologie
2221 Technologue en bactériologie
3211 Technologue en biochimie
2221 Technologue en chimie-biologie

Endroits de travail

- Établissements d'enseignement collégial
- Industrie agroalimentaires
- Industrie pharmaceutique
- Laboratoires de recherche universitaire

Salaire

Le salaire hebdomadaire moyen est de 811 $ (janvier 2005).

STATISTIQUES D'EMPLOI

	2001	2003	2005
Nb de personnes diplômées	99	162	120
% en emploi	52,6 %	60,9 %	38,9 %
% à temps plein	85,4 %	83,3 %	89,3 %
% lié à la formation	82,9 %	90,8 %	60,0 %

210.AA TECHNIQUES DE LABORATOIRE – *BIOTECHNOLOGIE* / BIOLOGIE MOLÉCULAIRE ou MICROBIOLOGIE

DEC-BAC HARMONISÉ 5 ANS — CUISEP 313-400

Compétences à acquérir

Au collégial : Techniques de laboratoire, spécialisation *Biotechnologie*

- Appliquer les connaissances acquises en chimie-biologie à l'industrie alimentaire et pharmaceutique, à l'environnement, à la recherche médicale et scientifique ou aux secteurs biotechnologique et bio-industriel.
- Assister les professionnels dans l'analyse et le contrôle de la qualité des matières premières et des produits alimentaires et pharmaceutiques.
- Faire des expériences, mettre au point de nouvelles techniques et de nouveaux instruments.
- Faire des prélèvements.
- Cultiver et isoler divers types de micro-organismes.
- Identifier, classifier et assurer la conservation des échantillons biologiques.
- Dispenser des soins aux animaux de laboratoire et les manipuler lors des expériences.

À l'université : Biologie moléculaire OU Microbiologie

- Faire des recherches sur les micro-organismes (virus, bactéries, etc.), étudier leurs formes, leurs structures, leurs moyens de reproduction, etc.
- Mettre au point des vaccins ou des médicaments.
- Procéder à divers examens de substances ou d'êtres vivants exposés à des contaminations.
- Chercher les causes d'épidémies ou d'empoisonnements alimentaires et les moyens de les contrer.
- Travailler à la prévention et au traitement des maladies.

Éléments du programme

Propres au DEC

- Biochimie
- Biologie animale et végétale
- Chimie des solutions
- Compléments de mathématique
- Microbiologie
- Optique et structure de la matière

Propres au DEC-BAC

- Écologie microbienne
- Génétique
- Microbiologie et bioéthique
- Microbiologie générale
- Physiologie microbienne
- Virologie

Admission

Mathématiques 068-526; Physique 054-584 ou 054-534; Chimie 051-584 ou 051-534.

Laval : Avoir obtenu le DEC selon les termes de l'entente DEC-BAC.

Endroits de formation (voir pages 336 et 414)

- Cégep de Lévis-Lauzon, Cégep de Sherbrooke, Collège Shawinigan **ET** Université de Sherbrooke.
- Cégep de Lévis-Lauzon **ET** Université de Sherbrooke* pour le double BAC en Biotechnologie, concentration Bio-informatique et Biotechnologie, concentration Biologie moléculaire.
- Cégep de Lévis-Lauzon, Collège Ahuntsic, Collège Shawinigan **ET** Université Laval.

** Entente en développement.*

Professions reliées

C.N.P.

2211	Contrôleur de produits pharmaceutiques
2121	Microbiologiste
2121	Microbiologiste industriel
2221	Technicien en bactériologie
2221	Technicien en biologie
3211	Technologue en biochimie
2221	Technologue en chimie-biologie
2211	Technologue en procédés de fabrication alimentaire

Endroits de travail

- Centres de recherche
- Compagnies de produits cosmétiques
- Établissements d'enseignement universitaire
- Gouvernements fédéral et provincial
- Industrie de la transformation des produits alimentaires
- Industrie pharmaceutique

Salaire

Le salaire hebdomadaire moyen est de 623 $ (janvier 2005).

Remarques

- L'Université de Sherbrooke offre le baccalauréat en Biologie moléculaire et le baccalauréat en Microbiologie.
- À l'Université Laval, les étudiants sont admis à partir de l'ancien DEC : 210.03 Techniques de chimie-biologie.

STATISTIQUES D'EMPLOI

	2001	2003	2005
Nb de personnes diplômées	192	199	174
% en emploi	37,4 %	30,6 %	20,4 %
% à temps plein	93,9 %	93,3 %	9,3 %
% lié à la formation	67,4 %	64,3 %	52,4 %

D E C — B A C

210.AA TECHNIQUES DE LABORATOIRE – *BIOTECHNOLOGIE* / PHARMACOLOGIE

DEC-BAC HARMONISÉ 5 ANS — CUISEP 353-400

Compétences à acquérir

Au collégial : Techniques de laboratoire, spécialisation *Biotechnologie*

- Appliquer les connaissances acquises en chimie-biologie à l'industrie alimentaire et pharmaceutique, à l'environnement, à la recherche médicale et scientifique ou aux secteurs biotechnologique et bio-industriel.
- Assister les professionnels dans l'analyse et le contrôle de la qualité des matières premières et des produits alimentaires et pharmaceutiques.
- Faire des expériences, mettre au point de nouvelles techniques et de nouveaux instruments.
- Faire des prélèvements.
- Cultiver et isoler divers types de micro-organismes.
- Identifier, classifier et assurer la conservation des échantillons biologiques.
- Dispenser des soins aux animaux de laboratoire et les manipuler lors des expériences.

À l'université : Pharmacologie

- Maîtriser les approches scientifiques propre à la pharmacologie.
- Résoudre des problèmes d'ordre multidisciplinaire.
- Formuler et vérifier des hypothèses.
- Faire des recherches sur les médicaments et autres produits pharrmaceutiques (leur action, leur mécanisme d'action).

Éléments du programme

Propres au DEC

- Biochimie
- Biologie animale et végétale
- Chimie des solutions
- Compléments de mathématique
- Microbiologie
- Optique et structure de la matière

Propres au DEC-BAC

- Biochimie générale
- Biologie cellulaire et moléculaire
- Chimie analytique et organique
- Cytophysiologie
- Génétique
  Immunologie
- Pharmacoéconomie
- Pharmacoépidémiologie
- Pharmacologie

Admission

Mathématiques 068-526; Chimie 051-584 ou 051-534; Physique 054-584 ou 054-534.

Université de Sherbrooke : Mathématiques 103, 203; chimie 101, 201; biologie 301 ou 921 et un cours de physique.

Endroits de formation (voir pages 336 et 414)

Cégep de Lévis-Lauzon* **ET** Université de Sherbrooke

** Entente en développement*

Professions reliées

C.N.P.

2211 Contrôleur de produits pharmaceutiques
2121 Pharmacologue
2221 Technologie en chimie-biologie
2221 Technologue en bactériologie

Endroits de travail

- Compagnies pharmaceutiques
- Établissements d'enseignement universitaire
- Laboratoires industriels
- Laboratoires universitaires

Salaire

Le salaire hebdomadaire moyen est de 1 335 $ (janvier 2005).

STATISTIQUES D'EMPLOI

	2001	2003	2005
Nb de personnes diplômées	219	214	228
% en emploi	83,8 %	91,2 %	88,8 %
% à temps plein	92,9 %	95,2 %	96,5 %
% lié à la formation	99,2 %	99,3 %	100 %

210.AA TECHNIQUES DE LABORATOIRE – *BIOTECHNOLOGIE* / SCIENCES ET TECHNOLOGIE DES ALIMENTS

DEC-BAC 6 ANS — CUISEP 312-500

Compétences à acquérir

Au collégial : Techniques de laboratoire, spécialisation *Biotechnologie*

- Appliquer les connaissances acquises en chimie-biologie à l'industrie alimentaire et pharmaceutique, à l'environnement, à la recherche médicale et scientifique ou aux secteurs biotechnologique et bio-industriel.
- Assister les professionnels dans l'analyse et le contrôle de la qualité des matières premières et des produits alimentaires et pharmaceutiques.
- Faire des expériences, mettre au point de nouvelles techniques et de nouveaux instruments.
- Faire des prélèvements.
- Cultiver et isoler divers types de micro-organismes.
- Identifier, classifier et assurer la conservation des échantillons biologiques.
- Dispenser des soins aux animaux de laboratoire et les manipuler lors des expériences.

À l'université : Sciences et technologie des aliments

- Concevoir et mettre au point de nouveaux produits alimentaires.
- Créer des nouvelles techniques de fabrication et de transformation.
- Assurer une production efficace et respectueuse de l'environnement.
- Veiller à la qualité des produits.
- Préparer la mise en marché.

Éléments du programme

Propres au DEC

- Biochimie
- Biologie animale et végétale
- Chimie des solutions
- Compléments de mathématique
- Microbiologie
- Optique et structure de la matière

Propres au DEC-BAC

- Chimie des aliments
- Métabolisme
- Méthodes d'analyse des aliments
- Microbiologie alimentaire industrielle
- Principes de conservation
- Procédés industriels alimentaires

Admission

Mathématiques 068-526; Chimie 051-584 ou 051-534; Physique 054-584 ou 054-534.

Laval : Avoir obtenu le DEC selon les termes de l'entente DEC-BAC **ET** Mathématiques NYA, NYB.

Endroits de formation (voir pages 336 et 414)

Cégep de Lévis-Lauzon **ET** Université Laval.

Professions reliées

C.N.P.	
2123	Agronome
2123	Agronome des services de vulgarisation
2112	Chimiste en sciences des aliments
2112	Chimiste spécialiste du contrôle de la qualité
1473	Coordonnateur de la production
—	Directeur de la production alimentaire
0412	Directeur des ventes à l'exportation
6221	Expert-conseil en commercialisation
2134	Ingénieur chimiste de la production
2121	Microbiologiste industriel
2121	Scientifique en produits alimentaires
2221	Technologue en bactériologie
3211	Technologue en biochimie
2221	Technologue en chimie-biologie
2211	Technologue en procédés de fabrication alimentaire

Endroits de travail

- Centres de recherche
- Gouvernements fédéral et provincial
- Industrie des produits alimentaires

Salaire

Le salaire hebdomadaire moyen est de 741 $ (janvier 2005).

Remarques

- Les professionnels en sciences alimentaires peuvent devenir membre de l'Ordre des agronomes du Québec, de l'Ordre des chimistes du Québec et de l'Ordre des ingénieurs du Québec.
- À l'Université Laval, les étudiants sont admis à partir de l'ancien DEC : 210.03 Techniques de chimie-biologie.

STATISTIQUES D'EMPLOI

	2001	2003	2005
Nb de personnes diplômées	40	62	40
% en emploi	86,7 %	63,8 %	64,3 %
% à temps plein	100 %	96,7 %	100 %
% lié à la formation	88,5 %	89,7 %	94,4 %

DEC — BAC

210.AA / AB TECHNIQUES DE LABORATOIRE – *BIOTECHNOLOGIE* ou *CHIMIE ANALYTIQUE* / CHIMIE

DEC-BAC 5 ANS — CUISEP 413-200

Compétences à acquérir

Au collégial : Techniques de laboratoire, spécialisation *Biotechnologie* OU *Chimie analytique*

- Comprendre et appliquer diverses méthodes d'analyse chimique.
- Faire des essais, mettre au point, préparer et purifier des nouveaux produits.
- Mettre au point et appliquer des méthodes originales d'analyse et de synthèse.
- Rédiger des rapports d'analyse.
- Utiliser et entretenir l'équipement et l'appareillage de laboratoire.
- Appliquer les normes de sécurité dans la gestion et l'utilisation des produits chimiques.
- Déceler et corriger des problèmes mineurs dans le fonctionnement des instruments.

À l'université : Chimie

- Veiller à la qualité des aliments, des médicaments, des drogues, des matériaux et d'autres produits offerts sur le marché.
- Travailler à l'élimination des sources de pollution.
- Concevoir de nouveaux procédés industriels et de nouvelles techniques pour préparer, séparer, identifier et purifier des composés chimiques.

Éléments du programme

Propres au DEC

- Additifs alimentaires et huiles essentielles
- Analyse organique
- Calcul différentiel et intégral
- Chimie analytique
- Compléments de mathématique
- Électricité et magnétisme
- Essais et mesures physico-chimiques

Propres au DEC-BAC

- Chimie analytique (laboratoire)
- Chimie aromatique

Admission

Mathématiques 068-526 ou 064-536 ou 064-534 ou 066-528 ou 066-538.

Physique 054-584 ou 054-534 ou 054-424 ou 054-434 ou 053-454 ou 053-534.

Chimie 051-584 ou 051-534 ou 051-564.

ET

Avoir réussi les Mathématiques NYB-203 ou 201-NYB-05 pour l'admission universitaire.

Laval : Avoir réussi les Mathématiques NYA et NYB pour la voie de spécialisation Biotechnologie; avoir obtenu le DEC selon les termes de l'entente DEC-BAC pour la voie de spécialisation Chimie analytique.

Endroits de formation (voir pages 336 et 414)

- Cégep de Lévis-Lauzon **ET** Université du Québec à Rimouski (UQAR)*.
- Cégep de Lévis-Lauzon, Cégep de Saint-Hyacinthe **ET** Université du Québec à Trois-Rivières (UQTR).
- Cégep de Lévis-Lauzon **ET** Université Laval.

* Admission suspendue.

Professions reliées

C.N.P.

2112	Chimiste
2112	Chimiste spécialiste du contrôle de la qualité
2211	Contrôleur de produits pharmaceutiques
2212	Essayeur de métaux précieux
2221	Technicien en environnement
3211	Technologue en biochimie
2211	Technologue en chimie
2221	Technologue en chimie-biologie

Endroits de travail

- Bureaux d'expert-conseil en environnement
- Centres de recherche
- Entreprises de produits cosmétiques
- Exploitations minières
- Gouvernements fédéral et provincial
- Industrie pétrolière
- Industrie pharmaceutique
- Laboratoires industriels et commerciaux
- Usines
- Usines de traitement des déchets industriels

Salaire

Le salaire hebdomadaire moyen est de 735 $ (janvier 2005).

Remarque

Il faut être membre de l'Ordre des chimistes pour exercer la profession.

STATISTIQUES D'EMPLOI

	2001	2003	2005
Nb de personnes diplômées	216	181	172
% en emploi	48,2 %	41,8 %	34,5 %
% à temps plein	98,7 %	96,1 %	90,2 %
% lié à la formation	89,7 %	75,5 %	83,8 %

243.11/ 243.19 TECHNOLOGIE DE L'ÉLECTRONIQUE - *ORDINATEURS* / GÉNIE INFORMATIQUE

DEC-BAC INTÉGRÉ 6 ANS — CUISEP 455-353

Compétences à acquérir

Au collégial : Technologie de l'électronique, spécialisation *Ordinateurs*

- Installer, dépanner, réparer et entretenir des systèmes et des équipements électroniques de natures diverses.
- Dessiner des schémas, construire des prototypes de systèmes destinés à la manipulation des signaux électroniques et en faire la mise au point.
- Installer, ajuster, réparer et entretenir des appareils et des systèmes audiovisuels.

À l'université : Génie informatique

- Concevoir, mettre au point et modifier des appareils et des installations informatiques.
- Élaborer des plans et estimer les coûts de fabrication d'appareils.
- Superviser le montage de prototype et de circuits électroniques.
- Surveiller la fabrication, la vérification et l'essai de nouveaux dispositifs.
- Intégrer les différents aspects informatiques (logiciels et appareils) de façon à assurer les diverses activités de l'entreprise telles que la conception, la gestion, la fabrication et la production.

Éléments du programme

Propres au DEC

- Modèles mathématiques
- Circuits
- Réalisation d'un système de commande
- Technologie de l'électricité
- Systèmes de télécommunication
- Électronique numérique
- Systèmes d'alimentation

Propres au DEC-BAC

- Architecture des systèmes numériques
- Calcul matriciel en génie
- Circuits logiques
- Électronique
- Mathématiques de l'ingénieur
- Systèmes logiques – microprocesseurs

Admission

Mathématiques 068-536; Sciences physiques 056-436.

ET

Réussir, dans le cadre de la formation, les cours de mathématiques NYA et NYB ainsi qu'un cours en santé et sécurité au travail.

Endroits de formation (voir pages 336 et 414)

Cégep de Chicoutimi, Cégep de Jonquière **ET** Université du Québec à Chicoutimi (UQAC).

Professions reliées

C.N.P.

2147 Architecte de systèmes informatiques

2147 Ingénieur en informatique

Endroits de travail

- Entreprises spécialisées dans les services informatiques
- Fabricants d'ordinateurs et de périphériques
- Firmes d'ingénieurs
- Gouvernements fédéral et provincial
- Grossistes d'ordinateurs et de matériel connexe

Salaire

Le salaire hebdomadaire moyen est de 834 $ (janvier 2005).

Remarque

Pour exercer la profession et porter le titre d'ingénieur, il faut être membre de l'Ordre des ingénieurs du Québec.

STATISTIQUES D'EMPLOI

	2001	2003	2005
Nb de personnes diplômées	273	388	519
% en emploi	91,1 %	73,7 %	76,2 %
% à temps plein	100 %	100 %	96,9 %
% lié à la formation	97,4 %	91,8 %	79,8 %

D E C — B A C

243.06/ 243.09 TECHNOLOGIE DE L'ÉLECTRONIQUE INDUSTRIELLE – *ÉLECTRODYNAMIQUE* / GÉNIE ÉLECTRIQUE

DEC-BAC INTÉGRÉ 6 ANS — CUISEP 455-350

Compétences à acquérir

Au collégial : Technologie de l'électronique industrielle, spécialisation *Électrodynamique*

- Assister l'ingénieur dans la conception, la mise en plan et la réalisation technique des appareils et des systèmes de productions de transmission et de distribution de l'énergie électrique.
- Assembler et régler les éléments d'appareils de production (alternateurs et turbines), de transmission ou de distribution (transformateurs, régulateurs de tension) et de contrôle (automates programmables).
- Localiser et modifier l'appareillage défectueux des équipements.

À l'université : Génie électrique

- Concevoir et dessiner des plans d'équipements électriques.
- Superviser la construction, l'installation et le fonctionnement des équipements électriques.
- Évaluer le coût de la construction d'ouvrages et prévoir les coûts de la main-d'œuvre.
- Surveiller et coordonner le travail des divers techniciens.

Éléments du programme

Propres au DEC

- Automatismes
- Électronique industrielle
- Électrotechnique
- Installation électrique
- Organisation d'un réseau
- Systèmes d'électrodynamique

Propres au DEC-BAC

- Analyse et traitement numérique et signaux
- Électromagnétisme
- Mécanique des fluides
- Systèmes digitaux
- Transfert de chaleur

Admission

Mathématiques 068-536; Physiques 056-436.

ET

Réussir, dans le cadre de la formation, les cours de mathématiques NYA et NYB ainsi qu'un cours en santé et sécurité au travail.

Endroit de formation (voir pages 336 et 414)

Cégep de Chicoutimi, Cégep de Jonquière **ET** Université du Québec à Chicoutimi (UQAC).

Professions reliées

C.N.P.	
2253	Dessinateur de matériel électronique
2133	Ingénieur électricien
2133	Ingénieur électronicien
2146	Ingénieur en aérospatiale
2133	Ingénieur en électrotechnique
2132	Ingénieur en sciences nucléaires
2132	Ingénieur spécialiste des installations d'énergie
0643	Officier de logistique
—	Officier des communications et de l'électronique
6464	Officier en génie aérospatial
7242	Technicien électricien de construction (industrielle)
7247	Technologue en câblodistribution
7241	Technologue d'essais électrique
2241	Technologue en électrodynamique
2241	Technologue en génie électronique

Endroits de travail

- Câblodistributeurs
- Centres de recherche
- Firmes d'équipements biomédicaux
- Firmes d'ingénieurs-conseils
- Hydro-Québec
- Industrie de l'aéronautique
- Industrie de la construction
- Industrie de la téléphonie

Salaire

Le salaire hebdomadaire moyen est de 869 $ (janvier 2005).

Remarque

Pour exercer la profession et porter le titre d'ingénieur, il faut être membre de l'Ordre des ingénieurs du Québec.

STATISTIQUES D'EMPLOI

	2001	2003	2005
Nb de personnes diplômées	539	502	586
% en emploi	90,3 %	72,1 %	70,9 %
% à temps plein	98,7 %	98,5 %	96,3 %
% lié à la formation	90,1 %	86,3 %	72,3 %

271.01 TECHNOLOGIE MINÉRALE – *GÉOLOGIE APPLIQUÉE* / GÉOLOGIE

DEC+BAC 5 ANS | CUISEP 433-200

Compétences à acquérir

Au collégial : Technologie minérale, spécialisation *Géologie appliquée*

- Explorer et prospecter des sites.
- Faire des levés géophysiques et géochimiques.
- Surveiller les forages.
- Étudier les gisements (échantillonnage, analyse, inventaire).
- Rechercher et exploiter les eaux souterraines.
- Utiliser et manipuler divers appareils et instruments servant à l'exploration et à l'analyse.
- Réaliser des mises en plan ou des dessins topographiques.
- Participer à des études environnementales.

À l'université : Géologie

- Faire l'évaluation d'un terrain géologique donné pour en établir l'âge, la structure et la genèse.
- Faire le lien entre les observations concernant la composition et la structure des roches et les processus qui ont formé les gîtes minéraux.
- Participer à la fabrication d'une carte géologique pour une région donnée.
- Prospecter et assurer la conservation des gisements métallifères et pétrolifères ainsi que des ressources hydriques.
- Étudier et tenter de prévoir les phénomènes naturels.
- Effectuer des études environnementales.
- Évaluer et corriger les effets de l'intervention de l'homme sur l'environnement.

Éléments du programme

Propres au DEC

- Chimie générale
- Compléments de mathématiques
- Évaluation des gisements
- Géologie structurale
- Géophysique de l'environnement
- Gîtes minéraux
- Hydrogéologie
- Mécanique
- Stage en géologie

Propres au DEC-BAC

- Calculs
- Géochimie générale
- Gîtes minéraux
- Paléontologie
- Pétrographie sédimentaire
- Probabilités et statistiques

Admission

Mathématiques 068-436 et sciences physique 056-436 ou 056-416.

Laval : Avoir obtenu le DEC selon les termes de l'entente DEC-BAC.

Endroits de formation (voir pages 336 et 414)

Cégep de Thetford **ET** Université Laval.

Professions reliées

C.N.P.

2113 Écogéologue
2113 Géochimiste
2113 Géologue
2113 Géologue pétrolier
2144 Hydrogéologue
2113 Hydrographe
2113 Hydrologue
2113 Minéralogiste
2113 Paléontologue
2212 Technologue en géologie
2212 Technologue en géologie de l'environnement
2212 Technologue en géophysique
2212 Technologue en hydrogéologie
2212 Technologue en prospection minière

Endroits de travail

- Bureaux d'études géotechniques
- Compagnies minières
- Compagnies pétrolières
- Firmes d'ingénieurs-conseils
- Gouvernements fédéral et provincial

Salaire

Le salaire hebdomadaire moyen est de 771 $ (janvier 2005).

STATISTIQUES D'EMPLOI

	2001	2003	2005
Nb de personnes diplômées	57	45	52
% en emploi	46,7 %	42,4 %	40,6 %
% à temps plein	90,5 %	92,9 %	84,6 %
% lié à la formation	42,1 %	76,9 %	54,5 %

DEC — BAC

244.A0 TECHNOLOGIE PHYSIQUE / GÉNIE PHYSIQUE

BAC 5 ANS — CUISEP 455/456/000

Compétences à acquérir

Au collégial : Technologie physique

- Identifier et analyser les phénomènes physiques intervenant dans un procédé industriel ou dans une installation expérimentale.
- Procéder au traitement du signal électrique et à l'acquisition de l'information concernant un phénomène physique.
- Assister l'ingénieur ou le chercheur dans la conception et la mise au point de produits ou de procédés dans le domaine du génie physique et de la haute technologie mettant en cause l'instrumentation physique et les systèmes ordinés.
- Choisir, utiliser, optimiser, entretenir et modifier les instruments et les procédés de haute technologie.
- Participer à la gestion d'un projet, d'un atelier ou d'un laboratoire.

À l'université : Génie physique

- Concevoir, expérimenter et mettre au point des outils de haute technologie pour la fabrication d'instruments de précision et l'analyse des objets (aérospatial, optique, nucléaire, biomédical).
- Diriger des équipes de spécialistes en vue de réaliser des projets.
- Travailler à l'élaboration et à la recherche de nouvelles techniques de production et de nouveaux produits (métallurgie, mines, informatique, météorologie, etc.).

Éléments du programme

Propres au DEC

- Résolution des problèmes de mathématique en physique appliquée
- Assemblage, développement et conception d'un composant et d'un appareil de physique appliquée
- Acquisition et traitement de données d'appareils de physique appliquée
- Caractérisation des ondes, des composants et des appareils par des montages d'optique ondulatoire, guidée et acoustique
- Caractérisation des composants et des appareils par des montages d'optique géométrique
- Évaluation d'une méthode de mesure
- Analyse des systèmes thermiques

Propres au DEC-BAC

- Circuits logiques
- Électromagnétisme
- Optique instrumentale
- Physique atomique et nucléaire
- Résistance des matériaux
- Thermodynamique

Admission

Mathématiques 068-526 et Physique 054-584 ou 054-534.

Laval : Avoir obtenu le DEC selon les termes de l'entente DEC-BAC.

Endroits de formation (voir pages 336 et 414)

Cégep André-Laurendeau, Cégep de La Pocatière **ET** Université Laval.

Professions reliées

C.N.P.

2148 Ingénieur biomédical
2148 Ingénieur en construction navale
2132 Ingénieur en sciences nucléaires
2148 Ingénieur physicien
2131 Officier de génie militaire
2241 Technologue de laboratoire de physique
2232 Technologue en génie nucléaire
2241 Technologue en optique
2241 Technologue en photonique

Endroits de travail

- Centres de recherche
- Centres d'optique et de photonique
- Établissements d'enseignement universitaire
- Fabricants d'ordinateurs et de périphériques
- Firmes d'ingénieurs-conseils
- Gouvernements fédéral et provincial
- Industrie biomédicale
- Industrie de l'aérospatiale
- Industrie du nucléaire
- Industrie métallurgique
- Industrie minière
- Laboratoires de recherche industrielle

Salaire

Le salaire hebdomadaire moyen est de 957 $ (janvier 2005).

Remarques

- Pour exercer la profession et porter le titre d'ingénieur, il faut être membre de l'Ordre des ingénieurs du Québec.
- Des études de 2e cycle sont nécessaires pour exercer les professions suivantes : ingénieur biomédical et ingénieur en sciences nucléaires.

STATISTIQUES D'EMPLOI

	2001	2003	2005
Nb de personnes diplômées	38	37	73
% en emploi	63,2 %	34,3 %	35,8 %
% à temps plein	100 %	91,7 %	89,5 %
% lié à la formation	83,3 %	90,9 %	64,7 %

Index alphabétique des établissements d'enseignement collégial qui offrent des DEC-BAC

CÉGEP ANDRÉ-LAURENDEAU
1111, rue Lapierre
LaSalle (Québec) H8N 2J4
Tél. : 514 364-3320
Téléc. : 514 364-7130
courrier@claurendeau.qc.ca
www.claurendeau.qc.ca

Technologie physique / Génie physique 244.A0

CÉGEP BEAUCE-APPALACHES
1055, 116e Rue
Ville Saint-Georges (Québec) G5Y 3G1
Tél. : 418 228-8896, poste 248
Téléc. : 418 228-0562
info@cegep-beauce-appalaches.qc.ca
www.cegep-beauce-appalaches.qc.ca

Soins infirmiers / Sciences infirmières (cheminement C) 180.A0
Techniques de comptabilité et de gestion / Administration des affaires.............. 410.B0
Informatique de gestion / Informatique 420.AA

CÉGEP DE BAIE-COMEAU
537, boul. Blanche
Baie-Comeau (Québec) G5C 2B2
Tél. : 418 589-5707 ou
Sans frais : 1 800 463-2030
Téléc. : 418 589-9842
www.cegep-baie-comeau.qc.ca

Soins infirmiers / Sciences infirmières........ 180.DB
Technologie forestière / Sciences forestières* .. 190.B0
Techniques de comptabilité et de gestion / Administration des affaires.............. 410.B0
Techniques de comptabilité et de gestion / Administration 410.B0

**Entente avec l'Université de Moncton*

CÉGEP DE CHICOUTIMI
534, rue Jacques-Cartier Est
Chicoutimi (Québec) G7H 1Z6
Tél. : 418 549-9520
Téléc. : 418 549-1315
www.cegep-chicoutimi.qc.ca

Soins infirmiers / Sciences infirmières........ 180.DB
Technologie de l'électronique industrielle / Génie électrique.......................... 243.09
Technologie de l'électronique / Génie informatique 243.19
Techniques de comptabilité et de gestion / Sciences comptables.................. 410.B1
Techniques de comptabilité et de gestion / Administration 410.B1
Informatique de gestion / Informatique de gestion 420.B0
Gestion de réseaux informatique / Informatique 420.B1
Informatique de gestion / Conception de jeux vidéo 420.A1

CÉGEP DE DRUMMONDVILLE
960, rue Saint-Georges
Drummondville (Québec) J2C 6A2
Tél. : 819 478-4671, poste 228
Téléc. : 819 474-6859
infoprog@cdrummond.qc.ca
www.cdrummond.qc.ca

Soins infirmiers / Sciences infirmières........ 180.A0
Techniques de comptabilité et de gestion / Administration des affaires 410.B0
Informatique de gestion / Informatique 420.AA
Techniques professionnelles de musique et chanson-musique populaire / Musique-mention Interprétation (Jazz et musique populaire)............. 551.AB

CÉGEP DE GRANBY – HAUTE-YAMASKA
235, rue Saint-Jacques, C. P. 7000
Granby (Québec) J2G 3N1
Tél. : 450 372-6614
Téléc. : 450 372-6565
www.cegepgranby.qc.ca

Soins infirmiers / Sciences infirmières........ 180.A0
Informatique de gestion / Informatique 420.A0

CÉGEP DE JONQUIÈRE
2505, rue Saint-Hubert
Jonquière (Québec) G7X 7W2
Tél. : 418 547-2191
Téléc. : 418 547-9031
isep@cjonquiere.qc.ca
www.cjonquiere.qc.ca

Soins infirmiers / Sciences infirmières........ 180.A0
Techniques de comptabilité et de gestion / Sciences comptables.................. 410.B2
Techniques de comptabilité et de gestion / Administration 410.B1
Gestion de commerce / Administration 410.D1
Informatique de gestion / Conception de jeux vidéo 420.A1
Informatique de gestion / Informatique 420.B0

Technologie de l'électronique industrielle / Génie électrique 243.09/06
Technologie de l'électronique / Génie informatique 243.19/11

CÉGEP DE L'ABITIBI-TÉMISCAMINGUE
425, boul. du Collège
Rouyn-Noranda (Québec) J9X 5E5
Tél. : 819 762-0931
Sans frais : 1 866 234-3728
Téléc. : 819 762-3815
www.cegepat.qc.ca

Soins infirmiers / Sciences infirmières 180.A0
Techniques de comptabilité et de gestion / Administration 410.B0
Techniques de comptabilité et de gestion / Sciences comptables 410.B0
Informatique de gestion / Informatique 420.AA
Gestion de réseaux informatiques / Informatique 420.AC

CÉGEP DE LA GASPÉSIE ET DES ÎLES
96, rue Jacques-Cartier
Gaspé (Québec) G4X 2S8
Tél. : 418 368-2201, poste 1502
Téléc. : 418 368-7003
info@cgaspesie.qc.ca
www.cgaspesie.qc.ca

Soins infirmiers / Sciences infirmières 180.A0
Techniques de comptabilité et de gestion / Administration des affaires 410.B0
Informatique de gestion / Informatique 420.AA
Technologie forestières / Sciences forestières* . 190.1B

**Entente avec l'Université de Moncton*

CÉGEP DE LA POCATIÈRE
140, 4e Avenue
La Pocatière (Québec) G0R 1Z0
Tél. : 418 856-1525, poste 2202
Téléc. : 418 856-3238
information@cglapocatiere.qc.ca
www.cglapocatiere.qc.ca

Techniques d'écologie appliquée / Écologie-biologie 145.01
Technique de bioécologie / Écologie-biologie 145.C0
Soins infirmiers / Sciences infirmières 180.A0
Technologie physique / Génie physique 244.A0
Techniques de comptabilité et de gestion / Administration des affaires 410.B0
Informatique de gestion / Informatique 420.AA

CÉGEP DE LÉVIS-LAUZON
205, Mgr-Ignace-Bourget
Lévis (Québec) G6V 6Z9
Tél. : 418 833-5110, poste 3763
Téléc. : 418 833-7323
www.clevislauzon.qc.ca

Gestion et exploitation d'une entreprise agricole / Agronomie 152.A0
Gestion et exploitation d'une entreprise agricole – productions animales / Agroéconomie 152.AA
Gestion et exploitation d'une entreprise agricole – productions végétales / Agroéconomie 152.AB
Soins infirmiers / Sciences infirmières (cheminement C) 180.A0
Génie chimique / Génie chimique 210.02
Techniques de chimie-biologie / Biologie 210.03
Techniques de laboratoire-Biotechnologies / Agronomie 210.AA
Techniques de laboratoire-Biotechnologies / Biochimie 210.AA
Techniques de laboratoire-Biotechnologies / Biologie 210.AA
Techniques de laboratoire-Biotechnologies / Chimie 210.AA
Techniques de laboratoire-Biotechnologies / Microbiologie 210.AA
Techniques de laboratoire-Biotechnologies / Sciences et technologie des aliments 210.AA
Techniques de laboratoire-Biotechnologies / Biologie médicale 210.AA
Techniques de laboratoire-Biotechnologies / Biochimie-biotechnologie 210.AA
Techniques de laboratoire-Biotechnologies / Biologie moléculaire 210.AA
Techniques de laboratoire-Biotechnologies / Génie biotechnologique 210.AA
Techniques de laboratoire-Biotechnologies / Pharmacologie 210.AA
Techniques de laboratoire-Biotechnologies / Sciences biologiques 210.AA
Techniques de laboratoire-Biotechnologies / Sciences biologiques et écologiques 210.AA
Techniques de laboratoire-Chimie analytique / Chimie 210.AB
Génie mécanique / Génie mécanique 241.A0
Techniques de comptabilité et de affaires 410.B0
Techniques de comptabilité et de gestion / Sciences comptables 410.B0
Conseil en assurances et services financiers / Administration des affaires 410.C0
Informatique de gestion / Informatique 420.AA
Informatique industrielle / Informatique 420.AB
Gestion de réseaux informatiques / Informatique 420.AC

CÉGEP DE L'OUTAOUAIS
333, boul. Cité des Jeunes
Gatineau (Québec) J8Y 6M4
Tél. : 819 770-4012
Téléc. : 819 770-8167
infocegep@cegepoutaouais.qc.ca
www.cegepoutaouais.qc.ca

Soins infirmiers / Sciences infirmières........ 180.A0

CÉGEP DE MATANE
616, avenue Saint-Rédempteur
Matane (Québec) G4W 1L1
Tél. : 418 562-1240, poste 2186
Téléc. : 418 566-2115
comcegep@cgmatane.qc.ca
www.cgmatane.qc.ca

Gestion et exploitation d'une entreprise agricole / Agronomie 152.A0
Gestion et exploitation d'une entreprise agricole – productions animales / Agroéconomie...................... 152.AA
Gestion et exploitation d'une entreprise agricole – productions végétales / Agroéconomie...................... 152.AB
Soins infirmiers / Sciences infirmières........ 180.A0
Informatique de gestion / Informatique 420.AA
Techniques de comptabilité et de gestion / Administration....................... 410.B0
Techniques de comptabilité et de gestion / Sciences comptables.................. 410.B0
Techniques d'intégration multimédia / Création en multimédias interactifs........ 582.A1

CÉGEP DE RIMOUSKI
60, rue de l'Évêché Ouest
Rimouski (Québec) G5L 4H6
Tél. : 418 723-1880, poste 2158
Téléc. : 418 724-4961
infoscol@cegep-rimouski.qc.ca
www.cegep-rimouski.qc.ca

Soins infirmiers / Sciences infirmières........ 180.A0
Techniques de comptabilité et de gestion / Administration....................... 410.B0
Techniques de comptabilité et de gestion / Sciences comptables.................. 410.B0
Techniques de gestion de commerce / Administration-marketing............... 410.D0
Informatique de gestion / Informatique 420.AA

CÉGEP DE RIVIÈRE-DU-LOUP
80, rue Frontenac
Rivière-du-Loup (Québec) G5R 1R1
Tél. : 418 862-6903, poste 2293
Téléc. : 418 862-4959
infoscol@cegep-rdl.qc.ca
www.cegep-rdl.qc.ca

Soins infirmiers / Sciences infirmières........ 180.A0
Techniques de comptabilité et de gestion / Administration des affaires.............. 410.B0
Informatique de gestion / Informatique...... 420.AA
Graphisme / Design graphique............. 570.A0

CÉGEP DE SAINT-FÉLICIEN
1105, boul. Hamel, C. P. 7300
Saint-Félicien (Québec) G8K 2R8
Tél. : 418 679-5412, poste 296
Téléc. : 418 679-9661
www.cstfelicien.qc.ca

Soins infirmiers / Sciences infirmières........ 180.A0
Techniques de comptabilité et de gestion / Administration....................... 410.B0

CÉGEP DE SAINT-HYACINTHE
3000, avenue Boullé
Saint-Hyacinthe (Québec) J2S 1H9
Tél. : 450 773-6800
Téléc. : 450 773-9971
info@cegepsth.qc.ca
www.cegepsth.qc.ca

Soins infirmiers / Sciences infirmières........ 180.A0
Techniques de laboratoire-Biotechnologies / Biologie....................... 210.AA
Techniques de laboratoire-Biotechnologies / Biochimie 210.AA
Techniques de laboratoire-Biotechnologies / Biotechnologie....................... 210.AA
Techniques de laboratoire-Biotechnologies / Biochimie-biotechnologie............... 210.AA
Techniques de laboratoire-Biotechnologies / Chimie 210.AA
Techniques de laboratoire-Biotechnologies / Sciences biologiques 210.AA

CÉGEP DE SAINT-JEAN-SUR-RICHELIEU
30, boul. du Séminaire, C. P. 1018
Saint-Jean-sur-Richelieu (Québec) J3B 7B1
Tél. : 450 347-5301
Téléc. : 450 358-9350
communications@cstjean.qc.ca
www.cstjean.qc.ca

Technologie d'analyses biomédicales / Biologie médicale....................... 140.B0
Gestion et exploitation d'une entreprise agricole – productions animales / Agroéconomie....................... 152.AA
Gestion et exploitation d'une entreprise agricole – productions animales / Agronomie 152.AA
Gestion et exploitation d'une entreprise agricole – productions végétales / Agroéconomie....................... 152.AB
Gestion et exploitation d'une entreprise agricole – productions végétales / Agronomie......................... 152.AB
Soins infirmiers / Sciences infirmières........ 180.A0
Techniques de comptabilité et de gestion / Administration des affaires.............. 410.B0
Informatique de gestion / Informatique 420.AA

CÉGEP DE SAINT-JÉRÔME
455, rue Fournier
Saint-Jérôme (Québec) J7Z 4V2
Tél. : 450 436-1580, poste 444
Téléc. : 450 436-1756
www.cegep-st-jerome.qc.ca

Soins infirmiers / Sciences infirmières 180.A0

CÉGEP DE SAINT-LAURENT
625, avenue Sainte-Croix
Saint-Laurent (Québec) H4L 3X7
Tél. : 514 747-6521
Télec. : 514 748-1249
www.cegep-st-laurent.qc.ca

Soins infirmiers / Sciences infirmières 180.A0

CÉGEP DE SAINTE-FOY
2410, chemin Sainte-Foy
Québec (Québec) G1V 1T3
Tél. : 418 659-6600, poste 3653
Téléc. : 418 659-4563
admissions@cegep-ste-foy.qc.ca
www.cegep-ste-foy.qc.ca

Inventaire et recherche en biologie / Biologie . . 145.02
Bioécologie / Biologie 145.C0
Soins infirmiers / Sciences infirmières (cheminement C) 180.A0
Technologie forestière / Sciences forestières* . . 190.B0
Techniques de comptabilité et de gestion / Administration des affaires 410.B0
Conseil en assurances et services financiers / Administration des affaires 410.C0
Informatique de gestion / Informatique 420.AA
Graphisme / Design graphique 570.A0
Techniques d'intégration multimédia / Design graphique 582.A1

**Entente avec l'Université de Moncton*

CÉGEP DE SEPT-ÎLES
175, rue de La Vérendrye
Sept-Îles (Québec) G4R 5B7
Tél. : 418 962-9848
Téléc. : 418 962-2458
info@cegep-sept-iles.qc.ca
www.cegep-sept-iles.qc.ca

Soins infirmiers / Sciences infirmières 180.A0
Techniques de comptabilité et de gestion / Administration des affaires 410.B0
Informatique de gestion / Informatique 420.AA
Informatique de gestion / Informatique de gestion 420.01
Informatique de gestion / Conception de jeux vidéo 420.AA

CÉGEP DE SHERBROOKE
475, rue du Parc
Sherbrooke (Québec) J1R 4K1
Tél. : 819 564-6350
Téléc. : 819 564-6398
www.collegesherbrooke.qc.ca

Écologie appliquée / Écologie-biologie 145.01
Bioécologie / Biologie 145.C0
Gestion et exploitation d'une entreprise agricole – productions animales / Agroéconomie 152.AA
Gestion et exploitation d'une entreprise agricole – productions animales / Agronomie 152.AA
Gestion et exploitation d'une entreprise agricole – productions végétales / Agroéconomie 152.AB
Gestion et exploitation d'une entreprise agricole – productions végétales / Agronomie 152.AB
Soins infirmiers / Sciences infirmières 180.A0
Techniques de laboratoire-biotechnologie / Microbiologie 210.AA
Techniques de laboratoire-biotechnologie / Biotechnologie 210.AA
Techniques de comptabilité et de gestion / Administration des affaires 410.B0
Informatique de gestion / Informatique 420.AA
Gestion de réseaux informatiques / Informatique 420.AC
Graphisme / Design graphique 570.A0

CÉGEP DE SOREL-TRACY
3000, boul. de la Mairie
Tracy (Québec) J3R 5B9
Tél. : 450 742-6651
Téléc. : 450 742-1878
info@cegep-sorel-tracy.qc.ca
www.cegep-sorel-tracy.qc.ca

Soins infirmiers / Sciences infirmières 180.A0
Informatique de gestion / Informatique 420.AA

CÉGEP DE THETFORD
671, boul. Frontenac Ouest
Thetford Mines (Québec) G6G 1N1
Tél. : 418 338-8591, poste 318
Téléc. : 418 338-6691
www.cegep-ra.qc.ca

Soins infirmiers / Sciences infirmières (cheminement C) 180.A0
Géologie appliquée / Géologie 271.01
Techniques de comptabilité et de gestion / Administration des affaires 410.B0
Informatique de gestion / Informatique 420.AA

CÉGEP DE TROIS-RIVIÈRES
3500, rue De Courval, C. P. 97
Trois-Rivières (Québec) G9A 5E6
Tél. : 819 376-1721, poste 2131
Téléc. : 819 693-8023
infoprog@cegeptr.qc.ca
www.cegeptr.qc.ca

Soins infirmiers / Sciences infirmières 180.A0
Informatique de gestion / Informatique 420.AA
Informatique de gestion / Informatique 420.AU
Techniques de la documentation / Gestion de l'information* 393.A0
Technique de comptabilité et de gestion / Sciences comptables 410.BU
Gestion de commerces / Administration-marketing 410.DU

**Entente avec l'Université de Moncton*

CÉGEP DE VICTORIAVILLE
475, rue Notre-Dame Est
Victoriaville (Québec) G6P 4B3
Tél. : 819 758-6401
Téléc. : 819 758-6026
www.cgpvicto.qc.ca

Gestion et exploitation d'une entreprise agricole – productions animales / Agroéconomie 52.AA
Gestion et exploitation d'une entreprise agricole – productions animales / Agronomie 152.AA
Gestion et exploitation d'une entreprise agricole – productions végétales / Agroéconomie 152.AB
Gestion et exploitation d'une entreprise agricole – productions végétales / Agronomie 152.AB
Soins infirmiers / Sciences infirmières 180.A0
Techniques de comptabilité et de gestion / Administration des affaires 410.B0
Informatique de gestion / Informatique. 420.AA
Sciences infirmières / Soins infirmiers . . . 180.A0 ou B0

CÉGEP DU VIEUX MONTRÉAL
255, rue Ontario Est
Montréal (Québec) H2X 1X6
Tél. : 514 982-3437
Téléc. : 514 982-3432
www.cvm.qc.ca

Soins infirmiers / Sciences infirmières 180.A0
Techniques de comptabilité et de gestion / Administration des affaires 410.B0
Conseil en assurances et services financiers / Administration des affaires 410.C0
Informatique de gestion / Informatique 420.AA

CÉGEP LIMOILOU (CAMPUS DE CHARLESBOURG)
7600, 3e Avenue Est
Québec (Québec) G1H 7L4
Tél. : 418 647-6600
INFOPROGRAMMES : 418 647-6612
Téléc. : 418 624-3696
infolimoilou@climoilou.qc.ca
www.climoilou.qc.ca

Techniques de comptabilité et de gestion / Administration des affaires 410.B0

CÉGEP LIMOILOU (CAMPUS DE QUÉBEC)
1300, 8e Avenue
Québec (Québec) G1J 5L5
Tél. : 418 647-6600
INFOPROGRAMMES : 418 647-6612
Téléc. : 418 647-6798
infolimoilou@climoilou.qc.ca
www.climoilou.qc.ca

Soins infirmiers / Sciences infirmières (cheminement C) 180.A0
Techniques de génie mécanique / Génie mécanique 241.A0
Techniques de comptabilité et de gestion / Administration des affaires 410.B0
Informatique de gestion / Informatique 420.AA
Gestion de réseaux informatiques / Informatique 420.AC

CÉGEP RÉGIONAL DE LANAUDIÈRE (JOLIETTE)
20, rue Saint-Charles Sud
Joliette (Québec) J6E 4T1
Tél. : 450 759-1661
Téléc. : 450 759-4468
etudier@collanaud.qc.ca
www.collanaud.qc.ca

Gestion et exploitation d'une entreprise agricole – productions animales / Agroéconomie 152.AA
Gestion et exploitation d'une entreprise agricole – productions animales / Agronomie 152.AA
Gestion et exploitation d'une entreprise agricole – productions végétales / Agroéconomie 152.AB
Gestion et exploitation d'une entreprise agricole – productions végétales / Agronomie 152.AB
Technologie de la production horticole et de l'environnement-Culture de plantes ornementales / Agroéconomie 153.BB
Technologie de la production horticole et de l'environnement-Culture de plantes ornementales / Agronomie 153.BB
Transformation des aliments / Sciences et technologie des aliments 154.A0
Soins infirmiers / Sciences infirmières 180.A0
Techniques de comptabilité et de gestion / Administration des affaires 410.B0

Techniques de comptabilité et de gestion /
Sciences comptables. 410.B0
Informatique de gestion / Informatique 420.AA

CÉGEP RÉGIONAL DE LANAUDIÈRE (L'ASSOMPTION)
180, rue Dorval, L'Assomption (Québec) J5W 6C1
Tél. : 450 470-0922
Téléc. : 450 589-8926
lassomption@collanaud.qc.ca
www.collanaud.qc.ca/lassomption/default.asp

Techniques de comptabilité et de gestion /
Administration des affaires. 410.B0

CÉGEP RÉGIONAL DE LANAUDIÈRE (TERREBONNE)
2505, boulevard des Entreprises
Terrebonne (Québec) J6X 5S5
Tél. : 450 470-0933
Téléc. : 450 477-6933
terrebonne@collanaud.qc.ca
www.collanaud.qc.ca/terrebonne/default.asp

Techniques de comptabilité et de gestion /
Administration des affaires. 410.B0

CENTRE D'ÉTUDES COLLÉGIALES EN CHARLEVOIX / CÉGEP DE JONQUIÈRE
855, rue Richelieu
La Malbaie (Québec) G5A 2X7
Tél. : 418 665-6606
Téléc. : 418 665-7106
cecc@cjonquiere.qc.ca
www.ceccharlevoix.qc.ca

Soins infirmiers / Sciences infirmières. 180.A0
Techniques de comptabilité et de gestion /
Administration 410.B0
Techniques de comptabilité et de gestion /
Administration des affaires. 410.24

CENTRE D'ÉTUDES COLLÉGIALES DE BAIE-DES-CHALEURS / CÉGEP DE LA GASPÉSIE ET DES ÎLES
776, boul. Perron, C.P. 1000
Carleton (Québec) G0C 1J0
Tél. : 418 364-3341, poste 7233
Sans frais : 1 866 424-3341
Téléc. : 418 364-7938
infocecc@cgaspesie.qc.ca
www.cgaspesie.qc.ca/carleton

Techniques de comptabilité et de gestion /
Administration 410.B0
Techniques de comptabilité et de gestion /
Administration des affaires. 410.B0
Techniques de comptabilité et de gestion /
Sciences comptables. 410.B0
Informatique de gestion / Informatique 420.AA

CENTRE D'ÉTUDES COLLÉGIALES DE LAC-MÉGANTIC / CÉGEP BEAUCE-APPALACHES
3800, rue Cousineau
Lac-Mégantic (Québec) G6B 2A3
Tél. : 819 583-5432
Téléc. : 819 583-3588
ceclm@cegepbceapp.qc.ca
www.cec.lacmegantic.qc.ca

Soins infirmiers / Sciences infirmières. 180.A0
Techniques de comptabilité et de gestion /
Administration des affaires. 410.B1
Informatique de gestion / Informatique. 420.A0

CENTRE D'ÉTUDES COLLÉGIALES DES ÎLES / CÉGEP DE LA GASPÉSIE ET DES ÎLES
15, ch. de la Piscine, L'Étang-du-Nord
Îles-de-la-Madeleine (Québec) G4T 3X4
Tél. : 418 986-5187, poste 6232
Téléc. : 418 986-6788
sercom@cgaspesie.qc.ca
www.cgaspesie.qc.ca/iles/index.php

Techniques de comptabilité et de gestion /
Administration 410.B0
Techniques de comptabilité et de gestion /
Administration des affaires. 410.B0
Techniques de comptabilité et de gestion /
Sciences comptables. 410.B0

CHAMPLAIN COLLEGE / CAMPUS ST-LAWRENCE
790, avenue Nérée-Tremblay
Québec (Québec) G1V 4K2
Tél. : 418 656-6921
Téléc. : 418 656-6925
www.slc.qc.ca

Techniques de comptabilité et de gestion /
Administration des affaires. 410.B0

COLLÈGE AHUNTSIC
9155, rue Saint-Hubert
Montréal (Québec) H2M 1Y8
Tél. : 514 389-5921
Téléc. : 514 389-4554
information@collegeahuntsic.qc.ca
www.collegeahuntsic.qc.ca

Techniques de laboratoire-Biotechnologies /
Biochimie 210.AA
Techniques de laboratoire-Biotechnologies /
Microbiologie 210.AA
Techniques de laboratoire-Biotechnologies /
Sciences biologiques 210.AA
Techniques de laboratoire-Biotechnologies /
Biochimie-biotechnologie. 210.AA
Techniques de laboratoire-Biotechnologies /
Biologie médicale 210.AA
Techniques de laboratoire-Biotechnologies /
Biologie moléculaire 210.AA
Techniques de comptabilité et de gestion /
Administration des affaires. 410.B0

Informatique de gestion / Informatique 420.AA
Gestion de réseaux informatiques /
Informatique 420.AC

COLLÈGE D'ALMA
675, boul. Auger Ouest
Alma (Québec) G8B 2B7
Tél. : 418 668-2387
Téléc. : 418 668-3806
college@calma.qc.ca
www.calma.qc.ca

Gestion et exploitation d'une entreprise agricole / Agronomie 152.A0
Gestion et exploitation d'une entreprise agricole – productions animales / Agroéconomie 152.AA
Gestion et exploitation d'une entreprise agricole – productions végétales / Agroéconomie 152.AB
Soins infirmiers / Sciences infirmières 180.A0
Techniques de comptabilité et de gestion / Sciences comptables 410.B0
Techniques de comptabilité et de gestion / Administration 410.24
Informatique de gestion / Informatique 420.B0
Techniques professionnelles de musique et chanson-musique populaire / Musique-mention interprétation (jazz –musique populaire) 551.AB

COLLÈGE DE BOIS-DE-BOULOGNE
10555, avenue de Bois-de-Boulogne
Montréal (Québec) H4N 1L4
Tél. : 514 332-3000, poste 7501
Téléc. : 514 332-8781
lise.laflamme@bdeb.qc.ca
www.bdeb.qc.ca/

Soins infirmiers / Sciences infirmières 180.A0

COLLÈGE DE MAISONNEUVE
3800, rue Sherbrooke Est
Montréal (Québec) H1X 2A2
Tél. : 514 254-7131
Téléc. : 514 251-3681
www.cmaisonneuve.qc.ca

Soins infirmiers / Sciences infirmières 180.A0
Informatique de gestion / Informatique et génie logiciel 420.AA
Gestion de réseaux informatiques / Informatique et génie logiciel 420.AC
Informatique de gestion / Informatique 420.AA
Informatique de gestion / Informatique et recherche opérationnelle 420.AA
Gestion de réseaux informatiques / Informatique 420.AC
Gestion de réseaux informatiques / Informatique et recherche opérationnelle . . . 420.AC

COLLÈGE DE ROSEMONT
6400, 16e Avenue
Montréal (Québec) H1X 2S9
Tél. : 514 376-1620
Téléc. : 514 376-1440
comm@crosemont.qc.ca
www.crosemont.qc.ca

Informatique de gestion / Informatique 420.AA
Gestion de réseaux informatiques / Informatique 420.AC

COLLÈGE DE VALLEYFIELD
169, rue Champlain
Sallaberry-de-Valleyfield (Québec) J6T 1X6
Tél. : 450 373-9441
Téléc. : 450 377-6001
courrier@colval.qc.ca
www.colval.qc.ca

Sciences infirmières / Soins infirmiers . . 180.A0 ou B0

COLLÈGE ÉDOUARD-MONTPETIT
945, chemin de Chambly
Longueuil (Québec) J4H 3M6
Tél. : 450 679-2631
Téléc. : 450 679-5570
communications@college-em.qc.ca
www.college-em.qc.ca

Soins infirmiers / Sciences infirmières 180.A0
Techniques de comptabilité et de gestion / Sciences comptables 410.A0
Gestion de commerces / Administration-marketing 410.D0
Techniques d'intégration multimédia / Création 3D 582.A10

COLLÈGE FRANÇOIS-XAVIER-GARNEAU
1660, boul. de l'Entente
Québec (Québec) G1S 4S3
Tél. : 418 688-8310
Téléc. : 418 688-1539
communications@cegep-fxg.qc.ca
www.cegep-fxg.qc.ca

Soins infirmiers / Sciences infirmières (cheminement C) 180.A0
Techniques de la documentation / Gestion de l'information* 393.A0
Gestion de commerces / Administration 410.B0
Informatique de gestion / Informatique 420.AA

**Entente avec l'Université de Moncton*

COLLÈGE GÉRALD-GODIN
15615, boul. Gouin Ouest
Sainte-Geneviève (Québec) H9H 5K8
Tél. : 514 626-2666
Téléc. : 514 626-6866
www.college-gerald-godin.qc.ca/

Techniques de comptabilité et de gestion / Administration des affaires 410.B0

COLLÈGE LASALLE
2000, rue Sainte-Catherine Ouest
Montréal (Québec) H3H 2T2
Tél. : 514 939-2006
Sans frais : 1 800 363- 3541
Téléc. : 514 939-2015
www.clasalle.qc.ca

Techniques de comptabilité et de gestion / Administration des affaires 410.B0
Techniques de comptabilité et de gestion / Administration 410.B0
Gestion de commerces / Administration 410.D0
Informatique de gestion / Informatique 420.AA

COLLÈGE LIONEL-GROULX
100, rue Duquet
Sainte-Thérèse (Québec) J7E 3G6
Tél. : 450 430-3120
Téléc. : 450 971-7883
www.clg.qc.ca

Santé animale / Agronomie 145.03
Gestion et exploitation d'une entreprise agricole – productions animales / Agroéconomie 152.AA
Gestion et exploitation d'une entreprise agricole – productions animales / Agronomie 152.AA
Gestion et exploitation d'une entreprise agricole – productions végétales / Agroéconomie 152.AB
Gestion et exploitation d'une entreprise agricole – productions végétales / Agronomie 152.AB
Technologie de la production horticole et de l'environnement – Cultures horticole, légumière, fruitière et ornementale en serre et en champ / Agroéconomie 153.BC
Technologie de la production horticole et de l'environnement – Cultures horticole, légumière, fruitière et ornementale en serre et en champ / Agronomie. 153.BC
Technologie de la production horticole et de l'environnement – environnement / Agroéconomie 153.BD
Technologie de la production horticole et de l'environnement – environnement / Agronomie. 153.BD

Techniques de la documentation / Gestion de l'information* 393.A0
Techniques de comptabilité et de gestion / Administration des affaires 410.B0
Informatique de gestion / Informatique 420.AA
**Entente avec l'Université de Moncton*

COLLÈGE MONTMORENCY
475, boul. de l'Avenir
Laval (Québec) H7N 5H9
Tél. : 450 975-6309
Téléc. : 450 975-6306
info.programmes@cmontmorency.qc.ca
www.cmontmorency.qc.ca

Soins infirmiers / Sciences infirmières 180.A0
Techniques de comptabilité et de gestion / Administration des affaires 410.B0
Conseil en assurances et services financiers / Administration des affaires 410.C0
Informatique de gestion / Informatique 420.AA
Gestion de réseaux informatiques / Informatique 420.AC

COLLÈGE SHAWINIGAN
2263, boul. du Collège, C. P. 610
Shawinigan (Québec) G9N 6V8
Tél. : 819 539-6401
Téléc. : 819 539-8819
information@collegeshawinigan.qc.ca
www.collegeshawinigan.qc.ca

Soins infirmiers / Sciences infirmières 180.A0
Techniques de laboratoire-Biotechnologies / Microbiologie 210.AA
Techniques de laboratoire-Biotechnologies / Biochimie-Biotechnologie. 210.AA
Techniques de laboratoire-Biotechnologies / Biologie moléculaire 210.AA
Techniques de laboratoire-Biotechnologies / Biotechnologie. 210.AA
Techniques de comptabilité et de gestion / Administration des affaires 410.B0
Techniques de comptabilité et de gestion / Sciences comptables 410.B0
Informatique de gestion / Informatique 420.AA

COLLÈGE DE VALLEYFIELD
169, rue Champlain
Sallaberry-de-Valleyfield (Québec) J6T 1X6
Tél. : 450 373-9441
Téléc. : 450 373-7719
www.colval.qc.ca

Soins infirmiers / Sciences infirmières 180.A0

INSTITUT DE TECHNOLOGIE AGROALIMENTAIRE (ITA) CAMPUS DE LA POCATIÈRE

401, rue Poiré
La Pocatière (Québec) G0R 1Z0
Tél. : 418 856-1110, poste 208
Téléc. : 418 856-1719
scitalp@agr.gouv.qc.ca
www.ita.qc.ca

Gestion et exploitation d'une entreprise agricole-production animales / Agronomie . . 152.AA
Gestion et exploitation d'une entreprise agricole – productions animales / Agroéconomie 152.AA
Gestion et exploitation d'une entreprise agricole – productions végétales / Agronomie. 152.AB
Gestion et exploitation d'une entreprise agricole – productions végétales / Agroéconomie 152.AB
Techniques de productions animales / Agroéconomie 153.A0
Techniques de productions animales / Agronomie. 153.A0
Technologie de la production horticole et de l'environnement – Cultures horticole, légumière, fruitière et ornementale en serre et en champ / Agroéconomie 153.BC
Technologie de la production horticole et de l'environnement – Cultures horticole, légumière, fruitière et ornementale en serre et en champ / Agronomie. 153.BC
Technologie de la production horticole et de l'environnement – environnement / Agroéconomie 153.BD
Technologie de la production horticole et de l'environnement – environnement / Agronomie. 153.BD
Transformation des aliments / Sciences et technologies des aliments 154.A0

INSTITUT DE TECHNOLOGIE AGROALIMENTAIRE (ITA) CAMPUS DE SAINT-HYACINTHE

3230, rue Sicotte, C. P. 70
Saint-Hyacinthe (Québec) J2S 7B3
Tél. : 450 778-6504, poste 235
Téléc. : 450 778-6536
ita.st.hyacinthe@agr.gouv.qc.ca
www.ita.qc.ca

Gestion et exploitation d'une entreprise agricole – productions animales / Agronomie 152.AA
Gestion et exploitation d'une entreprise agricole – productions animales / Agroéconomie 152.AA
Gestion et exploitation d'une entreprise agricole – productions végétales / Agronomie. 152.AB
Gestion et exploitation d'une entreprise agricole – productions végétales / Agroéconomie 152.AB
Techniques de productions animales / Agroéconomie 153.A0
Techniques de productions animales / Agronomie. 153.A0
Technologie de la production horticole et de l'environnement – Cultures légumières, fruitières et industrielles / Agroéconomie . . . 153.BA
Technologie de la production horticole et de l'environnement – Cultures légumières, fruitières et industrielles / Agronomie 153.BA
Technologie de la production horticole et de l'environnement – Culture de plantes ornementales / Agroéconomie 153.BB
Technologie de la production horticole et de l'environnement – Culture de plantes ornementales / Agronomie 153.BB
Transformation des aliments / Sciences et technologies des aliments 154.A0

INSTITUT DE TOURISME ET D'HÔTELLERIE DU QUÉBEC – ITHQ

3535, rue Saint-Denis
Montréal (Québec) H2X 3P1
Tél. : 514 282-5108
Téléc. : 514 282-5126
info-scolaire@ithq.qc.ca
www.ithq.qc.ca

Techniques de gestion hôtelière / Gestion du tourisme et de l'hôtellerie 414.A0
Gestion d'un établissement de restauration / Gestion du tourisme et de l'hôtellerie 430.B0

DOSSIER – PASSERELLES entre les programmes techniques et les programmes universitaires

La formation technique offerte au collégial prépare les élèves à travailler dès la fin de leurs études collégiales. Cependant, un certain nombre d'entre eux préfèrent continuer leurs études à l'université en s'inscrivant à un programme de baccalauréat de la même famille d'études. Au cours des dernières années, les universités ont mis au point une structure d'accueil plus souple afin d'accueillir ces élèves.

L'École de technologie supérieure (ÉTS) est le seul établissement universitaire au Québec à offrir des programmes de baccalauréat en génie permettant d'accueillir directement les titulaires d'un diplôme d'études collégiales (DEC) dans la famille des techniques physiques ainsi que les titulaires d'un DEC en techniques de l'informatique (420.A0).

L'École Polytechnique de Montréal, l'Université Laval, l'Université du Québec à Chicoutimi (UQAC), l'Université du Québec à Rimouski (UQAR) et l'Université du Québec à Trois-Rivières (UQTR) ont mis au point des « passerelles » qui permettent d'établir une équivalence entre un programme de formation technique au collégial et les cours de première année de certains programmes de baccalauréat.

Grâce à ces passerelles, les élèves bénéficient de crédits pouvant même aller jusqu'à l'équivalent d'une année scolaire. Les diplômés des programmes techniques visés par cette mesure voient donc leurs études universitaires allégées, voire abrégées.

Voici donc, pour les universités où **les données étaient disponibles**, une liste des cours crédités selon le DEC technique accepté.

Pour les autres universités

Pour tous les programmes où les conditions d'admission indiquent un DEC technique, les candidats peuvent se voir reconnaître des cours de leur programme (en exemption, substitution ou intégration) et ce, en présentant une demande de reconnaissance des acquis.

UNIVERSITÉ — PAGES

École de technologie supérieure (ÉTS)

PASSERELLES* ENTRE LES PROGRAMMES TECHNIQUES (DEC) ET LES PROGRAMMES DE BACCALAURÉAT EN GÉNIE DE L'ÉCOLE DE TECHNOLOGIE SUPÉRIEURE (ÉTS)

Dans tous les cas, la formation a une durée de 7 trimestres.
L'étudiant se verra prescrire un cheminement personnalisé en mathématiques et en sciences à la suite d'un test diagnostique.

DEC ADMISSIBLES POUR LE PROGRAMME **GÉNIE DE LA CONSTRUCTION** (BAC)	
260.A0	Assainissement de l'eau
271.02	Exploitation (Technologie minérale)
271.01	Géologie appliquée (Technologie minérale)
271.03	Minéralurgie (Technologie minérale)
248.01	Techniques d'architecture navale
221.A0	Technologie de l'architecture
221.D0	Technologie de l'estimation et de l'évaluation en bâtiment
153.D0	Technologie du génie agromécanique
221.B0	Technologie du génie civil
221.C0	Technologie de la mécanique du bâtiment
222.A0	Techniques d'aménagement et d'urbanisme
230.A0	Technologie de la géomatique

DEC ADMISSIBLES POUR LE PROGRAMME **GÉNIE DE LA PRODUCTION AUTOMATISÉE** (BAC)	
280.04	Avionique
280.B0	Construction aéronautique
280.03	Entretien d'aéronefs
248.01	Techniques d'architecture navale
144.B0	Techniques d'orthèses et de prothèses orthopédiques
241.A0	Techniques de génie mécanique
248.C0	Techniques de génie mécanique de marine
241.C0	Techniques de transformation des matériaux composites
241.B0 ou 12	Techniques de transformation des matières plastiques (plasturgie)
243.16	Technologie de conception en électronique
243.11	Technologie de l'électronique
243.06	Technologie de l'électronique industrielle
154.A0	Technologie de la transformation des aliments
190.A0	Technologie de la transformation des produits forestiers
241.D0	Technologie de maintenance industrielle
243.15	Technologie des systèmes ordinés
153.D0	Technologie du génie agromécanique
244.A0	Technologie physique
420.A0	Techniques de l'informatique
210.B0	Techniques de procédés chimiques
235.A0	Techniques de production manufacturière
233.B0	Techniques du meuble et d'ébénisterie
235.01 ou B0	Technologie du génie industriel

** L'ÉTS n'utilise pas le terme « passerelle » puisque l'accès aux programmes de baccalauréat est direct.*

DEC ADMISSIBLES POUR LE PROGRAMME GÉNIE DES TECHNOLOGIES DE L'INFORMATION (BAC)

582.A1	Techniques d'intégration multimédia
420.A0	Techniques de l'informatique
243.15	Technologie de systèmes ordinés

DEC ADMISSIBLES POUR LE PROGRAMME GÉNIE ÉLECTRIQUE (BAC)

280.04	Avionique
420.A0	Techniques de l'informatique
243.16	Technologie de conception en électronique
243.11	Technologie de l'électronique
243.06	Technologie de l'électronique industrielle
243.15	Technologie des systèmes ordinés
244.A0	Technologie physique

DEC ADMISSIBLES POUR LE PROGRAMME GÉNIE LOGICIEL (BAC)

582.A1	Techniques d'intégration multimédia
420.A0	Techniques de l'informatique
243.15	Technologie des systèmes ordinés

DEC ADMISSIBLES POUR LE PROGRAMME GÉNIE MÉCANIQUE (BAC)

280.B0	Construction aéronautique
280.03	Entretien d'aéronefs
248.01	Techniques d'architecture navale
570.C0	Techniques de design industriel
241.A0	Techniques de génie mécanique
248.C0	Techniques de génie mécanique de marine
210.B0	Techniques de procédés chimiques
235.A0	Techniques de production manufacturière
241.C0	Techniques de tranformation des matériaux composites
241.B0 ou 12	Techniques de transformation des matières plastiques (plasturgie)
233.B0	Techniques du meuble et d'ébénisterie
221.C0	Technologie de la mécanique du bâtiment
251.B0	Technologie de la production textile
241.D0	Technologie de maintenance industrielle
153.D0	Technologie du génie agromécanique
235.01 ou B0	Technologie du génie industriel
270.A0	Technologie du génie métallurgique
244.A0	Technologie physique

DEC ADMISSIBLES POUR LE PROGRAMME GÉNIE DES OPÉRATIONS ET DE LA LOGISTIQUE

410.C0	Conseil en assurances et services financiers
410.D0	Gestion de commerces
410.B0	Techniques de comptabilité et de gestion
420.AC	Techniques de l'informatique, spécialisation *Gestion de réseaux informatiques*
420.AA	Techniques de l'informatique, spécialisation *Informatique de gestion*
420.AB	Techniques de l'informatique, spécialisation *Informatique industrielle*
410.A0	Techniques de la logistique du transport
235.A0	Techniques de production manufacturière
235.01	Technologie du génie industriel

École Polytechnique de Montréal

PASSERELLES ENTRE LES PROGRAMMES TECHNIQUES (DEC) ET LES PROGRAMMES DE BACCALAURÉAT EN GÉNIE DE L'ÉCOLE POLYTECHNIQUE DE MONTRÉAL

PASSERELLES ET PRÉALABLES	COURS UNIVERSITAIRES CRÉDITÉS
Techniques de génie chimique (210.02) ❶	
1. Génie chimique (bac) **2. Génie civil (bac)** **3. Génie électrique (bac)** **4. Génie géologique (bac)** **5. Génie industriel (bac)** ❷ **6. Génie informatique (bac)** **7. Génie logiciel (bac)** **8. Génie biomédical (bac)** **9. Génie mécanique (bac)** **10. Génie des mines (bac)** **11. Génie physique (bac)** **Préalables : 2, 3, 4, 6*** (voir p. 348) ❹	Note : ❸ Les programmes n'étant pas définitifs à ce jour, les exemptions ne sont pas toutes définies et sont mises à jour lorsque cela est nécessaire. Par conséquent, les données du tableau sont provisoires et en constante évolution. Nous vous invitons à consulter notre site à l'adresse suivante : http://polymts.ca/etudes/admission.php

❶ Programme collégial technique accepté.

❷ Programmes de baccalauréat associés au programme technique concerné.

❸ Cours universitaires dont les étudiants peuvent être exemptés dans le programme concerné.

❹ Liste des **préalables** qui correspond aux cours collégiaux exigés comme préalables pour entrer dans les programmes de baccalauréat correspondant. Ceux marqués d'une astérisque (*) sont offerts à l'École Polytechnique sous la forme de cours de mise à niveau.

1. Calcul différentiel (mathématiques 103)
2. Algèbre vectorielle et calcul matriciel (mathématiques 105)*
3. Calcul intégral (mathématiques 203)*
4. Physique 101*
5. Physique 201*
6. Physique 301 (uniquement pour le programme de Génie physique)
7. Chimie 101*

Index des programmes techniques acceptés

PASSERELLES ET PRÉALABLES	COURS UNIVERSITAIRES CRÉDITÉS
Avionique (280.04)	
1. Génie chimique (bac) **2. Génie civil (bac)** **3. Génie électrique (bac)** **4. Génie géologique (bac)** **5. Génie industriel (bac)** **6. Génie informatique (bac)** **7. Génie logiciel (bac)** **8. Génie biomédical (bac)** **9. Génie mécanique (bac)** **10. Génie des mines (bac)** **11. Génie physique (bac)** **Préalables : 2, 3, 4, 6*, 7** (voir p. 348)	Note : Les programmes n'étant pas définitifs à ce jour, les exemptions ne sont pas toutes définies et sont mises à jour lorsque cela est nécessaire. Par conséquent, les données du tableau sont provisoires et en constante évolution. Nous vous invitons à consulter notre site à l'adresse suivante : http://polymts.ca/etudes/admission.php
Construction aéronautique (280.B0)	
1. Génie chimique (bac) **2. Génie civil (bac)** **3. Génie électrique (bac)** **4. Génie géologique (bac)** **5. Génie industriel (bac)** **6. Génie informatique (bac)** **7. Génie logiciel (bac)** **8. Génie biomédical (bac)** **9. Génie mécanique (bac)** **10. Génie des mines (bac)** **11. Génie physique (bac)** **Préalables : 2, 3, 6*, 7** (voir p. 348)	Note : Les programmes n'étant pas définitifs à ce jour, les exemptions ne sont pas toutes définies et sont mises à jour lorsque cela est nécessaire. Par conséquent, les données du tableau sont provisoires et en constante évolution. Nous vous invitons à consulter notre site à l'adresse suivante : http://polymts.ca/etudes/admission.php
Entretien d'aéronefs (280.03)	
1. Génie chimique (bac) **2. Génie civil (bac)** **3. Génie électrique (bac)** **4. Génie géologique (bac)** **5. Génie industriel (bac)** **6. Génie informatique (bac)** **7. Génie logiciel (bac)** **8. Génie biomédical (bac)** **9. Génie mécanique (bac)** **10. Génie des mines (bac)** **11. Génie physique (bac)** **Préalables : 2, 6*, 7** (voir p. 348)	Note : Les programmes n'étant pas définitifs à ce jour, les exemptions ne sont pas toutes définies et sont mises à jour lorsque cela est nécessaire. Par conséquent, les données du tableau sont provisoires et en constante évolution. Nous vous invitons à consulter notre site à l'adresse suivante : http://polymts.ca/etudes/admission.php

* Uniquement pour le programme de Génie physique.

PASSERELLES ET PRÉALABLES	COURS UNIVERSITAIRES CRÉDITÉS
***Exploitation* – Technologie minérale (271.02)**	
1. Génie chimique (bac) **2. Génie civil (bac)** **3. Génie électrique (bac)** **4. Génie géologique (bac)** **5. Génie industriel (bac)** **6. Génie informatique (bac)** **7. Génie logiciel (bac)** **8. Génie biomédical (bac)** **9. Génie mécanique (bac)** **10. Génie des mines (bac)** **11. Génie physique (bac)** **Préalables : 1, 2, 3, 5, 6*** (voir p. 348)	Note : Les programmes n'étant pas définitifs à ce jour, les exemptions ne sont pas toutes définies et sont mises à jour lorsque cela est nécessaire. Par conséquent, les données du tableau sont provisoires et en constante évolution. Nous vous invitons à consulter notre site à l'adresse suivante : http://polymts.ca/etudes/admission.php
***Géologie appliquée* – Technologie minérale (271.01)**	
1. Génie chimique (bac) **2. Génie civil (bac)** **3. Génie électrique (bac)** **4. Génie géologique (bac)** **5. Génie industriel (bac)** **6. Génie informatique (bac)** **7. Génie logiciel (bac)** **8. Génie biomédical (bac)** **9. Génie mécanique (bac)** **10. Génie des mines (bac)** **11. Génie physique (bac)** **Préalables : 1, 2, 3, 5, 6*** (voir p. 348)	Note : Les programmes n'étant pas définitifs à ce jour, les exemptions ne sont pas toutes définies et sont mises à jour lorsque cela est nécessaire. Par conséquent, les données du tableau sont provisoires et en constante évolution. Nous vous invitons à consulter notre site à l'adresse suivante : http://polymts.ca/etudes/admission.php
***Minéralurgie* – Technologie minérale (271.03)**	
1. Génie chimique (bac) **2. Génie civil (bac)** **3. Génie électrique (bac)** **4. Génie géologique (bac)** **5. Génie industriel (bac)** **6. Génie informatique (bac)** **7. Génie logiciel (bac)** **8. Génie biomédical (bac)** **9. Génie mécanique (bac)** **10. Génie des mines (bac)** **11. Génie physique (bac)** **Préalables : 1, 2, 3, 5, 6*** (voir p. 348)	Note : Les programmes n'étant pas définitifs à ce jour, les exemptions ne sont pas toutes définies et sont mises à jour lorsque cela est nécessaire. Par conséquent, les données du tableau sont provisoires et en constante évolution. Nous vous invitons à consulter notre site à l'adresse suivante : http://polymts.ca/etudes/admission.php
Techniques d'architecture navale (248.01)	
1. Génie chimique (bac) **2. Génie civil (bac)** **3. Génie électrique (bac)** **4. Génie géologique (bac)** **5. Génie industriel (bac)** **6. Génie informatique (bac)** **7. Génie logiciel (bac)** **8. Génie biomédical (bac)** **9. Génie mécanique (bac)** **10. Génie des mines (bac)** **11. Génie physique (bac)** **Préalables : 2, 3, 5, 6*, 7** (voir p. 348)	Note : Les programmes n'étant pas définitifs à ce jour, les exemptions ne sont pas toutes définies et sont mises à jour lorsque cela est nécessaire. Par conséquent, les données du tableau sont provisoires et en constante évolution. Nous vous invitons à consulter notre site à l'adresse suivante : http://polymts.ca/etudes/admission.php

* Uniquement pour le programme de Génie physique.

PASSERELLES ET PRÉALABLES	COURS UNIVERSITAIRES CRÉDITÉS
Techniques de génie chimique (210.02)	
1. Génie chimique (bac) **2. Génie civil (bac)** **3. Génie électrique (bac)** **4. Génie géologique (bac)** **5. Génie industriel (bac)** **6. Génie informatique (bac)** **7. Génie logiciel (bac)** **8. Génie biomédical (bac)** **9. Génie mécanique (bac)** **10. Génie des mines (bac)** **11. Génie physique (bac)** **Préalables : 2, 3, 4, 6*** (voir p. 348)	Note : Les programmes n'étant pas définitifs à ce jour, les exemptions ne sont pas toutes définies et sont mises à jour lorsque cela est nécessaire. Par conséquent, les données du tableau sont provisoires et en constante évolution. Nous vous invitons à consulter notre site à l'adresse suivante : http://polymts.ca/etudes/admission.php
Techniques de génie mécanique (241.A0)	
1. Génie chimique (bac) **2. Génie civil (bac)** **3. Génie électrique (bac)** **4. Génie géologique (bac)** **5. Génie industriel (bac)** **6. Génie informatique (bac)** **7. Génie logiciel (bac)** **8. Génie biomédical (bac)** **9. Génie mécanique (bac)** **10. Génie des mines (bac)** **11. Génie physique (bac)** **Préalables : 2, 3, 5, 6*, 7** (voir p. 348)	Note : Les programmes n'étant pas définitifs à ce jour, les exemptions ne sont pas toutes définies et sont mises à jour lorsque cela est nécessaire. Par conséquent, les données du tableau sont provisoires et en constante évolution. Nous vous invitons à consulter notre site à l'adresse suivante : http://polymts.ca/etudes/admission.php
Techniques de l'informatique (420.A0) et spécialisations : – *Informatique de gestion* (420.AA) – *Informatique industrielle* (420.AB) – *Gestion de réseaux informatiques* (420.AC)	
1. Génie chimique (bac) **2. Génie civil (bac)** **3. Génie électrique (bac)** **4. Génie géologique (bac)** **5. Génie industriel (bac)** **6. Génie informatique (bac)** **7. Génie logiciel (bac)** **8. Génie biomédical (bac)** **9. Génie mécanique (bac)** **10. Génie des mines (bac)** **11. Génie physique (bac)** **Préalables : 1, 2, 3, 4, 5, 6*, 7** (voir p. 348)	Note : Les programmes n'étant pas définitifs à ce jour, les exemptions ne sont pas toutes définies et sont mises à jour lorsque cela est nécessaire. Par conséquent, les données du tableau sont provisoires et en constante évolution. Nous vous invitons à consulter notre site à l'adresse suivante : http://polymts.ca/etudes/admission.php

* Uniquement pour le programme de Génie physique.

PASSERELLES ET PRÉALABLES	COURS UNIVERSITAIRES CRÉDITÉS
Techniques de procédés chimiques (210.B0)	
1. Génie chimique (bac) **2. Génie civil (bac)** **3. Génie électrique (bac)** **4. Génie géologique (bac)** **5. Génie industriel (bac)** **6. Génie informatique (bac)** **7. Génie logiciel (bac)** **8. Génie biomédical (bac)** **9. Génie mécanique (bac)** **10. Génie des mines (bac)** **11. Génie physique (bac)** **Préalables : 2, 3, 4, 6*, 7** (voir p. 348)	Note : Les programmes n'étant pas définitifs à ce jour, les exemptions ne sont pas toutes définies et sont mises à jour lorsque cela est nécessaire. Par conséquent, les données du tableau sont provisoires et en constante évolution. Nous vous invitons à consulter notre site à l'adresse suivante : http://polymts.ca/etudes/admission.php
Techniques de production manufacturière (235.A0) et Technologie du génie industriel (235.01 ou B0)	
1. Génie chimique (bac) **2. Génie civil (bac)** **3. Génie électrique (bac)** **4. Génie géologique (bac)** **5. Génie industriel (bac)** **6. Génie informatique (bac)** **7. Génie logiciel (bac)** **8. Génie biomédical (bac)** **9. Génie mécanique (bac)** **10. Génie des mines (bac)** **11. Génie physique (bac)** **Préalables : 1, 2, 3, 4, 5, 6*, 7** (voir p. 348)	Note : Les programmes n'étant pas définitifs à ce jour, les exemptions ne sont pas toutes définies et sont mises à jour lorsque cela est nécessaire. Par conséquent, les données du tableau sont provisoires et en constante évolution. Nous vous invitons à consulter notre site à l'adresse suivante : http://polymts.ca/etudes/admission.php
Techniques de transformation des matières plastiques – plasturgie (241.B0 ou 12)	
1. Génie chimique (bac) **2. Génie civil (bac)** **3. Génie électrique (bac)** **4. Génie géologique (bac)** **5. Génie industriel (bac)** **6. Génie informatique (bac)** **7. Génie logiciel (bac)** **8. Génie biomédical (bac)** **9. Génie mécanique (bac)** **10. Génie des mines (bac)** **11. Génie physique (bac)** **Préalables : 2, 3, 5, 6*** (voir p. 348)	Note : Les programmes n'étant pas définitifs à ce jour, les exemptions ne sont pas toutes définies et sont mises à jour lorsque cela est nécessaire. Par conséquent, les données du tableau sont provisoires et en constante évolution. Nous vous invitons à consulter notre site à l'adresse suivante : http://polymts.ca/etudes/admission.php
Technologie de conception électronique (243.16)	
1. Génie chimique (bac) **2. Génie civil (bac)** **3. Génie électrique (bac)** **4. Génie géologique (bac)** **5. Génie industriel (bac)** **6. Génie informatique (bac)** **7. Génie logiciel (bac)** **8. Génie biomédical (bac)** **9. Génie mécanique (bac)** **10. Génie des mines (bac)** **11. Génie physique (bac)** **Préalables : 6*, 7** (voir p. 348)	Note : Les programmes n'étant pas définitifs à ce jour, les exemptions ne sont pas toutes définies et sont mises à jour lorsque cela est nécessaire. Par conséquent, les données du tableau sont provisoires et en constante évolution. Nous vous invitons à consulter notre site à l'adresse suivante : http://polymts.ca/etudes/admission.php

* Uniquement pour le programme de Génie physique.

PASSERELLES ET PRÉALABLES	COURS UNIVERSITAIRES CRÉDITÉS
Technologie de l'architecture (221.01)	
1. Génie chimique (bac) 2. Génie civil (bac) 3. Génie électrique (bac) 4. Génie géologique (bac) 5. Génie industriel (bac) 6. Génie informatique (bac) 7. Génie logiciel (bac) 8. Génie biomédical (bac) 9. Génie mécanique (bac) 10. Génie des mines (bac) 11. Génie physique (bac) **Préalables : 2, 3, 5, 6*, 7** (voir p. 348)	Note : Les programmes n'étant pas définitifs à ce jour, les exemptions ne sont pas toutes définies et sont mises à jour lorsque cela est nécessaire. Par conséquent, les données du tableau sont provisoires et en constante évolution. Nous vous invitons à consulter notre site à l'adresse suivante : http://polymts.ca/etudes/admission.php
Technologie de l'électronique (243.11)	
1. Génie chimique (bac) 2. Génie civil (bac) 3. Génie électrique (bac) 4. Génie géologique (bac) 5. Génie industriel (bac) 6. Génie informatique (bac) 7. Génie logiciel (bac) 8. Génie biomédical (bac) 9. Génie mécanique (bac) 10. Génie des mines (bac) 11. Génie physique (bac) **Préalables : 2, 3, 6*, 7** (voir p. 348)	Note : Les programmes n'étant pas définitifs à ce jour, les exemptions ne sont pas toutes définies et sont mises à jour lorsque cela est nécessaire. Par conséquent, les données du tableau sont provisoires et en constante évolution. Nous vous invitons à consulter notre site à l'adresse suivante : http://polymts.ca/etudes/admission.php
Technologie de l'électronique industrielle (243.06)	
1. Génie chimique (bac) 2. Génie civil (bac) 3. Génie électrique (bac) 4. Génie géologique (bac) 5. Génie industriel (bac) 6. Génie informatique (bac) 7. Génie logiciel (bac) 8. Génie biomédical (bac) 9. Génie mécanique (bac) 10. Génie des mines (bac) 11. Génie physique (bac) **Préalables : 2, 3, 4, 6*, 7** (voir p. 348)	Note : Les programmes n'étant pas définitifs à ce jour, les exemptions ne sont pas toutes définies et sont mises à jour lorsque cela est nécessaire. Par conséquent, les données du tableau sont provisoires et en constante évolution. Nous vous invitons à consulter notre site à l'adresse suivante : http://polymts.ca/etudes/admission.php
Technologie de maintenance industrielle (241.DO)	
1. Génie chimique (bac) 2. Génie civil (bac) 3. Génie électrique (bac) 4. Génie géologique (bac) 5. Génie industriel (bac) 6. Génie informatique (bac) 7. Génie logiciel (bac) 8. Génie biomédical (bac) 9. Génie mécanique (bac) 10. Génie des mines (bac) 11. Génie physique (bac) **Préalables : 2, 3, 6*, 7** (voir p. 348)	Note : Les programmes n'étant pas définitifs à ce jour, les exemptions ne sont pas toutes définies et sont mises à jour lorsque cela est nécessaire. Par conséquent, les données du tableau sont provisoires et en constante évolution. Nous vous invitons à consulter notre site à l'adresse suivante : http://polymts.ca/etudes/admission.php

* Uniquement pour le programme de Génie physique.

PASSERELLES ET PRÉALABLES	COURS UNIVERSITAIRES CRÉDITÉS
Technologie de systèmes ordinés (243.15)	
1. Génie chimique (bac) **2. Génie civil (bac)** **3. Génie électrique (bac)** **4. Génie géologique (bac)** **5. Génie industriel (bac)** **6. Génie informatique (bac)** **7. Génie logiciel (bac)** **8. Génie biomédical (bac)** **9. Génie mécanique (bac)** **10. Génie des mines (bac)** **11. Génie physique (bac)** **Préalables : 2, 3, 6*, 7** (voir p. 348)	Note : Les programmes n'étant pas définitifs à ce jour, les exemptions ne sont pas toutes définies et sont mises à jour lorsque cela est nécessaire. Par conséquent, les données du tableau sont provisoires et en constante évolution. Nous vous invitons à consulter notre site à l'adresse suivante : http://polymts.ca/etudes/admission.php
Technologie du génie civil (221.B0)	
1. Génie chimique (bac) **2. Génie civil (bac)** **3. Génie électrique (bac)** **4. Génie géologique (bac)** **5. Génie industriel (bac)** **6. Génie informatique (bac)** **7. Génie logiciel (bac)** **8. Génie biomédical (bac)** **9. Génie mécanique (bac)** **10. Génie des mines (bac)** **11. Génie physique (bac)** **Préalables : 2, 3, 5, 6*, 7** (voir p. 348)	Note : Les programmes n'étant pas définitifs à ce jour, les exemptions ne sont pas toutes définies et sont mises à jour lorsque cela est nécessaire. Par conséquent, les données du tableau sont provisoires et en constante évolution. Nous vous invitons à consulter notre site à l'adresse suivante : http://polymts.ca/etudes/admission.php
Technologie du génie métallurgique (270.A0) et spécialisations : *– Procédés de transformation* (270.AA) *– Fabrication mécanosoudée* (270.AB) *– Contrôle des matériaux* (270.AC)	
1. Génie chimique (bac) **2. Génie civil (bac)** **3. Génie électrique (bac)** **4. Génie géologique (bac)** **5. Génie industriel (bac)** **6. Génie informatique (bac)** **7. Génie logiciel (bac)** **8. Génie biomédical (bac)** **9. Génie mécanique (bac)** **10. Génie des mines (bac)** **11. Génie physique (bac)** **Préalables : 2, 3, 6*** (voir p. 348)	Note : Les programmes n'étant pas définitifs à ce jour, les exemptions ne sont pas toutes définies et sont mises à jour lorsque cela est nécessaire. Par conséquent, les données du tableau sont provisoires et en constante évolution. Nous vous invitons à consulter notre site à l'adresse suivante : http://polymts.ca/etudes/admission.php

* Uniquement pour le programme de Génie physique.

PASSERELLES ET PRÉALABLES	COURS UNIVERSITAIRES CRÉDITÉS
Technologie physique (244.A0)	
1. Génie chimique (bac) **2. Génie civil (bac)** **3. Génie électrique (bac)** **4. Génie géologique (bac)** **5. Génie industriel (bac)** **6. Génie informatique (bac)** **7. Génie logiciel (bac)** **8. Génie biomédical (bac)** **9. Génie mécanique (bac)** **10. Génie des mines (bac)** **11. Génie physique (bac)** **Préalables : 2, 3, 6*, 7** (voir p. 348)	Note : Les programmes n'étant pas définitifs à ce jour, les exemptions ne sont pas toutes définies et sont mises à jour lorsque cela est nécessaire. Par conséquent, les données du tableau sont provisoires et en constante évolution. Nous vous invitons à consulter notre site à l'adresse suivante : http://polymts.ca/etudes/admission.php

* Uniquement pour le programme de Génie physique.

PASSERELLES ENTRE LES PROGRAMMES TECHNIQUES (DEC) ET LES PROGRAMMES DE BACCALAURÉAT DE L'UNIVERSITÉ LAVAL

PASSERELLES	PRÉALABLES	COURS CRÉDITÉS	REMARQUES
❶ Techniques de laboratoire – ❷ *Biotechnologies* (210.AA)			
Bioinformatique (bac) ❸	Mathématiques NYA, NYB et NYC ❹	BCM-10004 : Biochimie structurale BCM-21134 : Métabolisme et régulation **Total des crédits** : 6 ❺	*Exemption des préalables de chimie et de physique 101.* ❻

Cette passerelle est à titre indicatif seulement.

❶ Programme collégial technique accepté.
❷ Le titre en italique renvoie à une spécialisation du programme concerné.
❸ Programme de baccalauréat (il peut y en avoir plus d'un) associé au programme technique concerné.
❹ Cours collégiaux réussis exigés pour être admis dans le programme universitaire concerné.
❺ Cours universitaires crédités dans le programme concerné.
❻ Renseignements complémentaires.

Index des programmes techniques acceptés

FACULTÉ DES SCIENCES INFIRMIÈRES

FACULTÉ DES SCIENCES SOCIALES

FACULTÉ DE DROIT

PASSERELLES	PRÉALABLES[1]	COURS CRÉDITÉS[2]	REMARQUES
FACULTÉ D'AMÉNAGEMENT, D'ARCHITECTURE ET DES ARTS VISUELS			
Graphisme (570.A0)			
Design graphique (bac)	Aucun	ARV-11731 : Illustration élémentaire ARV-14622 : Dessin d'observation ARV-14630 : Design graphique fondamental ARV-14631 : Schématisation graphique ARV-16576 : Bases typographiques ARV-22733 : Langage photographique ARV-22743 : Dessin : concept et expression **Total des crédits :** 24	
Intégration multimédia (582.A1)			
Design graphique (bac)	Aucun	ARV-18270 : Vidéo : exploration ARV-18273 : Projet I ARV-18276 : Projet II ARV-19040 : Stage ARV-21340 : Design d'interface Web ARV-22738 : Utilisabilité en multimédia: méthodes d'évaluation ARV-22739 : Principes d'interactivité **Total des crédits :** 21	
FACULTÉ DE FORESTERIE ET GÉOMATIQUE			
Technologie de la géomatique (230.A0)			
Génie géomatique (bac)	Mathématiques NYA, NYB, NYC ou 103-77, 105-77 et 203-77 Physique NYA, NYB, NYC ou 101, 201, 301	GMT-18096 : Topométrie I GMT-20839 : Introduction à la géomatique et ses applications IFT-18094 Technologie en géomatique I* GMT-20843 : Fondements des systèmes d'information géographique GMT-20844 : Travaux pratiques en cartographie et photogrammétrie GMT-22867 : Cartographie numérique : concepts et applications GMT-18211 : Travaux pratiques en topométrie **Total des crédits :** 15	** Pour le cours IFT-18094, les étudiants seront quand même invités à assister à un module portant sur le logiciel MATLAB.* *Les baccalauréats seront révisés à l'automne 2006.*

1. Les cours préalables requis peuvent être suivis dans un collège au choix de l'étudiant ou en suivant des cours compensateurs à l'Université Laval.

2. Cours universitaires crédités dans le programme concerné.

PASSERELLES	PRÉALABLES[1]	COURS CRÉDITÉS[2]	REMARQUES
FACULTÉ DE FORESTERIE ET GÉOMATIQUE			
Technologie de la géomatique (230.A0) (suite)			
Sciences géomatiques (bac)	Mathématiques NYA, NYB, NYC ou 103-77, 105-77 et 203-77 Physique NYA, NYB, NYC ou 101, 201, 301	GMT-18096 : Topométrie I GMT-20839 : Introduction à la géomatique et ses applications IFT-18094 Technologie en géomatique I* GMT-20843 : Fondements des systèmes d'information géographique GMT-20844 : Travaux pratiques en cartographie et photogrammétrie GMT-22867 : Cartographie numérique : concepts et applications GMT-18211 : Travaux pratiques en topométrie **Total des crédits :** 15	** Pour le cours IFT-18094, les étudiants seront quand même invités à assister à un module portant sur le logiciel MATLAB.* *Les baccalauréats seront révisés à l'automne 2006.*
Géographie (bac)		GGR-18346 : Cartographie assistée par ordinateur GGR-18692 : Analyse de cartes GGR-18708 : Système d'information géographique GGR-19738 : Analyse de photos aériennes GGR-21467 : L'information géographique: nature et organisation GGR-21468 : L'information géographique: analyse et représentation **Total des crédits :** 18	*Entente passerelle avec le Cégep de Limoilou*
Technologie forestière (190.B0)			
Aménagement et environnement forestiers – Génie forestier (bac)	Mathématiques NYA, NYB, NYC ou 103-77, 105-77 et 203-77 Physique 101, 201 et 301 ou NYA, NYB et NYC Chimie 101 et 201 ou NYA et NYB Avoir réussi 24 crédits dans le programme. Obtenir une moyenne cumulative égale ou supérieure à 2.00/4.33	FOR-11269 : Pathologie forestière FOR-11270 : Ressources et fonctions de la forêt FOR-11293 : Écologie forestière II FOR-15147 : Aménagement des forêts privées FOR-16662 : Photo-interprétation écoforestière* FOR-16676 : Dendrométrie FOR-17236 : Systématique et dendrologie FOR-17239 : Fondements de la foresterie FOR-17240 : Formation pratique (dendométrie) FOR-18307 : Opérations forestières FOR-18501 : Tournée régionale (aménagement en forêt boréale) FOR-20186 : Construction de chemins forestiers **Total des crédits :** 20 à 27	**Équivalence conditionnelle à la réussite d'un examen* ***Liste des cégeps ayant une entente passerelle:* *Cégep de l'Abitibi-Témiscamingue* *Cégep de Baie-Comeau* *Cégep de Chicoutimi* *Cégep de Rimouski* *Cégep de Sainte-Foy.* *N.B.: Le nombre de cours crédités varient d'un cégep à l'autre.*

1. Les cours préalables requis peuvent être suivis dans un collège au choix de l'étudiant ou en suivant des cours compensateurs à l'Université Laval.
2. Cours universitaires crédités dans le programme concerné.

PASSERELLES	PRÉALABLES[1]	COURS CRÉDITÉS[2]	REMARQUES
FACULTÉ DES SCIENCES DE L'ADMINISTRATION			
Gestion de commerces (410.D0)			
Administration des affaires (bac)	Être admis et inscrit dans le cadre d'une entente passerelle* Mathématiques 103-RE et 105-RE Avoir une cote R supérieure ou égale à 28**	ADM-19930 : Stage en milieu de travail GSE-19215 : Économie nationale et internationale MNG-11884 : L'entreprise et sa gestion MNG-15891 : Gestion des ressources humaines MRK-19222 : Marketing SIO-21936 : Systèmes et technologies de l'information **Total des crédits :** 18	***Liste des cégeps ayant une entente passerelle :*** *Cégep André-Laurendeau* *Cégep de Granby – Haute-Yamaska* *Cégep de Jonquière* *Cégep de l'Outaouais* *Cégep de Sainte-Foy* *Cégep de Saint-Hyacinthe* *Cégep de Sherbrooke* *Cégep de Trois-Rivières* *Cégep du Vieux-Montréal* *Cégep Limoilou* *Cégep Saint-Jean-sur-Richelieu* *Cégep régional Lanaudière à Joliette* *Champlain Regional College – Campus St-Lambert* *Collège Ahuntsic* *Collège André-Grasset* *Collège Bart* *Collège d'affaires Ellis inc.* *Collège de Rosemont* *Collège de Valleyfield* *Collège Édouard-Montpetit* *Collège François-Xavier Garneau* *Collège LaSalle* *Collège Lionel-Groulx* *Collège Maisonneuve* *Collège Montmorency* *Collège O'Sullivan de Montréal* *Dawson College* ***Si votre cote R est inférieure à 28 mais supérieure ou égale à 26, vous obtiendrez les quatres équivalences suivantes : GSE-19215, MNG-11884, MRK-19222 et SIO-21936.*

** Techniques de diététique (120.01)*

PASSERELLES	PRÉALABLES[1]	COURS CRÉDITÉS[2]	REMARQUES
FACULTÉ DES SCIENCES DE L'AGRICULTURE ET DE L'ALIMENTATION			
Diététique (120.01)			
Sciences et technologie des aliments (bac)	Mathématiques NYA, NYB ou 103-77, 203-77 Physique NYA, NYB et NYC ou 101, 201 et 301 Chimie NYA et NYB ou 101 et 201 Biologie NYA ou 301	STA-20244 : Introduction à la science des aliments BIO-12286 : Microbiologie générale **Total des crédits :** 5	*Pour la Faculté des sciences de l'agriculture et de l'alimentation, la direction du programme se réserve le droit d'accorder l'équivalence proposée en fonction des résultats scolaires obtenus par les candidats. Elle se réserve aussi le droit de reconnaître d'autres cours en sus ou autres que ceux mentionnés.* ***Cette remarque est valable pour toutes les passerelles de cette faculté.***
Nutrition (bac)	Mathématiques : NYA ou 103 Chimie NYB ou 201 et deux cours parmi les suivants : NYA ou 101, 105 et 202	NTR-14313 : Préparation des aliments **Total des crédits :** 1	

1. Les cours préalables requis peuvent être suivis dans un collège au choix de l'étudiant ou en suivant des cours compensateurs à l'Université Laval.
2. Cours universitaires crédités dans le programme concerné.

PASSERELLES	PRÉALABLES[1]	COURS CRÉDITÉS[2]	REMARQUES
Gestion et exploitation d'entreprise agricole (152.03 ou A0)			
Génie agroenvironnemental – Génie rural (bac)	Mathématiques NYA, NYB, NYC ou 103-77, 105-77, 203-77 Physique 101 et 201 ou NYA et NYB Chimie 101 et 201 ou NYA et NYB	BIO-13328 : Science des plantes SAN-13344 : Principes fondamentaux en sciences animales ERU-19843 : Systèmes agricoles et alimentaires SLS-12503 : Science du sol **Total des crédits :** 12	
Paysage et commercialisation en horticulture ornementale (153.C0)			
Agronomie (bac)	Mathématiques NYA, NYB ou 103-77, 203-77 Physique 101 ou NYA	SLS-12503 : Science du sol BIO-13328 : Science des plantes BIO-12374 : Phytopathologie BIO-10051 : Introduction à l'entomologie PTT-15220 : Plantes et cultures d'ornement PTT-17920 : Cultures en pépinières BIO-20731 : Laboratoire d'entomologie appliquée ERU-19843 : Systèmes agricoles et alimentaires AGN-19845 : Visites agronomiques AGN-21913* : Stage en production agricole *2 cours au choix selon l'option choisie et les résultats des cours du programme technique* **Total des crédits :** 30	** Le stage doit être de 12 semaines et plus avec supervision et rapport de stage détaillé et évalué.*
Agroéconomie (bac)	Mathématiques NYA, NYB ou 103-77, 203-77	SLS-12503 : Science du sol BIO-20226 : Organisation et physiologie des plantes PTT-15220 : Plantes et cultures d'ornement PTT-17919 : Agriculture écologique PTT-15225 : Cultures en serre *Cours supplémentaire si le cheminement choisi est le 4.2* : Économie et gestion des entreprises agro-industrielles **Total des crédits :** 15	
Génie agroenvironnemental – Génie rural (bac)	Mathématiques NYA, NYB, NYC ou 103-77, 105-77, 203-77 Physique 101 et 201 ou NYA et NYB	SLS-12503 : Science du sol BIO-13328 : Science des plantes GAE-21284 : Problématique environnementale en agroalimentaire ERU-19843 : Systèmes agricoles et alimentaires GMC-10282 : Dessin pour ingénieurs **Total des crédits :** 15	

1. Les cours préalables requis peuvent être suivis dans un collège au choix de l'étudiant ou en suivant des cours compensateurs à l'Université Laval.
2. Cours universitaires crédités dans le programme concerné.

PASSERELLES	PRÉALABLES[1]	COURS CRÉDITÉS[2]	REMARQUES
Techniques de chimie analytique* (210.01)			
Sciences et technologie des aliments (bac)	Mathématiques NYA, NYB ou 103-77, 203-77 Biologie 301 ou NYA et 401	CHM-15256 : Laboratoire de chimie analytique CHM-19077 : Chimie organique I **Total des crédits :** 6	
** Techniques de laboratoires, spécialisation Chimie analytique (210.AB)*			
Techniques de génie chimique (210.02)			
Sciences et technologie des aliments (bac)	Mathématiques NYA, NYB ou 103-77, 203-77 Biologie NYA ou 401	STT-18869 : Statistique pour scientifiques **Total des crédits :** 3	
Technologie de la production horticole et de l'environnement (153.B0)			
Génie agroenvironnemental – Génie rural (bac)	Mathématiques NYA, NYB, NYC ou 103-77, 105-77, 203-77 Physique 101 et 201 ou NYA et NYB	**Total des crédits :** 18 SLS-12503 : Science du sol ERU-12339 : Comptabilité des entreprises agroalimentaires ERU-19843 : Systèmes agricoles et alimentaires MNG-11884 : L'entreprise et sa gestion BIO-13328 : Science des plantes GAE-21284 : Problématique environnementale en agroalimentaire **Total des crédits :** 18	
Sciences et technologies des aliments (bac)	Mathématiques NYA, NYB ou 103-77, 203-77 et 301 Physique 101, 201 et 301 ou NYA, NYB et NYC	ERU-15073 : Microéconomie appliquée BIO-20226 : Organisation et physiologie des plantes AGN-19845 : Visites agronomiques MNG-11884 : L'entreprise et sa gestion **Total des crédits :** 12	
Technologie de la transformation des aliments (154.04 ou A0)			
Agronomie (bac)	Mathématiques NYB ou 203-77 Physique 101 ou NYA Biologie 301 ou NYA	BIO-19934 : Microbiologie générale et laboratoire IFT-17801 : Logiciels de la micro-informatique (à option) **Total des crédits :** 6	
Agroéconomie (bac)	Mathématiques NYB ou 203-77	STA-20433 : Sciences des aliments I **Total des crédits :** 3	
Génie alimentaire (bac)	Mathématiques NYA et NYB ou 103-77 et 105-77 Physique 101 et 201 ou NYA et NYB	BIO-12286 : Microbiologie générale STA-20245 : Chimie des aliments I STA-18945 : Microbiologie alimentaire BCM-10004 : Biochimie structurale STA-16822 : Salubrité des usines alimentaires **Total des crédits :** 14	

1. Les cours préalables requis peuvent être suivis dans un collège au choix de l'étudiant ou en suivant des cours compensateurs à l'Université Laval.

2. Cours universitaires crédités dans le programme concerné.

PASSERELLES	PRÉALABLES[1]	COURS CRÉDITÉS[2]	REMARQUES
Technologie des productions animales (153.A0)			
Génie agroenvironnemental – Génie rural (bac)	Mathématiques NYA, NYB, NYC ou 103-77, 105-77, 203-77 Physique NYA, NYB ou 101 et 201	SAN-13344 : Principes fondamentaux en sciences animales SLS-12503 : Science du sol BIO-13328 : Science des plantes ERU-12339 : Comptabilité des entreprises agroalimentaires **Total des crédits :** 12	
Technologie du génie agromécanique (153.D0)			
Agronomie (bac)	Mathématiques NYA, NYB ou 103-77, 203-77 Chimie 101 et 201 ou NYA et NYB Biologie 301 ou NYA	GAE-18511 : Introduction au génie rural SLS-19937 : Conservation des sols et du milieu IFT-17801 : Logiciels de la micro-informatique *3 autres cours à option hors concentration* **Total des crédits :** 18	
Agroéconomie (bac)	Mathématiques NYA, NYB ou 103-77, 203-77 Chimie 101 ou NYA Biologie 301 ou NYA	GAE-18511 : Introduction au génie rural **Total des crédits :** 3	
Génie agroenvironnemental – Génie rural (bac)	Mathématiques NYA, NYB, NYC ou 103-77, 105-77, 203-77 Physique 101 et 201 ou NYA et NYB	GMC-10282 : Dessin pour ingénieurs BIO-13328 : Science des plantes SAN-13344 : Principes fondamentaux en sciences animales GAE-18425 : Concepts de génie agroenvironnemental GAE-21284 : Problématique environnementale en agroalimentaire **Total des crédits :** 15	
Génie alimentaire (bac)	Mathématiques NYA, NYB NYC ou 103-77, 105-77, 203-77 Physique 101 et 201 ou NYA et NYB Chimie 101 et 201 ou NYA et NYB	GMC-10282 : Dessin pour ingénieurs **Total des crédits :** 3	
FACULTÉ DES SCIENCES DE L'ÉDUCATION			
Techniques d'éducation à l'enfance (322.A0)			
Éducation au préscolaire et en enseignement au primaire (bac)	Qualité du dossier scolaire	ENP-22951 : Intervention au préscolaire ENP-20008 : Élèves en difficulté de comportement : intervention **Total des crédits :** 4	
Techniques d'éducation spécialisée (351.A0)			
Éducation au préscolaire et en enseignement au primaire (bac)	Qualité du dossier scolaire	ENP-20008 : Élèves en difficulté de comportement : intervention **Total des crédits :** 2	

1. Les cours préalables requis peuvent être suivis dans un collège au choix de l'étudiant ou en suivant des cours compensateurs à l'Université Laval.
2. Cours universitaires crédités dans le programme concerné.

PASSERELLES	PRÉALABLES[1]	COURS CRÉDITÉS[2]	REMARQUES
FACULTÉ DES SCIENCES ET DE GÉNIE			
Assainissement de l'eau (260.01)			
Génie chimique (bac)	Mathématiques NYB, NYC ou 105-77, 203-77	GCH-13201 : Assainissement industriel STT-10400 : Probabilités et statistique **Total des crédits :** 6	
Autres bac			*Exemption des préalables suivants : mathématique NYA; chimie NYA, NYB, 202;physique NYA et NYB.*
Assainissement de l'eau (260.A0)			
Génie civil (bac)	Mathématiques NYB, NYC ou 105-77, 203-77	GCI-20538 : Introduction au génie de l'environnement GCI-20541 : Traitement des eaux usées GCI-20546 : Projet d'hydrologie environnementale GCI-21446 : Hydrologie GCI-22459 : Eaux vives **Total des crédits :** 15	
Autres bac			*Exemption des préalables suivants : mathématique NYA; chimie NYA; physique NYA et NYB.*
Assainissement et sécurité industriels* (260.03)			
Chimie (bac)	Mathématiques NYA, NYB ou 103-77, 203-77	CHM-10100 : Chimie analytique I CHM-18914 : Sécurité et matières dangereuses **Total des crédits :** 6	
Génie chimique (bac)	Mathématiques NYA, NYB ou 103-77, 203-77	GCH-13201 : Assainissement industriel STT-10400 : Probabilités et statistique **Total des crédits :** 6	
Autres bac			*Exemption du préalable physique 101 ou NYA.*

** Environnement, hygiène et sécurité au travail (260.B0)*

PASSERELLES	PRÉALABLES[1]	COURS CRÉDITÉS[2]	REMARQUES
Avionique (280.04)			
Génie mécanique (bac)	Mathématiques NYB, NYC ou 105-77, 203-77 Physique 101 ou NYA	GIF-10279 : Circuits logiques GEL-21945 : Circuits **Total des crédits :** 7	
Génie électrique (bac)	Mathématiques NYB, NYC ou 105-77, 203-77 Physique 101 et 301 ou NYA et NYC	GIF-10279 : Circuits logiques GEL-21945 : Circuits **Total des crédits :** 7	
Génie logiciel (bac)	Mathématiques NYB, NYC ou 105-77, 203-77 Physique 101 et 301 ou NYA et NYC	GIF-10279 : Circuits logiques GEL-21945 : Circuits **Total des crédits :** 7	
Autres bac			*Exemption des préalablessuivants : mathématiques NYA ou 103-77; physique 201 OU NYB.*

1. Les cours préalables requis peuvent être suivis dans un collège au choix de l'étudiant ou en suivant des cours compensateurs à l'Université Laval.

2. Cours universitaires crédités dans le programme concerné.

PASSERELLES	PRÉALABLES[1]	COURS CRÉDITÉS[2]	REMARQUES
Construction aéronautique (280.01 ou B0)			
Génie mécanique (bac)	Mathématiques NYC ou 105-77 Physique 101 ou NYA	GMC-10282 : Dessin pour ingénieurs GML-10463 : Matériaux de l'ingénieur GMC-16427 : Statique des corps rigides GMC-18750 : Fabrication assistée par ordinateur **Total des crédits :** 12	
Autres bac			*Exemption des préalablessuivants : mathématiques NYA, NYB ou 103-77, 203-77 (DEC 280.01); physique 201 ou NYB (280.01 et B0).*
Diététique* (120.01)			
Microbiologie (bac)	Mathématiques NYA ou 103-77 ou 337 Physique 101 et 201 ou NYA et NYB	STA-19328 : Aliments et microorganismes STA-19329 : Aliments et conservation STA-19338 : Contaminants alimentaires STA-20245 : Chimie des aliments I **Total des crédits :** 13	
Autres bac			*Exemption des préalables suivants : biologie NYA ou 101; chimie NYA, NYB ou 101, 201.*

** Environnement, hygiène et sécurité au travail (260.B0)*

PASSERELLES	PRÉALABLES[1]	COURS CRÉDITÉS[2]	REMARQUES
Entretien d'aéronefs (280.03)			
Génie mécanique (bac)	Mathématiques NYC ou 105-77	GMC-10292 : Introduction à la mécanique des fluides GMC-19236 : Propulsion aéronautique et spatiale GML-10463 : Matériaux de l'ingénieur GMC-17931 : Commandes hydrauliques et pneumatiques **Total des crédits :** 12	
Autres bac			*Exemption des préalables suivants : mathématiques NYA, NYB ou 103-77, 203-77; physique 101 et 201 ou NYA et NYB.*
***Exploitation* – Technologie minérale (271.02)**			
Biologie (bac)	Mathématiques NYA ou 103-77 Chimie 101 et 201 ou NYA et NYB Biologie NYA	GLG-18751 : Planète Terre **Total des crédits :** 3	

1. Les cours préalables requis peuvent être suivis dans un collège au choix de l'étudiant ou en suivant des cours compensateurs à l'Université Laval.

2. Cours universitaires crédités dans le programme concerné.

PASSERELLES	PRÉALABLES[1]	COURS CRÉDITÉS[2]	REMARQUES
***Exploitation* – Technologie minérale (271.02) (suite)**			
Génie géologique (bac)	Mathématiques NYA, NYB, NYC ou 103-77, 105-77, 203-77 Chimie 101 ou NYA	GLG-10331 : Géologie appliquée I GLG-10334 : Matériaux de l'écorce terrestre GLG-17523 : Géophysique du globe GLG-18751 : Planète Terre GMC-10282 : Dessin pour ingénieurs **Total des crédits :** 13	
Génie des mines et de la minéralurgie (bac)	Mathématiques NYA, NYB, NYC ou 103-77, 105-77, 203-77	GMC-10282 : Dessin pour ingénieurs GLG-20699 : Introduction aux sciences de la Terre GMN-22442 : Technologies minières GMT-18096 : Topométrie I **Total des crédits :** 12	
Géologie (bac)	Mathématiques NYA, NYB ou 103-77, 203-77 Chimie 101 ou NYA	GLG-10331 : Géologie appliquée I GLG-10334 : Matériaux de l'écorce terrestre GLG-17523 : Géophysique du globe GLG-18751 : Planète Terre **Total des crédits :** 10	
Autres bac			*Exemption du préalable physique 101 ou NYA.*
***Géologie appliquée* – Technologie minérale (271.01)**			
Biologie (bac)	Mathématiques NYA ou 103-77 Chimie 101 et 201 ou NYA et NYB Biologie NYA	GLG-18751 : Planète Terre **Total des crédits :** 3	
Génie géologique (bac)	Mathématiques NYA, NYB, NYC ou 103-77, 105-77, 203-77 Chimie 101 ou NYA	GMC-10282 : Dessin pour ingénieurs GLG-10331 : Géologie appliquée I GLG-10334 : Matériaux de l'écorce terrestre GLG-17523 : Géophysique du globe GLG-18751 : Planète Terre **Total des crédits :** 13	
Génie des mines et de la minéralurgie (bac)	Mathématiques NYA, NYB, NYC ou 103-77, 105-77, 203-77	GMC-10282 : Dessin pour ingénieurs GLG-20699 : Introduction aux sciences de la Terre GMN-22442 : Technologies minières GMT-18096 : Topométrie I **Total des crédits :** 12	
Géologie (bac)	Mathématiques NYA, NYB ou 103-77, 105-77 Chimie 101 ou NYA Biologie NYA	GLG-10331 : Géologie appliquée I GLG-10334 : Matériaux de l'écorce terrestre GLG-17523 : Géophysique du globe GLG-18751 : Planète Terre **Total des crédits :** 10	
Autres bac			*Exemption du préalable physique 101 ou NYA.*

1. Les cours préalables requis peuvent être suivis dans un collège au choix de l'étudiant ou en suivant des cours compensateurs à l'Université Laval.

2. Cours universitaires crédités dans le programme concerné.

PASSERELLES	PRÉALABLES[1]	COURS CRÉDITÉS[2]	REMARQUES
Minéralurgie – Technologie minérale (271.03)			
Biologie (bac)	Mathématiques NYA ou 103-77 Chimie 201 ou NYB Biologie NYA	GLG-18751 : Planète Terre **Total des crédits :** 3	
Génie des matériaux et de la métallurgie (bac)	Mathématiques NYA, NYB, NYC ou 103-77, 105-77, 203-77 Physique 201 ou NYB	GMC-10282 : Dessin pour ingénieurs GGL-16659 : Exploration minérale GML-20341 : Procédés minéralurgiques GML-20342 : Procédés métallurgiques GLG-20699 : Introduction aux sciences de la Terre **Total des crédits :** 14	
Génie des mines et de la minéralurgie (bac)	Mathématiques NYA, NYB, NYC ou 103-77, 105-77, 203-77	GMC-10282 : Dessin pour ingénieurs GMT-18096 : Topométrie I GLG-20699 : Introduction aux sciences de la Terre GMN-19239 : Stage coopératif I GMN-22442 : Technologies minières GML-20341 : Procédés minéralurgiques GML-20342 : Procédés métallurgiques **Total des crédits :** 21	
Géologie (bac)	Mathématiques NYA, NYB ou 103-77, 203-77 Biologie NYA	GLG-10331 : Géologie appliquée I GLG-10334 : Matériaux de l'écorce terreste GLG-17523 : Géophysique du globe GLG-18751 : Planète Terre **Total des crédits :** 10	
Autres bac			*Exemption des préalables suivants : physique 101 ou NYA; chimie 101 ou NYA.*
Techniques d'aménagement cynégétique et halieutique (145.04)			
Biologie (bac)	Mathématiques NYA ou 103-77 Chimie 101 et 201 ou NYA et NYB	BIO-19821 : Structure et fonction des végétaux (après vérification des connaissances du cours de Botanique 101-937-78 par le professeur) **Total des crédits :** 3	***Reconnaissance des acquis :*** *3 crédits pourraient être accordés après examen de notes obtenues par le candidat pour les cours suivants : Ichtyologie appliquée (145-514-85); Mammologie appliquée (145-664-85); Ornithologie appliquée (145-654-85); Exploitation faunique (145-614-85).*
Autres bac			*Exemption du préalable biologie NYA ou 301.*

1. Les cours préalables requis peuvent être suivis dans un collège au choix de l'étudiant ou en suivant des cours compensateurs à l'Université Laval.
2. Cours universitaires crédités dans le programme concerné.

PASSERELLES	PRÉALABLES[1]	COURS CRÉDITÉS[2]	REMARQUES
Techniques d'aménagement du territoire* (222.01 ou A0)			
Génie civil (bac)	Mathématiques NYB, NYC ou 105-77, 203-77 Physique 101, 201 et 301 ou NYA, NYB, NYC Chimie 101 ou NYA	GMC-23047 : Dessin technique pour ingénieurs GMT-18096 : Topométrie I GMT-23049 : Devis, plans et SIG pour ingénieurs GCI-20538 : Introduction au génie de l'environnement **Total des crédits :** 12	
Autres bac			*Exemption des préalables suivants : mathématiques NYC ou 105-77.*

* *Techniques d'aménagement et d'urbanisme (222.A0)*

PASSERELLES	PRÉALABLES[1]	COURS CRÉDITÉS[2]	REMARQUES
Techniques d'analyse biomédicales (140.B0)			
Biochimie (bac)	Mathématiques NYA, NYB Physique NYA, NYB Chimie NYA, NYB	BCM-10004 : Biochimie structurale BCM-21134 : Métabolisme et régulation MCB-10017 : Microbiologie générale MCB-17758 : Techniques microbiologiques **Total des crédits :** 12	
Microbiologie (bac)	Mathématiques NYA ou 337 Physique NYA, NYB Chimie NYA, NYB	BCM-10004 : Biochimie structurale BCM-21134 : Métabolisme et régulation MCB-10017 : Microbiologie générale MCB-17758 : Techniques microbiologiques MCB-17958 : Microbiologie-maladies infectieuses **Total des crédits :** 9	
Autres bacs			*Exemption du préalable Biologie NYA.*
Techniques d'architecture* (221.01)			
Génie civil (bac)	Mathématiques NYB ou 203-77 Physique 101 et 201 ou NYB et NYC Chimie 101 ou NYA	GMC-23047 : Dessin technique pour ingénieurs GMT-18096 : Topométrie I GMT-23049 : Devis, plans et SIG pour ingénieurs **Total des crédits :** 9	
Autres bac			*Exemption des préalables suivants : mathématiques NYA, NYC ou 103-77, 105-77; physique 101.*

* *Technologie de l'architecture (221.A0)*

1. Les cours préalables requis peuvent être suivis dans un collège au choix de l'étudiant ou en suivant des cours compensateurs à l'Université Laval.
2. Cours universitaires crédités dans le programme concerné.

PASSERELLES	PRÉALABLES[1]	COURS CRÉDITÉS[2]	REMARQUES
Techniques d'écologie appliquée (145.01)			
Biologie (bac)	Mathématiques NYA ou 103-77	BCM-10004 : Biochimie structurale BIO-10041 : Évolution des vertébrés BIO-10043 : Zoologie des invertébrés BIO-10060 : Limnologie: dynamique des écosystèmes d'eau douce BIO-10078 : Physiologie animale comparée I BIO-19934 : Microbiologie générale et laboratoire BIO-10055 : Écologie générale BIO-12285 : Herbier BIO-19821 : Structure et fonction des végétaux GGR-18692 : Analyse de cartes *D'autres cours pourraient être crédités à la suite d'un examen de dispense.* **Total des crédits :** 30	*Les candidats qui n'ont réussi aucun cours de physique au collégial devront suivre une session passerelle en physique d'une durée d'une journée, offerte gratuitement par la Faculté des Sciences et de Génie. Cette session passerelle n'est pas obligatoire pour celles et ceux qui ont réussi au moins un cours de physique.*
Autres bac			*Exemption des préalables de biologie et de chimie.*
Techniques d'inventaire et de recherche en biologie* (145.02)			
Biologie (bac)	Mathématiques NYA ou 103-77	BIO-10043 : Zoologie des invertébrés BIO-10055 : Écologie générale BIO-12285 : Herbier BIO-19821 : Structure et fonction des végétaux BIO-19902 : Diversité et écologie des végétaux BIO-19934 : Microbiologie générale et laboratoire *D'autres cours pourraient être crédités à la suite d'un examen de dispense.* **Total des crédits :** 18	*Les candidats qui n'ont réussi aucun cours de physique au collégial devront suivre une session passerelle en physique d'une durée d'une journée, offerte gratuitement par la Faculté des Sciences et de Génie. Cette session passerelle n'est pas obligatoire pour celles et ceux qui ont réussi au moins un cours de physique. D'autres cours pourraient être crédités à la suite d'un examen de dispense.*
Autres bac			*Exemption des préalables de biologie et de chimie.*

** Techniques de bioécologie (145.C0)*

PASSERELLES	PRÉALABLES[1]	COURS CRÉDITÉS[2]	REMARQUES
Techniques de chimie analytique* (210.01)			
Chimie (bac)	Mathématiques NYB ou 203-77	CHM-10100 : Chimie analytique I CHM-10101 : Laboratoire de chimie physique CHM-10113 : Laboratoire d'analyse organique CHM-16310 : Laboratoire d'analyse instrumentale CHM-18914 : Danger, risques et matières dangereuses **Total des crédits :** 15	

** Techniques de laboratoires, spécialisation Chimie analytique (210.AB)*

1. Les cours préalables requis peuvent être suivis dans un collège au choix de l'étudiant ou en suivant des cours compensateurs à l'Université Laval.
2. Cours universitaires crédités dans le programme concerné.

PASSERELLES	PRÉALABLES[1]	COURS CRÉDITÉS[2]	REMARQUES
Techniques de chimie analytique (210.01) (suite)			
Génie chimique(bac)	Mathématiques NYB, NYC ou 105-77, 203-77 Biologie NYA	GCH-10145 : Stoechiométrie STT-10400 : Probabilités et statistique CHM-21401 : Chimie de l'ingénieur CHM-21402 : Chimie physique pour l'ingénieur **Total des crédits :** 11	
Autres bac			*Exemption des préalables suivants : mathématiques NYA ou 103-77; physique 201 et 301 ou NYB et NYC; chimie 101 et 201 ou NYA et NYB.*
Techniques de chimie-biologie* (210.03)			
Biochimie (bac)	Mathématiques NYB ou 203-77	BCM-10004 : Biochimie structurale CHM-15256 : Laboratoire de chimie analytique MCB-10017 : Microbiologie générale MCB-17758 : Techniques microbiologiques BCM-21125 : Techniques de biochimie BCM-21135 : Laboratoire de biochimie BCM-21134 : Métabolisme et régulation **Total des crédits :** 20	
Biologie (bac)	Aucun	BCM-10004 : Biochimie structurale BCM-10016 : Laboratoire de biochimie générale I BIO-19934 : Microbiologie générale et laboratoire BCM-21134 : Métabolisme et régulation BIO-19821 : Structure et fonction des végétaux **Total des crédits :** 15	
Chimie (bac)	Mathématiques NYB ou 203-77	CHM-16310 : Laboratoire d'analyse instrumentale CHM-10101 : Laboratoire de chimie physique CHM-19077 : Chimie organique I BCM-21134 : Métabolisme et régulation **Total des crédits :** 12	

* *Techniques de laboratoires, spécialisation Biotechnologie (210.AA)*

1. *Les cours préalables requis peuvent être suivis dans un collège au choix de l'étudiant ou en suivant des cours compensateurs à l'Université Laval.*
2. *Cours universitaires crédités dans le programme concerné.*

PASSERELLES	PRÉALABLES[1]	COURS CRÉDITÉS[2]	REMARQUES
Techniques de chimie-biologie (210.03) (suite)			
Microbiologie (bac)	Aucun	BCM-10004 : Biochimie structurale MCB-10017 : Microbiologie générale MCB-18466 : Laboratoire d'immunologie MCB-17758 : Techniques microbiologiques CHM-15256 : Laboratoire de chimie analytique BCM-21125 : Techniques de biochimie BCM-21134 : Métabolisme et régulation BCM-21135 : Laboratoire de biochimie **Total des crédits :** 20	
Génie chimique (bac)	Mathématiques NYB, NYC ou 105-77, 203-77	BCM-20329 : Introduction au génie biochimique CHM-21401 : Chimie de l'ingénieur CHM-21402 : Chimie physique pour ingénieur STT-10400 : Probabilités et statistique **Total des crédits :** 11	
Autres bac			*Exemption des préalables suivants : mathématiques NYA ou 103-77; physique 201 et 301 ou NYB et NYC; chimie 101 et 201 ou NYA et NYB; biologie 301 ou NYA.*
Techniques de génie chimique (210.02)			
Biochimie (bac)	Mathématiques NYB ou 203-77 Biologie NYA ou 301	STT-18869 : Statistiques pour scientifiques **Total des crédits :** 3	
Génie chimique (bac)	Mathématiques NYB, NYC ou 105-77, 203-77	GCH-10145 : Stoechiométrie STT-10400 : Probabilités et statistique CHM-20141 : Chimie de l'ingénieur **Total des crédits :** 9	
Chimie (bac)	Mathématiques NYB ou 203-77	CHM-10101 : Laboratoire de chimie physique **Total des crédits :** 3	
Génie des mines et de la minéralurgie (bac)	Mathématiques NYB, NYC ou 105-77, 203-77	GCH-13201 : Assainissement industriel GML-20352 : Laboratoire de minéralurgie et de métallurgie GML-20341 : Procédés minéralurgiques **Total des crédits :** 9	
Autres bac			*Exemption des préalables suivants : mathématiques NYA ou 103-77; chimie NYA, NYB ou 101 et 201; physique NYB, NYC ou 201 et 301.*

1. Les cours préalables requis peuvent être suivis dans un collège au choix de l'étudiant ou en suivant des cours compensateurs à l'Université Laval.
2. Cours universitaires crédités dans le programme concerné.

PASSERELLES	PRÉALABLES[1]	COURS CRÉDITÉS[2]	REMARQUES
Techniques de génie mécanique – *Conception / Fabrication* (241.06 ou A0)			
Génie mécanique (bac)	Mathématiques NYA ou 103-77 (ou l'équivalent), NYC ou 105-77, NYB ou 203-77 Physique 201 ou NYB	GMC-10282 : Dessin pour ingénieurs GML-10463 : Matériaux de l'ingénieur GMC-16427 : Statique des corps rigides **Total des crédits** : 9	
Génie des mines et de la minéralurgie (bac)	Mathématiques NYA ou 103-77 (ou l'équivalent), NYC ou 105-77, NYB ou 203-77 Physique 201 ou NYB	GMC-10282 : Dessin pour ingénieur GML-10463 : Matériaux de l'ingénieur GMN-20707 : Manutention des matériaux **Total des crédits** : 9	
Génie physique (bac)	Mathématiques NYA ou 103-77 (ou l'équivalent), NYC ou 105-77, NYB ou 203-77 Physique 201 ou NYB	GMC-10282 : Dessin pour ingénieurs GML-10463 : Matériaux de l'ingénieur **Total des crédits** : 6	
Autres bac			*Exemption du préalable physique 101 ou NYA.*
Techniques de l'informatique (420.01 ou A0)			
Informatique (bac)	Mathématiques NYA, NYB, NYC ou 103-RE, 105-RE, 203-RE	IFT-15755 : Gestion de fichiers IFT-21453 : Analyse et conception de systèmes d'information IFT-17582 : Algorithmique et programmation IFT-17583 : Structure interne des ordinateurs IFT-21453 : Analyse et conception de systèmes d'information **Total des crédits** : 17	
Génie électrique (bac)	Mathématiques NYA, NYB, NYC ou 103-77, 105-77, 203-77 Physique NYA, NYB, NYC ou 101, 201 et 301	GIF-16116 : Ordinateurs : structure et applications IFT-21453 : Analyse et conception de systèmes d'information **Total des crédits** : 26	
Génie informatique (bac)	Mathématiques NYA, NYB, NYC ou 103-77, 105-77, 203-77 Physique NYA, NYB, NYC ou 101, 201 et 301	GIF-16116 : Ordinateurs : structure et applications IFT-21453 : Analyse et conception de systèmes d'information **Total des crédits** : 26	
Génie logiciel (bac)	Mathématiques NYA, NYB, NYC ou 103-77, 105-77, 203-77 Physique NYA, NYB, NYC ou 101, 201 et 301	IFT-21453 : Analyse et conception de systèmes d'information IFT-17582 : Algorithmique et programmation IFT-17583 : Structure interne des ordinateurs **Total des crédits** : 11	

1. Les cours préalables requis peuvent être suivis dans un collège au choix de l'étudiant ou en suivant des cours compensateurs à l'Université Laval.

2. Cours universitaires crédités dans le programme concerné.

PASSERELLES	PRÉALABLES[1]	COURS CRÉDITÉS[2]	REMARQUES
Techniques de laboratoire – *Biotechnologie* (210.AA)			
Bioinformatique (bac)	Mathématiques NYA, NYB et NYC	BCM-10004 : Biochimie structurale BCM-21134 : Métabolisme et régulation **Total des crédits :** 6	
Techniques de la métallurgie *(Contrôle de la qualité 270.02 – Soudage 270.03 – Procédés métallurgiques 270.04)* **			
Génie des matériaux et de la métallurgie (bac)	Mathématiques NYB, NYC ou 105-77, 203-77	GML-10446 : Soudage des matériaux GML-10454 : Fonderie GML-10463 : Matériaux de l'ingénieur GMC-10282* :Dessin pour ingénieurs GML-10443 : Électrochimie, corrosion et protection **Total des crédits :** 12 ou 15	** Pour 270.02 seulement.*
Génie mécanique (bac)	Mathématiques NYB, NYC ou 105-77, 203-77	GMC-10282 : Dessin pour ingénieurs GML-10446 : Soudage des matériaux GML-10463 : Matériaux de l'ingénieur **Total des crédits :** 9	
Autres bac			*Exemption des préalables suivants : mathématiques NYA ou 103-77; physique 101 et 201 ou NYA et NYB; chimie 101 ou NYA.*

** Technologie du génie métallurgique (Contrôle des matériaux 270.AC – Fabrication mécanosoudée 270.270.AB – Procédés de transformation 270.AA)*

PASSERELLES	PRÉALABLES[1]	COURS CRÉDITÉS[2]	REMARQUES
Techniques de procédés chimiques (210.04)			
Génie chimique (bac)	Mathématiques NYA, NYB, NYC ou 103-77, 105-77, 203-77 Biologie 301 ou NYA	GCH-21398 : Conception des appareils et instrumentation **Total des crédits :** 3	
Autres bac			*Exemption des préalables suivants : physique 101 et 201 ou NYA et NYB; de chimie 101 et 201 ou NYA et NYB.*
Techniques de recherche, enquête et sondage* (384.01)			
Statistique (bac)	Mathématiques NYA, NYB, NYC ou 103-77, 105-77, 203-77	STT-10400 : Probabilités et statistique **Total des crédits :** 3	

** Techniques de recherche sociale (384.A0)*

1. Les cours préalables requis peuvent être suivis dans un collège au choix de l'étudiant ou en suivant des cours compensateurs à l'Université Laval.
2. Cours universitaires crédités dans le programme concerné.

PASSERELLES	PRÉALABLES[1]	COURS CRÉDITÉS[2]	REMARQUES
Techniques de santé animale (145.03 ou A0)			
Biologie (bac)	Mathématiques NYA ou 103-77	BIO-19934 : Microbiologie générale et laboratoire BIO-17964 : Les animaux d'expérience **Total des crédits :** 6	*Les candidats qui n'ont réussi aucun cours de physique au collégial devront suivre une session passerelle en physique d'une durée d'une journée, offerte gratuitement par la Faculté des sciences et de génie. Cette session passerelle n'est pas obligatoire pour celles et ceux qui ont réussi au moins un cours de physique.*
Microbiologie (bac)	Mathématiques NYA ou 103-77 ou 337 Physique NYA et NYB	BIO-17964 : Les animaux d'expérience BIO-16862 : Éléments de physiologie humaine SAN-13344 : Principes fondamentaux en sciences animales **Total des crédits :** 9	
Autres bac			*Exemption des préalables biologie NYA et chimie NYA.*
Techniques de transformation des matériaux composites (241.11 ou C0)			
Génie des matériaux et de la métallurgie (bac)	Mathématiques NYB, NYC ou 105-77, 203-77 Physique 201 ou NYB Chimie 101 ou NYA	GMC-10282 : Dessin pour ingénieurs GML-10463 : Matériaux de l'ingénieur GML-16207 : Matériaux composites GCI-10190 : Résistance des matériaux **Total des crédits :** 12	
Concentration en plasturgie		GPG-21722 : Matériaux polymères II GPG-21730 : Procédés de transformation des matières plastiques II GPG-21735 : Projet de conception et de fabrication **Total des crédits :** 8	
Autres bac			*Exemption des préalables suivants : mathématiques NYA ou 103-77; de physique 101 ou NYA.*
Techniques de transformation des matières plastiques (241.12)			
Génie mécanique (bac)	Mathématiques NYB, NYC ou 203-77, 105-77 Physique NYB	GML-10463 : Matériaux de l'ingénieur GML-10282 : Dessin pour ingénieurs GML-16427 : Statique des corps rigides **Total des crédits :** 6	
Concentration en plasturgie		GPG-21731 : Conception de pièces et outillage GPG-22343 : Laboratoire de transformation des matières plastiques **Total des crédits :** 4	
Autres bac			*Exemption des préalables suivants : mathématique 103; physique 101; chimie 101.*

1. Les cours préalables requis peuvent être suivis dans un collège au choix de l'étudiant ou en suivant des cours compensateurs à l'Université Laval.

2. Cours universitaires crédités dans le programme concerné.

PASSERELLES	PRÉALABLES[1]	COURS CRÉDITÉS[2]	REMARQUES
Techniques du milieu naturel – *Aménagement de la faune* (147.0B)			
Biologie (bac)	Mathématiques NYA Chimie NYA et NYB	BIO-10041 : Évolution des vertébrés BIO-10043 : Zoologie des invertébrés BIO-10055 : Écologie générale BIO-19821 : Structure et fonction des végétaux BIO-19902 : Diversité et écologie des végétaux **Total des crédits :** 15	*La moyenne générale des cours de concentration devra être égale ou supérieure à la moyenne du groupe pour bénéficier de cette passerelle.* *Les étudiants devront suivre une session passerelle en physique d'une durée d'une journée, offerte gratuitement par la Faculté.*
Techniques du milieu naturel – *Aménagement de la ressource forestière* (147.0A)			
Biologie (bac)	Mathématiques NYA Chimie NYA et NYB	BIO-10041 : Évolution des vertébrés BIO-10043 : Zoologie des invertébrés BIO-10055 : Écologie générale BIO-19821 : Structure et fonction des végétaux BIO-19902 : Diversité et écologie des végétaux **Total des crédits :** 15	*La moyenne générale des cours de concentration devra être égale ou supérieure à la moyenne du groupe pour bénéficier de cette passerelle.* *Les étudiants devront suivre une session passerelle en physique d'une durée d'une journée, offerte gratuitement par la Faculté.*
Techniques du milieu naturel – *Aménagement et interprétation du patrimoine* (147.0C)			
Biologie (bac)	Mathématiques NYA Chimie NYA et NYB	BIO-10041 : Évolution des vertébrés BIO-10043 : Zoologie des invertébrés BIO-10055 : Écologie générale BIO-19821 : Structure et fonction des végétaux BIO-19902 : Diversité et écologie des végétaux **Total des crédits :** 15	*La moyenne générale des cours de concentration devra être égale ou supérieure à la moyenne du groupe pour bénéficier de cette passerelle.* *Les étudiants devront suivre une session passerelle en physique d'une durée d'une journée, offerte gratuitement par la Faculté.*
Techniques du milieu naturel – *Aquiculture* (147.01)			
Biologie (bac)	Mathématiques NYA Chimie NYA et NYB	BIO-10043 : Zoologie des invertébrés BIO-10055 : Écologie générale BIO-17964 : Les animaux d'expérience BIO-19934 : Microbiologie générale et laboratoire **Total des crédits :** 12	*La moyenne générale des cours de concentration devra être égale ou supérieure à la moyenne du groupe pour bénéficier de cette passerelle.* *Les étudiants devront suivre une session passerelle en physique d'une durée d'une journée, offerte gratuitement par la Faculté.*
Techniques du milieu naturel – *Laboratoire de biologie* (147.01)			
Biologie (bac)	Mathématiques NYA Chimie NYA et NYB	BIO-10043 : Zoologie des invertébrés BIO-10055 : Écologie générale BIO-17964 : Les animaux d'expérience BIO-19934 : Microbiologie générale et laboratoire **Total des crédits :** 12	*La moyenne générale des cours de concentration devra être égale ou supérieure à la moyenne du groupe pour bénéficier de cette passerelle.* *Les étudiants devront suivre une session passerelle en physique d'une durée d'une journée, offerte gratuitement par la Faculté.*

1. Les cours préalables requis peuvent être suivis dans un collège au choix de l'étudiant ou en suivant des cours compensateurs à l'Université Laval.
2. Cours universitaires crédités dans le programme concerné.

PASSERELLES	PRÉALABLES[1]	COURS CRÉDITÉS[2]	REMARQUES
Techniques du milieu naturel – *Protection de l'environnement* (147.0D)			
Biologie (bac)	Mathématiques NYA Chimie NYA et NYB	BIO-10041 : Évolution des vertébrés BIO-10043 : Zoologie des invertébrés BIO-10055 : Écologie générale BIO-19821 : Structure et fonction des végétaux BIO-19902 : Diversité et écologie des végétaux **Total des crédits :** 15	*La moyenne générale des cours de concentration devra être égale ou supérieure à la moyenne du groupe pour bénéficier de cette passerelle.* *Les étudiants devront suivre une session passerelle en physique d'une durée d'une journée, offerte gratuitement par la Faculté.*
Techniques du milieu naturel – *Protection de l'environnement* (147.01 ou A0) (Cégep de Saint-Félicien)			
Biologie (bac)	Mathématiques NYA ou 103-77 Chimie 101 et 201 ou NYA et NYB	BIO-17964 : Les animaux d'expérience BIO-19934 : Microbiologie générale et laboratoire (pour ceux et celles qui ont réussi les 2 cours suivants : Bactéries et protistes 1 (147-506-85) et Bactéries et protistes II (147-539-85) **Total des crédits :** 6	*Les candidats qui n'ont réussi aucun cours de physique au collégial devront suivre une session passerelle en physique d'une durée d'une journée, offerte gratuitement par la Faculté des sciences et de génie. Cette session passerelle n'est pas obligatoire pour celles et ceux qui ont réussi au moins un cours de physique.* *D'autres dispenses pourraient être accordées (ex. : BIO-10055, BIO-19821, BIO-19902) soit avec examen, soit à la discrétion du directeur de programme après examen des notes obtenues (jusqu'à 9 crédits).*
Techniques du milieu naturel – *Santé animale (147.01 ou A0) (Cégep de Saint-Félicien)**			
Biochimie (bac)	Mathématiques NYA, NYB ou 103-77, 203-77 Chimie 101 et 201 ou NYA et NYB Physique NYA et NYB	BIO-17964 : Les animaux d'expérience **Total des crédits :** 3	
Biologie (bac)	Mathématiques NYA ou 103-77 Chimie 101 et 201 ou NYA et NYB	BIO-17964 : Les animaux d'expérience BIO-19934 : Microbiologie générale et laboratoire **Total des crédits :** 6	*Les candidats qui n'ont réussi aucun cours de physique au collégial devront suivre une session passerelle en physique d'une durée d'une journée, offerte gratuitement par la Faculté des sciences et de génie. Cette session passerelle n'est pas obligatoire pour celles et ceux qui ont réussi au moins un cours de physique.*
Microbiologie (bac)	Mathématiques NYA ou 103-77 ou 337 Physique NYA et NYB Chimie 101 et 201 ou NYA et NYB	BIO-17964 : Les animaux d'expérience **Total des crédits :** 3	
Autres bac			*Exemption du préalable biologie.*

** Il n'y a plus d'admission dans ce programme. Il a été remplacé par Techniques de santé animale (145.A0).*

1. Les cours préalables requis peuvent être suivis dans un collège au choix de l'étudiant ou en suivant des cours compensateurs à l'Université Laval.

2. Cours universitaires crédités dans le programme concerné.

PASSERELLES	PRÉALABLES[1]	COURS CRÉDITÉS[2]	REMARQUES
Techniques papetières (232.01)			
Génie chimique (bac)	Mathématiques NYB, NYC ou 105-77, 203-77	GCH-13201 : Assainissement insustriel GCH-21396 : Technologie des pâtes et papiers **Total des crédits :** 6	
Technologie de l'électronique – *Audiovisuel* (243.11)			
Génie électrique (bac)	Mathématiques NYB, NYC ou 105-77, 203-77 Physique 101 et 301 ou NYA et NYC	GIF-16116 : Ordinateurs : structure et applications GEL-21944 : Systèmes et mesures **Total des crédits :** 6	
Génie informatique (bac)	Mathématiques NYB, NYC ou 105-77, 203-77 Physique 101 et 301 ou NYA et NYC	GIF-16116 : Ordinateurs : structure et applications GEL-21944 : Systèmes et mesures **Total des crédits :** 6	
Génie logiciel (bac)	Mathématiques NYB, NYC ou 105-77, 203-77 Physique 101 et 301 ou NYA et NYC	IFT-17583 : Structure interne des ordinateurs **Total des crédits :** 4	
Autres bac			*Exemption des préalables suivants : mathématiques NYA ou 103-77; physique 201 ou NYB.*
Technologie de l'électronique – *Ordinateurs / Télécommunications* (243.11)			
Génie électrique (bac)	Mathématiques NYB, NYC ou 105-77, 203-77 Physique 101 et 301 ou NYA et NYC	GIF-16116 : Ordinateurs : structure et applications GEL-21944 : Systèmes et mesures **Total des crédits :** 6	
Génie informatique (bac)	Mathématiques NYB, NYC ou 105-77, 203-77 Physique 101 et 301 ou NYA et NYC	GIF-16116 : Ordinateurs : structure et applications GEL-21944 : Systèmes et mesures **Total des crédits :** 6	
Génie logiciel (bac)	Mathématiques NYB, NYC ou 105-77, 203-77 Physique 101 et 301 ou NYA et NYC	IFT-17583 : Structure interne des ordinateurs **Total des crédits :** 4	
Autres bac			*Exemption des préalables suivants : mathématiques NYA ou 103-77; physique 201 ou NYB.*

1. Les cours préalables requis peuvent être suivis dans un collège au choix de l'étudiant ou en suivant des cours compensateurs à l'Université Laval.
2. Cours universitaires crédités dans le programme concerné.

PASSERELLES	PRÉALABLES[1]	COURS CRÉDITÉS[2]	REMARQUES
Technologie de l'électronique industrielle – *Conception électronique* (243.06 ou 243.16)			
Génie électrique (bac)	Mathématiques NYB ou 203-77 Physique 301 ou NYC	GEL-21944 : Systèmes et mesures **Total des crédits :** 3	
Génie informatique (bac)	Mathématiques NYB ou 203-77 Physique 301 ou NYC	GEL-21944 : Systèmes et mesures **Total des crédits :** 3	
Autres bac			*Exemption des préalables suivants : mathématiques NYA, NYC ou 103-77, 105-77; physique 101 et 201 ou NYA et NYB.*
Technologie de l'électronique industrielle – *Électrodynamique* (243.06)			
Génie électrique (bac)	Mathématiques NYB, NYC ou 105-77, 203-77 Physique 101 et 301 ou NYA et NYC	GIF-16116 : Ordinateurs : structure et applications GEL-21944 : Systèmes et mesures **Total des crédits :** 6	
Génie informatique (bac)	Mathématiques NYB, NYC ou 105-77, 203-77 Physique 101 et 301 ou NYA et NYC	GIF-16116 : Ordinateurs : structure et applications GEL-21944 : Systèmes et mesures **Total des crédits :** 6	
Génie logiciel (bac)	Mathématiques NYB, NYC ou 105-77, 203-77 Physique 101 et 301 ou NYA et NYC	IFT-17583 : Structure interne des ordinateurs GIF-10279 : Circuits logiques **Total des crédits :** 8	
Autres bac			*Exemption des préalables suivants : mathématiques NYA ou 103-77; physique 201 ou NYB.*
Technologie de l'électronique industrielle – *Instrumentation et automatisation* (243.06)			
Génie électrique (bac)	Mathématiques NYB, NYC ou 105-77, 203-77 Physique 101 et 301 ou NYA et NYC	GIF-16116 : Ordinateurs : structure et applications GEL-21944 : Systèmes et mesures **Total des crédits :** 6	
Génie informatique (bac)	Mathématiques NYB, NYC ou 105-77, 203-77 Physique 101 et 301 ou NYA et NYC	GIF-16116 : Ordinateurs : structure et applications GEL-21944 : Systèmes et mesures **Total des crédits :** 6	
Génie logiciel (bac)	Mathématiques NYB, NYC ou 105-77, 203-77 Physique 101 et 301 ou NYA et NYC	IFT-17583 : Structure interne des ordinateurs **Total des crédits :** 4	
Autres bac			*Exemption des préalables suivants : mathématiques NYA ou 103-77; physique 201 ou NYB.*

1. Les cours préalables requis peuvent être suivis dans un collège au choix de l'étudiant ou en suivant des cours compensateurs à l'Université Laval.

2. Cours universitaires crédités dans le programme concerné.

PASSERELLES	PRÉALABLES[1]	COURS CRÉDITÉS[2]	REMARQUES
Technologie de laboratoire médical* (140.01)			
Biochimie (bac)	Mathématiques NYA, NYB ou 103-77, 203-77 Physique NYA, NYB	BCM-10004 : Biochimie structurale MCB-10017 : Microbiologie générale MCB-17758 : Techniques microbiologiques CHM-18914 : Dangers, risques et matières dangereuses BCM-21134 : Métabolisme et régulation **Total des crédits :** 15	*Les candidats qui n'ont réussi aucun cours de physique au collégial devront suivre une session passerelle en physique d'une durée d'une journée, offerte gratuitement par la Faculté des sciences et de génie. Cette session passerelle n'est pas obligatoire pour celles et ceux qui ont réussi au moins un cours de physique.*
Biologie (bac)	Mathématiques NYA ou 103-77	BCM-10004 : Biochimie structurale BCM-10016 : Laboratoire de biochimie générale I BIO-19934 : Microbiologie générale et laboratoire BCM-21134 : Métabolisme et régulation **Total des crédits :** 12	
Microbiologie (bac)	Mathématiques NYA ou 103-77 ou 337 Physique NYA, NYB ou 101, 201	BCM-10004 : Biochimie structurale MCB- 10017 : Microbiologie générale MCB-17758 : Techniques microbiologiques MCB-17958 : Microbiologie – maladies infectieuses BCM-21134 : Métabolisme et régulation **Total des crédits :** 15	
Autres bac			*Exemption des préalables biologie NYA et chimie NYA.*

** Techniques de laboratoires, spécialisation Biotechnologie (210.AA)*

PASSERELLES	PRÉALABLES[1]	COURS CRÉDITÉS[2]	REMARQUES
Technologie de la mécanique du bâtiment (221.03 ou CO)			
Génie mécanique (bac)	Mathématiques NYB, NYC ou 105-77, 203-77 Physique 201 ou NYB	GMC-10282 : Dessin pour ingénieurs GMC-10284 : Introduction à la thermodynamique GMC-16427 : Statique des corps rigides **Total des crédits :** 9	
Génie physique (bac)	Mathématiques 103-77 ou NYA, NYB et NYC Physique 201 ou NYB	GMC-10282 : Dessin pour ingénieurs GMC-10284 : Introduction à la thermodynamique **Total des crédits :** 6	
Autres bac			*Exemption des préalables suivants : mathématiques NYA ou 103-77; physique 101 ou NYA.*

1. Les cours préalables requis peuvent être suivis dans un collège au choix de l'étudiant ou en suivant des cours compensateurs à l'Université Laval.
2. Cours universitaires crédités dans le programme concerné.

PASSERELLES	PRÉALABLES[1]	COURS CRÉDITÉS[2]	REMARQUES
Technologie de maintenance industrielle ou Analyse d'entretien (241.05)			
Génie mécanique (bac)	Mathématiques NYB, NYC ou 105-77, 203-77	GMC-10282 : Dessin pour ingénieurs GMC-10313 : Ingénierie de la qualité GML-10463 : Matériaux de l'ingénieur GMC-16433 : Introduction à la mesure et à la mécatronique GMC-17931 : Commandes hydrauliques et pneumatiques **Total des crédits :** 15	
Génie des mines et de la minéralurgie (bac)	Mathématiques NYB, NYC ou 105-77, 203-77	GMC-10282 : Dessin pour ingénieurs GML-10463 : Matériaux de l'ingénieur GMN-20707 : Manutention des matériaux STT-10400 : Probabilités et statistique **Total des crédits :** 12	
Autres bac			*Exemption des préalables suivants : mathématiques NYA ou 103-77; physique 101 et 201 ou NYA et NYB.*
Technologie de systèmes ordinés (243.15)			
Génie électrique (bac)	Mathématiques NYB, NYC ou 105-77, 203-77 Physique 101 et 301 ou NYA et NYC	GIF-16116 : Ordinateurs : structure et applications GEL-21944 : Systèmes et mesures **Total des crédits :** 6	
Génie informatique (bac)	Mathématiques NYB, NYC ou 105-77, 203-77 Physique 101 et 301 ou NYA et NYC	GIF-16116 : Ordinateurs : structure et applications GEL-21944 : Systèmes et mesures **Total des crédits :** 6	
Informatique (bac)	Mathématiques NYC ou 105-RE, 203-RE et NYB ou 203-RE	IFT-17583 : Structure interne des ordinateurs **Total des crédits :** 4	
Génie logiciel (bac)	Mathématiques NYB, NYC ou 105-77, 203-77 Physique 101 et 301 ou NYA et NYC	IFT-17583 : Structure interne des ordinateurs **Total des crédits :** 4	
Génie physique (bac)	Mathématiques NYB et NYC Physique NYA et NYC	GEL-21944 : Systèmes et mesures GEL-21945 : Circuits **Total des crédits :** 6	
Autres bac			*Exemption du préalable mathématiques NYA ou 103-77.*

1. Les cours préalables requis peuvent être suivis dans un collège au choix de l'étudiant ou en suivant des cours compensateurs à l'Université Laval.
2. Cours universitaires crédités dans le programme concerné.

PASSERELLES	PRÉALABLES[1]	COURS CRÉDITÉS[2]	REMARQUES
Technologies des pâtes et papiers (232.A0)			
Génie chimique (bac)	Mathématiques NYA, NYB, NYC ou 103-77, 105-77, 203-77	GCH-21396 : Technologie des pâtes et papiers **Total des crédits :** 3	
Technologie du génie civil (221.02)			
Génie civil (bac)	Mathématiques NYA, NYB, NYC ou 103-77, 105-77, 203-77 Chimie 101 ou NYA	GMC-23047 : Dessin technique pour ingénieurs GCI-20477 : Matériaux de construction GMT-23049 : Devis, plans et SIG pour ingénieurs GMT-18096 : Topométrie I GCI-20488 : Mécanique des sols I GCI-20538 : Introduction au génie de l'environnement **Total des crédits :** 18	
Génie des mines et de la minéralurgie (bac)	Mathématiques NYA, NYB, NYC ou 103-77, 105-77, 203-77 Chimie 101 ou NYA	GMC-10282 : Dessin pour ingénieurs GCI-20488 : Mécanique des sols I GMT-18096 : Topométrie I GCH-13201 : Assainissement industriel **Total des crédits :** 12	
Autres bac			*Exemption du préalable physique 101 ou NYA.*
Technologie du génie industriel (235.01)			
Génie mécanique (bac)	Mathématiques NYB, NYC ou 105-77, 203-77 Physique 101 et 201 ou NYA, NYB	GMC-10282 : Dessin pour ingénieurs GMC-10313 : Ingénierie de la qualité **Total des crédits :** 6	
Génie des mines et de la minéralurgie (bac)	Mathématiques NYB, NYC ou 105-77, 203-77 Physique 101 et 201 ou NYA et NYB	GMC-10282 : Dessin pour ingénieurs GCH-13201 : Assainissement industriel GMN-20207 : Manutention des matériaux **Total des crédits :** 9	
Autres bac			*Exemption du préalable mathématiques NYA ou 103-77.*

1. Les cours préalables requis peuvent être suivis dans un collège au choix de l'étudiant ou en suivant des cours compensateurs à l'Université Laval.
2. Cours universitaires crédités dans le programme concerné.

PASSERELLES	PRÉALABLES[1]	COURS CRÉDITÉS[2]	REMARQUES
Technologie physique (243.14)			
Génie électrique (bac)	Mathématiques NYB, NYC ou 105-77, 203-77	GEL-21944 : Systèmes et mesures GPH-22649 : Optique instrumentale GPH-22646 : Travaux pratiques d'optique-photonique I **Total des crédits :** 10	
Génie mécanique (bac)	Mathématiques NYB et NYC ou 105-77 et 203-77	GEL-21944 : Systèmes et mesures **Total des crédits :** 3	
Génie physique (bac)	Mathématiques NYB, NYC ou 105-77, 203-77	GEL-21944 : Systèmes et mesures GPH-22649 : Optique instrumentale GPH-22646 : Travaux pratiques d'optique-photonique I **Total des crédits :** 10	
Autres bac			*Exemption des préalables suivants : mathématiques NYA ou 103-77 (sauf DEC 244.A0); physique 101, 201, 301 ou NYA, NYB, NYC.*
Technologie physique (244.A0)			
Physique (bac)	Mathématiques NYB, NYC ou 105-77, 203-77	PHY-20921 : Physique expérimentale I **Total des crédits :** 3	
Autres bac			*Exemption des préalables de physique NYA, NYB et NYC.*
FACULTÉ DES SCIENCES INFIRMIÈRES			
Soins infirmiers (180.01 ou 180.A0)			
Sciences infirmières (cheminement B)	Avoir son permis de pratique et en fournir la preuve	PSY-20291 : Fondements psychologiques des soins infirmiers SIN-20293 : Relation d'aide et soins infirmiers SIN-20296 : Soins infirmiers en prénatalité, enfances et adolescence SIN-20298 : Méthodologie et pratique des soins infirmiers I SIN-20299 : Méthodologie et pratique des soins infirmiers 2 SIN-20300 : Méthodologie et pratique des soins infirmiers 3 SIN-20301 : Méthodologie et pratique des soins infirmiers 4 SIN-22706 : Stage en sciences infirmières SIN-20292 : Fondements socioculturels des soins infirmiers **Total des crédits :** 24	*Le profil international est offert.*

1. *Les cours préalables requis peuvent être suivis dans un collège au choix de l'étudiant ou en suivant des cours compensateurs à l'Université Laval.*
2. *Cours universitaires crédités dans le programme concerné.*

PASSERELLES	PRÉALABLES[1]	COURS CRÉDITÉS[2]	REMARQUES
FACULTÉ DES SCIENCES SOCIALES			
Techniques de travail social (388.A0)			
Service social (bac)	Méthodes quantitatives en sciences humaines 360-300	SVS-20635 : Situations d'intervention SVS-20636 : Processus d'intervention: service social personnel I SVS-20637 : Processus d'intervention: service social des groupes I SVS-20638 : Processus d'intervention: organisation communautaire SVS-14204 : Mesures de sécurité sociale SVS-20645 : Stage I **Total des crédits :** 24	*Programme contingenté.*
FACULTÉ DE DROIT			
Techniques juridiques (310.03 ou 310.C0)			
Droit (bac)		DRT-11384 : Méthode et fondements du droit DRT-19526 : Recherche et rédaction juridiques DRT-21720 : Emploi d'été axé sur la carrière Un cours hors discipline **Total des crédits :** 12	*Programme contingenté.*

1. Les cours préalables requis peuvent être suivis dans un collège au choix de l'étudiant ou en suivant des cours compensateurs à l'Université Laval.
2. Cours universitaires crédités dans le programme concerné.

Université du Québec à Chicoutimi (UQAC)

PASSERELLE EXCLUSIVE ENTRE LES PROGRAMMES TECHNIQUES (DEC) ET LES PROGRAMMES DE BACCALAURÉAT DE L'UNIVERSITÉ DU QUÉBEC À CHICOUTIMI (UQAC)

PASSERELLES	PRÉALABLES	COURS CRÉDITÉS	REMARQUES
Techniques d'écologie appliquée (145.01) ❶			
Biologie (bac) ❷	101-110-88	1ANI104 : Anatomie et morphologie	
	145-121-88	1BOT103 : Botanique systématique	
	101-939-88	1ECL108 : Écologie générale	
	101-112-88, 145-131-88	1ZOO102 : Zoologie des invertébrés	
	145-201-88, 145-361-88 ❸	1ECL106 : Principes de gestion intégrée des ress. biologiques ❹	❺

❶ Programme collégial technique accepté.
❷ Programme de baccalauréat (il peut y en avoir plus d'un) associé au programme technique concerné.
❸ Cours collégiaux réussis exigés pour être admis dans le programme universitaire concerné.
❹ Cours universitaires crédités dans le programme concerné.
❺ Renseignements complémentaires.

Index des programmes techniques acceptés (champs d'études divers)

Index des programmes techniques acceptés (famille des Techniques Physiques)

PASSERELLES	PRÉALABLES	COURS CRÉDITÉS		REMARQUES
Gestion de commerces (410.D0)				
Administration (bac) **Informatique de gestion (bac)**	Cette passerelle est valable à la condition que la note moyenne obtenue dans les cours de niveau collégial requis pour la reconnaissance d'un cours universitaire soit supérieure ou égale à la moyenne du groupe. L'étudiant ayant une cote de rendement au collégial de 26 ou plus pourra se voir reconnaître jusqu'à 10 cours de son programme.	2CTB104 : 2EC0102 : 2MAN105 : 2MAR100 : 8IGF100 :	Comptabilité : concepts fondamentaux Environnement économique de l'entreprise Principes de management Marketing Logiciels de technologies de l'information	*N.B. : Le nombre de cours crédités peut varier selon le dossier de l'étudiant.*
Soins infirmiers (180.01 ou 180.A0)				
Sciences infirmières (bac)		4SOI137 :	Pratique infirmière et santé des adultes et des aînés	
		4SOI156 :	Pratique infirmière et santé des jeunes	
		4SOI217 :	Pratique infirmière et prénatalité	
		4SOI220 :	Pratique infirmière et santé mentale	
Techniques d'écologie appliquée (145.01)				
Biologie (bac)	101-110-88	1ANI104 :	Anatomie et morphologie végétales	
	145-121-88	1BOT103 :	Botanique systématique	
	101-939-88	1ECL108 :	Écologie générale	
	101-112-88, 145-131-88	1ZOO102 :	Zoologie des invertébrés	
	145-201-88, 145-361-88	1ECL106 :	Principes de gestion intégrée des ress. biologiques	
	101-113-88	1ZOO106 :	Introduction comportement animal (1 cr.)	
	101-118-88	1PBI104 :	Notions d'écophysiologie (1 cr.)	
	145-151-88	1ENT101 :	Initiation à la pratique de l'entomologie (1 cr.)	
	145-161-88	1BED105 :	Limnologie (1 cr.)	
	145-171-88	1ZOO105 :	Poissons du Québec (1 cr.)	
	145-181-88	1ZOO107 :	Oiseaux du Québec (1 cr.)	
	145-191-88	1ZOO109 :	Grands mammifères du Québec (1 cr.)	
	101-942-78	1IMU101 :	Immunologie (1 cr.)	
	145-141-88	1ZOO110 :	Ichtyologie et herpétologie (1 cr.)	

PASSERELLES	PRÉALABLES	COURS CRÉDITÉS	REMARQUES
Techniques d'éducation spécialisée (351.A0)			
Enseignement en adaptation scolaire et sociale (bac)		3EAS603 : Toxicomanies 3EEEI130 : L'hétérogénéité dans la classe 3PPG101 : Développement affectivo-social et moral de l'enfant et de l'adolescent	
Techniques d'inventaire et recherche en biologie (145.02)			
Biologie (bac)	101-110-88 145-121-88 101-939-88, 145-321-88 101-938-88, 145-321-88, 145-662-88 101-942-78, 145-642-88 et 145-331-88 202-113-88, 145-331-88 145-542-88 205-962-88	1ANI104 : Anatomie et morphologie 1BOT103 : Botanique systématique 1ECL108 : Écologie générale 1ZOO102 : Zoologie des invertébrés 1MCB100 : Microbiologie générale 1BCM107 : Biochimie structurale 1ENT101 : Initiation à la pratique de l'entomologie (1 crédit) 1PDL103 : Géomorphologie et pédologie	*- Les étudiants auxquels il manque un cours ou davantage ou qui n'ont pas la moyenne nécessaire peuvent se prévaloir des tests de validation de connaissances pour chacun des cours concernés. Chaque test réussi leur donne droit à l'exemption indiquée ci-contre.* *- Les étudiants qui n'ont reçu que le cours 139 dans le domaine de la chimie devront s'inscrire au cours 1CHM141 pour satisfaire aux conditions d'admisssion.* *- Il est également possible d'obtenir des reconnaissances d'acquis pour quelques cours à 1 crédit dans ce programme selon le dossier de l'étudiant.*
Techniques de communication dans les médias (589.B0) (Arts et technologies des médias)			
Linguistique (bac)		7CMM200 : Théorie de la communication 7LIN138 : Phonétique et langue orale	
Techniques de comptabilité et de gestion (410.B0)			
Administration (bac) **Informatique de gestion (bac)** **Sciences comptables (bac)**	L'édudiant ayant une cote de rendement au collégial de 26 ou plus pourra se voir reconnaître jusqu'à 10 cours de son programme.	2CTB104* : Comptabilité : concepts fondamentaux 2ECO102 : Environnement économique de l'entreprise 2MAN105 : Principes de management 2MAR100 : Marketing 8IFG100 : Logiciels et technologies de l'information	*Cette passerelle est valable à la condition que la note moyenne obtenue dans les cours de niveau collégial requis pour la reconnaissance d'un cours universitaire soit supérieure ou égale à la moyenne du groupe.* *Les cours reconnues peuvent différer selon le dossier de l'étudiant.* **Pour le bac en sciences comptables, la reconnaissance pour le cours 2CTB104 ne sera accordée que si la note obtenue dans chacun des cours cibles est supérieure à la moyenne du groupe.*

PASSERELLES	PRÉALABLES	COURS CRÉDITÉS	REMARQUES
Techniques de l'informatique (420.A0 ou 420.A1)			
Informatique (bac) **Informatique de gestion (bac)**	La reconnaissance des acquis n'est pas automatique. Elle varie selon le dossier de l'étudiant.	8GIF108 : Conception et programmation de sites Web 8SIF108 : Structure des ordinateurs 8PRO107 : Éléments de programmation 8SIF104 : Sécurité informatique et réseaux 8STT105* : Probabilité et statistique I 8MQG210 : Risque, décision et incertitude** 8TRD114 : Gestion des fichiers 8TRD119 : Base de données et analyse fonctionnelle Selon le dossier de l'étudiant : 1 cours d'anglais (3 crédits)	**Pour Informatique seulement.* ***Pour Information de gestion seulement.*
Conception de jeux vidéo (bac avec majeur)	La reconnaissance des acquis n'est pas automatique. Elle varie selon le dossier de l'étudiant.	8GIF108 : Conception et programmation de sites Web 8PRO107 : Éléments de programmation 8STT105 : Probabilité et statistique I 8TRD114 : Gestion de fichiers 8TRD119 : Base de données et analyse fonctionnelle 8SIF104 : Sécurité informatique et réseaux 8SIF108 : Structure des ordinateurs Selon le dossier de l'étudiant : 1 cours d'anglais	
Techniques de pilotage d'aéronefs (280.A0)			
Administration (bac)	Cette passerelle est valable à la condition d'avoir une cote de rendement au collégial de 25 ou plus à la fin de ses études collégiales.	2MAN105 : Principes de management 2MAN400 : Aspect humain des organisations 2MAR100 : Marketing 2 cours d'enrichissement	
Tech. de production et de postproduction télévisuelles (589.A0) (Arts et techno. des médias)			
Linguistique (bac)		7CMM200 : Théorie de la communication 7LIN138 : Phonétique et langue orale	
Techniques de travail social (388.A0)			
Travail social (bac)	Cette passerelle est valable à la condition d'avoir conservé, pour le cours de niveau collégial correspondants, une moyenne personnelle supérieure à celle du groupe-cours.		
	388-102-87, 388-211-87 et 388-244-87	4SVS103 : Travail social contemporain au Québec	
		4GSO105 : Politique sociale	
	388-221-87	4SHU106 : Comportement humain et contexte social	
	350-206-86, 388-411-87, 350-306-86 et 387-960-91		
	388-104-87*, 388-403-86 et 388-501-87	4SVS104 : Initiation à l'intervention sociale	**En autant qu'un des stages ait été réalisé dans un organisme communautaire.*
	388-103-87, 388-951-87	4PLU540 : Québec d'aujourd'hui	

PASSERELLES	PRÉALABLES	COURS CRÉDITÉS		REMARQUES
Techniques du milieu naturel (147.01 ou 147.A0)				

Voies de spécialisation : Aménagement et interprétation du patrimoine, Exploiration forestière, Aménagement forestier, Patrimoine, Faune, Environnement, Aquiculture. Laboratoires de biologie et Santé animale.

Biologie (bac)	Cette passerelle est valable à la la condition d'avoir conservé pour les cours de niveau collégial correspondants, une moyenne supérieur à celle du groupe-cours.			
	147-180, 219, 506 ou 539	1ZOO102 :	Zoolojgie des invertébrés	*Cours et travaux pratiques*
	147-529, 625, 635 et 645	1BIO156 :	Écotoxicologie	
	147-130 et 439	1BOT103 :	Botanique systématique	*Cours et travaux pratiques*
	147-417 et 418	1ZOO110 :	Ichtyologie et herpétologie	
	147-110 et 139	1ECL108 :	Écologie générale	*Travaux pratiques seulement*
	147-330, 470 et 605 et (518 ou 644 ou 655)	1ECL109 :	Écologie appliquée	*Cours et travaux pratiques*
	147-260, 340, 503 et 513	1ZOO112 :	Vertébrés II	*Cours et travaux pratiques*
	147-623, 633 et 660	1GBI112 :	Études biologiques sur le terrain	

PASSERELLES ENTRE LES PROGRAMMES TECHNIQUES (DEC) DE LA FAMILLE DES TECHNIQUES PHYSIQUES ET LES PROGRAMMES DE BACCALAURÉAT (BAC)

Index des programmes des Techniques Physiques

(N^os)[1]	Programmes	(N^os)[1]	Programmes
210.AA	Techniques de laboratoire – *Biotechnologie*	243.11	Technologie de l'électronique
210.AB	Techniques de laboratoire – *Chimie analytique*	271.01	Géologie appliquée (Technologie minérale)
210.02	Techniques de génie chimique	271.02	Exploitation (Technologie minérale)
243.06	Technologie de l'électronique industrielle	271.03	Minérallurgie (Technologie minérale)

PASSERELLES	PRÉALABLES[1]	COURS CRÉDITÉS		REMARQUES
❶ **Techniques de laboratoire – ❷ *Biotechnologie* (210.AA)**				
Biologie (bac) ❸	101-BT6	1BCL100 :	Culture cellulaire et tissulaire	*À la condition d'avoir conservé pour les cours de niveau collégial, une moyenne supérieure à celle du groupe et avoir une cote R minimale de 26 pour l'ensemble du dossier.* ❻
	1011-BT5, 4101-BT2	1BCL112 :	Biologie cellulaire	
	210-A01, 210-A02 210-A04, 145-BT1	1BCM107 :	Biochimie structurale	
	202-BT2, 202-BT3	1BIO156 :	Écotoxicologie	
	210-A06 ❹	1CAN101 :	Chimie analytique ❺	

❶ Programme collégial technique accepté.
❷ Le titre en italique renvoie à une spécialisation du programme concerné.
❸ Programme de baccalauréat (il peut y en avoir plus d'un) associé au programme technique concerné.
❹ Cours collégiaux réussis exigés pour être admis dans le programme universitaire concerné.
❺ Cours universitaires crédités dans le programme concerné.
❻ Renseignements complémentaires.

1. *Les codes des programmes sont utilisés pour indiquer les PRÉALABLES (programmes de la famille des techniques physiques).*

PASSERELLES	PRÉALABLES[1]	COURS CRÉDITÉS	REMARQUES
Exploitation (Technologie minérale) (271.02)			
Géologie (bac) **Génie géologique (bac)**		6DDG100 : Sciences graphiques 6SCT103 : Camp de planimétrie (1 crédit) 6SCT106 : Géomorphologie et aménagement géotechniques 6SCT410 : Géochimie environnementale 6GLG110 : Notre planète	*À la condition que la note moyenne obtenue dans les cours de niveau collégial requis pour la reconnaissance d'un cours universitaire soit supérieure ou égale à la moyenne du groupe.*
Géologie appliquée (Technologie minérale) (271.01)			
Géologie (bac) **et** **Génie géologique (bac)**		6DDG100 : Sciences graphiques 6SCT103 : Camp de planimétrie (1 crédit) 6SCT106 : Géomorphologie et aménagement géotechniques 6SCT410 : Géochimie environnementale 6GLG110 : Notre planète	*À la condition que la note moyenne obtenue dans les cours de niveau collégial requis pour la reconnaissance d'un cours universitaire soit supérieure ou égale à la moyenne du groupe.*
Minéralurgie (Technologie minérale) (271.03)			
Géologie (bac)		6DDG100 : Sciences graphiques 6SCT103 : Camp de planimétrie (1 crédit) 6SCT106 : Géomorphologie et aménagement géotechniques 6SCT410 : Géochimie environnementale 6GLG110 : Notre planète	*À la condition que la note moyenne obtenue dans les cours de niveau collégial requis pour la reconnaissance d'un cours universitaire soit supérieure ou égale à la moyenne du groupe.*
Techniques de génie chimique (210.02)			
Génie électrique (bac) **Génie mécanique (bac)** **Ingénérie de l'aluminium (bac)**			*Exemption du cours **6GNC100 Chimie pour l'ingénieur** si la note moyenne obtenue dans les cours de niveau collégial équivalents est supérieur à la moyenne du groupe.* *Exemption du cours **8TRD144 Gestion des fichiers** si la note moyenne obtenue dans les cours de niveau collégial équivalents est supérieure à la moyenne du groupe.*

1. *Les codes des programmes sont utilisés pour indiquer les PRÉALABLES (programmes de la famille des techniques physiques).*

PASSERELLES	PRÉALABLES[1]	COURS CRÉDITÉS	REMARQUES
Techniques de laboratoire – *Biotechnologie* (210.AA)			
Biologie (bac)	101-BT6	1BCL100 : Culture cellulaire et tissulaire (1 crédit)	*À la condition d'avoir conservé pour les cours de niveau collégial, une moyenne supérieure à celle du groupe et avoir une cote R minimale de 26 pour l'ensemble du dossier.*
	1011-BT5, 4101-BT2	1BCL112 : Biologie cellulaire	
	210-A01, 210-A02	1BCM107 : Biochimie structurale	
	210-A04, 145-BT1	1BI0156 : Écotoxicologie	
	202-BT2, 202-BT3	1CAN101 : Chimie analytique	
	210-A06	1GNT103 : Génétique médicale (1 crédit)	
		1PBI106 : Pharmacogénétique (1 crédit)	
	101-BT3, 140-BT1	1MCB100 : Microbiologie générale	
	210-A03	1MCB104 : Microbiologie environnementale et industrielle (1 crédit)	
	140-BT2	1IMU101 : Immunologie (1 cr.)	
	101-BT4	1PBI104 : Ecophysiologie (1 crédit)	
	210-BT1, 340-GAE	1SAP120 : Histoire des sciences et démarche scientifique	
	202-BT6, 202-BT7	Un cours hors champs disciplinaire ICAN111 : Chimie instrumentale	
Techniques de laboratoire – *Chimie analytique* (210.AB)			
Génie électrique (bac) **Génie mécanique (bac)** **Ingénérie de l'aluminium (bac)**			*Exemption du cours* ***6GNC100 Chimie pour l'ingénieur*** *si la note moyenne obtenue dans les cours de niveau collégial équivalents est supérieure à la moyenne du groupe.* *Exemption du cours* ***8TRD144 Gestion des fichiers*** *si la note moyenne obtenue dans les cours de niveau collégial équivalents est supérieure à la moyenne du groupe.*
Technologie de l'électronique (243.11)			
Génie informatique (bac)		6GEI300 : Électronique 6GEI420 : Systèmes digitaux	*À la condition que la note moyenne obtenue dans les cours de niveau collégial requis pour la reconnaissance d'un cours universitaire soit supérieure ou égale à la moyenne du groupe.*
Technologie de l'électronique industrielle (243.06)			
Génie informatique (bac)		6GEI300 : Électronique 6GEI420 : Systèmes digitaux	*À la condition que la note moyenne obtenue dans les cours de niveau collégial requis pour la reconnaissance d'un cours universitaire soit supérieure ou égale à la moyenne du groupe.*

1. *Les codes des programmes sont utilisés pour indiquer les PRÉALABLES (programmes de la famille des techniques physiques).*

Université du Québec à Rimouski (UQAR)

PASSERELLE EXCLUSIVE ENTRE LES PROGRAMMES TECHNIQUES (DEC) ET LES PROGRAMMES DE BACCALAURÉAT DE L'UNIVERSITÉ DU QUÉBEC À RIMOUSKI (UQAR)

PASSERELLES	PRÉALABLES	COURS CRÉDITÉS	REMARQUES
Techniques de l'informatique (420.A0) ❶			
Informatique (bac) ❷	Mathématique 103, 105 et 203 ou 00UN, 00UQ et 00UP et avoir maintenu une cote R supérieure ou égale à 26 pour l'ensemble du DEC. ❸	Tous les diplômés : INF10003 : Informatique de base INF11199 : Programmation I INF15103 : Bases de données ❹	❺

❶ Programme collégial technique accepté.
❷ Programme de baccalauréat (il peut y en avoir plus d'un) associé au programme technique concerné.
❸ Cours collégiaux réussis exigés pour être admis dans le programme universitaire concerné.
❹ Cours universitaires crédités dans le programme concerné.
❺ Renseignements complémentaires.

Index des programmes techniques acceptés

PASSERELLES	PRÉALABLES	COURS CRÉDITÉS	REMARQUES
Navigation (248.B0)			
Transport maritime (bac avec majeure et mineure en administration)		Exemption des cours de la majeure en transport maritime suite à l'obtention des brevets concernés de Transport Canada et la réussite du cours Séminaire d'intégration (portfolio).	
Techniques biologiques ou physiques			
Enseignement secondaire (bac)		Selon la qualité de son dossier scolaire, le diplômé peut se prévaloir d'une exemption de quelques cours s'il a choisi un profil incluant des cours de géographie ou de biologie.	
Techniques biologiques ou physiques (autres)			
Biologie (bac)		Exemption d'un maximum de cinq cours selon l'étude du dossier scolaire.	
Techniques d'aménagement cynégétique et halieutique (145.B0)			
Géographie (bac) **Biologie (bac)**		Exemption d'un maximum de cinq cours selon l'étude du dossier scolaire.	
Techniques d'aménagement et d'urbanisme (222.A0)			
Géographie (bac)		Exemption d'un maximum de cinq cours.	
Techniques d'écologie appliquée (145.01) ou autres techniques physiques			
Géographie (bac)		Exemption d'un maximum de cinq cours.	
Biologie (bac)		Exemption d'un maximum de dix cours.	
Techniques d'éducation à l'enfance (322.A0)			
Enseignement en adaptation scolaire et sociale, profil préscolaire et primaire (bac)		ASS13102 : Développement de l'enfant de zéro à douze ans ASS46002 : Partenariat entre l'école, les parents et les autres réseaux SCE20202 Prévention, adaptation et réussite scolaire	*Pour le cours et ASS46002, les équivalences seront accordées uniquement si l'étudiant a suivi et réussi le stage long de son programme de niveau collégial dans une classe en milieu scolaire.*
Enseignement en adaptation scolaire et sociale, profil secondaire – éducation aux adultes (bac)		ASS46002 : Partenariat entre l'école, les parents et les autres réseaux SCE20202 : Prévention, adaptation et réussite scolaire SCE30202 : Adolescence et vie adulte	
Éducation préscolaire et éducation primaire (bac)		PPE11002 : Éducation et développement de l'enfant de 0 à 6 ans PPE11102 : Éducation et développement de l'enfant de 6 à 12 ans	

PASSERELLES	PRÉALABLES	COURS CRÉDITÉS	REMARQUES
Techniques d'éducation spécialisée (351.A0)			
Enseignement en adaptation scolaire et sociale, profil préscolaire et primaire (bac)		ASS13102 : Développement de l'enfant de zéro à douze ans ASS19007 : Stage I : Familiarisation, observation et intégration théorie-pratique ASS46002 : Partenariat entre l'école, les parents et les autres réseaux SCE20002 : Connaissance et intégration des élèves handicapés et en difficulté SCE20202 : Prévention, adaptation et réussite scolaire	*Pour les cours ASS19007 et ASS46002, les équivalences seront accordées uniquement si l'étudiant a suivi et réussi le stage long de son programme de niveau collégial dans une classe en milieu scolaire.*
Enseignement en adaptation scolaire et sociale, profil secondaire – éducation aux adultes (bac)		ASS19002 : Stage I : Familiarisation, observation et intégration théorie-pratique ASS46002 : Partenariat entre l'école, les parents et les autres réseaux SCE20002 : Connaissance et intégration des élèves handicapés et en difficulté SCE20202 : Prévention, adaptation et réussite scolaire SCE30202 : Adolescence et vie adulte	
Éducation préscolaire et éducation primaire (bac)		PPE11002 : Éducation et développement de l'enfant de 0 à 6 ans OU PPE11102 : Éducation et développement de l'enfant de 6 à 12 ans SCE20002 : Connaissance et intégration des élèves handicapés et en difficulté SCE20202 : Prévention, adaptation et réussite scolaire	
Communication (relations humaines) (bac)		Exemption d'au plus deux cours par domaine concerné : relation d'aide ou animation, selon le dossier scolaire du candidat.	

PASSERELLES	PRÉALABLES	COURS CRÉDITÉS	REMARQUES
Techniques d'intervention en délinquance (310.B0)			
Enseignement en adaptation scolaire et sociale, profil préscolaire et primaire (bac)		ASS13102 : Développement de l'enfant de zéro à douze ans ASS19007 : Stage I : Familiarisation, observation et intégration théorie-pratique ASS46002 : Partenariat entre l'école, les parents et les autres réseaux SCE20202 : Prévention, adaptation et réussite scolaire SCE20302 : Interventions auprès des élèves en troubles du comportement au primaire	*Pour les cours ASS19007 et ASS46002, les équivalences seront accordées uniquement si l'étudiant a suivi et réussi le stage long de son programme de niveau collégial dans une classe en milieu scolaire.*
Enseignement en adaptation scolaire et sociale, profil secondaire – éducation aux adultes (bac)		ASS19002 : Stage I : Familiarisation, observation et intégration théorie-pratique ASS23503 : Difficultés comportementales extériorisées ASS33503 : Difficultés comportementales intériorisés ASS46002 : Partenariat entre l'école, les parents et les autres réseaux SCE20202 : Prévention, adaptation et réussite scolaire SCE30202 : Adolescence et vie adulte	
Éducation préscolaire et éducation primaire (bac)		PPE11002 : Éducation et développement de l'enfant de 0 à 6 ans OU PPE11102 : Éducation et développement de l'enfant de 6 à 12 ans	
Techniques d'inventaire et de recherche en biologie (145.02)			
Biologie (bac)		Exemption d'un maximum de cinq cours.	
Techniques de chimie-biologie (145.03)			
Biologie (bac)		Les diplômés de ce programme ont la possibilité de se voir reconnaître jusqu'à un maximum de dix cours au baccalauréat avec une majeure en biologie et une mineure en chimie.	

PASSERELLES	PRÉALABLES	COURS CRÉDITÉS	REMARQUES
Techniques de comptabilité et de gestion (410.A0)			
Administration (bac) **Sciences comptables (bac)**		Jusqu'à un maximum de sept cours universitaire (21crédits), dans la mesure où la cote R est égale ou supérieure à 26 et où les cours collégiaux reconnus ont été réussis avec une note égale ou supérieure à la moyenne du groupe.	
Techniques de gestion de commerces (410.B0)			
Administration (bac)		Jusqu'à un maximum de huit cours universitaire (21crédits), dans la mesure où la cote R est égale ou supérieure à 26 et où les cours collégiaux reconnus ont été réussis avec une note égale ou supérieure à la moyenne du groupe.	
Techniques de l'informatique (420.A0)			
Informatique (bac)	Mathématique 103, 105 et 203 ou 00UN, 00UQ et 00UP et avoir maintenu une cote R supérieure ou égale à 26 pour l'ensemble du DEC.	Tous les diplômés : INF11107 : Programmation I INF15107 : Bases de données Exemption supplémentaire selon la qualité du dossier : INF11207 : Programmation II INF14107 : Introduction aux systèmes d'exploitation INF16107 : Réseautique Exemption supplémentaire des cours suivants : INF23107 : Génie logiciel I INF39107 : Projet de développement en informatique	
Techniques de tourisme (414.A0)			
Géographie (bac)		Exemption d'un maximum de cinq cours.	

PASSERELLES	PRÉALABLES	COURS CRÉDITÉS	REMARQUES
Techniques de travail social (388.A0)			
Enseignement en adaptation scolaire et sociale, profil préscolaire et primaire (bac)		ASS13102 Développement de l'enfant de zéro à douze ans ASS29002 Étude de cas et résolution de problèmes ASS46002 Partenariat entre l'école, les parents et les autres réseaux SCE20202 Prévention, adaptation et réussite scolaire	*Pour le cours ASS46002, les équivalences seront accordées uniquement si l'étudiant a suivi et réussi le stage long de son programme de niveau collégial dans une classe en milieu scolaire.*
Enseignement en adaptation scolaire et sociale, profil secondaire – éducation aux adultes (bac)		ASS29002 Étude de cas et résolution de problèmes ASS46002 Partenariat entre l'école, les parents et les autres réseaux SCE20202 Prévention, adaptation et réussite scolaire SCE30202 Adolescence et vie adulte	
Éducation préscolaire et éducation primaire (bac)		PPE-110-02 Éducation et développement de l'enfant de 0 à 6 ans **OU** PPE-111-02 Éducation et développement de l'enfant de 6 à 12 ans	
Communication (relations humaines) (bac)		Exemption d'au plus deux cours par domaine concerné : relation d'aide ou animation, selon le dossier scolaire du candidat.	
Développement social et analyse des problèmes sociaux (bac)		Exemption d'un maximum de cinq cours.	
Techniques du milieu naturel (147.A0)			
Géographie (bac) **Biologie (bac)**		Exemption d'un maximum de cinq cours.	
Techniques physiques			
Génie des systèmes électromécaniques (bac) **Génie mécanique (bac)** **Génie électrique (bac)**		Exemption jusqu'à cinq cours selon l'étude du dossier.	
Technologie de la géomatique – *Cartographie* (230.AA ou A1)			
Géographie (bac)		Exemption d'un maximum de cinq cours.	
Technologie forestière (190.B0)			
Géographie (bac)		Exemption d'un maximum de cinq cours.	

Université du Québec à Trois-Rivières (UQTR)

PASSERELLE EXCLUSIVE ENTRE LES PROGRAMMES TECHNIQUES (DEC) ET LES PROGRAMMES DE BACCALAURÉAT DE L'UNIVERSITÉ DU QUÉBEC À TROIS-RIVIÈRES (UQTR)

PASSERELLES	PRÉALABLES	COURS CRÉDITÉS	ÉTABLISSEMENTS
Techniques d'aménagement de la faune (147.A0) ❶			
Biologie (bac) ❷	Deux cours de biologie et un cours de chimie ❸	ZOO-1001 : Zoologie des invertébrés ZOO-1002 : Zoologie des vertébrés BOT-1003 : Taxonomie des plantes vasculaires GEO-1087 : Géomorphologie ❹	*Établissement collégial qui offre ce programme.* ❺

❶ Programme collégial technique (DEC) accepté.
❷ Programme de baccalauréat (BAC) associés au programme technique concerné (il peux y en avoir plus d'un).
❸ Cours collégiaux réussis exigés pour être admis dans le programme universitaire concerné.
❹ Cours universitaires crédités dans le programme concerné.
❺ Établissement collégial.

Index des programmes techniques acceptés

Programmes et Nos — **Pages**

PASSERELLES	PRÉALABLES	COURS CRÉDITÉS	ÉTABLISSEMENTS
Technologie d'analyses biomédicales (140.B0) ou Techniques de laboratoire médical (140.01)			
Sciences biologiques et écologiques (bac) **Biologie médicale (bac)**		Reconnaissance d'acquis allant jusqu'à 24 crédits en fonction de l'entente avec l'institution.	*Cégep de Chicoutimi* *Cégep de Rimouski* *Cégep de Sainte-Foy* *Cégep de Saint-Hyacinthe* *Cégep de Saint-Jérôme* *Cégep de Sherbrooke* *Cégep Saint-Jean-sur-Richelieu* *Collège de Shawinigan*

PASSERELLES	PRÉALABLES	COURS CRÉDITÉS	ÉTABLISSEMENTS
Techniques d'écologie appliquée (145.01)			
Biologie (bac)	Deux cours de biologie et un cours de chimie	ZOO-1001 : Zoologie des invertébrés ZOO-1002 : Zoologie des vertébrés BOT-1001 : Anatomie et morphologie végétales BOT-1002 : Grands groupes végétaux GEO-1086 : nitiation aux photos aériennes et à la télévision SIF-1045 : Microinformatique en sciences	*Cégep de La Pocatière*
Sciences biologiques et écologiques (bac)		Reconnaissance d'acquis en fonction de l'entente avec l'institution.	*Cégep de La Pocatière* *Cégep de Sherbrooke*
Techniques d'inventaire et de recherche en biologie (145.02)			
Biologie (bac)	Deux cours de biologie et un cours de chimie	ZOO-1001 : Zoologie des invertébrés ZOO-1002 : Zoologie des vertébrés BOT-1001 : Anatomie et morphologie végétales BOT-1002 : Grands groupes végétaux MCB-1004 : Microbiologie générale SIF-1045 : Microinformatique en sciences UN COURS PARMI LES SUIVANTS : ECL-1013 : Stage en écologie terrestre ECL-1014 : Stage en écologie lacustre et fluviale	*Cégep de Sainte-Foy*
Sciences biologiques et écologiques (bac)		Reconnaissance d'acquis en fonction de l'entente avec l'institution.	*Cégep de Sainte-Foy* *Cégep de Saint-Laurent*
Techniques de santé animale (145.A0)			
Sciences biologiques et écologiques (bac)		Reconnaissance d'acquis en fonction de l'entente avec l'institution.	*Cégep de La Pocatière* *Cégep de Saint-Félicien* *Cégep de Saint-Hyacinthe* *Cégep de Sherbrooke* *Collège Laflèche* *Collège Lionel-Groulx* *Vanier College*
Techniques d'aménagement cynégétique et halieutique (145.04 ou 145.B0)			
Biologie (bac)	Deux cours de biologie ET Suivre le cours CAN-1001 Chimie analytique à l'université	ZOO-1001 : Zoologie des invertébrés BOT-1001 : Anatomie et morphologie végétales GEO-1086 : Initiation aux photos aériennes et à la télévision	*Cégep de Baie-Comeau*
Sciences biologiques et écologiques (bac)		Reconnaissance d'acquis en fonction de l'entente avec l'institution.	
Techniques de bioécologie (145.C0)			
Sciences biologiques et écologiques (bac)		Reconnaissance d'acquis en fonction de l'entente avec l'institution.	*Cégep de Sainte-Foy* *Cégep de Saint-Laurent*

PASSERELLES	PRÉALABLES	COURS CRÉDITÉS	ÉTABLISSEMENTS
Techniques du milieu naturel - *Aménagement de la faune* (147.AB ou 0B)			
Biologie (bac)		ZOO-1001 : Zoologie des invertébrés ZOO-1002 : Zoologie des vertébrés BOT-1003 : Taxonomie des plantes vasculaires GEO-1086 : Initiation aux photos aériennes et à la télévision GEO-1087 : Géomorphologie	*Cégep de Saint-Félicien*
Sciences biologiques et écologiques (bac)		Reconnaissance d'acquis en fonction de l'entente avec l'institution.	
Techniques du milieu naturel - *Aménagement de la ressource forestière* (147.AA ou 0A)			
Sciences biologiques et écologiques (bac)		Reconnaissance d'acquis en fonction de l'entente avec l'institution.	*Cégep de Saint-Félicien*
Techniques du milieu naturel - Aménagement et interprétation du patrimoine naturel (147.0C ou AC)			
Sciences biologiques et écologiques (bac)		Reconnaissance d'acquis en fonction de l'entente avec l'institution.	*Cégep de Saint-Félicien*
Techniques du milieu naturel - *Protection de l'environnement* (147.AD ou 0D)			
Biologie (bac)	Deux cours de biologie et un cours de chimie	ZOO-1001 : Zoologie des invertébrés ZOO-1002 : Zoologie des vertébrés BOT-1003 : Taxonomie des plantes vasculaires GEO-1086 : Initiation aux photos aériennes et à la télévision GEO-1087 : Géomorphologie ENP-1002 : Environnement et pollution	*Cégep de Saint-Félicien*
Sciences biologiques et écologiques (bac)		Reconnaissance d'acquis en fonction de l'entente avec l'institution.	
Technologie forestière (190.B0)			
Sciences biologiques et écologiques (bac)		Reconnaissance d'acquis en fonction de l'entente avec l'institution.	*Cégep de Baie-Comeau* *Cégep de l'Abitibi-Témiscamingue* *Cégep de Rimouski* *Cégep de Sainte-Foy*
Techniques de laboratoire – *Biotechnologie* (210.AA)			
Sciences biologiques et écologiques (bac)		Reconnaissance d'acquis en fonction de l'entente avec l'institution.	*Cégep de l'Outaouais* *Cégep de Lévis-Lauzon* *Cégep de Saint-Hyacinthe* *Cégep de Shawinigan* *Cégep de Sherbrooke* *Collège Ahuntsic*
Biologie médicale (bac)		Reconnaissance d'acquis allant jusqu'à 30 crédits en fonction de l'entente avec l'institution.	
Techniques de chimie-biologie (210.03)			
Biochimie et biotechnologie (bac)		Reconnaissance d'acquis allant jusqu'à 30 crédits en fonction de l'entente avec l'institution.	

PASSERELLES	PRÉALABLES	COURS CRÉDITÉS	ÉTABLISSEMENTS
Environnement, hygiène et sécurité au travail (260.B0)			
Sciences biologiques et écologiques (bac)		Reconnaissance d'acquis en fonction de l'entente avec l'institution.	*Cégep de Jonquière* *Cégep de Saint-Laurent* *Cégep de Sorel-Tracy*
Techniques d'intervention en délinquance (310.B0)			
Psychoéducation (bac)		Entente en élaboration.	*Cégep François-Xavier-Garneau*
Techniques d'éducation spécialisée (351.A0)			
Psychoéducation (bac)		Reconnaissance d'acquis jusqu'à 10 cours. Contacter la secrétaire des programmes.	*Champlain College – Lennoxville* *Cégep Beauce-Appalaches* *Cégep de Baie-Comeau* *Cégep de Jonquière* *Cégep de La Pocatière* *Cégep de Rimouski* *Cégep de Thetford* *Cégep de Saint-Jérôme* *Cégep de Sainte-Foy* *Cégep de Valleyfield* *Cégep du Vieux Montréal* *Cégep Marie-Victorin* *Cégep régional de Lanaudière (Joliette)* *Collège Laflèche* *Collège Mérici*
		Ententes en élaboration.	*Cégep de Granby* *Cégep de Maisonneuve* *Cégep de Sherbrooke*
Techniques d'intervention en loisir (391.A0)			
Loisir, culture et tourisme (bac)	Suivre le cours Méthode quantitatives mathématiques 360 durant le programme de DEC.	AEG-1001 : Loisirs et temps libres, fondements historiques et conceptuels AEG-1016 : Animation et intervention sociale GRL-1007 : Gestion des ressources humaines dans le domaine du loisir, de la culture et du tourisme GSO-1002 : Méthodologie de la recherche en sciences sociales appliquées II PCO-1015 : Communication et relations publiques PPK-1045 : Planification, mise en œuvre et évaluation de produits et services récréatifs DEUX COURS AU CHOIX : AEG-1024 : Gestion et mise en œuvre de projets et d'événements culturels AEG-1027 : Intervention et communautés locales GAE-1003 : Entrepreneuriat et démarrage d'entreprises	*Cégep de Rivière-du-Loup*

PASSERELLES	PRÉALABLES	COURS CRÉDITÉS		ÉTABLISSEMENTS
Techniques d'intervention en loisir (391.A0) (suite)				
		PPK-1050 :	Développement des produits et des services touristiques	
		AEG-1030 :	Loisir et santé : les acteurs et les interventions	
		AEG-1031 :	Loisir et santé : méthodes et techniques d'intervention	
		UN COURS COMPLÉMENTAIRE		
		Total des crédits : 10		
		AEG-1001 :	Loisirs et temps libres, fondements historiques et conceptuels	*Cégep de Saint-Laurent*
		AEG-1016 :	Animation et intervention sociale	
		AEG-1024 :	Gestion et mise en œuvre de projets et d'événements culturels	
		GRL-1002 :	Gestion des organisations dans le domaine du loisir, de la culture et du tourisme	
		GRL-1007 :	Gestion des ressources humaines dans le domaine du loisir, de la culture et du tourisme	
		GSO-1002 :	Méthodologie de la recherche en sciences sociales appliquées II	
		PCO-1015 :	Communication et relations publiques	
		PPK-1045 :	Planification, mise en œuvre et évaluation de produits et services récréatifs	
		DEUX COURS AU CHOIX :		
		AEG-1020 :	Gestion et mise en œuvre de projets et d'événements culturels	
		AEG-1030 :	Loisir et santé : les acteurs et les interventions	
		GAE-1003 :	Entrepreneuriat et démarrage d'entreprises	
		UN COURS COMPLÉMENTAIRE EN PSYCHOLOGIE À DÉTERMINER		
		Total des crédits : 10		
		AEG-1001 :	Loisirs et temps libres, fondements historiques et conceptuels	*Cégep du Vieux Montréal*
		AEG-1016 :	Animation et intervention sociale	
		GRL-1002 :	Gestion des organisations dans le domaine du loisir, de la culture et du tourisme	
		GRL-1007 :	Gestion des ressources humaines dans le domaine du loisir, de la culture et du tourisme	

PASSERELLES	PRÉALABLES	COURS CRÉDITÉS	ÉTABLISSEMENTS
Techniques d'intervention en loisir (391.A0) (suite)			
		GSO-1002 : Méthodologie de la recherche en sciences sociales appliquées II PCO-1015 : Communication et relations publiques PPK-1045 : Planification, mise en œuvre et évaluation de produits et services récréatifs COURS OPTIONNELS : AEG-1027 : Intervention et communautés locales AEG-1030 : Loisir et santé : les acteurs et les interventions AEG-1031 : Loisir et santé : méthodes et techniques d'intervention GAE-1003 : Entrepreneuriat et démarrage d'entreprises UN COURS COMPLÉMENTAIRE À DÉTERMINER.	
Techniques de comptabilité et de gestion (410.B0)			
Administration des affaires (bac)	Cote de rendement au collégial (CRC) égale ou plus de 24	ADM-1010 : Management des organisations ECA-1011 : Analyse économique de l'entreprise et des marchés GPE-1012 : Développement des habiletés de direction MKA-1001 : Introduction au marketing ADM-1069 : Gestion des opérations CTB-1055 : Le comptable et ses outils informatiques DRA-1001 : Droit des affaires (complémentaire)	*Cégep de Baie-Comeau* *Cégep Beauce-Appalaches* *Cégep de Drummondville* *Cégep régional de Lanaudière (L'Assomption)* *Cégep de Thetford* *Cégep de St-Hyacinthe* *Cégep de Sorel-Tracy* *Cégep de Victoriaville* *Collège François-Xavier-Garneau* *Collège Montmorency* *Collège de Shawinigan*
	Cote de rendement au collégial (CRC) de moins de 24 : Possibilité de 3 cours reconnus si la note de l'étudiant est supérieure à la moyenne du groupe au collégial	CTB-1027 : Comptabilité financière I PAF-1010 : Analyse quantitative de problèmes de gestion BFI-1012 : Gestion financière pour experts-comptables	*Champlain College (entente à venir)*
		OU CTB-1027 : Comptabilité financière I IFG-1006 : Le comptable, les systèmes d'information et leur contrôle BFI-1012 : Gestion financière pour experts-comptables	*Cégep de Granby Haute-Yamaska* *Cégep régional de Lanaudière (Terrebonne)*
		OU CTB-1027 : Comptabilité financière I PAF-1010 : Analyse quantitative de problèmes de gestion IFG-1006 : Le comptable, les systèmes d'information et leur contrôle	*Cégep régional de Lanaudière (Joliette)* *Cégep de Trois-Rivières* *Collège Gérald-Godin*

Les titulaires d'un diplôme d'études collégiales en formation professionnelle peuvent bénéficier de reconnaissances d'acquis, notamment sous forme d'exemptions, selon l'évaluation du dossier et sur recommandation du responsable du programme pour les baccalauréats suivants :
Administration des affaires, Biophysique, Chimie, Génie chimique, Génie électrique, Génie industriel, Génie mécanique.

DOSSIER –
La cote de rendement au collégial

Ce qu'est la cote « R »

La cote de rendement au collégial, aussi appelée « cote R », est une méthode d'analyse du dossier scolaire utilisée par la plupart des universités québécoises en vue de gérer l'admission dans certains programmes. Chaque cours possède sa cote R et l'ensemble des cours suivis donne une cote R « générale ». Il importe donc de prendre les études collégiales au sérieux dès le début de la première session.

Pendant plusieurs années, les universités ont eu recours à la cote Z pour comparer les notes des diplômés des collèges. Cette unité de mesure empruntée à la statistique permettait de classer les élèves par rapport à l'ensemble des élèves. On a cependant constaté que les élèves inscrits dans des groupes forts avaient du mal à obtenir une bonne cote Z et que les classements effectués étaient équitables à la condition que les classes comparées soient de même calibre. C'est pour corriger cet effet indésirable que la cote de rendement au collégial, la cote R, a été implantée. La méthode consiste à pondérer la cote Z au moyen d'un indicateur de correction qui, en tenant compte de la force du groupe au collégial, permet de situer équitablement les résultats de l'élève, quelles que soient les caractéristiques du collège fréquenté, le programme suivi ou le mode de regroupement des élèves. On a vu, par ailleurs, que l'effet réel des résultats du secondaire sur le calcul de la cote de rendement individuel est très minimal. Aucun élève ne « traîne » donc ses notes du secondaire jusqu'aux portes de l'université.

En ajoutant un indicateur de la force du groupe (IFG) à la cote Z, la cote de rendement au collégial se révèle, en définitive, un instrument de classement juste et équitable. Elle permet d'assurer que le dossier scolaire des diplômés du collégial qui font une demande d'admission à l'université sera évalué le plus équitablement possible, indépendemment du collège d'origine. Elle donne ainsi aux meilleurs élèves de tous les collèges des chances égales d'accès aux programmes universitaires les plus contingentés.

Au départ, la cote de rendement au collégial n'était utilisée que dans le cas d'une admission dans un programme contingenté, mais on lui a récemment trouvé plusieurs autres applications. Elle est maintenant utilisée pour des fins de sélection lors de l'admission dans des programmes de sciences, pour l'octroi de bourses d'études ou encore pour attribuer des équivalences de cours.

L'excellence du dossier scolaire est parfois le seul élément considéré lors du choix des candidats et constitue, de ce fait, la seule et unique étape du processus d'admission dans certains programmes. Le nombre de places disponibles détermine le nombre de personnes à qui une offre d'admission sera faite. Il s'agit habituellement des élèves dont la cote de rendement est la plus élevée. Les variables telles la personnalité du candidat, ses qualités et ses aptitudes ainsi que sa motivation à être admis dans ce programme ne seront pas pris en compte dans l'étude du dossier, d'où l'importance de saisir l'enjeu du rendement scolaire.

La réussite ou l'échec de chaque cours est important. Un échec ou un abandon non motivé ne peut être effacé du dossier scolaire et par conséquent, a un impact sur la cote R « générale » servant à l'admission dans les universités, surtout dans les programmes contingentés.

Pour d'autres programmes, l'analyse du dossier scolaire sera suivie d'un processus de sélection pouvant comprendre une ou plusieurs étapes. Les candidats pourront être invités à passer un test, à remplir un questionnaire, à passer une entrevue ou une audition, à écrire une lettre d'intention ou une lettre autobiographique, à présenter un portefolio de travaux personnels, à rédiger un essai ou encore à participer à une appréciation par simulation (APS). Les objectifs poursuivis par le processus de sélection déterminent les critères qui seront utilisés pour évaluer les candidats.

Pour plus d'information concernant la cote de rendement au collégial, vous pouvez consulter le site Web de la CREPUQ (www.crepuq.ca) à la rubrique Publication – Admission et dossier étudiant – Admission aux programmes d'études.

Le calcul de la cote de rendement au collégial

L'analyse du dossier au moyen de la cote de rendement au collégial (CRC) exige, pour chaque cours **échoué ou réussi**, le calcul d'une cote Z qui permet d'exprimer la position relative d'un élève dans son groupe et le calcul d'un facteur de correction (IFG), qui permet d'estimer la force relative du groupe par rapport à celle des autres groupes. Ces calculs sont effectués par le **ministère de l'Éducation, du Loisir et du Sport** pour chacune des notes inscrites au bulletin, à l'exception des notes des cours d'appoint.

La formule de calcul de la cote de rendement au collégial (CRC) est la suivante :

$$CRC = (Z + IFG + 5) \times 5^{*}$$

Ce qu'il faut retenir, c'est que l'utilisation de cette formule vise à :
- déterminer à quelle fréquence les résultats d'un élève sont au-dessus ou en dessous de la moyenne du groupe en calculant la « moyenne de ses écarts à la moyenne », soit la cote Z;
- tenir compte du degré de difficulté qu'implique le fait d'être au-dessus de la moyenne en calculant l'IFG, l'indicateur de la force du groupe. Plus l'ensemble du groupe est fort, plus il sera difficile d'obtenir des notes au-dessus de la moyenne.

**Le chiffre 5 est une valeur constante et invariable.*

Où peut-on obtenir sa cote de rendement au collégial?

Selon la politique d'accès à l'information établie par le Comité de gestion des bulletins d'études collégiales (CGBEC), composé de représentants des collèges, des universités et du ministère de l'Éducation du Loisir et du Sport, l'élève qui désire obtenir sa CRC doit s'adresser à son collège ou à l'université où il a déposé une demande officielle d'admission. Pour obtenir toute information générale relative à l'utilisation de la CRC dans le cadre du processus d'admission à l'université, l'élève doit s'adresser à l'établissement où il a déposé ou a l'intention de déposer une demande d'admission.

Une cote qui situe l'élève par rapport à la moyenne du groupe

La plupart des cotes de rendement pour l'ensemble d'un dossier collégial se situent entre 15 et 35. Voici un cadre de référence illustrant cet ordre de grandeur :

- entre 32 et 35 (85 % à 90 %) :	notes très supérieures à la moyenne
- entre 29,5 et 31,9 (80 % à 85 %) :	notes supérieures à la moyenne
- entre 26 et 29,4 (75 % à 80 %) :	notes au-dessus de la moyenne
- entre 20 et 25,9 (65 % à 75 %) :	notes dans la moyenne

Les risques associés à une mauvaise compréhension de la cote R

À cause de l'enjeu que représente la cote de rendement au collégial pour leur avenir, nombre d'élèves tentent de mettre au point des stratégies qui leur assureront de bien se positionner par rapport aux autres candidats. Certaines de ces stratégies consistent à tenter de trouver un « laissez-passer » pour l'université, un arrangement de conditions qui leur assurera une cote de rendement à toute épreuve.

Ces solutions comportent des risques pour le cheminement scolaire et l'avenir professionnel des élèves qui les utilisent. Cette tentative d'annuler l'effet de la cote R peut prendre diverses formes à différents moments du cheminement de l'étudiant. Nous allons donc explorer les risques associés à une mauvaise compréhension de ce qu'est la cote de rendement et de ses effets sur le cheminement scolaire à l'étape de l'élaboration d'un projet professionnel, puis à l'étape de la réalisation d'un tel projet.

La cote R et l'élaboration de son projet professionnel

Même si la cote de rendement n'est utilisée qu'à l'étape de la demande d'admission à l'université, plusieurs élèves en tiennent compte dans leurs choix de cours dès le secondaire, alors qu'ils en sont encore à définir leur projet professionnel. Ils agissent comme si l'obtention d'une cote de rendement élevée devenait un objectif professionnel en soi. Cette confusion entre objectif et contrainte peut interférer dans leur choix de carrière et avoir des conséquences aussi importantes que s'ils ne se souciaient aucunement de leur rendement scolaire.

La cote R et le passage du secondaire au collégial

Voici trois exemples de stratégies à risque parfois adoptées par des élèves de 5e secondaire qui ont pour projet de s'inscrire éventuellement à un programme contingenté à l'université.

1. Choisir un programme en fonction d'une meilleure cote de rendement

Une des règles du grand jeu de la cote R consiste à accorder une légère majoration de leur cote aux élèves qui ont réussi certains programmes où la compétition est forte. À la lueur de cette information, certains élèves du secondaire, qui avaient déjà choisi le programme dans lequel ils comptaient s'inscrire, modifient leur choix dans le but de se prévaloir de cette bonification.

Aucun programme ne garantit l'obtention d'une cote de rendement élevée. Peu importe le « bonus » qui pourra est accordé pour un programme, c'est l'« écart à la moyenne » qui aura le plus d'impact sur la cote de rendement finale. Si une majoration de la cote R est accordée pour un programme, c'est parce que ce programme regroupe habituellement des élèves obtenant de très fortes notes.

Avant de s'inscrire dans un programme où la compétition est très forte, l'élève devrait se demander comment il vivra le fait d'être comparé au quotidien à des élèves très forts et d'avoir à bûcher pour tenir le cap. Laquelle des situations suivantes est la plus susceptible de le stimuler à donner le meilleur de lui-même : être le dernier d'un groupe très fort ou être le premier d'un groupe moins fort?

Le meilleur gage de succès pour un élève est de trouver un programme qui correspond exactement à ce qui l'attire, le fascine et le stimule **dans l'immédiat**. À quoi servira le « bonus » si, au départ, ses résultats scolaires souffrent du manque d'intérêt et de motivation?

2. Choisir un établissement en fonction d'une meilleure cote de rendement

Une deuxième stratégie à risque consiste à choisir un établissement d'enseignement collégial qui garantira une cote de rendement élevée. Les personnes qui adoptent une telle ligne de conduite se comportent comme si l'abréviation CRC signifiait « cote de rendement d'un collège ». Aussi complexe que soit la formule pour le calcul de la cote de rendement, si nombreux qu'en soient les paramètres, le nom du collège n'est pas une variable dans la formule! Bien que le calcul de la cote de rendement au collégial (CRC) inclut un indicateur de force du groupe (IFG), rien de semblable à un « indicateur de force du collège » n'apparaît dans cette formule.

Si vous avez bien compris les principes de calcul de la cote R, vous savez que le facteur le plus important est d'abord la position que vous obtenez à chacun des cours par rapport au groupe auquel vous appartenez, et ce peu importe le collège.

Le choix d'un collège mérite du temps et de la réflexion. Là aussi, toutefois, il ne faut pas se méprendre. Le « meilleur » collège n'est-il pas celui qui offre un environnement dans lequel l'élève évoluera comme un poisson dans l'eau, où il sera stimulé à donner le meilleur de lui-même? Bien que les services d'encadrement des études offerts dans un collège soient importants à prendre en compte, ce n'est certainement pas le seul élément à considérer. Il est primordial pour l'élève de prendre le temps d'évaluer le milieu de vie dans lequel il évoluera. Le milieu de vie, cela veut dire les personnes et les éléments qui le composent : les amis, les autres étudiants, les enseignants, le quartier dans lequel le collège est situé, le décor intérieur et extérieur, les loisirs et, surtout, l'atmosphère qui se dégage de tout cela et les valeurs qui transpirent de cet heureux mélange.

Le sentiment d'appartenance à un groupe, à un milieu, à un contexte favorise les chances de réussite scolaire de plusieurs façons :

- en stimulant l'intérêt et la motivation, condition essentielle pour s'engager à fond dans les études;
- en offrant des conditions propices à la persévérance scolaire et à la continuité dans l'effort afin d'éviter les résultats scolaires en « dents de scie »;
- en fournissant une forme « d'assurance-déprime » grâce à un réseau de soutien comprenant notamment les amis et le personnel des services de consultation auxquels l'élève peut recourir en cas de coups durs ou de passages à vide.

3. Choisir un style de vie en fonction d'une meilleure cote de rendement

Parce qu'être admis dans le programme de leur choix est un enjeu très important, parce qu'ils sont habitués à donner le meilleur d'eux-mêmes, parce qu'ils sont sérieux dans leur démarche, certains élèves sont prêts à d'énormes sacrifices pour obtenir la meilleure cote de rendement possible. Dans la foulée des sacrifices, ils oublient qu'un équilibre dans leur vie ne peut qu'être bénéfique à leur succès scolaire.

Chaque personne est la seule à connaître ce qu'il lui faut pour se sentir bien avec elle-même : sommeil, nourriture, exercice physique, amitié, amour, travail, sécurité, douce folie, créativité, loisirs, famille, etc. La liste n'a pas de fin. Chacun a sa propre liste, courte ou longue, composée d'incontournables qui feront en sorte que la vie prend son sens.

Il est fortement recommandé aux élèves d'évaluer les constantes dans leur vie, les éléments qui, jusqu'à maintenant, les ont aidés à recouvrer leur équilibre dans des moments où ils se sentaient un peu perdus, les activités ou les personnes auxquelles ils ont eu recours pour maintenir un sentiment de bien-être ou pour faire face aux coups durs. Identifier ces « valeurs sûres » est très certainement aussi fondamental que le fait de rechercher la meilleure cote R, surtout si cela risque de les éloigner de ce qui les fait vibrer.

Les éléments à ne pas confondre avec la cote R

Parce que le calcul de la cote de rendement est complexe, parce que beaucoup de personnes ont toutes sortes d'opinions contraires, il y a beaucoup de confusion autour de la signification réelle de ce qu'est la cote de rendement au collégial.

Il ne faut jamais oublier que la cote R peut refléter un tas de choses, sauf ce que chacun vaut comme personne. Une cote R élevée donne des indications sur l'énergie et le temps que la personne consacre à ses études, sur l'importance qu'elle leur accorde ou encore sur la facilité avec laquelle elle réussit dans un contexte scolaire.

De la même façon, une cote R faible ne signifie pas qu'un étudiant est « nul ». Deux personnes peuvent obtenir la même cote dans des contextes variés et des conditions différentes. Même s'il y a autant de significations qu'il y a de personnes, aucune n'est en lien avec la valeur individuelle. La cote R peut refléter, entre autres, le fait qu'au cours des derniers mois ou des dernières années la réussite ne figurait pas en tête des priorités de l'élève ou qu'à cette étape-ci de sa vie, la participation à des activités extrascolaires, le bénévolat, les amis, les responsabilités familiales, les loisirs ont pris plus d'importance à ses yeux ou accaparé plus de son temps et de son énergie que ses résultats scolaires.

Il est également possible que cet élève appartienne à une catégorie de bûcheurs dont les efforts, l'énergie et le temps consacrés à étudier, à se faire expliquer encore et encore la matière ne transparaissent pas dans leurs résultats scolaires. De toute façon, un bûcheur n'est jamais perdant. Car en bûchant, il a peut-être développé sa persévérance, sa ténacité, son sens de la discipline et de l'effort, sa capacité à essuyer un échec sans se décourager et à se retrousser les manches pour recommencer. Ces qualités personnelles et ces attitudes sont des atouts précieux pour réussir dans plusieurs métiers et professions dont l'accès n'est pas restreint par un contingentement. Ce qui rend la situation beaucoup moins tragique qu'il n'y paraît à première vue.

Finalement, il est possible qu'en dépit de tous les efforts consacrés à la réussite, d'autres facteurs viennent contrecarrer un projet d'admission dans un programme. Il faut savoir, en effet, que la cote R peut diminuer les probabilités qu'un candidat puissent être admis dans un programme contingenté quand l'établissement universitaire visé n'utilise pas cette méthode d'évaluation du dossier scolaire.

La cote R et la réalisation du projet professionnel

Au moment d'élaborer son projet professionnel, l'élève ne peut qu'anticiper l'effet de la cote R sur la réalisation de ses aspirations. Au moment de passer à l'étape de la réalisation, par contre, l'application de la cote R apparaît comme une réalité dont il doit tenir compte. Que ce soit lors d'un refus dans un programme contingenté ou lors d'une demande de changement de programme, diverses stratégies peuvent être mises de l'avant afin de minimiser les effets d'un refus et de maximiser ses chances de se réaliser dans un autre programme de formation.

Réagir à un refus à la suite d'une demande d'admission dans un programme contingenté

Il est souhaitable que chaque élève détermine un ou des choix de rechange, même lorsque ses résultats lui permettent de croire qu'il a de bonnes chances d'être admis dans son premier choix.

Lors d'un refus, les étudiants ont la possibilité de présenter une nouvelle demande d'admission dans le programme choisi et de s'inscrire dans un autre programme pour éventuellement accéder au programme désiré. Dans ce dernier cas, il serait prudent de s'assurer que le programme sélectionné comme voie d'accès au programme convoité les intéresse vraiment et qu'ils seront heureux de s'y retrouver s'ils devaient essuyer un autre refus. Suivre un programme « en attendant » est rarement gage de succès et de motivation. Ils ont également la possibilité d'aller en appel de la décision. Pour ce faire, l'étudiant devra consulter son conseiller ou sa conseillère avant de s'adresser à l'agent ou l'agente d'admission de l'université.

Accéder à un programme contingenté par un changement de programme

À l'université, tout comme au cégep, certains candidats tentent de déjouer le système en utilisant la procédure de changement de programme pour accéder enfin à un programme contingenté dans lequel ils avaient précédemment été refusés.

Cette façon de procéder est certes tout à fait normale et de nombreux étudiants accèdent chaque année au programme convoité après avoir fait une ou plusieurs années d'études universitaires dans un autre programme. Il faut cependant savoir que cette procédure comporte des règles et qu'il importe de les connaître avant de choisir un « programme transitoire » devant mener à une deuxième demande dans un programme contingenté.

Au moment d'étudier les demandes de changement de programme, les universités peuvent utiliser une « cote de rendement universitaire ». Dans certains cas, cette cote inclut un « indicateur de force par discipline » et dans d'autres cas, on effectue une correction de la cote universitaire en fonction du programme d'où provient le candidat.

Ces ajustements corrigent la cote de rendement universitaire à la hausse ou à la baisse. Dans la plupart des cas, le fait de provenir d'un programme contingenté ou d'un programme de sciences augmente la cote de rendement ainsi que la probabilité d'une admission par un changement de programme.

Il se peut aussi que la cote de rendement au collégial continue d'influencer l'analyse du dossier. Par exemple, il est possible que seul le dossier collégial soit pris en considération lorsque le dossier universitaire comporte moins de 15 crédits. Ce poids du dossier collégial diminue ensuite graduellement jusqu'à disparaître complètement au-delà de 50 crédits obtenus à l'université.

Chaque établissement universitaire a ses propres politiques et procédures à ce sujet. Lorsqu'un étudiant projette d'effectuer un changement de programme à l'université, il sera de première importance de consulter les publications de l'établissement concerné afin d'en connaître davantage au sujet de la cote de rendement universitaire. On trouve habituellement des renseignements à ce sujet dans les guides d'admission et les annuaires généraux publiés annuellement par les universités.

Les commentaires concernant la cote de rendement au collégial s'appliquent également à la cote de rendement universitaire. Une bonne stratégie s'appuie d'abord sur une connaissance approfondie de soi et de ses véritables aspirations.

La condition d'admission incontournable

La première condition pour accéder à des études universitaires, dans un programme contingenté ou non, consiste à réussir un programme d'études collégiales. Il en est de même pour ceux qui utilisent la stratégie d'un changement de programme. Il faut d'abord et avant tout bien réussir là où l'on se trouve pour pouvoir espérer aller plus loin.

Vouloir obtenir une cote de rendement à toute épreuve risque de placer un candidat dans une situation de décrochage potentiel. Non seulement risque-t-il de manquer son pari d'augmenter sa cote de rendement, mais il met en péril, du moins temporairement, l'obtention de son diplôme d'études collégiales dans les délais fixés.

Les stratégies qui visent à avoir plus de prise sur la cote de rendement donnent l'**illusion** de pouvoir contrôler ce qui ne l'est pas alors que le calcul de la cote de rendement est constitué d'impondérables.

DOSSIER – Étudier ailleurs dans le monde

Avez-vous déjà envisagé d'effectuer une partie de vos études en Colombie-Britannique, en France, au Mexique ou même au Japon?

Les universités québécoises, résolument ouvertes sur le monde, offrent à leurs étudiants des trois cycles (baccalauréat, maîtrise et doctorat) la possibilité de réaliser une partie de leur programme d'études dans un établissement universitaire situé hors du Québec.

Les programmes universitaires d'études à l'étranger

Les initiatives visant l'internationalisation des études, tels que les programmes d'échanges d'étudiants, font maintenant partie intégrante de la culture des établissements universitaires du Québec. Les échanges peuvent s'inscrire dans le cadre de programmes multilatéraux, impliquant une entente entre des établissements universitaires du Québec et des établissements universitaires étrangers. Ces programmes sont administrés par des règles communes prévues par des organismes spécifiques. Voici trois exemples de programmes multilatéraux adoptés par les universités québécoises :

- Les programmes d'échanges d'étudiants de la CREPUQ (Conférence des recteurs et des principaux des universités du Québec) permettent à des étudiants des trois cycles universitaires d'étudier pendant un ou deux trimestres dans l'un des 500 établissements universitaires partenaires localisés dans plus de 20 pays.
- Des bourses sont attribuées par l'Agence universitaire de la Francophonie pour favoriser la mobilité internationale des étudiants. Ces mobilités doivent relier deux universités ou institutions membres de l'AUF de pays différents dont au moins l'un du Sud ou de l'Est. L'offre de mobilité visant les étudiants s'articule autour de trois principales catégories : les Bourses de formation initiale et les Bourses de stage professionnel qui s'adresse aux étudiants de deuxième et troisième cycles et les Bourses de formation à la recherche qui sont réservées aux étudiants de troisième cycle.

Il existe également des programmes d'échanges issus d'ententes bilatérales convenues entre un établissement universitaire québécois et un établissement universitaire étranger, et même, dans certains cas, entre des départements ou des facultés. Ces programmes élaborés sur mesure répondent à des objectifs propres à chacun des partenaires et sont négociés à la pièce.

Les modalités de fonctionnement

Les étudiants qui participent à un programme d'échanges restent liés en tout temps à leur établissement d'attache. Cela signifie que les étudiants :

- demeurent inscrits à leur établissement d'attache durant leur séjour d'études à l'étranger (pour une durée allant de un à deux trimestres);
- acquittent leurs frais de scolarité à leur établissement d'attache;
- bénéficient des crédits obtenus à l'établissement d'accueil pour l'obtention de leur diplôme. Les crédits acquis sont transférés à l'université d'attache et apparaissent avec la mention EQV (équivalent) sur le bulletin;
- recevront le diplôme émis par leur établissement d'attache. Il arrive que certaines ententes bilatérales prévoient la remise de deux diplômes (diplôme émis par l'université d'attache et diplôme émis par l'université d'accueil), comme c'est le cas pour le programme international en gestion de l'Université du Québec en Outaouais (UQO).

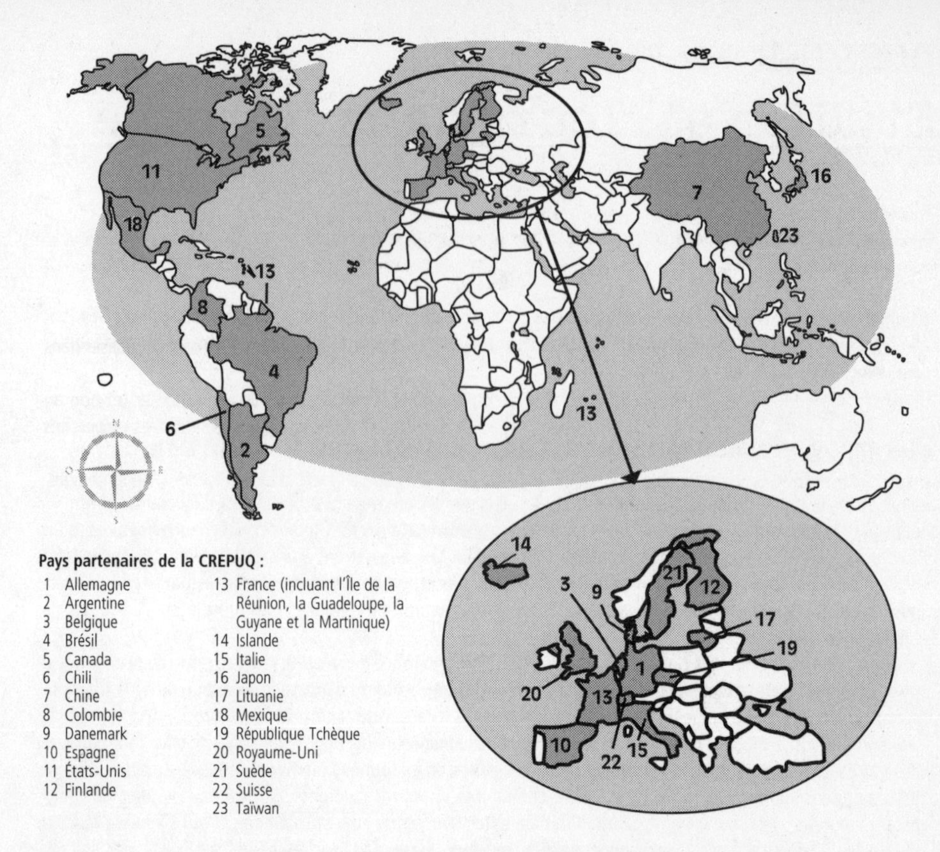

Les avantages d'un séjour d'études à l'étranger

Étudier à l'étranger offre aux participants l'occasion exceptionnelle d'acquérir des connaissances sur la réalité culturelle, économique, politique et sociale du pays d'accueil et peut ouvrir la voie vers un emploi dans une entreprise œuvrant sur la scène internationale. Le fait d'être en contact avec d'autres valeurs et d'autres méthodes pédagogiques et scientifiques encourage le développement du sens critique, suscite des remises en question et favorise une plus grande ouverture d'esprit. De plus, les personnes qui vivent une telle expérience créent un réseau de relations qui leur sera profitable tant dans leur vie professionnelle que personnelle.

En plus de l'acquisition d'une deuxième ou d'une troisième langue, un séjour d'études à l'étranger favorise chez les participants la connaissance de soi, la débrouillardise, la capacité d'adaptation, la gestion du stress ainsi que le développement de leurs champs d'intérêt et de leur potentiel. Tous ces acquis auront un impact significatif sur le parcours universitaire, personnel et professionnel de l'étudiant, lui permettant d'améliorer son profil et de se distinguer auprès d'éventuels employeurs.

PARTIR UN TRIMESTRE OU UNE ANNÉE?

Il est suggéré de privilégier une formule d'échanges étalée sur une année plutôt que de partir pour un trimestre seulement. Compte tenu du temps requis pour s'intégrer à une nouvelle culture et à un système d'enseignement différent, un séjour d'études d'une année permet de tirer le maximum d'avantages de cette expérience unique. Il faut aussi considérer le calendrier universitaire qui diffère souvent du nôtre et le fait que plusieurs universités – en Europe, par exemple – offrent uniquement des cours sur une base annuelle.

Les conditions de participation

Les conditions énoncées ci-après concernent les programmes d'échanges d'étudiants de la CREPUQ. Pour connaître les conditions de participation relatives aux autres programmes, veuillez consulter la personne responsable du volet international de l'établissement universitaire que vous fréquentez.

- Être inscrit à temps plein dans un programme de baccalauréat, de maîtrise ou de doctorat.
- Avoir complété l'équivalent d'au moins une année d'études à temps plein dans le programme auquel vous êtes inscrit et demeurer inscrit à temps plein à ce même programme pendant votre séjour d'études dans l'établissement d'accueil.
- Posséder un excellent dossier académique.
- Obtenir auprès de votre université (établissement d'attache) l'approbation du programme des cours à réaliser dans l'établissement d'accueil.
- Maîtriser la langue d'enseignement de l'établissement d'accueil au moment du dépôt du dossier (et non au moment du départ). Certains tests peuvent être exigés. Le test d'anglais fréquemment utilisé par les universités étrangères anglophones est le TOEFL (Test of English as a Foreign Language).
- Disposer de ressources financières suffisantes pour assumer les frais de transport, d'alimentation, d'hébergement, d'assurance-maladie et les autres frais exigés par l'établissement d'accueil.
- Satisfaire aux exigences particulières imposées par l'établissement d'attache et par l'établissement d'accueil.

Les destinations

La liste des établissements participants aux programmes d'échanges d'étudiants de la CREPUQ peut être consultée à l'adresse suivante : http://echanges-etudiants.crepuq.qc.ca/ (à titre indicatif, voir la carte du monde à la page 410).

Pour les autres programmes, veuillez consulter la personne responsable du volet international de l'établissement que vous fréquentez.

Les modalités d'inscription

L'admissibilité et les modalités d'inscription à un programme d'échanges d'étudiants devront être vérifiées auprès de la personne responsable du volet international de chacun des établissements. À titre indicatif, voici les modalités propres aux programmes de la CREPUQ :

– Le formulaire de demande de participation doit être complété et soumis en ligne. Il faut d'abord obtenir un code d'accès auprès du responsable des ententes CREPUQ de l'établissement d'attache.
– Le dossier de candidature complet, incluant une copie du formulaire électronique dûment rempli et signé, doit être remis au responsable de l'établissement d'attache au plus tard à la mi-février ou à la date fixée par l'établissement.
– Pièces à joindre au formulaire de demande de participation pour compléter le dossier de candidature :
  1) une copie de la fiche individuelle d'état civil ou de tout autre document officiel attestant de l'identité du candidat;
  2) une copie du relevé de notes attestant les cours universitaires complétés et la liste des cours auxquels le candidat est présentement inscrit à l'établissement d'attache;
  3) une lettre, rédigée dans la langue de l'établissement d'accueil, présentant les objectifs de formation poursuivis en participant au programme d'échanges;
  4) la liste des cours (sigle et titre) que le candidat projette d'effectuer; cette liste doit être dressée pour chacun des établissements d'accueil retenus;
  5) une approbation de la liste des cours projetés émise par le doyen, le directeur des études ou l'instance appropriée de l'établissement d'attache. Cette liste doit être approuvée pour chacun des établissements d'accueil retenus:
  6) une lettre personnalisée de recommandation émise par le doyen, le directeur des études ou l'instance appropriée de l'établissement d'attache;
  7) une lettre émise par le doyen, le directeur des études ou l'instance appropriée attestant la maîtrise de la langue d'enseignement de l'établissement d'accueil, excepté si le programme d'études projeté porte sur l'étude de cette langue.

Les coûts et l'aide financière

LES COÛTS

Les coûts liés à la participation à un programme d'échanges varient en fonction de la durée du séjour et de la destination choisie puisque le coût de la vie dans la ville d'accueil constitue un facteur déterminant. Selon les données fournies par l'Université Laval, il faut prévoir environ 12 000 $ CA pour une année d'études.

L'AIDE FINANCIÈRE

Tous les étudiants qui poursuivent des études à l'étranger dans le cadre d'un programme d'échanges conservent leur droit au programme de prêts et bourses du gouvernement du Québec et aux programmes de bourses des organismes subventionnaires (FQRNT, CRSH, CRSNG, etc.) durant toute la durée de leur séjour, à la condition de conserver le statut d'étudiant à temps complet.

Plusieurs autres sources de financement sont à explorer telles que les bourses d'excellence et de mobilité internationale offertes par les établissements universitaires et par les donateurs privés (Bourses J.-Armand Bombardier, bourses de la fondation Rotary International, etc.). Voici quelques exemples de programmes d'aide financière mis de l'avant par le gouvernement du Québec :

- Programme de bourses pour de courts séjours d'études universitaires à l'extérieur du Québec (PBCSE). Ce programme permet un maximum de deux séjours variant de deux à quatre mois chacun, pour une durée totale maximale de huit mois. Le montant maximal varie de 750 $ à 1 000 $ par mois selon le pays de destination.
- Programme Poursuite d'études collégiales et universitaires en France (PÉCUF). Ce programme offre un soutien financier et logistique aux étudiants qui veulent étudier en France.

UN SITE À CONSULTER

Le site Bourses études.com identifiera gratuitement pour vous toutes les bourses et subventions auxquelles sont admissibles les étudiants de niveau postsecondaire. Vous n'avez qu'à vous inscrire pour obtenir ce service : www.boursetudes.com/

RESPONSABLES QUÉBÉCOIS

La liste des noms et les coordonnées des responsables québécois des programmes d'échanges de la CREPUQ peut être consultée à l'adresse électronique suivante : **http://echanges-etudiants.crepuq.qc.ca/**

Pour les autres programmes d'échanges d'étudiants, veuillez vous adresser directement aux établissements universitaires concernés (voir la liste des établissements universitaires du Québec aux pages 414 et 415 et demander le nom de la personne responsable du volet international.

Les adresses utiles

AUF – Agence universitaire de la francophonie .... http://www.auf.org/membres/

Échanges Canada .... www.exchanges.gc.ca

Conseil des ministres de l'Éducation (Canada) .... www.cmec.ca/olp/

CBIE – Bureau canadien de l'éducation internationale .... www.cbie.ca

CCIFQ – Centre de coopération interuniversitaire franco-québécoise .... www.ccifq.org

CNOUS – Centre national des œuvres universitaires et scolaires .... www.cnous.fr

CREPUQ – Conférence des recteurs et des principaux des universités du Québec..... http://crepuq.qc.ca
http://echanges-etudiants.crepuq.qc.ca/

ÉGIDE – Opérateur de mobilité international - (CIES) .... www.egide.asso.fr/

McMaster University .... www.mcmaster.ca/home.html

Montréal international .... www.montreal-intl.com

OFQJ – Office franco-québécois pour la jeunesse .... www.ofqj.gouv.qc.ca

OQAJ – Office Québec-Amérique pour la jeunesse .... www.oqaj.gouv.qc.ca

PLO – Programmes des langues officielles (Accent/Odyssée)...................... www.cmec.ca/olp

Queen's University.. www.queensu.ca/

University of Alberta .... www.ualberta.ca/Ualberta.html

University of British Columbia .... www.ubc.ca/

University of Toronto .... www.utoronto.ca/uoft.html

University of Waterloo .... www.uwaterloo.ca/

University of Western Ontario .... www.uwo.ca/

La liste des établissements universitaires du Québec et leurs coordonnées apparaissent aux pages 414 et 415.

Index alphabétique des établissements d'enseignement universitaire

ÉCOLE DE TECHNOLOGIE SUPÉRIEURE (ÉTS)
1100, rue Notre-Dame Ouest
Montréal (Québec) H3C 1K3
Bureau du registraire : 514 396-8888
Sans frais : 1 888 394-7888
Téléc. : 514 396-8831
admission@estmtl.ca
www.etsmtl.ca

HEC MONTRÉAL
3000, chemin de la Côte-Sainte-Catherine
Montréal (Québec) H3T 2A7
Bureau du registraire : 514 340-6151
registraire.info@hec.ca
www.hec.ca

ÉCOLE POLYTECHNIQUE DE MONTRÉAL
C.P. 6079, succursale Centre-Ville
Montréal (Québec) H3C 3A7
Recrutement étudiant : 514 340-4711, poste 4928
Renseignements généraux : 514 340-4711
Téléc. : 514 340-3213
monavenir@polymtl.ca
www.polymtl.ca

TÉLÉ-UNIVERSITÉ (TÉLUQ)
UNIVERSITÉ DU QUÉBEC À MONTRÉAL
455, rue du Parvis
C. P. 4800, succursale Terminus
Québec (Québec) G1K 9H5
Tél. : 418 657-3695
Sans frais : 1 888 843-4333
info@teluq.uqam.ca
www.teluq.uqam.ca

UNIVERSITÉ BISHOP'S
2600, rue Collège
Sherbrooke (Québec) J1M 0C8
Bureau de liaison et renseignements sur les programmes : 819 822-9600, poste 2681
Sans frais : 1 877 822-8200
Bureau des admissions : 819 822-9600, poste 2680
Sans frais : 1 800 567-2792
Téléc. : 819 822-9661
liaison@ubishops.ca
www.ubishops.ca

UNIVERSITÉ CONCORDIA
1455, boul. de Maisonneuve Ouest
Montréal (Québec) H3G 1M8
Bureau des admissions : 514 848-2668
Renseignements généraux : 514 848-2424
Téléc. : 514 848-2621
tell-me-more@concordia.ca
www.concordia.ca

UNIVERSITÉ DE MONTRÉAL
Registrariat
2332, boul. Édouard-Montpetit
Pavillon J.A. De Sève, 3e étage
C. P. 6128, succursale Centre-ville
Montréal (Québec) H3C 3J7
Bureau des admissions : 514 343-7076
Téléc. : 514 343-5788
admissions@regis.umontreal.ca
www.umontreal.ca

UNIVERSITÉ DE SHERBROOKE
2500, boul de l'Université
Sherbrooke (Québec) J1K 2R1
Service de l'admission : 819 821-7686
Information sur les programmes : 819 821-7686
Sans frais : 1 800 267-8337
Courriel : www.USherbrooke.ca/information
www.USherbrooke.ca

UNIVERSITÉ DU QUÉBEC À CHICOUTIMI (UQAC)
555, boul. de l'Université
Chicoutimi (Québec) G7H 2B1
Bureau du registraire et admissions : 418 545-5005
Information sur les programmes : 418 545-5030
Sans frais : 1 800 463-9880
Téléc. : 418 545-5012
www.uqac.ca

UNIVERSITÉ DU QUÉBEC À MONTRÉAL (UQAM)
Registrariat
C. P. 6190, Succursale Centre-ville
Montréal (Québec) H3C 4N6
Tél. : 514 987-3132
Téléc. : 514 987-8932
admission@uqam.ca
www.uqam.ca

UNIVERSITÉ DU QUÉBEC À RIMOUSKI (UQAR)
300, allée des Ursulines
Rimouski (Québec) G5L 3A1
Information sur les programmes : 1 800 511-3382
Bureau des admissions : 418 724-1433
Tél. général : 418 723-1986
Téléc. : 418 724-1525
admission@uqar.ca
www.uqar.ca

UNIVERSITÉ DU QUÉBEC À TROIS-RIVIÈRES (UQTR)
3351, boul. des Forges, C. P. 500
Trois-Rivières (Québec) G9A 5H7
Bureau du registraire et admissions : 819 376-5045
Sans frais : 1 800 365-0922
Téléc. : 819 376-5210
registraire@uqtr.qc.ca
www.uqtr.ca

UNIVERSITÉ DU QUÉBEC EN ABITIBI-TÉMISCAMINGUE (UQAT)
445, boul. de l'Université
Rouyn-Noranda (Québec) J9X 5E4
Bureau du registraire : 819 762-0971, poste 2210
Téléc. : 819 797-4727
registraire@uqat.ca
www.uqat.ca

UNIVERSITÉ DU QUÉBEC EN OUTAOUAIS (UQO)
101, rue Saint-Jean-Bosco
C. P. 1250, Succursale Hull
Gatineau (Québec) J8X 3X7
Sans frais : 1 800 567-1283
Tél. général : 819 595-3900
Courriel : questions@uqo.ca
www.uqo.ca/futurs-etudiants

UNIVERSITÉ LAVAL
Division de la promotion et du recrutement
Pavillon Alphonse-Desjardins, bureau 3577
Québec (Québec) G1K 7P4
Renseignements sur les programmes : 418 656-2764
Sans frais : 1 877 785-2825
Téléc. : 418 656-5216
accueil@dap.ulaval.ca
www.ulaval.ca

UNIVERSITÉ MCGILL
845, rue Sherbrooke Ouest
Montréal (Québec) H3A 2T5
Renseignements généraux : 514 398-3910
Bureau de recrutement et de liaison : 514 398-4751
Visites du campus : 514 398-6555
admissions@mcgill.ca
www.mcgill.ca

Universités hors Québec

UNIVERSITÉ D'OTTAWA
550, rue Cumberland
Ottawa (Ontario) K1N 6N5
Tél. : 613 562-5700
Sans frais : 1 877 uOttawa
Télec. : 613 562-5323
liaison@uOttawa.ca
www.uOttawa.ca

UNIVERSITÉ DE MONCTON
Campus d'Edmundston
165, boul. Hébert
Edmundston (Nouveau-Brunswick) E3V 2S8
Tél. : 506 737-5051
Sans frais : 1 888 736-UMCE (8623)
Téléc. : 506 737-5373
admissions@umce.ca
www.umoncton.ca